Nutrição Humana

Autoavaliação e Revisão

SAL
SERVIÇO DE ATENDIMENTO AO LEITOR
Tel.: 08000267753
www.atheneu.com.br
(21) 99165-6796
Facebook.com/editoraatheneu
Twitter.com/editoraatheneu
Youtube.com/atheneueditora

Nutrição Humana

Autoavaliação e Revisão

2ª edição

EDITORES

Helena Alves de Carvalho Sampaio

Graduação em Nutrição pela Universidade de São Paulo (USP). Mestrado em Educação e Doutorado em Farmacologia pela Universidade Federal do Ceará (UFC). Membro da International Health Literacy Association e da Rede Brasileira de Letramento em Saúde (REBRALS). Professora Emérita da Universidade Estadual do Ceará (UECE). Membro do Corpo Docente Permanente do Programa de Pós-Graduação em Saúde Coletiva (Mestrado e Doutorado) da UECE (PPSAC), respondendo pelas Disciplinas Nutrição e Doenças Crônicas Não Transmissíveis e Letramento Funcional em Saúde. Atua no Mestrado Profissional em Gestão em Saúde (MEPGES) da UECE, respondendo pela Disciplina Gestão da Clínica em Saúde e Estratégias de Letramento em Saúde. Líder do Grupo de Pesquisa Nutrição e Doenças Crônico-Degenerativas, com mais enfoque nas Inter-Relações entre Nutrição e Obesidade, Câncer e/ou Doenças Cardiovasculares, além de Produção Científica na área de Letramento em Saúde e Nutrição.

Antônio Augusto Ferreira Carioca

Graduado em Nutrição pela Universidade Estadual do Ceará (UECE). Mestre em Ciências pela Universidade de São Paulo (USP). Doutor pelo Programa de Pós-Graduação Nutrição em Saúde Pública pela USP. Integrante dos Grupos de Pesquisa Cadastrados no CNPq: Nutrição e Doenças Crônico-Degenerativas pela UECE (Nutrindo) e Grupo de Estudos Epidemiológicos e Inovação em Alimentação e Saúde pela FSP-USP (GEIAS). *Expertise* em Nutrição Humana e Epidemiologia, com Avaliação das Interações Dieta-Doença. Docente na Universidade de Fortaleza (Unifor).

EDITORA ATHENEU

São Paulo —	Rua Avanhandava, 126 – 8º andar Tels.: (11) 2858-8750 E-mail: atheneu@atheneu.com.br
Rio de Janeiro —	Rua Bambina, 74 Tel.: (21) 3094-1295 E-mail: atheneu@atheneu.com.br

CAPA: Equipe Atheneu
PRODUÇÃO EDITORIAL: Adielson Anselme

CIP-BRASIL. CATALOGAÇÃO NA PUBLICAÇÃO
SINDICATO NACIONAL DOS EDITORES DE LIVROS, RJ

S183n
2. ed.

Sampaio, Helena Alves de Carvalho
Nutrição humana : autoavaliação e revisão/editores Helena Alves de Carvalho Sampaio, Antônio Augusto Ferreira Carioca. – 2. ed. – Rio de Janeiro: Atheneu, 2019.
554 p.; 24 cm.

Inclui bibliografia e índice
ISBN 978-85-388-1039-1

1. Nutrição. 2. Nutrição – Problemas, questões, exercícios. I. Carioca, Antônio Augusto Ferreira. II. Título.

19-59160 CDD: 612.3
CDU: 612.3

Meri Gleice Rodrigues de Souza - Bibliotecária CRB-7/6439
14/08/2019 21/08/2019

SAMPAIO, H.A.C.; CARIOCA, A.A.F.
Nutrição Humana – Autoavaliação e Revisão – 2ª edição

Colaboradores

Ádila da Silva Castro

Nutricionista pela Universidade de Fortaleza (Unifor). Mestre em Nutrição e Saúde pela Universidade Estadual do Ceará (UECE). Membro do Grupo de Estudo em Nutrição Oncológica (GENO), que desenvolve pesquisas na relação carcinogênese, obesidade e nutrição. Membro do Grupo de Estudos no Laboratório de Análise de Alimentos e Micronutrientes da UECE (GMIC). Docente no Curso de Nutrição da Unifor.

Ana Luiza de Rezende Ferreira Mendes

Bacharel em Nutrição pela Universidade Estadual do Ceará (UECE). Mestre em Ciências Fisiológicas e Doutora em Saúde Coletiva pela UECE. Nutricionista do Hospital São José de Doenças Infecciosas e Docente do Curso de Nutrição do Centro Universitário Estácio do Ceará.

Andrea Bonvini

Nutricionista graduada em Nutrição pela Faculdade de Medicina do ABC (FMABC). Especialista em Nutrigenética e Nutrigenômica na Prática Clínica pela Faculdade Unyleya. Doutoranda no Programa de Pós-Graduação em Ciência dos Alimentos da Faculdade de Ciências Farmacêuticas da Universidade de São Paulo (FCF/USP).

Audrey Yule Coqueiro

Graduada em Nutrição pelo Centro Universitário das Faculdades Metropolitanas Unidas (FMU). Doutoranda em Ciência dos Alimentos pela Faculdade de Ciências Farmacêuticas da Universidade de São Paulo (FCF/USP).

Bruna Yhang da Costa Silva

Professora Efetiva do Instituto Federal de Educação, Ciência e Tecnologia do Ceará. Mestre em Saúde Pública e Doutora em Saúde Coletiva. Graduada em Nutrição pela Universidade Estadual do Ceará (UECE).

Carolinne Reinaldo Pontes

Graduada em Nutrição pela Universidade Estadual do Ceará (UECE). Mestrado em Ciência e Tecnologia de Alimentos pela Universidade Federal do Ceará (UFC). Doutorado em Biotecnologia na Rede Nordeste de Biotecnologia (RENORBIO/ UECE). Docente e Coordenadora do Curso de Nutrição da Universidade de Fortaleza (Unifor). Professora Substituta da UECE. Professora do Curso de Especialização em Gestão da Qualidade na UECE. Consultora da empresa Apoio Técnico Consultoria Empresarial e SEBRAE. Tem experiência na área de Nutrição, com ênfase em Alimentação Coletiva, atuando principalmente nos seguintes temas: Rotulagem Nutricional, Rotulagem de Alimentos, Unidade de Alimentação, Segurança Alimentar e Condições Higiênico-Sanitárias.

Claisa Andréa Freitas Rabelo

Graduação em Engenharia de Alimentos pela Universidade Federal do Ceará (UFC). Mestrado em Tecnologia de Alimentos pela UFC. Doutorado em Biotecnologia pela Rede Nordeste de Biotecnologia/Universidade Estadual do Ceará (RENORBIO/UECE). Professora Adjunta da UECE, onde desenvolve atividades de Ensino, Pesquisa e Extensão nos cursos de graduação em Nutrição e Mestrado Acadêmico em Nutrição e Saúde (MANS).

Clarice Maria Araujo Chagas Vergara

Nutricionista graduada pela Universidade Estadual do Ceará (UECE). Pós-Doutorado em Saúde Coletiva pela UECE. Doutorado em Biotecnologia pela Rede Nordeste de Biotecnologia/Universidade Federal do Ceará (RENORBIO/UFC). Mestrado em Tecnologia de Alimentos pela UFC. Professora Colaboradora do Mestrado Acadêmico em Nutrição e Saúde da UECE. Professora dos Cursos de Especialização em Gestão da Qualidade em Serviços de Alimentação e Vigilância Sanitária de Alimentos da UECE.

Cláudia Machado Coelho Souza de Vasconcelos

Nutricionista. Mestre em Saúde Pública. Doutora em Saúde Coletiva. Pós-Graduada em Comportamento Alimentar e Professora Adjunta do Curso de Nutrição da Universidade Estadual do Ceará (UECE).

Daianne Cristina Rocha

Nutricionista. Mestre e Doutora em Saúde Coletiva (UECE). Especialista em Nutrição Clínica e Esportiva (IPGS). Professora da Graduação em Nutrição da Unichristus – Centro Universitário. Membro do Grupo de Pesquisa em Nutrição e Doenças Crônicas (Nutrindo).

Daniel Câmara Teixeira

Graduação em Nutrição pela Universidade Estadual do Ceará (UECE). Mestre em Bioquímica pela Universidade Federal do Ceará (UFC). PhD em Nutrição pela University of Nebraska-Lincoln, EUA. Professor Efetivo do Curso de Graduação em Nutrição da Universidade de Fortaleza (Unifor).

Daniela Vasconcelos de Azevedo

Doutora em Ciências da Saúde pela Universidade Federal do Rio Grande do Norte (UFRN). Pós-Doutorado em Saúde Coletiva pela Universidade Federal do Ceará (UFC). Professora do Mestrado Acadêmico de Nutrição e Saúde da Universidade Estadual do Ceará (UECE). Membro do Observatório Cearense de Cultura Alimentar (OCCA).

Fernanda Maria Machado Maia

Nutricionista. Especialista em Nutrição Clínica. Mestre em Bioquímica. Doutorado em Bioquímica. Pós-Doutoramento em Bioquímica. Professora-Associada da Universidade Estadual do Ceará (UECE). Curso de Graduação em Nutrição e Mestrado Acadêmico em Nutrição e Saúde.

Geam Carles Mendes dos Santos

Bacharel em Nutrição. Mestre em Ciências Fisiológicas pela Universidade Estadual do Ceará (UECE). Pró-Reitor Acadêmico do Centro Universitário Estácio do Ceará. Docente do Curso de Nutrição do Centro Universitário Estácio do Ceará.

Gláucia Posso Lima

Nutricionista graduada pela Universidade Estadual do Ceará (UECE). Mestrado em Ciência e Tecnologia de Alimentos pela Universidade Federal do Ceará (UFC). Doutorado em Saúde Coletiva pela UECE. Professora Adjunta da UECE – Docente do Colegiado do Curso de Nutrição. Docente Permanente do Curso de Mestrado Profissional Ensino de Saúde, do Curso de Mestrado Profissional Gestão em Saúde e do Curso de Mestrado Profissional Saúde da Família. Experiência nas áreas de Saúde Coletiva, com ênfase em Processos Formativos nas áreas de Saúde, Tecnologias Leves em Saúde e Alimentação Coletiva.

Ilana Nogueira Bezerra

Pós-Doutora em Saúde Coletiva pelo Instituto de Saúde Coletiva da Universidade Federal da Bahia (ISC/UFBA). Doutora em Ciências pelo Programa de Fisiopatologia Clínica e Experimental da Universidade do Estado do Rio de Janeiro (FISCLINEX/UERJ). Mestre em Epidemiologia pelo Instituto de Medicina Social Social (IMS) da UERJ. Nutricionista pela Universidade Estadual do Ceará (UECE). Professor Adjunto do Curso de Nutrição da UECE. Professora Permanente do Mestrado Acadêmico em Nutrição e Saúde e do Programa de Pós-Graduação em Saúde Coletiva da UECE.

Lia Silveira Adriano

Graduada em Nutrição pela Universidade Estadual do Ceará (UECE). Mestre em Nutrição e Saúde. Doutoranda do Programa de Pós-Graduação em Saúde Coletiva. Docente do Curso de Nutrição da Universidade de Fortaleza (Unifor). Atua na área de Alimentação Coletiva, com Experiência Profissional na Gestão da Qualidade em Serviço de Alimentação e Nutrição.

Luíza Silva Leite
Nutricionista pela Universidade Estadual do Ceará (UECE). Mestre em Nutrição e Saúde pela UECE.

Marcelo Macedo Rogero
Nutricionista graduado pela Faculdade de Saúde Pública da Universidade de São Paulo (FSP/USP). Especialista em Nutrição em Esporte pela Associação Brasileira de Nutrição (ASBRAN). Mestre e Doutor em Ciência dos Alimentos pela Faculdade de Ciências Farmacêuticas (FCF/USP). Pós-Doutorado pela FCF/USP. Pós-Doutorado pela Faculdade de Medicina da University of Southampton – Inglaterra. Professor-Associado do Departamento de Nutrição da FSP/USP. Coordenador do Laboratório de Genômica Nutricional e Inflamação (GENUIN).

Maria Luisa Pereira de Melo
Doutora em Farmacologia. Nutricionista do Hospital Geral de Fortaleza (HGF-SUS). Professora Associada da Universidade Estadual do Ceará (UECE) com atividades na Graduação em Nutrição e em Medicina. Docente do Mestrado Acadêmico de Nutrição e Saúde e do Mestrado Profissional em Transplante de Órgãos.

Maria Rosimar Teixeira Matos
Nutricionista pela Universidade Estadual do Ceará (UECE). Especialista em Nutrição Clínica pela UECE. Mestre em Bioquímica pela Universidade Federal do Ceará (UFC). Doutora em Biotecnologia pela Rede Nordeste de Biotecnologia. Professora-Associada do Curso de Graduação em Nutrição da UECE e de Cursos de Especialização da UECE e de outras IES.

Mariana Dantas Cordeiro
Professora Substituta da Universidade Estadual do Ceará (UECE). Mestrado em Nutrição e Saúde pela UECE. Nutricionista pela UECE.

Marle dos Santos Alvarenga
Nutricionista, Mestre, Doutor e Pós-Doutor pela Faculdade de Saúde Pública da Universidade de São Paulo (FSP/USP). Coordenador do Grupo Especializado em Nutrição, Transtornos Alimentares e Obesidade (GENTA). Supervisor do Grupo de Nutrição do Programa de Transtornos Alimentares (AMBULIM-HC-FMUSP). Sócio-Coordenador do Instituto Nutrição Comportamental.

Nara de Andrade Parente
Doutoranda em Saúde Coletiva pela Universidade Estadual do Ceará (UECE). Mestre em Saúde Coletiva pela UECE. Pós-Graduada em Nutrição Clínica Funcional pela Universidade Cruzeiro do Sul. Pós-Graduada em Fitoterapia Funcional pela Universidade Cruzeiro do Sul. Docente da Universidade de Fortaleza (Unifor).

Sara Maria Moreira Lima Verde

Professora Adjunta do Curso de Nutrição da Universidade Estadual do Ceará (UECE) e do Programa de Pós-Graduação em Nutrição e Saúde/Centro de Ciências da Saúde (PPGNS/CCS/UECE). Líder do Grupo de Pesquisa (Diretório CNPq) – Biomarcadores em Nutrição Clínica e Experimental e Coordenadora do Grupo de Estudos em Nutrição Oncológica (GENO/UECE). Mestre em Saúde Pública pela Faculdade de Saúde Pública da Universidade de São Paulo (FSP/USP). Doutora em Ciências pelo Programa de Nutrição em Saúde Pública (FSP/USP). Especialista em Nutrição Clínica (UECE). Nutricionista pela UECE.

Soraia Pinheiro Machado Arruda

Graduação em Nutrição pela Universidade Estadual do Ceará (UECE). Mestrado em Saúde Pública pela UECE. Doutorado em Saúde Coletiva pela Universidade Federal do Maranhão (UFM). Pesquisadora e Professora Adjunta do Curso de Graduação em Nutrição. Mestrado Acadêmico em Nutrição e Saúde e Doutorado em Saúde Coletiva da UECE. Experiência nas áreas de Nutrição e Saúde Coletiva, atuando principalmente nos seguintes temas: Avaliação do Consumo e Comportamento Alimentar, com ênfase em Padrões Alimentares e Fatores Associados e Obesidade.

Thelma Celene Saraiva Leão

Nutricionista. Economista Doméstica. Especialista em Nutrição Humana. Mestre em Tecnologia de Alimentos. Professora Adjunta da Universidade Estadual do Ceará (UECE). Curso de Graduação em Nutrição.

Prefácio da Segunda Edição

Para os profissionais de Saúde, é de suma relevância a educação continuada em suas áreas de formação para lograr o fortalecimento dos saberes auferidos, porquanto dele derivam o aprimoramento dos serviços oferecidos aos seus utentes e a própria satisfação individual advinda da ampliação da capacitação técnica.

Os livros de autoavaliação constituem um excelente procedimento de educação continuada nessa área, prestando-se, pois, para consolidar e revisar o nível técnico exibido e incentivar a consistente procura da aprendizagem.

A potencial clientela desta obra é a de estudantes de Nutrição que se preparam para os exames finais, a exemplo do ENADE, e os processos de seleção para Residência Profissional de Nutrição ou Residência Multiprofissional de diversas especialidades que contemplem vagas de Nutrição, bem como a todos os candidatos que almejam ser bem-sucedidos em concursos públicos nesse campo de trabalho. Por extensão, é também fartamente útil aos mais variados profissionais, nutricionistas a correlatos, que atuam em áreas de Nutrição e Alimentação e desejam avaliar o seu nível de atualização.

As suas questões contêm cinco opções, sendo apenas uma a correta, e vêm acompanhadas de respostas comentadas e das respectivas referências, o que possibilita a confirmação e o aperfeiçoamento das informações expostas.

Nesse aspecto, é justo realçar que as questões foram elaboradas tendo por base, de preferência, os conteúdos programáticos e as fontes básicas mais utilizadas em cursos de graduação em Nutrição.

Esta segunda edição congrega 617 questões, devidamente atualizadas, estando distribuídas em duas partes: a I – Tópicos em Nutrição Básica, composta por sete capítulos, somando 220 questões, e a II – Tópicos em Nutrição Aplicada, formada por 12 capítulos, perfazendo 397 questões.

Na Parte I, além da inserção da Legislação Sanitária no Capítulo 2, foram inseridos três novos capítulos: Inflamação e Nutrição, Imunonutrição e Genômica Nutricional. A Parte II, comparativamente ao que se viu na primeira edição, trouxe um rearranjo da sua estrutura explicitado nos seguintes capítulos: Comportamento Alimentar, Terapia Nutricional Enteral e Parenteral, Nutrição Esportiva, Nutrição Funcional, Investigação em Nutrição e Tópicos Especiais em Nutrição Humana.

Na condução desta edição, Helena Alves de Carvalho Sampaio, uma dádiva da pauliceia à terra alencarina, ícone da formação em Nutrição no Ceará, contou com a efetiva participação do professor Antônio Augusto Ferreira Carioca, em substituição à coeditora Maria Olganê Dantas Sabry, que se aposentou de suas atividades profissionais na UECE, após mais de três décadas de relevantes serviços prestados.

Helena Sampaio possui graduação em Nutrição pela Universidade de São Paulo (USP), Mestrado em Educação e Doutorado em Farmacologia pela Universidade Federal do Ceará UFC. É Professora Emérita da Universidade Estadual do Ceará (UECE), lecionando nesta desde 1980 e é membro do corpo docente permanente do Programa de Pós-Graduação em Saúde Coletiva (Mestrado e Doutorado) da UECE, respondendo pelas disciplinas Nutrição e Doenças Crônicas Não Transmissíveis e Letramento Funcional em Saúde. Foi Bolsista de Produtividade CNPq – PQ2 no triênio 2011-2014. É orientadora de dissertações e tese do referido Programa. Exerce atividade de revisora do "Jornal de Pediatria", da "Revista de Nutrição" e do "British Journal of Nutrition". É líder do grupo de pesquisa Nutrição e Doenças Crônico-Degenerativas, com maior enfoque sobre as inter-relações entre Nutrição e Obesidade, Câncer e/ou Doenças Cardiovasculares, além de produção científica na área de letramento em Saúde e em Nutrição.

Antônio Augusto Ferreira Carioca é graduado em Nutrição pela Universidade Estadual do Ceará (UECE), Mestre e Doutor em Nutrição em Saúde Pública pelo Programa de Pós-Graduação em Nutrição em Saúde Pública da USP. Faz parte dos grupos de pesquisa cadastrados no CNPq, Nutrição e Doenças Crônico-Degenerativas da UECE e do Grupo de Estudos Epidemiológicos e Inovação em Alimentação e Saúde da Faculdade de Saúde Pública da USP. Possui *expertise* em Nutrição Humana e Epidemiologia, com avaliação das interações dieta-doença. Atualmente, exerce atividade de docência na Universidade de Fortaleza (Unifor) e detém uma consolidada produção científica exibida em artigos e capítulos de livros.

O conjunto de autores colaboradores é igualmente um notável diferencial desta publicação, reunindo nutricionistas de escol, atuantes principalmente no Ceará, que combinam experiência docente com a labuta em serviços, lastreados em subsistente formação técnico-científica, posto que todos eles dispõem de pós-graduação (com a clara dominância do diploma de doutorado) e mantêm vinculação à carreira acadêmica.

Aos autores da primeira edição, nomeadamente Daniela Vasconcelos de Azevedo, Fernanda Maria Machado Maia, Gláucia Posso Lima, Helena Alves de Carvalho Sampaio, Maria Luisa Pereira de Melo, Maria Rosimar Teixeira Matos e Thelma Celene Saraiva Leão, foram incorporados os novos participantes Ádila da Silva Castro, Ana Luiza de Rezende Ferreira Mendes, Andrea Bonvini, Antônio Augusto Ferreira Carioca, Audrey Yule Coqueiro, Bruna Yhang da Costa Silva, Carolinne Reinaldo Pontes, Claisa Andréa Freitas Rabelo, Clarice Maria Araujo Chagas Vergara, Claudia Machado Coelho Souza de Vasconcelos, Daianne Cristina Rocha, Daniel Câmara Teixeira, Geam Carles Mendes dos Santos, Ilana Nogueira Bezerra, Lia Silveira Adriano, Luiza Silva Leite, Marcelo Macedo Rogero, Mariana Dantas Cordeiro, Marle dos Santos Alvarenga, Nara de Andrade Parente, Sara Maria Moreira Lima Verde e Soraia Pinheiro Machado Arruda.

Uma lembrança especial cabe a Maria Lúcia Barreto Sá, colaboradora da edição pretérita, cuja ausência física foi bastante sentida, porquanto ter sido ela chamada para uma nova modalidade de vivência, junto ao Pai, nos páramos celestiais. À ditosa colega, fica a nossa eterna saudade.

Ao final, resta afirmar que a presente edição segue preenchendo o espaço que conquistara com obra voltada à aprendizagem em Nutrição, no formato de autoavaliação e revisão.

Marcelo Gurgel Carlos da Silva

Médico. Economista. Professor Universitário. Pesquisador e Escritor. Especialista, Mestre e Doutor em Saúde Pública e Pós-Doutor em Economia da Saúde. Professor Titular da UECE, lecionando no Programa de Pós-Graduação em Saúde Coletiva e no Curso de Medicina. Médico do Instituto do Câncer do Ceará. Membro Titular da Academia Cearense de Medicina, da Academia Cearense de Médicos Escritores e da Academia Brasileira de Médicos Escritores. Sócio do Instituto do Ceará (Histórico, Geográfico e Antropológico) e da Sociedade Brasileira de Médicos Escritores – Regional Ceará.

Prefácio da Primeira Edição

Para os profissionais de Saúde é de capital importância a educação continuada em suas áreas de formação para obtenção o reforço de conhecimentos, pois disso resulta a melhoria dos serviços ofertados à população usuária e a satisfação pessoal pela maior capacitação técnica.

Os livros de autoavaliação compõem um notável instrumento de educação continuada nessa área, servindo para fixar e revisar o nível técnico e motivar a persistente busca do aprendizado.

As questões contêm cinco opções das quais somente uma é correta e são acompanhadas de respostas comentadas e das referências bibliográficas correspondentes, o que permite a ratificação e o aprimoramento dos conhecimentos.

A clientela potencial é a de estudantes de Nutrição e nutricionistas que se preparam para exames finais e concursos de seleção, mas também se constitui de diferentes profissionais que atuam em áreas de Nutrição e Alimentação e desejam avaliar o seu grau de atualização. Nesse sentido, é oportuno frisar que as questões foram redigidas tomando por princípio preferencialmente os conteúdos programáticos e as fontes básicas adotadas no nível da graduação.

O presente volume reúne 550 questões, dispersas em 11 capítulos, que contemplam os principais campos de interesse da nutrição humana e aplicada: Metabolismo, Microbiologia de Alimentos, Técnica Dietética, Tecnologia de Alimentos, Avaliação Nutricional, Dietética, Materno-Infantil, Clínica, Administração em Serviços de Alimentação, Educação Nutricional, Avanços em Nutrição Humana.

O corpo de colaboradores é da melhor estirpe da área de nutrição cearense, aliando experiência acadêmica e vivência em serviços, além de uma sólida formação técnico-científica, visto que todos possuem títulos de pós-graduação (especialização, mestrado, doutorado) e vínculos à docência universitária.

---

*Prefácio. In: Sampaio HAC, Sabry MOD. (org.) Nutrição humana: auto-avaliação e revisão. Rio de Janeiro: Atheneu, 2000. 190p.

Por fim, vale salientar que a obra supre uma lacuna em termos de publicação do tipo autoavaliação, cobrindo setor da maior importância para saúde da população.

Marcelo Gurgel Carlos da Silva
Médico. Economista. Professor Universitário. Pesquisador e Escritor. Especialista, Mestre e Doutor em Saúde Pública e Pós-Doutor em Economia da Saúde. Professor Titular da UECE, Lecionando no Programa de Pós-Graduação em Saúde Coletiva e no Curso de Medicina. Médico do Instituto do Câncer do Ceará. Membro Titular da Academia Cearense de Medicina, da Academia Cearense de Médicos Escritores e da Academia Brasileira de Médicos Escritores. Sócio do Instituto do Ceará (Histórico, Geográfico e Antropológico) e da Sociedade Brasileira de Médicos Escritores – Regional Ceará.

Introdução

Afinal, que livro é este?

Essa é uma indagação que poderá estar incomodando o leitor que procurar livros para se aprofundar no campo da Nutrição e da Saúde.

Nutrição Humana – Autoavaliação e Revisão. Perguntas e respostas? Será um livro preparatório para concursos nessa área? Ou será um livro-texto?

Na verdade, podemos dizer que é um pouco de ambos.

Não é formalmente um livro preparatório para concursos, pois se assim fosse haveria mais questões e estas teriam o *design* das questões comumente incluídas em concursos. Com este livro, não pretendemos oferecer dicas para aprovação em concursos, ou oferecer métodos mnemônicos de aprendizagem ou, ainda, não buscamos conteúdos que com certeza "cairão em concursos". Não. Nossa intenção foi formular perguntas, que irão exigir respostas, contribuindo para nossa proposta maior: sua autoavaliação e a revisão de seus conhecimentos.

Caro leitor, você costuma identificar em quais áreas está ficando defasado? Se você pretende mudar o campo de atuação, você tem buscado identificar quais as novas habilidades demandadas para esse novo campo? Você tem analisado se está com o conteúdo técnico suficiente e atualizado para um novo campo de atuação? Ou para o local em que já vem atuando? Você tem analisado quais as suas tendências nos diferentes campos da Nutrição? Tem procurado se aprofundar de acordo com tais tendências? Este livro contribuirá para todos esses aspectos.

Um dos nossos objetivos ao organizar este livro foi proporcionar tanto uma atualização para seu puro deleite, no sentido de identificar como você está com relação à Nutrição, como proporcionar a identificação de conteúdos cujos domínios necessitam ser aprimorados.

Mas por que também estamos considerando que este é um livro-texto?

Ao começar a folhear este livro, o leitor se deparará com uma riqueza de respostas detalhadas e fundamentadas em conhecimentos atuais, indo além da simplificação e incorporando, muitas vezes, respostas também para as alternativas "erradas", de modo que o leitor aprenderá e/ou atualizará o essencial sobre aquele tema.

O mosaico de temas que compõem este livro foi planejado com esmero, mediante dedicação ímpar de nossos colaboradores, privilegiando tanto tópicos clássicos, que fundamentam a Ciência da Nutrição, como descobertas mais recentes da investigação científica nessa área. Ao final, pode-se afirmar que o leitor não vai se decepcionar e vai encontrar um conteúdo rico para sedimentar conhecimentos e para adquirir novos conhecimentos.

Como organizadores, não poderíamos deixar de agradecer ao empenho de nossos colaboradores. Agradecemos aos que continuaram conosco, desde a primeira edição deste livro, e agradecemos aos que se alinharam conosco para elaborar esta segunda edição. Agradecemos de modo especial a Maria Lúcia Barreto Sá, que sempre valorizou a aquisição de conhecimentos e sempre buscou estratégias para facilitar e maximizar esse processo.

Boa leitura!

Helena Alves de Carvalho Sampaio

Antônio Augusto Ferreira Carioca

Sumário

PARTE II Tópicos em Nutrição Aplicada, 185

Parte I

Tópicos em Nutrição Básica

Capítulo 1

Nutrição e Metabolismo (NM)

Maria Rosimar Teixeira Matos

Questões

1. (NM) No que tange à relação entre estrutura e função das proteínas, é incorreto afirmar que:
   a) A sequência de aminoácidos de uma proteína determina suas propriedades funcionais.
   b) As mudanças na conformação de proteínas de células musculares são responsáveis pela contração muscular.
   c) A hemoglobina tem a função de transportar oxigênio, ao qual se liga de modo reversível.
   d) As enzimas são catalisadores proteicos com níveis similares de especificidade.
   e) A albumina participa do equilíbrio osmótico por aumentar a pressão coloidosmótica do plasma.

2. (NM) Analise as afirmativas a seguir com relação à digestão das proteínas:
   1) A digestão das proteínas tem início no estômago, a partir da conversão do pepsinogênio em pepsina, em meio ácido, fazendo a hidrólise nos aminoácidos aromáticos.
   2) A proenzima tripsinogênio, proveniente do pâncreas, é ativada em tripsina no intestino delgado pela ação da enteropeptidase.
   3) A digestão dos peptídeos maiores ocorre na luz intestinal por meio da ação das exopeptidases.
   4) Os peptídeos com menos de três resíduos de aminoácidos são digeridos pela oligoaminopeptidase.
   5) Os peptídeos com três ou mais aminoácidos são digeridos pelas carboxipeptidases na borda em escova.

Estão corretas:

a) Todas (1 a 5).
b) Somente 4.
c) Somente 1 e 2.
d) Somente 4 e 5.
e) Somente 1, 2 e 3.

3. (NM) Quanto à absorção dos aminoácidos e peptídeos, assinale a opção correta:

a) Os aminoácidos são predominantemente absorvidos na borda em escova por difusão facilitada ao envolver um sistema independente de sódio.
b) Os sistemas sódio-dependente e sódio-independente são compostos por proteínas de reconhecimento de grupos de aminoácidos de uma maneira inespecífica.
c) A absorção de aminoácidos é mais eficaz que a de peptídeos.
d) A absorção dos peptídeos menores ocorre por meio de um transporte ativo, envolvendo o transportador de peptídeo 1 (PepT1).
e) Os peptídeos menores são absorvidos na borda em escova por difusão facilitada.

4. (NM) Dentre as seguintes afirmativas sobre o metabolismo dos aminoácidos:

1) O *pool* de aminoácidos, composto pelos aminoácidos provenientes das proteínas dietéticas e endógenas, é utilizado para a síntese de proteínas endógenas e de compostos nitrogenados não proteicos.
2) Os aminoácidos podem ser desaminados, resultando na síntese de ureia.
3) Todos os aminoácidos podem sofrer reações de transaminação, com exceção da lisina e leucina, tendo o glutamato como produto comum.
4) Os tecidos extra-hepáticos, diante da desaminação, liberam amônia para o fígado na forma de glutamina.
5) O excesso de proteínas favorece a lipogênese hepática.

Estão corretas:

a) Todas (1 a 5).
b) Somente 1 e 2.
c) Somente 2, 3 e 5.
d) Somente 1, 4 e 5.
e) Somente 3 e 4.

5. (NM) No que diz respeito às funções dos carboidratos, é correto afirmar que:

a) A glicose é o único substrato de energia usado pelo cérebro.
b) As células não podem usar somente a glicose como fonte de energia.

c) O consumo adequado de carboidratos poupa as proteínas dietéticas.

d) A glicose pode favorecer a formação de corpos cetônicos.

e) Os dissacarídeos participam da formação do ácido desoxirribonucleico (DNA) por meio da via das pentoses fosfato.

6. (NM) Quanto à digestão dos carboidratos, é correto afirmar que:

a) A amilose é digerida no intestino delgado pela ação da α-amilase pancreática, resultando em dextrina.

b) Os malto-oligossacarídeos são digeridos na borda em escova por ação das glicoamilases.

c) A amilopectina, digerida pela amilase pancreática, resulta em malto-oligossacarídeos.

d) A dextrina é digerida na luz intestinal pela ação da dextrinase, resultando em glicose.

e) A lactose e a sacarose têm sua digestão na luz intestinal pela ação da lactase e da sacarase, respectivamente.

7. (NM) Com relação à absorção dos monossacarídeos, é correto afirmar que:

a) A glicose é absorvida no enterócito por transporte ativo, dependente de sódio, envolvendo a proteína de transporte de glicose e de sódio, denominada SGLT-2.

b) A galactose é absorvida por transporte ativo, envolvendo a proteína SGLT-3.

c) A frutose é absorvida por difusão facilitada, independente de sódio, envolvendo a proteína de transporte de monossacarídeos, denominada GLUT-5.

d) Na membrana basolateral, a proteína de transporte GLUT-2 reconhece os monossacarídeos por meio de gasto de energia.

e) Ao absorver os monossacarídeos, a célula favorece a fosforilação dos mesmos por meio da fosforilação oxidativa.

8. (NM) Quanto ao metabolismo dos carboidratos, é correto afirmar que:

a) Os transportadores proteicos (GLUT e SGLT) estão envolvidos na captação celular de monossacarídeos.

b) O glicogênio é um polímero de glicose formado predominantemente no fígado e nos músculos com a finalidade de manter a glicemia por meio da glicogenólise.

c) A gliconeogênese consiste na síntese de glicose predominantemente a partir dos aminoácidos, com exceção da lisina e da treonina.

d) Os ácidos graxos se convertem em glicose para a manutenção da glicemia.

e) A glicólise aeróbica e a gliconeogênese desempenham um papel fundamental no ciclo de Cori.

9. (NM) A insulina, hormônio exclusivamente anabólico, favorece o controle da glicemia, estimulando as ações a seguir, exceto:
   a) A exocitose de GLUT-4 nos tecidos periféricos.
   b) A gliconeogênese no tecido hepático.
   c) Ativação das enzimas alostéricas da via glicolítica.
   d) A glicogênese hepática e muscular.
   e) A lipogênese no tecido adiposo.

10. (NM) Dentre as afirmativas sobre as funções dos lipídios, assinale a correta:
    a) Os ácidos graxos ômega 3 e 6 são categorizados como essenciais e fazem parte dos componentes das membranas celulares.
    b) Os lipídios representam a maior reserva energética do organismo, sendo estocados principalmente nos hepatócitos.
    c) O colesterol é precursor dos ácidos biliares, que são componentes da bile, nos hepatócitos e da pró-vitamina D na pele.
    d) O colesterol é componente das membranas celulares, exercendo ação na sinalização celular por meio da formação de eicosanoides.
    e) Os ácidos graxos de cadeia média favorecem a absorção e o transporte das vitaminas lipossolúveis.

11. (NM) Analise as seguintes afirmativas referentes à digestão e absorção dos lipídios:
    1) A lipase lingual-gástrica inicia a digestão do triacilglicerol de cadeia longa.
    2) A lipase e a colipase pancreáticas hidrolisam o triacilglicerol de cadeia longa na emulsão lipídica.
    3) O colesterol livre é absorvido pela proteína de reconhecimento de colesterol denominada NPC1-L1 (*Niemann-Pick C1-like 1*).
    4) Os ácidos graxos de cadeia média são absorvidos pela proteína de transferência de ácidos graxos (FATP).
    5) Os sais biliares são reciclados por meio da circulação êntero-hepática de sais biliares, sendo absorvidos no jejuno pela proteína transportadora de sais biliares, denominada IBAT.

    Estão corretas:
    a) Todas (1 a 5).
    b) Somente 2 e 3.
    c) Somente 3 e 4.
    d) Somente 2 e 4.
    e) Somente 1e 5.

12. (NM) Quanto ao metabolismo dos lipídios, é correto afirmar que:
    a) Os ácidos graxos de cadeia longa podem fornecer energia para a célula pelo ciclo de Lynen, sendo antes ativados pela ação da enzima acil-CoA sintetase à forma de acetil-CoA.
    b) Os ácidos graxos de cadeia média necessitam da lançadeira de carnitina para serem internalizados na matriz mitocondrial e gerarem energia pelos ciclos de Lynen e de Krebs.
    c) A lipogênese, a partir dos ácidos graxos provenientes dos lipídios da dieta, ocorre mais no tecido adiposo, sendo os ácidos graxos transportados do enterócito para a corrente sanguínea por meio dos quilomícrons.
    d) Os hepatócitos são as únicas células que formam corpos cetônicos diante da maior oxidação de ácidos graxos e da maior disponibilidade de oxaloacetato.
    e) Na lipogênese hepática, a fonte de glicerol-3-fosfato é proveniente da ação da gliceroquinase e do gliceraldeído-3-fosfato da via glicolítica.

13. (NM) Dentre os processos metabólicos que ocorrem no enterócito, após a absorção dos lipídios, é correto afirmar que:
    a) Os ácidos graxos de cadeia longa são transportados no citosol envolvidos pela proteína de transferência de ácidos graxos (FATP) até o retículo endoplasmático, onde se convertem em triacilglicerol.
    b) Os ácidos graxos de cadeia média são ativados pela sintetase em acetil-CoA.
    c) Os fosfoacilgliceróis, através da ação de uma família de aciltransferases, são reacilados em lisofosfoacilgliceróis.
    d) O colesterol livre é reacilado em ésteres de colesterol e liberado pelo enterócito.
    e) A proteína microssomática de transferência favorece a interação entre a apolipoproteína B48 e o triacilglicerol na formação dos quilomícrons nascentes.

14. (NM) Dentre as afirmativas a seguir sobre o metabolismo das lipoproteínas, está correta:
    a) A lipoproteína de muito baixa densidade (VLDL) é formada no fígado com a finalidade de transportar predominantemente colesterol, formado no fígado, para os tecidos periféricos.
    b) A lipoproteína de densidade intermediária (IDL) é formada nos capilares periféricos a partir da metabolização da VLDL pela lipase lipoproteica (LLP).
    c) Os remanescentes de quilomícrons (RQ) formados nos capilares dos tecidos periféricos são captados pelos receptores *scavenger receptor B1* (SR-B1) nas membranas dos hepatócitos.
    d) A lipoproteína de alta densidade (HDL) nascente, ao interagir com os quilomícrons, doa as apolipoproteínas C-I e E.
    e) Os quilomícrons, formados no enterócito, são metabolizados nos capilares dos tecidos periféricos pela ação da enzima lipase hormônio-sensível (LHS).

15. (NM) Analise as afirmativas a seguir referentes ao transporte reverso de colesterol:

    1) A HDL é sintetizada no fígado e no enterócito, contendo predominantemente a apolipoproteína A1.
    2) A HDL nascente é discoidal, tornando-se esférica ao se enriquecer de colesterol livre por meio da interação via receptores *ATP-Binding Cassette A1* (ABCA1) nas membranas das células extra-hepáticas e ao converter o colesterol livre em éster pela ação da lecitina colesterol acil transferase (LCAT), originando a HDL-3.
    3) A HDL-3 se converte em HDL-2 ao transferir colesterol éster para outras esferas lipoproteicas e receber triacilglicerol via ação da proteína de transferência de colesterol éster (CETP).
    4) A HDL-2 se encaminha para os hepatócitos, onde interage com os receptores SR-B1 e favorece a ação da lipase hepática (LH), que hidrolisa o triacilglicerol, originando a HDL remanescente.
    5) A HDL promove sua ação antioxidante por conter a paraoxonase (PON), que remove os peróxidos lipídicos das membranas celulares.

    Estão corretas:

    a) Todas (1 a 5).
    b) Somente 2 e 3.
    c) Somente 3 e 4.
    d) Somente 2 e 4.
    e) Somente 1 e 5.

16. (NM) Quanto ao perfil lipídico aterogênico:

    1) A funcionalidade da HDL é um indicador mais preciso para o risco da doença cardiovascular que a concentração de HDL-c.
    2) Evidências científicas referem associação independente entre elevações de lipoproteína (a) e risco de doença cardiovascular.
    3) A determinação da apolipoproteína B constitui uma medida indireta de todas as partículas aterogênicas.
    4) A lipoproteína de densidade baixa oxidada (LDL-ox) apresenta potencial aterogênico.
    5) A LDL eletronegativa [LDL(−)] constitui um risco em potencial para a aterogênese.

    Estão corretas:

    a) Todas (1 a 5).
    b) Somente 2 e 3.
    c) Somente 3 e 4..
    d) Somente 2 e 4
    e) Somente 1 e 5.

17. (NM) Assinale a alternativa que apresenta dois biomarcadores de proteção e risco cardiovascular, respectivamente, presentes no transporte sérico de lipídios:
    a) Lipase lipoproteica e apolipoproteína A.
    b) Proteína de transferência de colesterol éster e apolipoproteína B.
    c) Apolipoproteína B e lipase lipoproteica.
    d) Apolipoproteína A e proteína de transferência de colesterol éster.
    e) Apolipoproteína B e lecitina colesterol aciltransferase.

18. (NM) Dentre as afirmativas a seguir sobre a influência dos ácidos graxos no risco cardiovascular, está correta:
    a) Os ácidos graxos insaturados reduzem os receptores hepáticos da lipoproteína de baixa densidade (LDL), favorecendo a elevação sérica dessa lipoproteína.
    b) Os ácidos graxos trans competem com os ácidos graxos monoinsaturados e prejudicam a sinalização celular.
    c) Os ácidos graxos monoinsaturados favorecem a formação de VLDL, reduzindo os níveis de triacilglicerol.
    d) Os ácidos graxos poli-insaturados reduzem os níveis séricos de LDL ao favorecerem a secreção de colesterol.
    e) O ácido graxo linolênico exerce um efeito positivo no perfil lipídico e reduz a expressão gênica de citocinas inflamatórias.

19. (NM) Quanto ao tecido adiposo como órgão endócrino-metabólico, é correto afirmar que:
    a) A hipertrofia dos adipócitos ativa o neuropeptídeo Y e o gene Agouti no hipotálamo.
    b) A hipertrofia dos adipócitos pode favorecer a resistência à leptina e à insulina no hipotálamo.
    c) A atrofia dos adipócitos estimula a secreção de leptina.
    d) A atrofia dos adipócitos pode acarretar resistência à insulina.
    e) A hipertrofia dos adipócitos aumenta a secreção das citocinas anti-inflamatórias.

20. (NM) No controle do eixo hipotalâmico da fome/saciedade, assinale a opção que apresenta os principais mediadores adipostáticos e anorexígenos:
    a) Peptídeo semelhante ao glucagon tipo 1 (GLP-1), polipeptídeo insulinotrópico dependente de glicose (GIP) e leptina.
    b) Secretina e insulina.
    c) Insulina e leptina.
    d) Colecistocinina e secretina.
    e) GLP-1 e colecistocinina.

21. (NM) O processo inflamatório decorrente da expansão do tecido adiposo favorece alterações metabólicas que estão descritas nas opções a seguir:
    1) Resistência à insulina.
    2) Aumento dos ácidos graxos livres séricos.
    3) Síntese de proteínas musculares.
    4) Ativação da glicólise.
    5) Lipólise no tecido adiposo.

    Estão corretas:
    a) Todas (1 a 5).
    b) Somente 1, 2 e 3.
    c) Somente 3, 4 e 5.
    d) Somente 3 e 4.
    e) Somente 1, 2 e 5.

22. (NM) Quanto às bases moleculares da resistência à insulina, marque a opção que traz o fator que mais justifica essa resistência nos tecidos periféricos:
    a) Menor expressão de GLUT-4.
    b) Menos receptores de insulina.
    c) Menor exocitose de GLUT-4.
    d) Menor produção de insulina.
    e) Fosforilação do substrato do receptor de insulina nos resíduos de tirosina.

23. (NM) Quanto ao metabolismo energético muscular diante da prática esportiva, assinale a opção correta:
    a) O sistema ATP-fosfocreatina sustenta a contração muscular moderada.
    b) O sistema oxidativo é requisitado em exercícios de alta intensidade e curta duração (1-2 minutos).
    c) O sistema glicolítico pode usar carboidratos, lipídios e proteínas como substratos energéticos.
    d) As fibras musculares tipo I promovem maior resistência e as do tipo II, maior força.
    e) Os exercícios intensos e intervalados aumentam a capacidade glicolítica e favorecem a perda de gordura corporal.

24. (NM) Quanto ao metabolismo muscular, marque a opção que mostra o fator que favorece a captação de glicose sem a necessidade de insulina durante a prática de exercício físico:
    a) Aumento da 5'AMP proteína cinase ativada (AMPK).
    b) Menor exocitose de GLUT-4.

c) Maior relação adenosina trifosfato/adenosina monofosfato (ATP/AMP).

d) Maior relação foscreatina/creatina.

e) Menor produção de *mammalian Target of Rapamycin C2* (mTORC2).

25. (NM) Dentre as opções a seguir sobre o metabolismo muscular durante a prática esportiva intensa, assinale a incorreta:

a) Transporte reduzido de glicose.

b) Glicogenólise elevada.

c) Oxidação intensa de ácidos graxos.

d) Síntese proteica reduzida.

e) Sistema ATP-fosfocreatina elevada.

26. (NM) Quanto ao metabolismo muscular após a prática de exercício físico, é correto afirmar que:

a) Menor sensibilidade à insulina e à leptina.

b) Redução do fator de crescimento similar à insulina 1 (IGF-1) e do hormônio de crescimento (GH).

c) Aumento do apetite.

d) Aumento da *mammalian Target of Rapamycin C1* (mTORC1).

e) Redução do *Peroxisome Proliferator-Activated Receptor* γ (PPAR-γ).

27. (NM) Quanto aos aspectos metabólicos do consumo em longo prazo de dietas ricas em proteínas e pobre em carboidratos, está correto afirmar que:

a) Podem causar danos musculares, hepáticos e renais.

b) Exercem um efeito consistente na redução de peso.

c) Desfavorecem a resistência periférica à insulina.

d) Inibem a produção hepática de glicose.

e) Apresentam menor efeito termogênico.

28. (NM) Assinale a opção que apresenta os processos que estão ativados no metabolismo hepático, diante do jejum fisiológico, com a finalidade de controlar a glicemia:

a) Cetogênese e proteólise.

b) Gliconeogênese e glicólise.

c) Proteólise e cetogênese.

d) Glicogenólise e gliconeogênese.

e) Glicólise e glicogenólise.

29. (NM) Dentre as opções sobre o metabolismo no tecido adiposo no período de jejum prolongado, marque a correta:
    a) Lipólise elevada e liberação intensa de ácidos graxos livres.
    b) Lipogênese elevada e glicólise reduzida.
    c) Liberação de ácidos graxos elevada e de glicerol reduzida.
    d) Lipogênese reduzida e ciclo de Lynen reduzido.
    e) Lipólise elevada e glicólise elevada.

30. (NM) No que tange às funções das vitaminas, é correto afirmar que:
    a) As vitaminas A e D estão envolvidas na secreção de insulina.
    b) A vitamina C desempenha papel fundamental na conversão do ferro de sua forma ferrosa para a férrica.
    c) As vitaminas do complexo B estão envolvidas no metabolismo energético anaeróbico.
    d) As vitaminas B_6, B_{12} e o ácido fólico contribuem para elevação da homocisteína.
    e) A vitamina K apresenta papel biológico de cofator para a reação de carboxilação, que transforma resíduos de gama-carboxiglutamato em glutamato.

31. (NM) Quanto ao metabolismo vitamínico, é correto afirmar que:
    a) As vitaminas do complexo B (tiamina, riboflavina e niacina) podem ser absorvidas por processo ativo ou passivo.
    b) As vitaminas lipossolúveis são transportadas no sangue ligadas à albumina.
    c) As vitaminas hidrossolúveis são transportadas no sangue pelas lipoproteínas.
    d) As vitaminas lipossolúveis são facilmente excretadas pelos rins.
    e) As vitaminas hidrossolúveis apresentam maior toxicidade que as lipossolúveis.

32. (NM) Com relação às funções dos minerais, assinale a afirmativa incorreta:
    a) O cálcio e o fósforo estão envolvidos na mineralização óssea.
    b) Sódio, cloro e potássio participam do equilíbrio osmótico.
    c) Cromo, cobre e zinco favorecem a sensibilidade à ação da insulina.
    d) O selênio apresenta papel antioxidante por ser essencial na formação da glutationa redutase.
    e) O ferro pode exercer papel pró ou antioxidante.

33. (NM) Quanto aos aspectos moleculares do controle homeostático dos minerais, é correto afirmar que:
    a) Concentrações séricas elevadas de cálcio favorecem a ação da vitamina D no enterócito.

b) A maior síntese de proteínas responsáveis pela captação (TRVP6) e transporte intracelular (calbindina) de cálcio pelos enterócitos, estimulada pelo calcidiol, possibilitará que mais cálcio da dieta seja captado e transportado no enterócito.

c) O hormônio hepcidina tem ação central na regulação da absorção intestinal do ferro.

d) Diante do excesso de ferro na célula, ocorre a maior expressão do gene do receptor de transferrina.

e) Quantidades adequadas de zinco dietético favorecem o aumento da expressão da proteína de reconhecimento de zinco 4 (Zip4) na membrana apical do enterócito.

34. (NM) Dentre as afirmativas sobre a biodisponibilidade dos minerais, está correta:

a) As proteínas aumentam a excreção urinária de cálcio.

b) A vitamina C aumenta a biodisponibilidade de ferro heme.

c) O zinco em excesso favorece a absorção de cobre.

d) Os carboidratos simples aumentam a concentração sérica de cromo.

e) O consumo de potássio aumenta a excreção urinária de cálcio.

35. (NM) Assinale a opção que mostra micronutrientes com efeito sinérgico antioxidante:

a) Vitaminas C e E.

b) Vitaminas C e K.

c) Vitamina E e β-caroteno.

d) Vitamina K e selênio.

e) Vitamina D e selênio.

36. (NM) Dentre as afirmativas sobre as fibras alimentares, está correta:

a) As fibras alimentares podem afetar a biodisponibilidade dos minerais.

b) A celulose retarda o peristaltismo intestinal.

c) As pectinas e a goma guar reduzem a viscosidade do conteúdo gástrico.

d) As ligninas são fermentadas pelas bactérias colônicas.

e) As fibras alimentares aceleram a digestão do amido e dos lipídios.

37. (NM) O consumo de fibras alimentares favorece a microbiota intestinal em razão da produção dos ácidos graxos de cadeia curta, que apresentam os seguintes efeitos:

1) Substratos energéticos para o cólon.

2) Favorecem a saciedade.

3) Reduzem a sensibilidade à insulina.

4) Substratos para a lipólise.
5) Apresentam ação imunomoduladora.

Estão corretas:

a) Todas (1 a 5).
b) Somente 1, 2 e 5.
c) Somente 3 e 4.
d) Somente 2 e 4.
e) Somente 1 e 5.

38. (NM) No que diz respeito à relação entre o consumo de nutrientes e a microbiota intestinal, é correto afirmar que:

a) Dietas com alto teor de lipídios desfavorecem a translocação de lipopolissacarídeo (LPS) para a circulação.
b) Dietas com alto teor proteico reduzem a formação de toxinas urêmicas.
c) Dietas com baixo teor de carboidratos e teor elevado de proteínas diminuem a produção de butirato, alterando a proliferação de micro-organismos.
d) Dietas com o consumo de frutose em substituição à sacarose melhoram a microbiota colônica.
e) Dietas com elevado teor de carboidratos simples favorecem a microbiota intestinal.

39. (NM) Marque a opção que mostra a ação fisiológica dos prebióticos e probióticos:

a) Aumentam o pH colônico.
b) Favorecem a microbiota intestinal.
c) Ativam a translocação bacteriana.
d) Reduzem a tolerância à lactose.
e) Aceleram o peristaltismo intestinal.

40. (NM) Quanto aos aspectos funcionais dos compostos bioativos, é correto afirmar que:

a) Os polifenois podem modular a expressão de genes e alterar a composição da microbiota intestinal.
b) O resveratrol favorece a elevação da glicemia.
c) Os carotenoides agem na hipermetilação do DNA.
d) Compostos sulfurados aceleram a agregação de plaquetas.
e) A quercetina favorece o desequilíbrio *redox*.

Respostas

1 - D

Todas as células dispõem de proteínas capazes de exercer função catalítica. Os catalisadores que desempenham função no organismo são chamados de enzimas, os quais aumentam em várias ordens de grandeza a velocidade de praticamente todas as reações químicas que se processam nos seres vivos sem alterar a proporção entre reagentes e produtos no final da reação química. As enzimas são extremamente específicas, a ponto de serem capazes de distinguir estereoisômeros de um dado composto. Cada enzima tem seu próprio e único mecanismo de catálise, selecionando, entre todas as reações possíveis, aquelas que efetivamente irão ocorrer. O nível de especificidade varia com a enzima considerada. Certas enzimas catalisam reações com vários aminoácidos, enquanto outras exigem um aminoácido específico. Por exemplo, a quimotripsina é uma enzima que catalisa a hidrólise de ligações peptídicas, com especificidade para resíduos contendo anéis aromáticos nas cadeias laterais.

- REF.: Kennelly & Rodwell. In: Rodwell *et al.* (2017), pp. 60-1; Ribeiro *et al.* (2017), p. 99; Brown (2018), p. 138.

2 - C

A digestão das proteínas tem início no estômago com a ação da enzima pepsina, que é secretada no suco gástrico na forma da proenzima denominada pepsinogênio. O pepsinogênio se torna ativo por clivagem de ligações peptídicas específicas em decorrência da acidez gástrica promovida pelo ácido clorídrico secretado pela gastrina. A pepsina começa a clivagem das proteínas dietéticas principalmente nas ligações peptídicas que envolvem os aminoácidos aromáticos. No intestino delgado continua a digestão das proteínas pela ação das enzimas proteolíticas provenientes do pâncreas, na forma de proenzimas. A enzima enteropeptidase, produzida pelos enterócitos, ativa a proenzima tripsinogênio do suco pancreático em tripsina por meio de uma reação de clivagem. Esse processo favorece uma cascata de ativação de outras proenzimas pancreáticas pela ação da tripsina.

- REF.: Harvey & Ferrier (2012), p. 248; Nelson & Cox (2014), p. 697; Bender & Mayes. In: Rodwell *et al.* (2017), p. 539; Brown (2018), pp. 378-9.

3 - D

A digestão das proteínas da dieta resulta em aminoácidos e peptídeos menores (tri e dipeptídeos). A absorção é realizada por meio da proteína de reconhecimento de peptídeos presente no epitélio intestinal, denominada PepT1, junto com um íon hidrogênio. Nesse sentido, deve ocorrer uma troca de Na+ extracelular, que sai da célula via Na+/K+-ATPase na membrana basolateral. A PepT1 tem especificidade bastante ampla em relação à composição dos aminoácidos dos tri e dipeptídeos e é quantitativamente mais importante que os transportadores de aminoácidos.

- REF.: Brosnan &Young. *In*: Gibney (2006), p. 57; Spanier (2013), pp. 871-2.

4 – D

Os aminoácidos presentes nas células se originam das proteínas da dieta (exógenas) e das proteínas endógenas, constituindo um *pool* de aminoácidos com a finalidade de síntese das proteínas endógenas e de outras moléculas que contenham nitrogênio, no sentido de favorecer a contínua síntese e degradação proteica (*turnover* proteico). No processo de desaminação nos tecidos extra-hepáticos, a amônia formada é transportada ao fígado em combinação ao ácido glutâmico, na forma de glutamina, por ser altamente tóxica. No fígado, a glutamina participa da transdesaminação no sentido de a amônia se converter em ureia (ciclo da ureia), sendo eliminada pela urina. Quantidades excessivas de carboidratos e proteínas da dieta podem ser convertidas em ácidos graxos, os quais são convertidos em triacilgliceróis, principalmente no fígado. Os aminoácidos em excesso no fígado são desaminados, e os α-cetoácidos resultantes são usados para a síntese de ácidos graxos, que é favorecida pela disponibilidade de substratos (acetil-CoA e nicotinamida adenina dinucleotídeo fostato – NADPH) e pela ativação da acetilCoA carboxilase, que catalisa a formação do malonil-CoA a partir do acetil-CoA. O glicerol-3-fosfato, o esqueleto da síntese de triacilglicerol, é obtido pelo di-hidroxiacetona fosfato proveniente da glicólise e da ação da gliceroquinase, que converte o glicerol livre em glicerol-3-fosfato. O triacilglicerol formado é liberado no sangue na forma de VLDL.

- REF.: Brosnan & Young. *In*: Gibney (2006), p. 47; Harvey & Ferrier (2012), p. 369; Tirapegui *et al.* In: Cozzolino (2016), p. 166.

5 – C

O consumo adequado de carboidratos e proteínas leva ao aumento de glicose e de aminoácidos no sangue, respectivamente, o que favorece a secreção de insulina pelas células β das ilhotas de *Langerhans*. Entretanto, os aminoácidos também estimulam a liberação de glucagon, o que favoreceria o desvio dos aminoácidos para a gliconeogênese. Por isso, a presença concomitante de glicose privilegia a secreção de insulina sobre a de glucagon. Desse modo, a insulina age aumentando a captação de glicose nos tecidos periféricos com a finalidade de energia e favorece a entrada de aminoácidos para a síntese proteica.

- REF.: Giacaglia. In: Giacaglia *et al.* (2010), p. 671; Harvey & Ferrier (2012), p. 369; Botham & Mayes. In: Rodwell *et al.* (2017), p. 236.

6 – B

O amido no intestino é digerido pela ação da α-amilase pancreática, resultando em malto-oligossacarídeos e dextrina, que são digeridos nas vilosidades da borda em escova pelas glicosidades denominadas glicoamilase e dextrinase, respectivamente, sintetizadas pelos enterócitos, tendo como produto resultante a glicose. A ação dessas enzimas está sujeita a um controle transcricional regulado pela disponibilidade de substratos na borda em escova.

- REF.: Harvey& Ferrier (2012), pp. 86-7; Bender & Mayes. In: Rodwell *et al.* (2017), p. 538.

7 – C

A frutose é absorvida pelo transportador proteico de monossacarídeo específico denominado GLUT-5, localizado na membrana apical dos enterócitos, sem gasto de energia por não envolver a atuação da bomba de sódio e potássio, caracterizando assim uma difusão facilitada. A absorção da frutose é maior quando administrada com outros carboidratos. Na membrana basolateral, a frutose é liberada para a circulação sanguínea por meio do transportador de monossacarídeos (glicose, frutose e galactose), denominado GLUT-2, por difusão facilitada, independente de sódio.

- REF.: Harvey& Ferrier (2012), p. 97; Ribeiro *et al.* (2017), p. 145.

8 – A

Diversos transportadores proteicos vêm sendo identificados, nem todos com funcionamento completamente esclarecido. As famílias de transportadores de glicose e sódio, denominados SGLT-1, SGLT-2 e SGLT-3, favorecem a captação de monossacarídeos por meio de transporte ativo secundário contra um gradiente de concentração com consequente gasto de energia. O outro mecanismo de transporte envolve uma família de 14 membros de transportadores de glicose (GLUT-1 a GLUT-14), que apresentam variedade de propriedades e locais de expressão sem envolver transporte ativo, caracterizando a difusão facilitada.

- REF.: Tobaruela *et al. In*: Cozzolino (2016), pp. 212-3; Ribeiro *et al.* (2017), pp. 144-5; Marzzoco & Torres (2017), p. 283.

9 – B

A insulina se liga aos receptores de alta afinidade, desencadeando uma cascata de fosforilação de resíduos de tirosina das proteínas-alvo, favorecendo seu efeito no metabolismo da glicose, principalmente em três tecidos: fígado, músculo e tecido adiposo. No fígado, a insulina diminui a produção de glicose por inibir a gliconeogênese e a degradação de glicogênio no sentido de reduzir a glicemia.

- REF.: Harvey & Ferrier (2012), p. 311; Milech *et al.* (2016), p. 13; Marzzoco & Torres (2017), pp. 280-1.

10 – A

As membranas celulares apresentam uma bicamada lipídica composta de glicerofosfoacilgliceróis, esfingolipídios e outros lipídios anfifílicos, como os esteróis, que necessitam de ácidos graxos insaturados para a manutenção de suas estruturas, funções e fluidez. Os ácidos graxos ômega 3 e 6 não podem ser sintetizados pelo organismo humano, devendo ser fornecidos pela dieta, sendo por isso denominados essenciais. Os termos ácidos graxos ômega 3 e 6 se referem a vários ácidos graxos com a dupla ligação inicial nas posições 3 e 6, respectivamente, se numerados a partir do terminal metílico. Os representantes mais importantes do ômega 3 são os ácidos linolênico (ALA), eicosapentaenoico (EPA) e docosa-hexaenoico (DHA), e os do ômega 6, os ácidos linoleico e araquidônico. As principais fontes de ALA são os óleos vegetais, especialmente de soja e canola; já EPA e DHA são mais encontrados em peixes de águas muito frias e profundas. O ácido linoleico (AL) é o principal ácido graxo ômega 6, encontrado especialmente em óleos vegetais, como os de soja, cártamo, milho e canola.

- REF.: Santos *et al.* (2013), p. 6; Brown (2018), p. 95.

11 – B

A digestão dos triacilgliceróis de cadeia longa ocorre no nível intestinal na interfase lipídio-água, por serem insolúveis em água, sendo favorecida pelos movimentos peristálticos do intestino combinados à ação emulsificante dos sais biliares, sintetizados pelo fígado. Na emulsão lipídica, a lipase pancreática hidrolisa os triacilgliceróis de cadeia longa nas posições 1 e 3, resultando em ácidos graxos livres e 2-monoacilglicerol. A atividade dessa enzima aumenta bastante em contato com a interfase lipídio-água, que requer a colipase pancreática. A colipase auxilia a lipase pancreática, ligando-se ao domínio C-terminal da lipase, estendendo as extremidades hidrofóbicas de suas três alças a partir do complexo e estabilizando-a. A proteína *Niemann-Pick C1-like 1* (NP-C1-L1), um transportador de colesterol intestinal, está situada na membrana apical do enterócito e promove a passagem do colesterol através da borda em escova dessa célula, facilitando a absorção intestinal do colesterol.

- REF.: Harvey & Ferrier (2012) p. 175; Faludi *et al.* (2017), p. 1; Bender & Mayes. In: Rodwell *et al.* (2017), pp. 538-9.

12 – C

Os lipídios da dieta, após serem digeridos e absorvidos, são esterificados nos enterócitos e incorporados aos quilomícrons, que são moléculas formadas por lipídios e apolipoproteínas (apoB-48, apoA-I, apoA-IV, apoE e apoC-II) e que atuam no transporte desses lipídios para diversos tecidos do organismo. Ao atingirem a circulação sanguínea através do ducto torácico, os triacilgliceróis presentes nos quilomícrons são hidrolisados pela lipase lipoproteica, uma enzima localizada na superfície endotelial de capilares do tecido adiposo e dos músculos que é ativada pela apoC-II e inibida pela apoC-III a fim de que ácidos graxos sejam liberados para serem recepcionados por células musculares e adiposas, nos quais podem ser prontamente utilizados (como nos músculos esqueléticos) ou armazenados (como no tecido adiposo), sendo esses importantes reservatórios de triacilgliceróis. As moléculas resultantes desse processo são denominadas quilomícrons remanescentes, que contêm menores quantidades de triacilgliceróis e maiores quantidades de colesterol e que em condições fisiológicas normais são removidos do plasma e captados pelo fígado, onde podem ser utilizados na formação de VLDL.

- REF.: Santos *et al.* (2013), p. 6; Bender & Mayes. In: Rodwell *et al.* (2017), p. 2.143; Faludi *et al.* (2017), p. 2.

13 – E

Nos enterócitos, os ácidos graxos de cadeia longa, o colesterol livre e o lisofosfoacilglicerol derivados da dieta são esterificados pela ação da família das aciltransferases de modo a reconstituir os triacilgliceróis, o colesterol éster e os fosfoacilgliceróis e a formar, em conjunto com a apoB-48 (sintetizada no intestino), os quilomícrons. A montagem das partículas de quilomícrons exige a ação de uma proteína intracelular, a chamada proteína de transferência de triacilglicerol microssomal, responsável pela transferência dos triacilgliceróis para a apoB-48, permitindo a formação dessa lipoproteína.

- REF.: Silva (2015), p. 12; Bender & Mayes. In: Rodwell *et al.* (2017), p. 539; Brown (2018), pp. 253-4.

14 – B

A VLDL é uma lipoproteína rica em triacilglicerol e contém, principalmente, a apoB-100, sendo montada nos hepatócitos com a ação da proteína de transferência de triacilglicerol microssomal, que transfere triacilglicerol para a apoB-100 e é liberada para a circulação. Nos capilares periféricos, os triacilgliceróis da VLDL são hidrolisados pela lipase lipoproteica, originando a IDL, parte da qual é removida rapidamente pelo fígado por receptores de LDL e a outra parte sofre hidrólise pela ação da lipase hepática, resultando na formação da LDL.

- REF.: Chacra (2016), p. 197; Faludi *et al.* (2017), p. 2.

15 – A

As partículas de HDL são formadas no fígado e no intestino. A porção proteica compreende apolipoproteínas, enzimas e proteínas de transferência lipídica, entre outras. A apoA-I e a apoA-II são as principais apolipoproteínas e correspondem, respectivamente, a 70% e 20% da HDL. As apolipoproteínas menores, como apoA-IV, apoA-V, apoC-I, apoC-II, apoC-III, apoD, E, J, M e apoL-I, respondem por aproximadamente 5%. Dentre as enzimas estãoa a lecitina colesterol aciltransferase (LCAT), a paraoxonase 1 (PON-1), o fator ativador plaquetário acetil-hidrolase (PAF-AH), a peroxidase gluotationa (GSPx), o reagente de fase aguda amiloide sérico (SAA) e a alfa-1-antitripsina, entre outras.

No transporte reverso de colesterol, a HDL nascente extrai o colesterol livre e o fosfoacilglicerol da superfície de células de tecidos extra-hepáticos, como dos macrófagos da parede arterial, via receptor ATP-Binding Cassette A1 (ABCA1). A transferência de fosfoacilglicerol dessas partículas para a HDL ocorre também por ação da proteína de transferência de fosfoacilglicerol (PLTP). A enzima LCAT, presente principalmente nas HDL, esterifica o colesterol que migra para o núcleo da partícula, tornando a HDL quase esférica e progressivamente maior (HDL-3). A apoA-I é cofator dessa enzima.

A proteína de transferência de colesterol éster (CETP) também medeia a troca de triacilglicerol de quilomícrons e VLDL por colesterol esterificado (CE) da HDL-3, tornando-se rica em triacilglicerol e sendo denominada HDL-2. Essa partícula é mais sensível à ação da lipase hepática (LH), o que favorece a posterior remoção do colesterol esterificado do interior dessa lipoproteína pelos receptores *scavenger receptor B1* (SR-BI) hepáticos. Nesse processo se formam remanescentes de HDL, pobres em lipídios, que são captados pelo fígado, e apoA-I, que é metabolizada preferencialmente pelos rins via receptores cubilina/megalina. A PON-1, enzima ligada à HDL, é capaz de hidrolisar vários lipídios oxidados ou alterados, protegendo a HDL da peroxidação lipídica. Sua ação diminuída diante da inflamação e do estresse oxidativo pode contribuir para a HDL disfuncional, favorecendo a aterosclerose prematura e inibindo sua função antioxidante.

- REF.: Leança (2010), p. 779; Salazar *et al.* (2015), pp. 2-8; Faludi *et al.* (2017), p. 2.

16 – A

O depósito de lipoproteínas na parede arterial, processo-chave no início da aterogênese, ocorre de maneira proporcional à concentração dessas lipoproteínas no plasma decorrente da menor afinidade do receptor de LDL e da maior suscetibilidade oxidativa. A disfunção endotelial aumenta a permeabilidade da íntima às lipoproteínas plasmáticas, favorecendo a retenção dessas no espaço subendotelial. Retidas, as partículas de LDL sofrem oxidação, tornando-se eletronegativas, ativando uma resposta imunológica e inflamatória e favorecendo a glicação da apoB, o que propicia o surgimento de moléculas de adesão leucocitária na superfície endotelial.

Essas moléculas de adesão são responsáveis pela atração de monócitos e linfócitos para a intimidade da parede arterial. Os monócitos migram para o espaço subendotelial, no qual se diferenciam em macrófagos, que por sua vez captam as LDL oxidadas. Os macrófagos repletos de lipídios são chamados de células espumosas e são o principal componente das estrias gordurosas, lesões macroscópicas iniciais da aterosclerose.

A Lp(a) é uma partícula de LDL com uma apo adicional, a apo(a), ligada à apoB. As concentrações plasmáticas de Lp(a) são em grande parte determinadas geneticamente. Um dos principais determinantes genéticos para as concentrações de Lp(a) são os polimorfismos, que determinam o tamanho do Kringle IV tipo 2 (KIV-2). Existem evidências de associação independente entre elevações de Lp(a) e risco de doença cardiovascular na população geral, decorrente de seu teor lipídico e, principalmente, por sua ação pró-inflamatória e propriedades pró-trombóticas/antifibrinolíticas da apo(a), que apresenta homologia com o plasminogênio, e ainda pela deposição da Lp(a) no espaço subintimal.

A apoB é encontrada nas lipoproteínas aterogênicas VLDL, IDL, LDL e Lp(a) originadas do fígado e nos remanescentes da via exógena do metabolismo, na proporção de uma partícula de apoB por cada partícula de lipoproteína. Assim, a dosagem da apoB constitui uma medida indireta de todas as partículas aterogênicas presentes na corrente sanguínea, correspondendo à fração do não HDL-c. Durante o remodelamento da HDL pode ocorrer o catabolismo aumentado de partículas de HDL ricas em triacilglicerol pela ação da enzima transportadora de colesterol éster (CETP), que facilita a transferência de triacilglicerol da VLDL para a HDL, resultando na formação de partículas de HDL enriquecidas de triacilglicerol e depletadas de colesterol. Essas partículas têm sabidamente maior potencial aterogênico.

É preciso lembrar que o HDL-c reflete apenas o conteúdo de colesterol presente no total das partículas de HDL e que essas mostram ampla heterogeneidade com relação a tamanho, composição química e funcionalidade, sugerindo a existência de várias subfrações distintas. Assim, o conceito atual é de que a funcionalidade da HDL (qualidade) é um indicador mais preciso para o risco de desenvolvimento de aterosclerose e de gravidade da doença cardiovascular do que a concentração de HDL-c (quantidade).

Condições patológicas múltiplas desencadeiam alterações estruturais e funcionais na HDL, tornando-se moléculas pró-inflamatórias incapazes de manter a homeostase do endotélio, tornando-se assim "HDL disfuncional". Por exemplo, nos pacientes portadores de doenças cardiovasculares observa-se menor potencial anti-inflamatório de

HDL-2 e HDL-3, por apresentarem maiores concentrações de apoC-III, mieloperoxidase e ceruloplasmina e aumento na oxidação da apoA-I.

- REF.: Leança (2010), p. 783; Mello *et al.* (2011), p. 263; Krauss (2014), p. 959; Salazar *et al.* (2015), pp. 2-10; Bianco & Araújo (2016), p. 159; Chacra (2016), p. 196; Carnuta *et al.* (2017), p. 10; Cartolano *et al.* (2017), pp. 3-5; Faludi *et al.* (2017), pp. 3,9; Maranhão *et al.* (2017), pp. 76-8.

17 – D

A apoA-1 é a principal apolipoproteína da HDL, sendo utilizada como marcador de proteção cardiovascular por predizer a quantidade de HDL sérica. O aumento da atividade da enzima transportadora de colesterol éster (CETP) apresenta um potencial aterogênico, pois irá determinar a transferência de ésteres de colesterol, principalmente da HDL, para as lipoproteínas VLDL e LDL e ao mesmo tempo recebe triacilgliceróis, resultando em partículas pequenas e densas, portanto, mais aterogênicas. As partículas de LDL pequenas e densas se tornam muito numerosas, resultando no perfil lipídico com valores de LDL-c normais ou pouco elevados e apoB bastante elevados, o que pode ocultar potencial aterogênico. A LDL glicada pode ser mais suscetível à oxidação ou simplesmente representar uma modificação aterogênica. As mudanças nas subfrações de HDL modificam sua funcionalidade, estando disfuncional em relação às ações antioxidante e anti-inflamatória. A glicação foi demonstrada como causa de redução da esfingosina-1-fosfato da HDL, interferindo com a capacidade de ativação de marcadores de proteção intracelular, durante o desequilíbrio *redox*, reduzindo seu papel antiaterogênico.

- REF.: Balasubramaniam (2011), p. 233; Kontush (2015), p. 2; Chacra (2016), p.197; Cartolano *et al.* (2017), p. 7; Moradi *et al.* (2017), p. 6.

18 – E

Os ácidos graxos da família ômega 3, compreendidos por ácido docosaexaenoico (DHA) e ácido eicosapentaenoico (EPA), apresentam ação anti-inflamatória, por regularem a síntese de eicosanoides e de outros mediadores anti-inflamatórios, e na modulação da expressão de genes, contribuindo na redução do risco cardiovascular. O consumo de ácido graxo ômega 3 marinho pela dieta foi associado a menores níveis plasmáticos de marcadores inflamatórios, incluindo moléculas de adesão e proteína-C-reativa (PCR). A alimentação rica em ômega 3 de fonte marinha e a suplementação com óleo de peixe ou DHA mostraram resultados compatíveis com uma atenuação da resposta inflamatória em indivíduos com diabetes e hipertrigliceridêmicos. Sua suplementação favorece também o perfil lipídico por redução nos níveis séricos de triacilglicerol e LDL-c e elevação de HDL-c, e modificação oxidativa de LDL [LDL(-)] e HDL (baixos níveis de HDL pequena e altos níveis de HDL intermediária e grande). Sabe-se que as partículas grandes de HDL apresentam maior efeito de proteção cardiovascular. No entanto, a suplementação de EPA e DHA não é recomendada na prevenção da doença cardiovascular.

- REF.: Ferreira *et al.* (2010), pp. 65-7; Annuzzi *et al.* (2012), p. 1.320; Santos *et al.* (2013), p. 14; Simão (2013), p. 13; Aldin *et al.* (2017), pp. 5-7.

19 – B

Ao se ligar em seu receptor no hipotálamo (Ob-Rb), a leptina fosforila a proteína Janus quinase-2 (Jak-2), ativando a proteína STAT3 (*Signal Transducers and Activators 3*) em resíduos de tirosina na posição 705, promovendo a translocação dessa proteína para o núcleo, ligando-se ao DNA e ativando o fator transcricional SOCS3 (*Supressor of Cytokine Signaling 3*), gerando um *feedback* negativo na fosforilação da Jak-2. Paralelamente, ocorre a ativação dos substratos dos receptores de insulina 1 e 2 (IRS-1 e IRS-2), que favorecem a ativação da proteína quinase, denominada Akt, que gera sinalização intracelular, inibindo o consumo alimentar e modulando a homeostase energética. A resistência à leptina e à insulina no hipotálamo pode ser induzida pelo processo inflamatório. Os mecanismos elucidados são: (a) indução de uma elevada expressão da proteína SOCS3, pertencente a uma família de reguladores da ação de citocinas, que se liga a Ob-Rb e IRS-1 e IRS-2, degradando-os; (b) dieta hiperlipídica, por favorecer a expressão de citocinas inflamatórias que ativam as proteínas de sinalização e fatores de transcrição, denominadas JNK e IKK, com função serina quinase nos neurônios hipotalâmicos, as quais inativam os mediadores das respostas anorexígenas da leptina e da insulina; e (c) ativação da proteína tirosina fosfatase 1b (PTP1B), que desfosforila resíduos tirosinas presentes em vários intermediários das vias de sinalização da insulina e leptina, inativando-os.

- REF.: Velloso. *In.*: Giacaglia (2010), pp. 78-9; Lorenzeti (2011), p. 174.

20 - C

Em condições fisiológicas, observa-se uma tendência de manutenção da estabilidade do peso corporal na maior parte dos seres humanos. Essa estabilidade é mantida pelo mecanismo sensor da disponibilidade individual de energia e o controle do gasto energético. O mecanismo sensor depende de sinais hormonais, neurais e sinais gerados por nutrientes. Tanto os sinais de adiposidade como os de saciedade são detectados predominantemente por neurônios principalmente localizados no núcleo arqueado do hipotálamo.

A leptina, hormônio peptídico produzido predominantemente pelos adipócitos, é o mais importante sinal periférico responsável por estabelecer uma conexão entre os locais de estoque de energia e o sistema nervoso central. O segundo sinalizador periférico para o hipotálamo mais importante é a insulina, que exerce função intermediária entre o controle da adiposidade e o controle imediato da fome (saciedade). No outro extremo do controle do fluxo de energia por sinais periféricos, ou seja, o controle imediato da saciedade, encontra-se um grupo de hormônios intestinais, como colecistocinina (CCK), peptídeo semelhante ao glucagon tipo 1 (GLP-1) e grelina.

No período de jejum prolongado, o estômago produz grelina, que atua no hipotálamo, potencializando o efeito orexígeno. Após a ingestão de nutrientes, os níveis de grelina caem e aumenta a secreção intestinal de hormônios anorexígenos, como CCK, peptídeo YY e GLP-1. Uma vez elevados no sangue, atuarão no hipotálamo em paralelo à insulina, favorecendo um sinal anorexígeno. No núcleo arqueado, o neuropeptídeo Y (NPY) e o peptídeo relacionado ao gene Agouti (AgRPérgicos) são ativados durante períodos de jejum ou quando os estoques periféricos de energia estão baixos, ao passo que neurônios pró-opiomelanocortina (POMC) e hormônios estimulantes de α-melanócitos (α-MSH) estão ativos em períodos pós-prandiais ou quando existem grandes estoques periféricos de energia. Níveis elevados de grelina potencializam a atividade da adenosina monofosfato quinase (AMPK), que induz o gene do NPY, aumentando sua expressão no núcleo arqueado do hipotálamo. A leptina sinaliza através de seu receptor

ObRb, estimulando a transcrição do gene da POMC e α-MSH. A insulina atua por meio de seu receptor, potencializando o efeito da leptina.

- REF.: Velloso. *In*: Giacaglia (2010), pp. 73-4; Lorenzeti (2011), p. 174; Wouw *et al.* (2017), pp. 4-5.

21 - E

O tecido adiposo se expande, mas não de forma ilimitada, pois, mesmo sendo muito vascularizado, o excesso de células adiposas pode causar hipóxia tecidual, que é o gatilho para o aumento da expressão de genes inflamatórios, que aumentam a expressão das proteínas quinases JNK e IKK, potentes ativadoras das vias inflamatórias do tecido adiposo. Com o aumento da inflamação nas células adiposas observa-se a migração de macrófagos tipo M1 para dentro do tecido adiposo com a liberação de citocinas, como fator de necrose tumoral alfa (TNF-α), favorecendo a resistência insulínica e a lipólise por ativação da lipase hormônio-sensível. O resultado dessas alterações é uma inundação de ácidos graxos livres na circulação sanguínea, os quais são captados por outros tecidos, como fígado e tecido muscular esquelético, resultando em resistência insulínica também nesses órgãos e caracterizando a lipotoxicidade. Sem habilidade de formar novas células adiposas em razão da inibição do fator de transcrição nuclear denominado PPAR-γ (*Peroxisome Proliferator-Activated Receptor* γ) pelo TNF-α, o tecido adiposo acomoda o excesso de calorias mediante a expansão das células gordurosas preexistentes com consequente morte celular e mais inflamação dos adipócitos. Os ácidos graxos livres, captados pelo fígado, são convertidos em triacilgliceróis (lipogênese), que servem de substrato para síntese da VLDL, por maior estímulo à secreção de apolipoproteína B, ou são estocados, desencadeando a esteato-hepatite não alcoólica (EHNA – do inglês NASH). O aumento na liberação de VLDL desencadeia a dislipidemia em razão da deficiência da lipase lipoproteica nos capilares do tecido adiposo.

- REF.: Silva *et al. In*: Giacaglia *et al.*(2010), p. 225; Chacra (2016), pp. 195-204; Milech *et al.*(2016), p. 307.

22 - C

A homeostase da glicose é resultado da interação da secreção de insulina por parte das células β pancreáticas com a captação de glicose pelos tecidos periféricos. A elevação da glicemia estimula a secreção de insulina, a qual reduz a concentração de glicose de modo dose/tempo-dependente. Os mecanismos da resistência à insulina envolvem alterações nas diferentes etapas da transmissão do sinal da insulina. Os efeitos da insulina são mediados por receptores localizados na membrana plasmática das células-alvo. A ligação ao receptor ativa a cascata de sinalização intracelular que induz a translocação dos transportadores de glicose (GLUT-4) para a membrana celular.

Os mecanismos envolvidos na redução da função da insulina incluem antagonistas extracelulares ou, principalmente, defeitos nas células-alvo no nível dos receptores insulínicos ou da cascata de eventos pós-receptores. O mecanismo mais estudado para explicar a resistência à insulina envolve a fosforilação em resíduos de serina do IRS-1 e inibe a fosforilação em resíduos de tirosina com a decorrente diminuição da translocação da GLUT-4 para as membranas celulares, repercutindo na redução da captação de glicose, a qual interrompe o sinal da insulina no nível de tecido adiposo e muscular, estimulada pelas citocinas pró-inflamatórias produzidas pelo tecido adiposo, principalmente o fator de necrose tumoral alfa.

- REF.: Mori *et al. In*: Giacaglia *et al.* (2010), pp. 25-6; Chacra (2016), p. 196; Milech *et al.* (2016), p. 13.

23 – D

O músculo esquelético é composto de fibras musculares com características distintas e com respostas contráteis e metabólicas dependentes do tipo de ativação, o que está intimamente relacionado à força e ao tempo necessário para se executar determinada ação. As fibras do tipo I são mais resistentes à fadiga quando ativadas por tempo prolongado, porém não promovem grande produção de força, enquanto as fibras dos tipos IIA, IIX e IIB, apesar de pouco efetivas em esforços prolongados, têm grande capacidade de geração de força. As fibras musculares I-IIA são transitórias entre as fibras dos tipos I e IIA, as fibras IIAX são transitórias entre as fibras IIA eIIX, e as fibras IIXB são intermediárias entre as fibras IIX e IIB. A esses três subtipos de fibras se dá o nome de híbridas, as quais são extremamente suscetíveis ao remodelamento promovido pelo treinamento físico tanto para um perfil mais oxidativo (com maior percentual de fibras do tipo I) como glicolítico (aumentando o percentual de fibras dos tipos IIA, IIX e IIB).

- REF.: Viana-Gomes *et al.* (2016), pp. 68-9; Ribeiro *et al.* (2017), pp. 393-5; Marzzoco & Torres (2017), p. 331.

24 – A

A 5'AMP proteína cinase ativada (AMPK) é uma proteína treonina/quinase primariamente ativada no músculo esquelético pelo estresse celular. É um importante sensor da quantidade de energia da célula, sendo ativada diante do aumento da relação entre AMP/ATP e creatina/fosfocreatina, sendo dependente da intensidade do exercício físico. Regula o metabolismo energético ao inibir a mTORC1. A AMPK favorece a captação de glicose nas células musculares em decorrência da maior translocação do transportador de glicose (GLUT-4) para a membrana celular a partir da sinalização independente da insulina e por estimular a via glicolítica e o ciclo de Lynen, ativando a atividade da fosfofrutoquinase 1 (PFK-1) e da carnitina palmitoil transferase 1 (CPT-1), respectivamente.

- REF.: Lorenzeti *et al.* (2011), p. 173; Viana-Gomes *et al.* (2016), pp. 74-5; Saxton & Sabatini (2018), p. 6.

25 – C

O processo de contração muscular é regulado de modo que a produção de energia seja proporcional à demanda metabólica imposta pela atividade muscular. Os ácidos graxos e os carboidratos são os principais substratos para a produção de energia muscular. No entanto, o sinal que regula a preferência do músculo esquelético por glicose ou ácidos graxos é complexo e pode ser determinado por diferentes fatores, incluindo dieta, nível de treinamento, intensidade e duração do exercício.

O músculo esquelético é caracterizado por conter uma elevada expressão de *Peroxisome Proliferator-Activated Receptor* β (PPAR-β), sendo abundante em fibras musculares oxidativas (tipo I) e ativado durante o exercício prolongado, promovendo aumento da oxidação de ácidos graxos. Sua ativação induz a expressão de genes envolvidos no metabolismo, como *Fatty Acid Transport Protein Family* (FATP), *Hormone Sensitive Lipase* (HSL), *Long-chain Acyl-CoA Dehydrogenase* (LCAD), *Mitochondrial Uncoupling Protein* (UCP-2 e 3), *Pyruvate Dehydrogenase Kinase 4* (PDK-4) e *Carnitine Palmitoyl Transferase 1* (CPT-1).

Durante um exercício leve ou moderado, os ácidos graxos oxidados no músculo esquelético são provenientes da lipólise do tecido adiposo e dos depósitos intracelulares do tecido muscular, a qual é regulada pela HSL, ativada principalmente pelo aumento das concentrações plasmáticas das catecolaminas e pela redução nos níveis séricos de insulina. Durante o exercício intenso, a energia requerida é preferencialmente obtida pela oxidação de carboidratos em decorrência: (a) da menor liberação dos ácidos graxos do tecido adiposo devido à vasoconstrição periférica; (b) do aumento de adenosina monofosfato (AMP), adenosina difosfato (ADP), amônia $(NH_4)^+$ e Pi, que são potentes ativadores da fosfofrutoquinase, favorecendo o fluxo glicolítico; (c) da menor razão ATP/ADP; (d) do aumento da produção de lactato/H^+; (e) do maior recrutamento de fibras glicolíticas (tipo II); (f) do aumento da produção de espécies reativas de oxigênio; e (g) da ativação de UCP-3 em fibras musculares do tipo II. Os exercícios de força e aeróbio circuitados e intermitentes são mais eficientes na oxidação de gordura.

- REF.: Lorenzeti (2011), p. 173; Silveira (2011), pp. 307-11; Caldas Júnior (2014), p. 59; Abreu *et al.* (2017), p. 64.

26 – D

A aplicação de força gerada pela contração muscular desencadeia uma sobrecarga mecânica que define a síntese de proteínas, largamente determinada pela sinalização da *mammalian Target of Rapamycin* (mTOR). A mTOR é uma proteína quinase de serina/treonina da família de quinase relacionada com a proteína fosfoinositol-3-quinase (PI3K), denominada PIKK, que forma a subunidade catalítica de dois complexos de proteínas distintos, conhecidos como mTOR complexo 1 (mTORC1) e 2 (mTORC2). A mTORC1 promove a síntese proteica em grande parte através da fosforilação de dois efetores principais: p70S6 quinase 1 (S6K1) e proteína *eukaryotic translation iniciation factor 4E* (eIF4E), denominada 4EBP. A ativação da mTORC1 está associada à hipertrofia muscular.

- REF.: Lorenzeti *et al.* (2011), p. 175; Zoncu *et al.* (2011), p. 2; Abreu *et al.* (2017), p.63; Saxton & Sabatini (2018), pp. 2-3.

27 – A

O consumo excessivo de proteínas pode ser prejudicial a longo prazo, pois estimula a rápida oxidação e desaminação hepática, gerando ácidos orgânicos com a consequente redução do pH sérico, induzindo uma perda de massa muscular esquelética, bem como estimula a adipogênese, a esteatose hepática e a resistência à insulina. Além disso, o aumento da carga filtrada de aminoácidos estimula a reabsorção de sódio no túbulo proximal, ativando mecanismos compensatórios que elevam o ritmo de filtração glomerular, o que pode prejudicar a função renal. Também, os produtos finais de glicosilação avançada (AGE) têm ação nefrotóxica direta.

- REF.: Giacaglia. *In*: Giacaglia *et al.* (2010), pp. 670-2; Mendes & Vaz (2017). *In*: One & Carvalho (2017), pp. 91-3.

28 – D

No período pós-absortivo ocorre uma redução da glicemia, o que estimula uma secreção maior de glucagon e uma liberação menor de insulina pelas células pancreáticas. Assim, a baixa relação insulina/glucagon favorece a formação hepática de glicose, estimulando principalmente a quebra do glicogênio hepático com uma crescente contribuição da gliconeogênese. Após 24 horas de jejum, a gliconeogênese é o único processo que mantém a glicemia, usando como principal substrato a alanina proveniente da proteólise muscular, via ciclo glicose-alanina. À medida que aumenta a duração do jejum, a gliconeogênese se torna mais intensa devido à regulação alostérica favorável e ao aumento da concentração de enzimas gliconeogênicas.

- REF.: Harvey & Ferrier (2012), pp. 329-30; Marzzoco & Torres (2017), pp. 316-7.

29 – A

No período de jejum, os níveis de glicose no sangue diminuem, causando uma queda da insulina circulante. Além disso, o desequilíbrio entre o gasto energético e a ingestão de alimentos leva a uma relação AMP/ATP aumentada, inibindo mTORC1. Há estimulação da lipase hormônio-sensível do tecido adiposo pela adenosina monofosfato cíclico (cAMP), promovendo a lipólise com consequente mobilização de ácidos graxos, os quais serão usados como fonte de energia, via ciclo de Lynen, pelos músculos e pelo fígado, entre outros. Em decorrência da elevada lipólise, ocorre o acúmulo de acetil-CoA no fígado em virtude da deficiência de oxaloacetato que está sendo enviado para a gliconeogênese, impedindo sua oxidação pelo ciclo de Krebs. Esse acúmulo resulta na formação de corpos cetônicos. O consumo de ácidos graxos e corpos cetônicos como fonte de energia economiza glicose, que está sendo utilizada praticamente pelo cérebro e pelas células desprovidas de mitocôndrias.

- REF.: Zoncu *et al.* (2011), pp. 6-7; Harvey & Ferrier (2012), p. 331; Nelson & Cox (2014), pp. 956-7; Marzzoco & Torres (2017), p. 318.

30 – A

Suas duas formas principais são as vitaminas D_2 (ergocalciferol) e D_3 (colecalciferol), que são convertidas em 25-hidroxivitamina D_3 [25(OH)D_3] no fígado e 1,25-di-hidroxivitamina D_3 [1,25$(OH)_2D_3$], a forma ativa de vitamina D, no rim. Exerce ação na prevenção de doença coronariana ao inibir a proliferação do músculo liso vascular, a supressão da calcificação vascular, ao regular negativamente a expressão de citocinas inflamatórias e positivamente de citocinas anti-inflamatórias, e ser reguladora negativa endócrina do sistema renina-angiotensina. As vitaminas A e D agem como um hormônio com ação no núcleo para o controle da proliferação e diferenciação celular. A vitamina D atua diretamente sobre a secreção pancreática de insulina por meio da ligação de sua forma ativa (calcitriol) ao receptor nuclear da vitamina D (VDR), formando um heterodímero com o receptor da vitamina A na forma do ácido retinoico 9-cis (RXR), favorecendo o aumento da transcrição do gene codificante para a síntese de insulina, bem como dos receptores de insulina (IR) nas membranas celulares, melhorando a sensibilidade à ação desse hormônio.

- REF.: Harvey& Ferrier (2012) pp. 382-6; Simão *et al.* (2013), p. 12; Martin & Corrêa. *In*: Giacaglia *et al.* (2010), pp. 460-2.

31 - A

As vitaminas do complexo B (tiamina, riboflavina e niacina) são absorvidas na forma livre principalmente no intestino delgado superior por um processo ativo, sendo o sistema de transporte saturável com concentrações relativamente baixas, limitando a quantidade que pode ser absorvida; por outro lado, quando em altas concentrações, podem ser absorvidas por difusão passiva.

- REF.: Bémeur & Butterworth. *In*: Ross *et al.* (2016), p. 318; Cozzolino (2016), p. 442; Kirkland. *In*: Ross *et al.* (2016), p. 334; Said & Ross. *In*: Ross *et al.* (2016), pp. 325-6; Vannucchi *et al.* *In*: Cozzolino (2016), p. 456; Vannucchi *et al.* *In*: Cozzolino (2016), p. 500.

32 - D

As funções exercidas pelo selênio estão relacionadas às das selenoproteínas. Apresenta ação antioxidante, potencializa o sistema imunológico e a ação da insulina, participa do metabolismo dos hormônios tireoidianos e na conversão de T4 em T3. Exerce atividade antioxidante por ser componente da enzima glutationa peroxidase, que reduz uma ampla quantidade de peróxidos e hidroperóxidos, protegendo as células do dano oxidativo provocado pelos radicais livres.

- REF.: Ferreira *et al.* (2011), p. 56; Donadio *et al.* *In*: Cozzolino (2016), pp. 785-6.

33 - C

A regulação da absorção de ferro é fundamental, pois sua deficiência resulta em anemia e o excesso pode causar danos aos tecidos, provavelmente em virtude da geração de radicais livres. A hepcidina, hormônio produzido no fígado, cumpre um papel central na regulação da absorção intestinal de ferro. Diante de concentrações hepáticas elevadas de ferro, ocorre maior expressão do gene para o hormônio hepcidina, que circulará até os enterócitos, onde se ligará à ferroportina, que é encontrada na membrana basolateral, favorecendo sua internalização e degradação e impedindo que o ferro seja absorvido e liberado para o plasma ligado à transferrina. O ferro acumulado nos enterócitos será excretado nas fezes à medida que essas células forem renovadas.

- REF.: Lemos *et al.* (2010), p. 597; Antunes & Canziani (2016), p. 352; Bender & Mayes. In: Rodwell *et al.* (2017), p. 541.

34 - A

As proteínas aumentam a excreção urinária de cálcio. Cada grama de proteína metabolizada aumenta os níveis de cálcio na urina em aproximadamente 1,75 mg. Ao dobrar a quantidade de proteínas ou de aminoácidos da dieta, a excreção de cálcio aumenta em 50%. Desse modo, a ingestão inadequada de proteínas pode contribuir para o desenvolvimento da osteoporose.

- REF.: Silva *et al.* *In*: Cozzolino (2016), p. 610; Weaver & Heaney. *In*: Ross *et al.* (2016), p. 140.

35 - A

A vitamina E é um dos antioxidantes mais abundantes na natureza, sendo a forma α-tocoferol a mais conhecida, eficaz e com maior atividade antioxidante. Atuando sobre a membrana da célula, a vitamina E protege contra a peroxidação lipídica, reagindo diretamente com radicais de O_2, como o oxigênio *singlete* e o ânion radical superóxido, o que origina radicais inócuos de tocoferol. Ao neutralizar um radical livre, o α-tocoferol temporariamente se torna uma espécie reativa. Assim, a vitamina C é importante para regenerar a vitamina E de sua forma oxidada (radical tocoferoxil) a α-tocoferol, preservando a capacidade antioxidante desse último nas membranas biológicas.

- REF.: Ferreira *et al.* (2011), p. 58; Petry (2013), pp. 1.074-5.

36 – A

As fibras alimentares podem influenciar negativamente a biodisponibilidade de diversos minerais por diminuírem o tempo de trânsito intestinal, o grau de fermentação da fibra pelas bactérias colônicas, a formação de quelatos entre os componentes das fibras e minerais, as trocas iônicas, a diluição do conteúdo intestinal, entre outros. Cada tipo de fibra exerce um efeito por mecanismos diferentes, e nem todos os minerais são afetados. Os minerais mais vulneráveis são: cálcio, zinco, magnésio e ferro. É difícil definir se os efeitos observados são decorrentes das fibras em si ou da ingestão simultânea de outras substâncias (fitatos, oxalatos, compostos fenólicos e taninos, entre outros). Por outro lado, a fermentação das fibras no cólon resulta na formação dos ácidos graxos de cadeia curta que favorecem a absorção dos minerais, a exemplo do acetato e do propionato, que aumentam a absorção de cálcio. As antocianinas, subclasse dos flavonoides, apresentam atividades anti-inflamatórias, regulando a produção de óxido nítrico, e influenciam positivamente o metabolismo da glicose por exercerem efeito sobre a resistência à insulina e as disfunções das células β pancreáticas.

- REF.: Filiseti *et al.* (2016), pp. 263-9; Freeman *et al.* (2017), p. 1.179.

37 – B

A fermentação das fibras alimentares pela microbiota colônica resulta na formação dos ácidos graxos de cadeia curta (SCFA), sendo o acetato, o propionato e o butirato produzidos em maior quantidade. Esses são absorvidos no colón, onde cada um tem uma função específica. O butirato funciona como substrato energético do metabolismo celular do epitélio do cólon, enquanto os restantes vão para o fígado e podem servir de substratos na lipogênese. O butirato também pode inibir o crescimento celular e a diferenciação em células do câncer colorretal. Os SCFA afetam os sistemas de regulação do apetite, o ritmo circadiano e o metabolismo energético. Por mecanismos distintos, favorecem a secreção e a liberação dos hormônios anorexígenos GLP-1 e PYY de células L no trato gastrointestinal para a circulação e também apresentam propriedades imunomoduladoras, suprimindo a produção de citocinas inflamatórias.

- REF.: Wouw *et al.* (2017), pp. 4-8; Hornung *et al.* (2018), p. 2.

38 – C

Os nutrientes podem ter um impacto significativo na microbiota intestinal. Os polissacarídeos e as proteínas que escapam à digestão no intestino delgado são fermentados no cólon pela microbiota intestinal em ácidos graxos de cadeia curta (SCFA). A produção de SCFA é afetada pela carga de nutrientes e carboidratos disponível para fermentação. As dietas para perda de peso geralmente têm baixo teor de carboidratos e alto teor de proteína e reduzem a população de butirato, produzindo *Roseburia* e *Eubacterium rectale*. Por outro lado, os gêneros *Bacteroides* e *Provotella* estão associados ao consumo elevado de carboidratos, sendo o primeiro principalmente de alto índice glicêmico, bem como ao consumo elevado de proteínas e lipídios de origem animal a longo prazo. As bifidobactérias têm a capacidade de usar carboidratos complexos não digeríveis do hospedeiro, o que pode estimular sua proliferação.

- REF.: Lima *et al. In*: One & Carvalho (2017), pp. 132-6; Singh *et al.* (2017), pp. 7-8; Williams *et al.* (2017), pp. 8-10; Wouw *et al.* (2017), p. 4.

39 – B

Os prebióticos são compostos alimentares que não sofrem hidrólise nem são absorvidos pelo intestino, resistem à acidez gástrica e são usados como substratos energéticos para a microbiota intestinal, estimulando o crescimento e/ou atividade de bactérias benéficas do cólon, especialmente bifidobactérias e lactobacilos. Além disso, reduzem o pH colônico e ativam o sistema imunológico. Exemplos mais comuns são oligofrutose, inulina, lactulose e galacto-oligossacarídeos. Os probióticos promovem benefícios em várias condições fisiológicas e patológicas por diversos mecanismos de ação, como proteção contra bactérias patogênicas (mediante a produção de compostos antimicrobianos), redução do pH (por meio da produção de ácidos láctico e acético), competição por nutrientes e fontes de energia e capacidade imunoestimuladora. Eles são usados para restabelecer ou aumentar a população bacteriana, melhorando a saúde intestinal.

- REF.: Kechagia *et al.* (2013), p. 3; Filiseti *et al.* (2016), pp. 254-5; Syngai *et al.* (2016), pp. 924-6; Singh *et al.* (2017), p. 8.

40 – A

Os polifenóis podem modular a expressão de genes de várias enzimas, como telomerase, cicloxigenase, lipoxigenase e interleucinas, ao interagir com as vias de transdução do sinal celular, ativando o fator de transcrição nuclear *erythroid* 2 (Nrf2) e inibindo o fator nuclear kB (NFkB), exercendo atividade anti-inflamatória. A fermentação de polifenóis levou à formação de ácidos graxos de cadeia curta, importantes na diminuição do pH do lúmen, na inibição da proliferação de patógenos e no crescimento de *Bifidobacterium* (que confere proteção contra a invasão de patógenos) e, ainda, à redução na proporção de *Firmicutes*.

- REF.: Duda-Chodak *et al.* (2015), pp. 331-2; Horst *et al.* (2016), p. 953; Singh *et al.* (2017), pp. 8-9.

Referências

Abreu P, Leal-Cardoso JH, Ceccatto VM. Adaptação do músculo esquelético ao exercício físico: considerações moleculares e energéticas. Rev Bras Med Esporte, 2017; 23(1):60-5.

Aldin MN, Fernandez DGE, Miyamoto S, Figueiredo Neto AM, Damasceno NRT. Research article – Omega-3 fatty acids improve size of lipoproteins and decrease electronegative low-density lipoprotein [LDL(–)] of Brazilian adults. Hum Nutr Food Sci, 2017; 5(2):1107.

Annuzzi G, Rivellese AA, Wang H, Patti L, Vaccaro O, Riccardi G et al. Lipoprotein subfractions and dietary intake of n23 fatty acid: the genetics of coronary artery disease in Alaska natives study. Am J Clin Nutr, 2012; 95:1315-22.

Antunes SA, Canziani MEF. Hepcidina: um importante regulador do metabolismo de ferro na doença renal crônica. J Bras Nefrol, 2016; 38(3):351-5.

Balasubramaniam G. High density lipoprotein; What to measure: Quality or quantity? Iran J Med Sci, 2011; 36(3):233-4.

Bémeur C, Butterworth RF. Tiamina. In: Ross AC, Caballero B, Cousins RJ, Tucker KL, Ziegler TR. Nutrição moderna de Shils na saúde e na doença. 11. ed. São Paulo: Manole, 2016; p. 317-24.

Bender DA, Mayes PA. Nutrição, digestão e absorção. In: Rodwell VW, Bender DA, Botham KM, Kennelly PJ, Weil PA. Bioquímica ilustrada de Harper. 30. ed. Porto Alegre: Artmed, 2017; p. 537-45.

Bender DA, Mayes PA. Visão geral do metabolismo e do suprimento de combustíveis metabólicos. In: Rodwell VW, Bender DA, Botham KM, Kennelly PJ, Weil PA. Bioquímica ilustrada de Harper. 30.ed. Porto Alegre: Artmed, 2017; p.139-51.

Bianco HT, Araújo DB de. Exposição aos níveis de colesterol ao longo da vida e doença coronariana. Rev Soc Cardiol, 2016; 26(3):158-61.

Botham & Mayes. Metabolismo dos lipídios. In: Rodwell VW, Bender DA, Botham KM, Kennelly PJ, Weil PA. Bioquímica ilustrada de Harper. 30. ed. Porto Alegre: Artmed, 2017; p. 223-44.

Brosnan JT, Young VR. Integração do metabolismo 2: proteínas e aminoácidos. In: Gibney MJ, MacDonald IA, Roche HM. Nutrição & metabolismo. 1. ed. Rio de Janeiro: Guanabara Koogan, 2006; p. 39-66.

Brown TA. Bioquímica. 1. ed. Rio de Janeiro: Guanabara Koogan, 2018.

Caldas Júnior PB. Efeito dos exercícios de alta intensidade aeróbios e anaeróbios na oxidação de gordura corporal: uma revisão sistemática. Rev Bras de Prescrição e Fisiologia do Exercício, 2014; 8(43): 50-61.

Carnuta MG, Stancu CS, Toma L, Sanda GM, Niculescu LS, Deleanu M et al. Dysfunctional high-density lipoproteins have distinct composition, diminished anti-inflammatory potential and discriminate acute coronary syndrome from stable coronary artery disease patients. Scientific reports, 2017; 7(1):7295.

Cartolano FDC, Dias GD, Freitas MCP de, Figueiredo Neto AM, Damasceno NRT. Insulin resistance predicts atherogenic lipoprotein profile in nondiabetic subjects. J Diabetes Res, 2017:1-9.

Chacra AP. Dislipidemia diabética. Rev Soc Cardiol, 2016; 26(2):195-204.

Donadio JLS, Martens IBG, Martens A, Cozzolino SMF. Selênio. In: Cozzolino, SMF. Biodisponibilidade de nutrientes. 5.ed. São Paulo: Manole, 2016; p.761-821.

Duda-Chodak A, Tarko T, Satora P, Sroka P. Interaction of dietary compounds, especially polyphenols, with the intestinal microbiota: a review. Eur J Nutr, 2015; 54:325-41.

Faludi AA, Izar MCO, Saraiva JFK. Atualização da Diretriz Brasileira de Dislipidemias e Prevenção da Aterosclerose. Arq Bras de Cardiol, 2017; 109(2):1-76.

Ferreira ALA, Correa CR, Freire CMM, Moreira PL, Berchieri-Ronchi CB, Reis RAS et al. Síndrome metabólica: atualização de critérios diagnósticos e impacto do estresse oxidativo na patogênese. Rev Bras Clin Med, 2011; 9(1):54-61.

Ferreira GR, Fernandes MS, Navarro F. Consumo de ômega 3 (n-3) como fator de prevenção de doença cardiovascular. Revista Brasileira de Obesidade, Nutrição e Emagrecimento, 2010; 4(19):61-70.

Filiseti TMCC, Lobo AR, Colli C. Fibra alimentar e seu efeito na biodisponibilidade de minerais. In: Cozzolino, SMF. Biodisponibilidade de nutrientes. 5. ed. São Paulo: Manole, 2016; p. 253-92.

Freeman AM, Morris PB, Barnard N, Esselstyn CB, Ros E, Agatston A et al. Trending Cardiovascular Nutrition Controversies. Journal of the American College of Cardiology, 2017; 69(9):1179.

Giacaglia LR. Proteínas e aminoácidos na síndrome metabólica. In: Giacaglia LR, Silva MER, Santos RF. Tratado de Síndrome Metabólica. 1. ed. São Paulo: Roca, 2010; p. 669-82.
Harvey RA, Ferrier DR. Bioquímica ilustrada. 5. ed. Porto Alegre: Artmed, 2012.
Hornung B, Martins dos Santos VAP, Smidt H, Schaap PJ. Studying microbial functionality within the gut ecosystem by systems biology. Genes & Nutrition, 2018; 13(5):1-19.
Horst MA, Cruz AC, Lajolo FM. Biodisponibilidade de compostos bioativos. In: Cozzolino, SMF. Biodisponibilidade de nutrientes. 5.ed. São Paulo: Manole, 2016; p. 949-87.
Kechagia M, Basoulis D, Konstantopoulou S, Dimitriadi D, Gyftopoulou K, Skarmoutsou N et al. Health benefits of probiotics: a review. ISRN Nutrition, 2013; p. 1-7.
Kennelly PJ, Rodwelll VW. Enzimas: mecanismos de ação. In: Rodwell VW, Bender DA, Botham KM, Kennelly PJ, Weil PA. Bioquímica ilustrada de Harper. 30. ed. Porto Alegre: Artmed, 2017; p. 60-72.
Kirkland JB. Niacina. In: Ross AC, Caballero B, Cousins RJ, Tucker KL, Ziegler TR. Nutrição moderna de Shils na saúde e na doença. 11. ed. São Paulo: Manole, 2016; p. 331-40.
Kontush A. HDL particle number and size as predictors of cardiovascular disease. INSERM, 2015; 6(218):1-6.
Krauss RM. All low-density lipoprotein particles are not created equal. Arterioscler Thromb Vasc Biol. American Heart Association, 2014; 34:959-61.
Leança CC, Passarelli M, Nakandakare ER, Quintão ECR. HDL: o yin-yang da doença cardiovascular. Arq Bras Endocrinol Metab, 2010; 54(9):777-84.
Lemos AR, Ismael LAS, Boato CCM, Borges MTF, Rondó PHC. A hepcidina como parâmetro bioquímico na avaliação da anemia por deficiência de ferro. Rev Assoc Med Bras, 2010; 56(5):596-9.
Lima RPA, Ribeiro MR, Lisboa JVC, Lima KQF, Costa MJC. A etiologia da obesidade e o papel da microbiota intestinal: um estudo de revisão. In: One GMC, Carvalho AGC. Nutrição e saúde: os desafios da interdisciplinaridade nos ciclos da vida humana. Campina Grande: IBEA, 2017; p. 128-42.
Lorenzeti FM, Lima WP, Zanuto R, Carnevali Júnior LC, Chaves DFS, Lancha Júnior AH. O exercício físico modulando alterações hormonais em vias metabólicas dos tecidos musculoesquelético, hepático e hipotalâmico relacionado ao metabolismo energético e consumo alimentar. Revista Brasileira de Fisiologia do Exercício, 2011; 10(3):172-7.
Maranhão RC, Carvalho PO, Strunz CC, Pileggi F. Lipoproteína(a): estrutura, metabolismo, fisiopatologia e implicações clínicas. Arq Bras Cardiol, 2017; 103(1):76-84.
Martin RM, Corrêa PHS. Vitamina D na síndrome metabólica. In: Giacaglia LR; Silva MER da; Santos RF dos. Tratado de síndrome metabólica. 1. ed. São Paulo: Roca, 2010; p. 455-65.
Marzzoco A, Torres BB. Bioquímica básica. 4. ed. Rio de Janeiro: Guanabara Koogan, 2017.
Mello APQ, Silva IT da, Abdala DSP, Damasceno NRT. Electronegative low-density lipoprotein: origin and impact on health and disease. Atherosclerosis, 2011; 215:257-65.
Mendes ENA, Vaz LMM, One GMC. Avaliação do consumo de suplementos por praticantes de musculação e seus possíveis efeitos sobre a função renal. In: One GMC, Carvalho AGC. Nutrição e saúde: os desafios da interdisciplinaridade nos ciclos da vida humana. Campina Grande, 2017; p. 90-106.
Milech A, Oliveira EP, Vencio S. Diretrizes da Sociedade Brasileira de Diabetes (2015-2016). São Paulo: A.C. Farmacêutica, 2016.
Moradi M, Mahmoudi M, Saedisomeolia A, Zahirihashemi R, Koohdani F. The effect of weight loss on HDL subfractions and LCAT activity in two genotypes of APOA-II -265T>C polymorphism. Nutrition Journal, 2017; 16(34):1-7.
Mori RCTM, Anhê GF, Machado UF. Bases biomoleculares da resistência à insulina. In: Giacaglia LR, Silva MER da, Santos RF dos. Tratado de síndrome metabólica. São Paulo, Roca, 2010; p. 19-33.
Nelson DL, Cox MM. Princípios de bioquímica de Lehninger. 6. ed. Porto Alegre: Artmed, 2014.
Petry ÉR, Alvarenga ML, Cruzat VF, Toledo JOT. Suplementações nutricionais e estresse oxidativo: implicações na atividade física e no esporte. Rev. Bras. Ciênc. Esporte, 2013; 35(4):1071-92.
Ribeiro MFM, Krause M, Schenkel PC. Fisiologia humana: uma abordagem integrada. 7. ed. Porto Alegre: Artmed, 2017.
Said HM, Ross C. Riboflavina. In: Ross AC, Caballero B, Cousins RJ, Tucker KL, Ziegler TR. Nutrição moderna de Shils na saúde e na doença.11. ed. São Paulo: Manole, 2016; p. 325-30.
Salazar J, Olivar LC, Ramos E, Chávez-Castillo M, Rojas J, Bermúdez V. Dysfunctional high-density lipoprotein: an innovative target for proteomics and lipidomics. Hindawi Publishing Corporation, 2015; p. 1-22.

Santos RD, Gagliardi ACM, Xavier HT, Magnoni CD, Cassani R, Lottenberg AMP et al. Sociedade Brasileira de Cardiologia. Arq Bras Cardiol, 2013; 100(1Supl.3):1-40.

Saxton RA, Sabatini DM. mTOR signaling in growth, metabolism, and disease. Cell, 2018; 168(6):960-76.

Silva AGH da, Pires LV, Cozzolino SMF. Cálcio. In: Cozzolino, SMF. Biodisponibilidade de nutrientes. 5. ed. São Paulo: Manole, 2016; p. 599-636.

Silva MER da, Araújo LMB, Santos RF dos. Tecido adiposo como órgão endócrino. In: Giacaglia LR; Silva MER da; Santos RF dos. Tratado de síndrome metabólica. São Paulo: Roca, 2010; p. 221-38.

Silva PM da. Metabolismo lipídico e diagnóstico das lipidemias primárias. Revista Factores de Risco. Sociedade Portuguesa de Cardiologia, 2015; (38):10-25.

Silva VL da, Cozzolino SMF. Vitamina B1 (Tiamina). In: Cozzolino SMF. Biodisponibilidade de nutrientes. 5. ed. São Paulo: Manole, 2016; p. 441-54.

Silveira LR, Pinheiro CHJ, Zoppi CC, Hirabara SM, Vitzel KF, Bassit RA et al. Regulação do metabolismo de glicose e ácido graxo no músculo esquelético durante exercício físico. Arq Bras Endocrinol Metab, 2011; 55(5):303-13.

Simão AF, Precoma DB, Andrade JP, Correa Filho H, Saraiva JFK, Oliveira GMM et al. I Diretriz Brasileira de Prevenção Cardiovascular. Sociedade Brasileira de Cardiologia, 2013; 101(6Supl.2):1-63.

Singh RK, Chang HW, Yan D, Lee KM, Ucmak D, Wong K et al. Influence of diet on the gut microbiome and implications for human health. J Transl Med, 2017; 15(73):1-17.

Spanier B. Transcriptional and functional regulation of the intestinal peptide transporter PEPT1. The Journal of Physiology, 2013; 5(592):871-9.

Syngai GG, Gopi R, Bharali R, Dey S, Lakshmanan GMA, Ahmed G. Probiotics - the versatile functional food ingredients. Food Sci Technol, 2016; 53(2):921-33.

Tirapegui J, Castro IA, Rossi L. Biodisponibilidade de proteínas. In: Cozzolino SMF. Biodisponibilidade de nutrientes. 5. ed. São Paulo: Manole, 2016; p. 131-90.

Tobaruela EC, Grande F, Henriques GS. Biodisponibilidade de carboidratos. In: Cozzolino SMF. Biodisponibilidade de nutrientes. 5. ed. São Paulo: Manole, 2016; p.191-227.

Vannucchi H, Carvalho DSL de, Chiarello PG. Vitamina B2 (Riboflavina). In: Cozzolino, SMF. Biodisponibilidade de nutrientes. 5. ed. São Paulo: Manole, 2016; p. 455-68.

Vannucchi H, Rosa FT, Chiarello PG. Niacina. In: Cozzolino, SMF. Biodisponibilidade de nutrientes. 5. ed. São Paulo: Manole, 2016; p. 495-510.

Velloso LA. Regulação hipotalâmica da ingestão alimentar e da homeostase energética. In: Giacaglia LR, Silva MER da, Santos RF dos. Tratado de síndrome metabólica. São Paulo: Roca, 2010; p. 73-81.

Viana-Gomes D, Cahuê FLC, Barcellos LC, Salerno VP. Respostas agudas e adaptações crônicas no metabolismo do tecido muscular esquelético ao treinamento intervalado de alta intensidade: uma abordagem molecular. Arquivos em Movimento, 2016; 12(2):66-81.

Weaver CM, Heaney RP. Cálcio. In: Ross AC, Caballero B, Cousins RJ, Tucker KL, Ziegler TR. Nutrição moderna de Shils na saúde e na doença.11. ed. São Paulo: Manole, 2016; p. 133-49.

Williams BA, Grant LJ, Gidley MJ, Mikkelsen D. Gut fermentation of dietary fibres: physico-chemistry of plant cell walls and implications for health. Int J Mol Sci, 2017; 18(2203):1-25.

Wouw MV de, Schellekens HT, Dinan TG, Cryan JF. Microbiota-Gut-Brain Axis: modulator of host metabolism and appetite. The Journal of Nutrition, 2017; p. 1-19.

Zoncu R, Sabatini DM, Efeyan A. mTOR: from growth signal integration to cancer, diabetes and ageing. Nat Rev Mol Cell Biol, 2011; 12(1):21-35.

Capítulo 2

Microbiologia de Alimentos e Legislação Sanitária (MA)

Gláucia Posso Lima
Clarice Maria Araujo Chagas Vergara

Questões

1. (MA) São micro-organismos de interesse em alimentos:
   a) Os fungos.
   b) As bactérias.
   c) Os vírus.
   d) Os bolores pertencentes ao grupo dos fungos.
   e) Todas as afirmativas estão corretas.

2. (MA) Os micro-organismos são importantes nos alimentos porque:
   a) Causam deterioração de alimentos.
   b) Podem causar intoxicação alimentar.
   c) Podem causar infecções alimentares.
   d) São utilizados na fabricação de produtos alimentares.
   e) Todas as afirmativas estão corretas.

3. (MA) Os fatores intrínsecos e extrínsecos controlam o desenvolvimento microbiano nos alimentos. Com base nesta afirmação, relacione a coluna da direita com a da esquerda:

   I) Fatores intrínsecos
   II) Fatores extrínsecos

   ( ) Atividade de água (Aa)
   ( ) Temperatura
   ( ) Potencial de oxirredução
   ( ) Acidez
   ( ) Composição química
   ( ) Umidade

a) I – II – I – I – I – II.
b) II – I – II – II – II – I.
c) I – II – II – II – II – I.
d) I – I – I – I – II – II.
e) II – II – I – I – II – II.

4. (MA) Os micro-organismos são seres formados apenas por uma célula e que têm vida própria; apenas os vírus não têm. Com relação à microbiologia de alimentos, avalie as afirmações abaixo, classificandoas como verdadeiras (V) ou falsas (F).

( ) Ao Reino Monera pertencem as bactérias.
( ) Em condições ideais de temperatura, pH, nutrientes, oxigênio e água, as bactérias se multiplicam a cada 15 minutos.
( ) Os vírus produzem toxinas alergênicas ou cancerígenas.
( ) Os micro-organismos saprófitas são aqueles que transformam o alimento sem causar doença.

Assinale a alternativa que contenha a sequência correta de cima para baixo.

a) V – F – V – F.
b) F – V – F – V.
c) V – V – F – F.
d) F – F – V – V.
e) F – V – V – V.

5. (MA) O ciclo de crescimento microbiano é composto por:

a) Duas fases.
b) Quatro fases.
c) Seis fases.
d) Oito fases.
e) Dez fases.

6. (MA) Os micro-organismos, em razão do impacto significativo em sua vida útil, são considerados um perigo biológico inerente aos alimentos e o nível do risco é potencializado em toda a cadeia produtiva, dependendo dos que estão envolvidos e das barreiras impostas para seu controle. Sobre o assunto, é correto afirmar que:

a) Os micro-organismos possuem forma similar de nutrição e utilização de nutrientes, sendo influenciados por fatores como pH, atividade da água e potencial de oxirredução, além de temperatura, atmosfera e umidade relativa.

b) As associações de micro-organismos aos alimentos ocorrem de maneiras semelhantes, especialmente em virtude das particularidades do ambiente em que normalmente são produzidos ou expostos.

c) Considerando a presença de microbiota mista, determinado micro-organismo, ao se multiplicar em um alimento, produz metabólitos que podem afetar a capacidade de sobrevivência e a multiplicação de outros micro-organismos presentes nesse alimento.

d) A predominância dos diferentes grupos e a quantidade de micro-organismos presentes em um alimento são independentes das condições adequadas ou não em toda a cadeia produtiva.

e) O alimento naturalmente não contém microbiota típica, mas pode ser contaminado por bactérias, bolores e leveduras, entre outros, influenciado por sua origem e pelas características intrínsecas do alimento e do ambiente de exposição.

7. (MA) A temperatura ótima para o crescimento bacteriano se encontra entre:

a) 20 e 40°C.

b) 25 e 45°C.

c) 28 e 45°C.

d) 30 e 40°C.

e) 35 e 40°C.

8. (MA) O conhecimento acerca das características dos diferentes grupos de micro-organismos e das variáveis dos fatores que interferem em sua multiplicação deve ser foco da atenção dos profissionais da área de alimentos para o controle de patógenos e de deteriorantes e de micro-organismos de interesse para a produção industrial, já que possibilita a compreensão e é a base de conhecimento necessária às decisões para a escolha das tecnologias aplicáveis no processamento e na conservação de alimentos em toda a cadeia produtiva. Sobre o assunto, é correto afirmar que:

a) A adição de micro-organismos inofensivos a um produto inibe o processo competitivo entre os componentes da microbiota presente.

b) As bacteriocinas e as bactérias produtoras de bacteriocinas em alimentos têm sido empregadas como recurso tecnológico para a produção de certos tipos de alimentos.

c) A nisina é efetiva em impedir o desenvolvimento de bactérias gram-positivas, bactérias gram-negativas e a germinação de seus esporos.

d) Os produtos do metabolismo de certas bactérias prejudicam o crescimento de outros presentes no meio.

e) Os fungos podem agir nos ácidos presentes no meio, porém não atuam nos acidulantes adicionados.

9. (MA) O conceito da curva de crescimento bacteriano é fundamental para entendermos a dinâmica das populações e o controle. O perfil do número de células na curva de crescimento microbiano pode ser representado pela Figura 2.1:

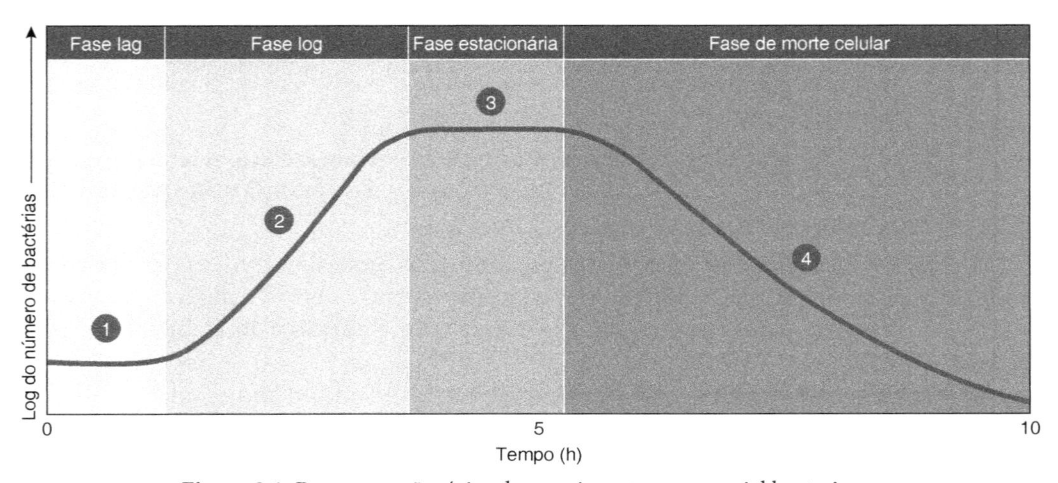

Figura 2.1. Representação típica do crescimento exponencial bacteriano.

Legenda: (1) fase lag; (2) fase log; (3) fase estacionária; (4) fase de morte celular.
Fonte: adaptada de Tortora et al., 2012.

Sobre a curva normal de crescimento microbiano, é correto afirmar que:

a) A multiplicação celular de uma população bacteriana independe das condições ambientais intrínsecas e extrínsecas para esse crescimento.

b) Durante a fase lag, ocorre pouca ou nenhuma alteração no número de células, e a atividade metabólica é reduzida.

c) Durante a fase log, as bactérias se multiplicam em alta velocidade, considerando as condições fornecidas pelo meio.

d) Durante a fase estacionária, há um desequilíbrio entre a divisão e a morte celular.

e) Durante a fase de morte celular, o número de novas células formadas excede o número de mortes.

10. (MA) Os coliformes totais e termotolerantes são micro-organismos indicadores de condições higiênico-sanitárias insatisfatórias e, quando presentes em alimentos, fornecem informações sobre a ocorrência de contaminação de origem fecal e provável presença de patógenos. Como exemplo de micro-organismo representante desse grupo, pode-se citar:

a) *Salmonella.*

b) *Bacillus cereus.*

c) *Listeria monocytogenes.*

d) *Staphylococcus aureus.*

e) *Escherichia coli.*

11. (MA) Dentre os diferentes indicadores de contaminação do alimento, pode-se afirmar que:
    a) A contagem em placas de bactérias aeróbias mesófilas é empregada para indicar a qualidade sanitária dos alimentos.
    b) A contagem de bactérias psicrotróficas e termófilas avalia o grau de deterioração de alimentos armazenados à temperatura ambiente.
    c) A contagem de bolores e leveduras não é necessária.
    d) Os clostrídios são indicadores específicos de contaminação fecal.
    e) A contagem de esporos de termófilos é usada como indicadora da eficiência de sanificação de equipamentos em Unidades de Alimentação e Nutrição.

12. (MA) Alguns micro-organismos podem ser utilizados como indicadores da qualidade microbiológica dos alimentos, mas para isso devem preencher alguns requisitos, exceto:
    a) Ser facilmente distinguível de outros micro-organismos da microbiota do alimento.
    b) Estar presente como contaminante natural do alimento.
    c) Ser de rápida e fácil detecção.
    d) Apresentar necessidades de crescimento semelhantes às do patógeno.
    e) Estar sempre presente quando o patógeno associado estiver.

13. (MA) A deterioração de alimentos refrigerados pode efetivamente ocorrer, mas devido exclusivamente à atividade de micro-organismos:
    a) Termófilos e psicrófilos.
    b) Mesófilos e termófilos.
    c) Psicrófilos e tesófilos.
    d) Psicrófilos e psicrotrófilos.
    e) Psicrotrófilos e mesófilos.

14. (MA) Associe o micro-organismo citado com a descrição apropriada:
    1) *Escherichia coli*
    2) Espécies de *Shigella*
    3) *Yersinia enterocolitica*
    4) *Vibrio cholerae*
    5) *Clostridium perfringens*

    ( ) Diarreia do viajante.
    ( ) Produz uma enterotoxina quando esporula no intestino.
    ( ) Pode ocorrer perda de mais de um litro de fezes por hora.

( ) A diferença marcante com a *E. coli* é a disenteria.

( ) Pacientes podem apresentar dor abdominal que simula apendicite.

a) 2 - 3 - 1 - 4 - 5.

b) 3 - 4 - 2 - 5 - 1.

c) 4 - 1 - 3 - 2 - 5.

d) 1 - 5 - 4 - 2 - 3.

e) 1 - 5 - 3 - 4 - 2.

15. (MA) Os micro-organismos que sobrevivem somente na presença de oxigênio são denominados:

a) Anaeróbios facultativos.

b) Aeróbios.

c) Anaeróbios.

d) Microaerófilos.

e) Psicrotrófilos.

16. (MA) As micotoxinas são produzidas por:

a) Micobactérias.

b) Algas.

c) Fungos.

d) Micoplasmas.

e) Alcaloides.

17. (MA) Dentre as afirmativas abaixo, assinale a falsa.

a) Alimentos contaminados com salmonelas que permanecerem por muitas horas a 37°C e com pH próximo de 7 poderão apresentar a multiplicação das mesmas, alcançando número elevado.

b) O reservatório de *Salmonella typhi* é o homem.

c) Uma forma para o controle de *Salmonella* em produtos à base de carne de aves é a chamada exclusão competitiva.

d) As doenças causadas por *Salmonella* podem ser divididas em três grupos: febre tifoide, febres entéricas e enterocolites.

e) Entre os animais, o gado bovino é o reservatório mais importante de *Salmonella*.

18. (MA) O *Bacillus cereus* pode causar duas formas de gastroenterite:

a) Síndrome diarreica e emética.

b) Síndrome diarreica e bacílica.

c) Síndrome intestino-necrótica e virulenta.
d) Síndrome entérica-duodenal e diarreica.
e) Síndrome emética e intestino-necrótica.

19. (MA) O principal vetor de contaminação secundária de alimentos por vírus é:
a) Irrigação.
b) Alimento contaminado.
c) Manipulador de alimento.
d) Alimento marinho.
e) Água.

20. (MA) O micro-organismo *Listeria monocytogenes* tornou-se um dos mais importantes patógenos veiculados por alimentos na década de 1980 em virtude da eclosão de diversos surtos. Assim, pode-se afirmar que:
a) Trata-se de cocos gram-positivos e anaeróbios facultativos.
b) Trata-se de células vegetativas de menor resistência térmica.
c) É um micro-organismo patogênico exclusivo do leite e produtos lácteos.
d) Seu período de incubação varia de 1 a 8 horas.
e) A meningite é a manifestação mais comum em crianças e idosos.

21. (MA) A taxonomia do gênero *Salmonella* é baseada na composição de seus antígenos de superfície, que são os antígenos somáticos (O), os flagelares (H) e os capsulares (Vi). Os antígenos H são constituídos de:
a) Proteína.
b) Lipídios.
c) Polissacarídeos.
d) Lipopolissacarídeos.
e) Lipoproteínas.

22. (MA) Das seguintes afirmativas relacionadas à bactéria *Staphylococcus aureus,* assinale a correta.
a) A maioria dos portadores de cepas enterotoxigênicas de *S. aureus* tem infecções evidentes nas mãos.
b) A enterotoxina estafilocócica é produzida dentro do organismo após a ingestão do alimento.
c) A melhor medida de prevenção contra intoxicação alimentar estafilocócica é a refrigeração de todo alimento perecível.

d) Os sintomas da intoxicação alimentar estafilocócica normalmente começam 24 horas após o consumo do alimento.

e) A enterotoxina do *S. aureus* é destruída por fervura durante 30 minutos.

23. (MA) Dentre os micro-organismos causadores de intoxicação alimentar, um está diretamente associado aos alimentos farináceos, contendo cereais, principalmente arroz. Por esse motivo, está sempre envolvido em intoxicações alimentares em preparações chinesas. Esse micro-organismo é:

a) *Aspergillus flavus.*

b) *Staphylococcus aureus.*

c) *Bacillus cereus.*

d) *Clostridium perfringens.*

e) *Neurospora sitofila.*

24. (MA) Segundo a RDC nº 216/2004, da ANVISA, o tratamento térmico deve garantir que todas as partes do alimento atinjam a temperatura mínima de:

a) 70°C.

b) 71°C.

c) 72°C.

d) 74°C.

e) 75°C.

25. (MA) O sistema Análise dos Perigos e Pontos Críticos de Controle (APPCC) baseia-se em uma série de etapas inter-relacionadas, inerentes ao processamento dos alimentos, incluindo toda a cadeia produtiva. E perigo é qualquer agente que possa tornar um alimento prejudicial ao consumo humano. São perigos químico, físico e biológico, respectivamente:

a) Pedras, resíduos agrícolas e fragmentos de ossos.

b) Filetos de lã de aço, metais tóxicos e nitrosaminas.

c) Metais tóxicos, fragmentos de ossos e fragmentos de vidro.

d) Resíduos veterinários, fragmentos de metal e *Salmonella*.

e) Resíduos agrícolas, fragmentos de ossos e resíduos veterinários.

26. (MA) A expressão vigilância sanitária tem origem na denominação "política sanitária", que a partir do século XVIII tornou-se responsável, entre outras atividades, pelo controle do exercício profissional e do saneamento com o objetivo principal de evitar a propagação de doenças. Com base nos aspectos legais vigentes relacionados à vigilância sanitária, avalie as afirmações a seguir:

I) Entende-se por vigilância sanitária um conjunto de ações capazes de eliminar, diminuir ou prevenir os riscos à saúde e intervir nos problemas sanitários decorrentes do meio ambiente, da produção e circulação de bens e da prestação de serviços de interesse da saúde.

II) A Agência Nacional da Vigilância Sanitária (ANVISA), criada em 1999 como agência reguladora, no âmbito do Ministério da Saúde é caracterizada pela dependência administrativa e financeira e pela estabilidade de seus dirigentes enquanto perdurarem seus mandatos.

III) No Brasil, as atividades de vigilância sanitária são competência do Sistema Nacional de Vigilância Sanitária (SNVS), que se encontra vinculado ao Sistema Único de Saúde (SUS) e atua de maneira integrada e centralizada em todo o território nacional. As responsabilidades são compartilhadas entre as três esferas de governo – União, estados e municípios – sem relação de subordinação entre elas.

IV) Quando comprovada a comercialização de produtos sujeitos à vigilância sanitária impróprios para o consumo, ficará a empresa responsável obrigada a veicular publicidade contendo alerta à população, no prazo e nas condições indicados pela autoridade sanitária, sujeitando-se ao pagamento de taxa correspondente ao exame e à anuência prévia do conteúdo informativo pela ANVISA.

É correto apenas o que se afirma em:

a) I e II.
b) III e IV.
c) I e IV.
d) I, II e III.
e) I, III e IV.

27. (MA) No âmbito da vigilância sanitária, a prática regulatória dos riscos dos alimentos constitui uma tarefa repleta de tensões e conflitos para as instituições públicas. Sobre a prática regulatória dos riscos dos alimentos, é correto afirmar que:

a) A vigilância sanitária de alimentos se dissocia das questões nutricionais, e esse entendimento comprovadamente integra a rotina institucional da entidade desde sua criação.
b) A Secretaria de Vigilância em Saúde (SVS), por intermédio do Departamento de Vigilância Epidemiológica (DEVEP), é responsável pela consolidação das notificações de doenças veiculadas por alimentos.
c) A ANVISA pretende introduzir em suas estruturas os procedimentos de informação, audiência pública e consulta pública. Esses canais de comunicação irão auxiliar um processo de gestão participativa.
d) Medidas adotadas pela ANVISA em anos mais recentes aumentaram o rigor no registro de produtos alimentícios e parâmetros de identidade dos produtos alimentícios.
e) O sistema de informação atual é acessível a toda a rede de vigilância sanitária, permitindo a troca de informações simultâneas e a ação rápida das autoridades diante dos riscos dos produtos e serviços.

28. (MA) É extensa a legislação brasileira relacionada a alimentos em geral, e novos regulamentos, resoluções, portarias e instruções normativas são publicados pelos vários órgãos reguladores que tratam desse assunto tão vasto, como é a produção, a industrialização, a comercialização de alimentos e a própria alimentação. Sobre este assunto, é correto afirmar que:

    a) Em 2017, foi publicado ato normativo para redução do conteúdo de sódio nos alimentos industrializados, tornando obrigatória a adequação das indústrias de alimentos para atender ao Plano de Redução de Sódio.
    b) A legislação representa o aprimoramento do controle sanitário e possibilitará a breve inserção do Brasil como membro da Comissão do *Codex Alimentarius* FAO/OMS, para poder participar da normalização internacional de alimentos.
    c) Uma das lacunas da legislação se refere ao atendimento a grupos específicos, buscando tornar obrigatória a informação sobre a presença ou a ausência de glúten nos alimentos, o mesmo ocorrendo com a lactose.
    d) A proteção ao consumidor é constatada nos processos de revisão da legislação, a qual deve ser sempre atualizada, principalmente em função dos novos hábitos de consumo que podem tornar prejudicial uma ação positiva caso não haja reavaliação dos regulamentos vigentes.
    e) Na linha de suplementação, aguarda-se a atualização da legislação que prevê o enriquecimento obrigatório de farinhas de milho e trigo com ácido fólico. Além dos valores adicionados, também serão alterados os compostos de ferro que podem ser utilizados no enriquecimento, assim como as informações de rotulagem obrigatória.

29. (MA) Boas Práticas são procedimentos que devem ser adotados por serviços de alimentação a fim de garantir a qualidade higiênica e sanitária e a conformidade dos alimentos com a legislação sanitária. Segundo a Resolução-RDC nº 216, de 15 de setembro de 2004, que dispõe sobre o Regulamento Técnico de Boas Práticas para Serviços de Alimentação, é correto afirmar que:

    a) O responsável pela manipulação de alimentos deve ser comprovadamente submetido a curso de capacitação para o cargo. Esse curso deve abordar, no mínimo, os temas: manipulação higiênica dos alimentos, boas práticas, análise sensorial e análise de perigos e pontos críticos de controle.
    b) O tratamento térmico deve garantir que todas as partes do alimento atinjam a temperatura mínima de 60°C. Temperaturas inferiores podem ser utilizadas no tratamento térmico desde que as combinações de tempo e temperatura sejam suficientes para assegurar a qualidade higiênico-sanitária dos alimentos.
    c) Os óleos e gorduras utilizados devem ser aquecidos a temperaturas não superiores a 210°C, sendo substituídos imediatamente sempre que houver alteração evidente das características físico-químicas ou sensoriais, como aroma e sabor, e formação intensa de espuma e fumaça.
    d) O prazo máximo de consumo do alimento preparado e conservado sob refrigeração à temperatura de 10°C ou inferior deve ser de 7 dias.

e) O descongelamento deve ser efetuado em condições de refrigeração à temperatura inferior a 5ºC ou em forno de micro-ondas quando o alimento for submetido imediatamente à cocção.

30. (MA) A água é considerada um bem essencial à vida. Segundo o Ministério da Saúde, água para consumo humano é definida como a água potável destinada à ingestão, preparação e produção de alimentos e à higiene pessoal, devendo atender ao padrão de potabilidade vigente e não oferecer riscos à saúde (Brasil, 2017a). Sobre o assunto, é correto afirmar que:

a) As doenças de veiculação hídrica são causadas, principalmente, por micro-organismos patogênicos de origem animal ou humana.

b) Os parâmetros da potabilidade da água que devem ser avaliados para padrão microbiológico estabelecidos pela legislação vigente são coliformes totais, *Escherichia coli* e *Shigella sp.*

c) No controle da qualidade da água, mesmo quando forem detectadas amostras com resultado negativo para coliformes totais, ações corretivas devem ser adotadas e novas amostras devem ser coletadas diariamente.

d) Para o controle do processo de desinfecção da água por meio da cloração, cloraminação ou da aplicação de dióxido de cloro, devem ser observados os tempos de contato e os valores de concentrações residuais de desinfetante na entrada do tanque de contato.

e) O atendimento do percentual de aceitação do limite de turbidez deve ser verificado a cada semestre com base em amostras, preferencialmente no efluente individual de cada unidade de filtração.

Respostas

1 - E

Os micro-organismos de interesse em alimentos compreendem os fungos, bactérias e os vírus. Ao grupo dos fungos pertencem os bolores e as leveduras.

- REF.: Franco & Landgraf (2008).

2 - E

Os micro-organismos podem desempenhar papéis muito importantes nos alimentos, sendo possível classificá-los em três grupos distintos, dependendo do tipo de interação existente entre o micro-organismo e o alimento:

- Os micro-organismos nos alimentos são causadores de alterações químicas prejudiciais, resultando na chamada "deterioração microbiana".
- Os micro-organismos presentes nos alimentos podem representar um risco à saúde, causando infecções e intoxicações. Esses micro-organismos são genericamente denominados "patogênicos".
- Os micro-organismos presentes nos alimentos causam alterações benéficas em um alimento, modificando suas características originais de modo a transformá-lo em um novo alimento.

- REF.: Franco & Landgraf (2008).

3 - A

A capacidade de sobrevivência ou de multiplicação dos micro-organismos que estão presentes em um alimento depende de uma série de fatores. Entre esses fatores estão aqueles relacionados com as características próprias do alimento (fatores intrínsecos) e os relacionados com o ambiente em que o alimento se encontra (fatores extrínsecos). São considerados fatores intrínsecos: atividade de água (Aa), acidez (pH), potencial de oxirredução (Eh), composição química, presença de fatores antimicrobianos naturais e interações entre os micro-organismos presentes nos alimentos. Entre os fatores extrínsecos, os mais importantes são a umidade e a temperatura ambientais e, também, a composição química da atmosfera que envolve o alimento.

- REF.: Franco & Landgraf (2008).

4 - B

Os micro-organismos são seres formados apenas por uma célula e que têm vida própria; apenas os vírus não têm. Não apresentam características de animais, vegetais ou minerais. Existem diversos tipos, cada espécie com características biológicas diferentes com a capacidade de pôr em risco a saúde do homem em maior ou menor grau. Estão classificados em três reinos:

- Reino Monera: bactérias e algas azuis.
- Reino Protista: protozoários.
- Reino Fungi: fungos.

Com relação ao metabolismo dos micro-organismos e parasitas, as bactérias e os fungos têm vida própria, podendo multiplicar-se nos alimentos e aumentar em número, além de produzirem toxinas. Já os vírus e parasitas dependem de um hospedeiro para sua multiplicação. Em condições ideais de temperatura, pH, nutrientes, oxigênio e água, as bactérias se multiplicam a cada 15 a 20 minutos.

Os fungos são divididos em bolores e leveduras e podem produzir toxinas alergênicas ou cancerígenas.

Os vírus são uma exceção, pois não têm vida própria e só crescem dentro da célula do organismo do homem e dos animais.

Os micro-organismos benignos (saprófitas) são aqueles que se encontram no intestino do homem, ajudando a proteger e evitar doenças. Os micro-organismos benignos (neutros) vivem no organismo sem causar bem ou mal. Os micro-organismos malignos ou patogênicos invadem o organismo em número elevado ou não, com produção de toxina ou não, podendo causar doenças leves ou graves, inclusive a morte.

- REF.: Silva Júnior (2016).

5 – C

O ciclo de crescimento microbiano é composto por seis fases: fase lag, fase de aceleração, fase log, fase de desaceleração, fase estacionária e fase da morte.

- REF.: Forsythe (2013).

6 – C

O item "a" está incorreto, pois cada micro-organismo tem sua forma particular de nutrição e utilização de nutrientes, influenciados por fatores como pH, atividade de água e potencial de oxirredução, além de temperatura, atmosfera e umidade relativa.

O item "b" está errado, pois as associações entre os micro-organismos e os alimentos ocorrem de diferentes maneiras, especialmente em razão das particularidades do ambiente em que normalmente são produzidos ou expostos.

O item "c" está correto.

O item "d" está incorreto, pois a predominância dos diferentes grupos e a quantidade de micro-organismos presentes em um alimento são dependentes das condições adequadas ou não acontecem em toda a cadeia produtiva.

O item "e" está errado, pois todo alimento tem uma microbiota típica, geralmente composta de bactérias, bolores e leveduras, entre outros, influenciada por sua origem e pelas características intrínsecas do alimento e do ambiente de exposição.

- REF.: Gândara (2018).

7 – C

A temperatura ótima para o crescimento bacteriano está entre 28 e 45°C.

- REF.: Silva Júnior (2016).

8 – B

O item "a" está incorreto, pois a adição de micro-organismos inofensivos a um produto pode estimular o processo competitivo existente entre os componentes da microbiota presente.

O item "b" está correto.

O item "c" está incorreto, pois a nisina é efetiva para impedir o desenvolvimento de bactérias gram-positivas e a germinação de seus esporos, porém não é ativa contra as bactérias gram-negativas.

O item "d" está errado, pois os produtos do metabolismo de certas bactérias podem ser essenciais para o crescimento de outros presentes no meio.

O item "e" está errado, pois os fungos podem agir nos ácidos presentes no meio, seja naqueles formados, seja em acidulantes adicionados.

- REF.: Gândara (2018).

9 – C

O item "a" está incorreto, pois a multiplicação celular de uma população bacteriana depende das condições ambientais intrínsecas e extrínsecas usadas para esse crescimento.

O item "b" está incorreto, pois durante a fase lag, ocorre pouca ou nenhuma alteração no número de células, porém a atividade metabólica é intensa.

O item "c" está correto.

O item "d" está incorreto, pois durante a fase estacionária, há um equilíbrio entre a divisão e a morte celular.

O item "e" está incorreto, pois durante a fase de morte celular, o número de mortes excede ao número de novas células formadas.

- REF.: Tortora *et al.* (2012).

10 – E

A *Escherichia coli* é um exemplo de microrganismo representante do grupo de coliformes totais e termotolerantes, caracterizado por microrganismos indicadores de condições higienicossanitárias insatisfatórias e, que, quando presentes em alimentos, fornecem informações sobre a ocorrência de contaminação de origem fecal e provável presença de patógenos. Os microrganismos *Salmonela*, *Bacillus cereus*, *Listeria monocytogenes* e *Staphylococcus aureus* não fazem parte do grupo de grupo de coliformes totais e termotolerantes. Assim, está correto apenas o item (e).

- REF.: Jesus *et al.* (2017).

11 – A

Essa contagem é empregada para indicar a qualidade sanitária dos alimentos. A contagem elevada desse grupo de bactérias nos alimentos não perecíveis é indicativa do uso de matéria-prima contaminada ou processamento insatisfatório do ponto de vista sanitário. Todas as bactérias patogênicas de origem alimentar são mesófilas.

- REF.: Franco & Landgraf (2008).

12 – B

Alguns critérios devem ser considerados na definição de um micro-organismo ou grupo de micro-organismos como indicadores: deve ser de rápida e fácil detecção; deve ser facilmente distinguível de outros micro-organismos da microbiota do alimento; não deve estar presente como contaminante natural do alimento, pois assim sua detecção não indicará a presença de patógenos; deve estar sempre presente quando o patógeno associado estiver presente; seu número deve correlacionar-se com o do patógeno; deve apresentar necessidades de crescimento e velocidade de crescimento semelhantes às do patógeno; deve ter velocidade de morte semelhante à do patógeno e, se possível, levemente superior; deve estar ausente nos alimentos que estão livres do patógeno.

- REF.: Franco & Landgraf (2008).

13 – D

Os micro-organismos psicrófilos e sicrotrófilos se multiplicam bem em alimentos refrigerados, sendo os principais agentes de deterioração de carnes, pescado, ovos, frangos e outros.

- REF.: Franco & Landgraf (2008).

14 – D

- *Escherichia coli*: é considerado um dos principais agentes etiológicos da chamada "diarreia do viajante".
- Espécie *Shigella*: estudos revelam que as espécies estão intimamente relacionadas com a *E. coli*. A diferença marcante entre elas é que as *Shigellas* causam disenteria, o que não ocorre com a maioria das cepas de *E. coli*.
- *Yersinia enterocolitica*: são capazes de causar dor abdominal tão intensa que leva a confundir essa infecção com uma apendicite.
- *Vibrio cholerae*: nos casos mais severos, pode ocorrer perda de mais de um litro de fezes por hora, levando à perda rápida de líquido, ao colapso circulatório e à morte quando na ausência de terapia.
- *Clostridium perfringens*: a intoxicação alimentar é causada por uma enterotoxina formada durante o processo de esporulação. A esporulação pode ocorrer excepcionalmente no alimento, mas este fenômeno ocorre principalmente no intestino.

- REF.: Franco & Landgraf (2008).

15 – B

De acordo com a necessidade de utilização do oxigênio, os micro-organismos são divididos em quatro grupos fisiológicos:

- Micro-organismos aeróbios: necessitam de oxigênio.
- Micro-organismos anaeróbios: não podem crescer em presença do ar e não utilizam oxigênio para as reações de produção de energia.
- Micro-organismos facultativos: são aqueles que crescem na presença do ar atmosférico e podem crescer também na ausência de oxigênio. Eles não necessitam de

oxigênio para o crescimento, embora possam utilizá-lo para a produção de energia em reações químicas.
- Micro-organismos microaerófilos: necessitam de pequena quantidade de oxigênio (1 a 15%).

- REF.: Tortora, Funke & Case (2012).

16 - C

Os fungos são indesejáveis nos alimentos porque são capazes de produzir uma grande variedade de enzimas que, agindo sobre os alimentos, provocam a deterioração. Além disso, muitos fungos podem produzir metabólicos tóxicos quando estão se multiplicando nos alimentos. Esses metabólitos recebem a denominação genérica de micotoxinas.

- REF.: Franco & Landgraf (2008).

17 - E

Entre os animais, as aves são o reservatório mais importante, pois podem ser portadores assintomáticos, excretando continuamente salmonelas pelas fezes. Os animais nessas condições podem causar contaminações cruzadas de grande importância nos abatedouros de aves. Nos últimos anos tem sido observado um aumento na incidência de salmonelose envolvendo ovos e produtos à base de ovos, ocorrendo a colonização por *Salmonella* do canal ovopositor das galinhas, o que causa a contaminação da gema durante a formação do ovo.

- REF.: Franco & Landgraf (2008).

18 - A

Síndrome diarreica caracterizada por um período de incubação que varia de 8 a 16 horas. Seus principais sintomas são diarreia intensa, dores abdominais e tenesmos retais, raramente ocorrendo náuseas e vômitos. Síndrome emética caracterizada por um período de incubação curto (1 a 5 horas), causando vômitos, náuseas e mal-estar geral.

- REF.: Franco & Landgraf (2008).

19 - C

A contaminação de alimentos por vírus pode ser primária ou secundária.
- Primária: plantações irrigadas com água servida, carnes provenientes de animais doentes, moluscos cultivados em águas contaminadas.
- Secundária: ocorre durante o processamento, armazenamento, distribuição e preparo final dos alimentos, podendo ser indireta ou direta, através de manipuladores, que se constituem no elemento de importância na contaminação por vírus.

- REF.: Franco & Landgraf (2008).

20 – E

Trata-se de um bacilo gram-positivo, não formador de esporo, anaeróbio facultativo. Apresenta crescimento na faixa de temperatura entre 25 e 44°C, o pH ótimo está entre 6 e 8, e a atividade de água ótima é 0,97. A ocorrência em adultos é pequena. Nos casos de comprometimento do SNC, a manifestação mais comum é a meningite em crianças e idosos, com índice de mortalidade de, aproximadamente, 70%. O período de incubação varia de 1 dia a algumas semanas. Encontra-se amplamente disseminado na natureza. Desenvolve-se em uma ampla faixa de temperatura e pH, além de ser uma das células vegetativas de maior resistência térmica.

- REF.: Franco & Landgraf (2008).

21 – A

A taxonomia do gênero *Salmonella* é baseada na composição de seus antígenos de superfície, que são os antígenos somáticos (O), os flagelares (H) e os capsulares (Vi). Os antígenos H são constituídos de natureza proteica. Desta forma, a opção correta é o item (a).

- REF.: Franco & Landgraf (2008).

22 – C

Para prevenir a intoxicação estafilocócica, é importante manter os alimentos suscetíveis sob refrigeração. São bactérias mesófilas, apresentando temperatura de crescimento na faixa de 7 a 47,8°C, e suas enterotoxinas são produzidas entre 10 e 46°C. Por isso, os alimentos devem ser resfriados rapidamente, evitando permanecer no intervalo de 7 a 48°C, isto é, mantidos em refrigeração a uma temperatura que pode variar de 2 a 6°C, o que impedirá a multiplicação e a produção de enterotoxinas.

- REF.: Franco & Landgraf (2008).

23 – C

Um número bastante significativo de casos de gastroenterite causados por *Bacillus cereus* já foi descrito envolvendo o arroz preparado à moda chinesa, ou seja, cozido no vapor e mantido à temperatura ambiente. Nessas condições, o aquecimento é insuficiente para destruir os esporos, que são comuns em cereais. Os esporos germinam e, devido à temperatura favorável, ocorre a multiplicação rápida das células vegetativas resultantes. A mistura do arroz preparado dessa forma com outros ingredientes (carne, ovos, vegetais, frango), comum na cozinha oriental, agrava ainda mais o problema.

- REF.: Franco & Landgraf (2008).

24 – A

O tratamento térmico deve garantir que todas as partes do alimento atinjam a temperatura de, no mínimo, 70ºC. Temperaturas inferiores podem ser utilizadas no tratamento térmico, desde que as combinações de tempo e temperatura sejam suficientes para assegurar a qualidade higiênico-sanitária dos alimentos.

- REF.: Brasil (2004).

25 - D

- Perigo químico: agentes tóxicos que ocorrem naturalmente nos alimentos, agentes tóxicos contaminantes diretos, agentes tóxicos contaminantes indiretos e substâncias alergênicas.
- Perigo físico: presença de objetos estranhos ao alimento e que podem causar algum tipo de injúria ao consumidor.
- Perigo biológico: incluem bactérias e suas toxinas, vírus e parasitas.

- REF.: Azeredo (2017).

26 - C

É correto apenas o que se afirma nos itens I e IV.

A afirmativa I está correta e descrita no art. 6º, § 1º da Lei nº 8.080, de 19 de setembro de1990.

A afirmativa II está incorreta, pois, segundo a Lei nº 9.782, de 26 de janeiro de 1999, a Agência Nacional da Vigilância Sanitária (ANVISA), criada em 1999, no âmbito do Ministério da Saúde, como agência reguladora é caracterizada pela independência administrativa, estabilidade de seus dirigentes e autonomia financeira.

A afirmativa III está incorreta, pois, segundo a Lei nº 9.782, de 26 de janeiro de 1999, no Brasil as atividades de vigilância sanitária são competência do Sistema Nacional de Vigilância Sanitária (SNVS), que se encontra vinculado ao Sistema Único de Saúde (SUS) e atua de maneira integrada e descentralizada em todo o território nacional. As responsabilidades são compartilhadas entre as três esferas de governo - União, estados e municípios - sem relação de subordinação entre elas.

A afirmativa IV está correta segundo a Lei nº 9.782, de 26 de janeiro de 1999, com dispositivo alterado pela medida provisória 2.134, de 26 de abril de 2001.

- REF.: Brasil (1990, 1999); Germano & Germano (2015).

27 - B

O item "a" está incorreto, pois a vigilância sanitária de alimentos não se dissocia das questões nutricionais, e a entidade oficial competente reconhece que proteger a população implica controlar quaisquer riscos oriundos dos alimentos, e esse entendimento comprovadamente integra a rotina institucional da entidade desde sua criação.

O item "b" está correto.

O item "c" está incorreto, pois a ANVISA já introduziu em suas estruturas os procedimentos de informação, audiência pública e consulta pública. Esses canais de comunicação estabelecem um processo de gestão participativa.

Os itens "d" e "e" estão incorretos, pois medidas adotadas pela ANVISA em anos mais recentes podem ser consideradas como elementos de fragilização no controle de riscos potenciais dos alimentos e atenderam às demandas do setor produtivo, como, por exemplo: (i) desburocratização, a qual resultou na dispensa da obrigatoriedade do registro de produtos alimentícios sem a contrapartida do reforço nas atividades de inspeção nas indústrias e de controle dos alimentos para efetivar sua vigilância; (ii) abolição das regras que instituem os parâmetros de identidade dos produtos alimentícios, deixando o consumidor sem o referencial sobre o padrão do produto; (iii) incapacidade de instituir um sistema de informação acessível a toda a rede de vigilância sanitária, permitindo a troca de informações simultâneas e a ação rápida das autoridades diante dos riscos dos produtos e serviços; (iv) ausência de mecanismos para controlar a publicidade de alimentos, principalmente aquela dirigida ao público infantil.

- REF.: Brasil (2007, 2010); Germano & Germano (2015); Brasil (2016); Figueiredo, Recine & Monteiro (2017).

28 – D

A alternativa "a" está errada, pois ainda não foi publicado ato normativo para redução do conteúdo de sódio nos alimentos industrializados, tornando obrigatória a adequação das indústrias de alimentos para atender ao Plano de Redução de Sódio firmado em 2011 entre o Governo e a Associação Brasileira das Indústrias de Alimentos (ABIA); no entanto, muitas empresas já estão adotando essa ação como estratégia mercadológica.

O item "b" está incorreto, pois a legislação representa o aprimoramento do controle sanitário e foi um dos passos preparatórios para a inserção do país como membro já integrante da Comissão do *Codex Alimentarius* FAO/OMS, podendo participar da normalização internacional de alimentos.

O item "c" está incorreto, pois a ANVISA tornou obrigatória a informação sobre a presença ou a ausência de glúten nos alimentos já em 2003, por meio da Lei nº 10.674, o mesmo ocorrendo com a lactose, por meio da RDC nº 136, de 08 de fevereiro de 2017.

O item "d" está correto.

O item "e" está incorreto, pois na linha de suplementação a legislação que prevê o enriquecimento obrigatório de farinhas de milho e trigo com ácido fólico foi atualizada em 2017 por meio da RDC nº 150, de 13 de abril de 2017. Além dos valores adicionados, também foram alterados os compostos de ferro que podem ser utilizados no enriquecimento, assim como as informações de rotulagem obrigatória.

- REF.: Brasil (2003, 2017b, 2017c); Figueiredo, Recine & Monteiro (2017); Panetta (2017).

29 – E

O item "a" está incorreto, pois o responsável pela manipulação de alimentos deve ser comprovadamente submetido a curso de capacitação para o cargo. Esse curso deve abordar, no mínimo, os temas: contaminantes alimentares, doenças transmitidas por alimentos, manipulação higiênica dos alimentos e boas práticas.

O item "b" está errado, pois o tratamento térmico deve garantir que todas as partes do alimento atinjam a temperatura de, no mínimo, 70ºC. Temperaturas inferiores podem ser utilizadas no tratamento térmico, desde que as combinações de tempo e temperatura sejam suficientes para assegurar a qualidade higiênico-sanitária dos alimentos.

O item "c" está incorreto, pois os óleos e gorduras utilizados devem ser aquecidos a temperaturas não superiores a 180ºC, sendo substituídos imediatamente sempre que houver alteração evidente das características físico-químicas ou sensoriais, como aroma e sabor, e formação intensa de espuma e fumaça.

O item "d" está errado, pois o prazo máximo de consumo do alimento preparado e conservado sob refrigeração à temperatura de 4ºC ou inferior deve ser de 5 dias.

O item "e" está correto.

- REF.: Brasil (2004).

30 - A

O item "a" está correto.

O item "b" está incorreto, pois os parâmetros da potabilidade da água que devem ser avaliados para padrão microbiológico estabelecidos pela legislação vigente são apenas coliformes totais e Escherichia coli.

O item "c" está errado, pois no controle da qualidade da água, quando forem detectadas amostras com resultado positivo para coliformes totais, mesmo em ensaios presuntivos, ações corretivas devem ser adotadas e novas amostras devem ser coletadas em dias imediatamente sucessivos até que revelem resultados satisfatórios.

O item "d" está incorreto, pois para o controle do processo de desinfecção da água por meio da cloração, cloraminação ou da aplicação de dióxido de cloro devem ser observados os tempos de contato e os valores de concentrações residuais de desinfetante na saída do tanque de contato.

O item "e" está errado, pois o atendimento do percentual de aceitação do limite de turbidez deve ser verificado mensalmente com base em amostras, preferencialmente no efluente individual de cada unidade de filtração.

- REF.: Brasil (2016, 2017a).

Referências

Azeredo DRP. Inocuidade dos alimentos. 1. ed. Rio de Janeiro: Atheneu, 2017.

Brasil. Portaria de Consolidação - PRC nº 5, de 28 de setembro de 2017. Consolidação das normas sobre as ações e os serviços de saúde do Sistema Único de Saúde. Anexo XX (Origem: PRT MS/GM 2914/2011) - Do controle e da vigilância da qualidade da água para consumo humano e seu padrão de potabilidade. Diário Oficial, 2017a.

Brasil. Resolução RDC nº 150, de 13 de abril de 2017. Dispõe sobre o enriquecimento das farinhas de trigo e de milho com ferro e ácido fólico. Diário Oficial da União, 2017b.

Brasil. Resolução RDC nº 136, de 8 de fevereiro de 2017. Estabelece os requisitos para declaração obrigatória da presença de lactose nos rótulos dos alimentos. Diário Oficial da União, 2017c.

Brasil. Portaria nº 204, de 17 de fevereiro de 2016. Define a Lista Nacional de Notificação Compulsória de doenças, agravos e eventos de saúde pública nos serviços de saúde públicos e privados em todo o território nacional, nos termos do anexo, e dá outras providências. Diário Oficial da União, 2016.

Brasil. Ministério da Saúde. Secretaria de Vigilância em Saúde. Departamento de Vigilância Epidemiológica. Manual integrado de vigilância, prevenção e controle de doenças transmitidas por alimentos / Ministério da Saúde, Secretaria de Vigilância em Saúde, Departamento de Vigilância Epidemiológica. Brasília: Editora do Ministério da Saúde, 2010.

Brasil. Ministério da Saúde. Secretaria de Vigilância em Saúde. Departamento de Vigilância Epidemiológica. Sistema de Informação de Agravos de Notificação – Sinan: normas e rotinas / Ministério da Saúde, Secretaria de Vigilância em Saúde, Departamento de Vigilância Epidemiológica. 2. ed. Brasília: Editora do Ministério da Saúde, 2007.

Brasil. Resolução RDC nº 216, de 15 de setembro de 2004. Dispõe sobre Regulamento Técnico de Boas Práticas para Serviços de Alimentação. Diário Oficial da União 2004.

Brasil. Lei nº 10.674, de 16 de maio de 2003. Obriga a que os produtos alimentícios comercializados informem sobre a presença de glúten, como medida preventiva e de controle da doença celíaca. Diário Oficial da União 2003.

Brasil. Lei nº 9.782, de 26 de janeiro de 1999. Define o Sistema Nacional de Vigilância Sanitária, cria a Agência Nacional de Vigilância Sanitária, e dá outras providências. Diário Oficial da União 1999.

Brasil. Lei nº 8.080, de 19 de setembro de 1990. Dispõe sobre as condições para a promoção, proteção e recuperação da saúde, a organização e o funcionamento dos serviços correspondentes e dá outras providências. Diário Oficial da União 1990.

Cunha FPL, Vilela MLAS, Maximiano T, Barbosa TMM, Guimarães DAL, Toledo RCC. Shigella sp: um problema de saúde pública. Higiene Alimentar. v. 31, n. 264/265, p. 52-57, janeiro/fevereiro, 2017.

Figueiredo AVA, Recine E, Monteiro R. Regulação dos riscos dos alimentos: as tensões da Vigilância Sanitária no Brasil. Ciênc. Saúde Coletiva, Rio de Janeiro, v. 22, n. 7, p. 2353-2366, julho, 2017 .

Forsythe SJ. Microbiologia da segurança dos alimentos. 2. Ed. Porto Alegre: Artmed, 2013.

Franco BDGM, Landgraf M. Microbiologia dos alimentos. São Paulo: Atheneu, 2008.

Gândara ALN. Desenvolvimento microbiano. In: Princípios de Tecnologia de Alimentos, v. 3. 1. ed. Rio de Janeiro: Atheneu, 2018:59-110.

Germano PML, Germano MIS. Higiene e vigilância sanitária de alimentos. 5. ed. Barueri, SP: Manole, 2015.

Jesus CRR, Costa CN, Paula RKB, Pereira VF, Mohallem ML. Pesquisa de coliformes totais e termotolerantes em suco de laranja in natura e correlação com as condições higienicossanitárias do estabelecimento produtor. Higiene Alimentar. v. 31, n. 270/271, p. 55-59, julho/agosto, 2017.

Panetta SP. Impactos das mudanças nos hábitos de consumo sobre a legislação de alimentos. Higiene Alimentar, São Paulo, v. 31, n. 268/269, p. 6-7, maio/junho, 2017.

Silva Júnior EA. Manual de controle higiênico-sanitário em alimentos. São Paulo: Varela, 2016.

Tortora GJ, Funke BR, Case CL. Microbiologia. 10. ed. Porto Alegre: Artmed, 2012.

Capítulo 3

Técnica Dietética (TD)

Thelma Celene Saraiva Leão

Questões

1. (TD) Sobre os alimentos encontrados no mercado, é possível afirmar que:
   a) Alimento orgânico é aquele obtido por meio de um solo equilibrado (química, física e biologicamente), produzindo alimentos sem resíduo tóxico.
   b) Alimento hidropônico é aquele produzido sem o uso de solo e com a utilização de adubos químicos, fertilizantes e agrotóxicos de fácil solubilidade em água.
   c) Alimento transgênico é aquele que sofreu inserção ou manipulação genética com seres da mesma espécie.
   d) Alimento *diet* é aquele que apresenta diminuição significativa na quantidade de calorias.
   e) Alimento *light* é aquele do qual foi retirado determinado nutriente de modo a atender às necessidades dietoterápicas especiais.

2. (TD) O cálculo do Indicador de Parte Comestível (IPC) é obtido pela relação entre o peso bruto (gramas) e o peso líquido (gramas) do alimento. A importância do controle do peso bruto e do peso líquido consiste respectivamente, no fato de:
   a) Fornecer dados para avaliar o consumo do comensal/calcular o valor dietético do cardápio.
   b) Determinar a quantidade certa para compra/avaliar o preço da compra de alimentos.
   c) Dimensionar o pedido de compras, assim como o cálculo do custo/indicar o peso da porção comestível e o cálculo dietético do alimento.
   d) Oferecer dados para avaliar o custo do cardápio/determinar os índices de desperdício do alimento.
   e) Avaliar o desperdício por ocasião da operação de pré-preparo determinar a forma de compra do alimento.

3. (TD) Um serviço de alimentação que atende 300 clientes deseja fazer a avaliação de restos de sua refeição. O cardápio oferecido foi risoto de frango e batata *sauté*. Sabe-se que o *per capita* cru do risoto foi de 150 g e o Índice de Conversão foi de 1,24. Já a batata *sauté* teve um *per capita* cru de 90 g e o Índice de Conversão foi de 0,83. Após a distribuição, o peso do rejeito foi 5 kg e o de sobra limpa foi de 3 kg. De posse dessas informações e dos dados apresentados, assinale qual o percentual de resto-ingestão desse cardápio.
   a) 6,94%.
   b) 7,24%.
   c) 6,39%.
   d) 6,64%.
   e) Nenhuma das alternativas acima.

4. (TD) Dentre os diferentes processos de cocção a que são submetidos os alimentos, as formas de transmissão de calor podem se dar:
   a) Por condução, em que a difusão do calor de uma molécula para outra é feita por contato direto.
   b) Por fornos convencionais, nos quais o alimento é exposto ao calor através de ar quente.
   c) Por convecção, que usa a energia eletromagnética para transmitir calor aos alimentos.
   d) Por camisa de calefação, que produz agitação das moléculas por intermédio de vapor, radiação ou vácuo.
   e) Por irradiação, em que a transmissão do calor é feita pela movimentação de moléculas por variação de densidade.

5. (TD) Dentre as técnicas para o preparo de alimentos por cocção, é correto afirmar que:
   a) O calor úmido utiliza líquido à temperatura de seu ponto de ebulição, sendo o óleo o mais indicado por apresentar alto ponto de fusão.
   b) O calor úmido sob pressão favorece o desprendimento de vapor, o qual possibilita que o líquido atinja uma temperatura inferior à de seu ponto de ebulição, favorecendo a preservação do valor nutritivo.
   c) O calor misto utiliza o ar seco constantemente aquecido e confinado em um ambiente fechado, seguido da aplicação de calor úmido com gordura.
   d) O calor seco sem gordura utiliza a técnica *sous-vide* para propiciar uma preparação com melhores sabor e valor nutritivo.
   e) O calor seco com gordura utiliza a gordura à temperatura elevada, atingindo 180°C e é caracterizado por desidratar o alimento.

6. (TD) Uma das ferramentas mais utilizadas para o controle de perigos e o monitoramento da qualidade do preparo e conservação de alimento em Unidades de Alimentação e

Nutrição (UAN) é o termômetro. Assinale a alternativa correta, considerando a temperatura de segurança nas diferentes etapas.

1) A conservação refrigerada de alimentos prontos se dá em uma temperatura de <10°C.
2) A conservação aquecida de alimentos prontos se dá em uma temperatura >60°C.
3) A temperatura indicada para assar carnes é de 160 a 180°C.
4) No processo de cocção, o alimento deve atingir uma temperatura de, no mínimo, 74°C em seu centro geométrico ou de 70°C por 2 minutos ou 65°C por 15 minutos.
5) O reaquecimento de molhos quentes a serem adicionados em alguma preparação deve atingir novamente (molho e alimento) uma temperatura de 74°C.

Estão corretos:

a) Somente os itens 1, 2 e 4.
b) Todos os itens (1 a 5).
c) Somente os itens 1, 2, 3 e 5.
d) Somente os itens 3, 4 e 5.
e) Somente os itens 4 e 5.

7. (TD) A recomendação da temperatura do óleo para o método de cocção por fritura deve atender aos seguintes requisitos:

1) Para fritar, a temperatura ideal é de 180°C.
2) Para dourar o alimento previamente cozido, a temperatura pode variar entre 190 e 198°C.
3) Para corar o alimento, a temperatura pode variar entre 130 e 150°C.
4) Manter a temperatura da gordura na faixa de 155 a 160°C quando é indicado usar baixa temperatura.
5) Para fritar utilizando o azeite de oliva, a temperatura pode variar entre 160 e 210°C.

Estão corretos:

a) Somente o item 1.
b) Somente os itens 1, 2 e 5.
c) Somente os itens 2, 3 e 4.
d) Todos os itens (1 a 5).
e) Somente os itens 1, 2 e 3.

8. (TD) No preparo do arroz, suas propriedades, como maciez, coesão, cor, brilho e volume de expansão, estão relacionadas principalmente ao teor de:

a) Amido presente no grão.
b) Amilose presente no amido.
c) Amilopectina presente no amido.

d) Método de cocção escolhido.

e) Óleo utilizado durante o refogado.

9. (TD) Para que os alimentos possam ser consumidos, é necessário passar por operações de pré-preparo, onde podem ser utilizados diferentes métodos, como:

1) Divisão simples de alimentos.

2) Divisão com separação de partes.

3) Métodos de união dos alimentos.

Marque a opção em que foi utilizado um único método de pré-preparo de acordo com as operações apresentadas:

(a) Descascar, centrifugar, espremer.
(b) Triturar, peneirar, amassar.
(c) Bater, espremer, cortar.
(d) Saltear, sedimentar, picar.
(e) Moer, misturar, sovar.

Está(ão) correta(s):

a) Somente a opção a.

b) As opções a e b.

c) Somente a opção c.

d) As opções d e e.

e) Nenhuma opção está correta.

10. (TD) A determinação da densidade dos alimentos em uma Unidade de Alimentação e Nutrição (UAN) é importante porque permite:

a) Avaliar o comportamento do alimento ao ser processado e da composição da preparação.

b) Mensurar a relação entre o volume (V) e a massa (M) ocupados em um recipiente ou equipamento.

c) Determinar a massa independentemente de apresentar composição heterogênea.

d) Calcular o volume de alimentos e preparações para o cálculo do número e do tamanho dos utensílios e equipamentos necessários durante o preparo e a distribuição das refeições.

e) Calcular o volume das preparações independentemente da incorporação de água.

11. (TD) Um restaurante popular serviu a seus 400 clientes, cinco cubas de 40 litros cheias de arroz refogado. A densidade do arroz servido foi de $D = 0{,}66\ g/cm^3$. Pode-se afirmar que o *per capita* cozido do arroz é:

a) 330 g.

b) 132 g.

c) 528 g.
d) 264 g.
e) Nenhuma das opções acima.

12. (TD) Um serviço de alimentação que atente 1.200 clientes dispõe de 270 kg de arroz à grega para serem distribuídos no almoço em balcão térmico, em cubas de 70 litros. A densidade dessa preparação é 0,64 kg/m^3. Pode-se afirmar que para acondicionar a preparação são necessárias:
    a) 3 cubas.
    b) 7,2 cubas.
    c) 6 cubas.
    d) 2,5 cubas.
    e) 14 cubas.

13. (TD) Um restaurante popular colocou de remolho por 12 horas, em temperatura de 20ºC, 20 kg de feijão para ser fornecido a 400 clientes. Foi verificado que após o remolho o feijão pesou 38 kg e depois da cocção passou a pesar 70 kg. Pode-se afirmar que o indicador de reidratação do feijão foi:
    a) 1,6.
    b) 0,52.
    c) 1,84.
    d) 3,5.
    e) 1,9.

14. (TD) As substâncias presentes nas leguminosas que têm a propriedade de causar flatulência são:
    a) Saponinas e rodanidas.
    b) Betanidina e betaxantina.
    c) Licopeno e solanina.
    d) Rafinose e estaquiose.
    e) Betalaína e alicina.

15. (TD) Com relação aos benefícios do uso do remolho nas leguminosas antes de serem submetidas à cocção, é INCORRETO afirmar que:
    a) O remolho diminui o tempo de cocção das leguminosas.
    b) O uso do remolho impede a ação das oligossacaridases naturalmente presentes no grão.
    c) Com o remolho, a leguminosa fica com a coloração mais clara após a cocção.

d) O descarte da água do remolho acarretará a remoção de parte dos taninos.

e) Com o remolho, a leguminosa sofre aumento em seu peso.

16. (TD) Quanto ao critério a ser adotado para distribuição de alimentos frios, como sobremesas cremosas, maioneses, salpicões e algumas preparações à base de frios e lacticínios, pode-se afirmar que:

a) As preparações podem ser distribuídas quando mantidas entre 10 e 21°C por até 4 horas.

b) As preparações podem ser distribuídas se mantidas à temperatura de 10°C por no máximo 6 horas.

c) As preparações podem ser distribuídas se mantidas em temperaturas inferiores a 10°C por no máximo 4 horas.

d) A preparações podem ser distribuídas se mantidas em temperaturas acima de 21°C por 4 horas.

e) As preparações podem ser distribuídas desde que não apresentem alteração nas características sensoriais e sejam mantidas em recipientes isotérmicos.

17. (TD) Considerando as características do leite ou de seus componentes, numere a 2ª coluna pela 1ª conforme a correlação existente entre elas.

1) Caseína	( ) responsável pela caramelização do leite
2) Lactoalbumina e globulina	( ) proteína alergênica
3) Lactose	( ) o leite coagula e a caseína forma caseinato de cálcio
4) pH 4,6	( ) existem quatro tipos dessa proteína
5) β-lactoglobulina	( ) modifica o sabor do leite pela fervura

A sequência correta é:

a) 3, 5, 4, 1, 2.

b) 2, 3, 4, 5, 1.

c) 5, 1, 3, 2, 4.

d) 1, 2, 5, 3, 4.

e) 5, 3, 4, 1, 2.

18. (TD) Para evitar a coagulação das proteínas do leite em preparações culinárias em meio ácido, é recomendado:

a) Ferver o leite com açúcar para acelerar a complexação da lactose com a frutose, evitando que o leite talhe.

b) Bater no liquidificador o leite com o ácido para homogeneizar e bloquear a desnaturação das proteínas.

c) Cozinhar o leite com amido e o ingrediente ácido.

d) Acrescentar enzima, como a papaína, para hidrolisar a proteína.
e) Acrescentar pouco a pouco o leite e os derivados no final em calor baixo.

19. (TD) Dentre as diferentes maneiras de descongelamento de carnes, a forma segura para efetuá-lo pode ser realizada pelas seguintes técnicas:
a) Em água corrente com temperatura inferior a 21°C, por 4 horas, sem embalagem para acelerar o descongelamento.
b) Em forno de convecção ou micro-ondas, retornando o alimento à refrigeração.
c) Em ambiente climatizado a 16°C, devendo o alimento ser preparado imediatamente.
d) Sob refrigeração em câmara ou geladeira em temperatura inferior a 5°C.
e) Sob refrigeração a 10°C, desde que a peça tenha até 2 kg para facilitar o descongelamento.

20. (TD) Preparações feitas com clara crua devem ser evitadas devido:
a) À presença da enzima lisozima da clara, que digere certos carboidratos, favorecendo a complexação com vitaminas.
b) À presença de uma glicoproteína denominada avidina, que se complexa com a biotina, tornando-a indisponível ao organismo humano.
c) À presença da enzima conoalbumina, que se complexa com o ferro, tornando-o indisponível.
d) À presença das globulinas, que têm atividade inibitória contra a tripsina ou quimotripsina.
e) Ao alto conteúdo de lipídios e fósforo presentes na lipovitelina, os quais se tornam disponíveis por ação do calor.

21. (TD) O cozimento excessivo do ovo com casca provoca o aparecimento de um anel verde na área entre a clara e a gema. Essa reação é favorecida:
a) Pela interação química entre o ferro, presente na gema, e o enxofre na clara.
b) Quando o ovo é velho, por diminuir sua alcalinidade.
c) Pela liberação de ferro da clara e enxofre da gema.
d) Pelo calor excessivo que coagula as proteínas, acelerando a formação de uma cor esverdeada.
e) Quando o ovo é colocado para cozinhar já com a água em ebulição.

22. (TD) A conduta recomendável para garantir a melhor conservação do ovo é:
a) Lavar por ocasião da compra para retirada da película protetora da casca de modo a possibilitar maior saída do CO_2 de seu interior.

b) Guardá-lo de modo que a câmara de ar fique voltada para baixo, impedindo a passagem de ar para fora.

c) Armazená-lo sob refrigeração até 10ºC por até 7 dias.

d) Guardá-lo sob congelamento, caso tenha sido comprado com a casca rachada.

e) Armazená-lo de preferência sob refrigeração até 10ºC, por 14 dias, ou em temperatura ambiente, no máximo a 26ºC, por até 7 dias.

23. (TD) Com o batimento da clara do ovo, ela se converte em uma espuma forte e duradoura. Essa estabilidade do sistema espuma é conseguida quando:

a) Adiciona-se água, que promoverá diluição das proteínas, aumentando o volume de espuma e sua estabilidade.

b) É batida em temperatura de refrigeração.

c) É batida intensamente, o que favorece a desnaturação das proteínas.

d) Adiciona-se sal, que aumenta a tensão superficial entre as moléculas da clara, tornando-a mais estável.

e) Adiciona-se açúcar, que torna o líquido viscoso e estabiliza o sistema espuma.

24. (TD) No preparo da maionese, a gema é usada como um agente emulsionante. Essa propriedade da gema se deve principalmente:

a) À membrana de solvatação existente ao redor dos corpúsculos de gordura da gema.

b) A seu conteúdo proteico e aos fosfolipídios presentes na forma de complexos lipoproteicos.

c) Ao acréscimo de limão, que diminui o poder hidrófilo das proteínas.

d) Ao pH ácido da gema, que favorece a união entre as substâncias lípídicas, formando uma emulsão estável.

e) À composição de ácidos graxos que interfere na estabilidade da maionese.

25. (TD) Marque a alternativa que NÃO se relaciona com a técnica recomendada para medir ingredientes secos.

a) Peneirar antes de medir.

b) Encher às colheradas a medida padrão e medir, tendo o cuidado para não compactar nem sacudir o conteúdo.

c) Introduzir a medida padrão no recipiente com o ingrediente seco a pesar, quando se tratar da medição de açúcar mascavo.

d) Inserir o recipiente medidor na embalagem para facilitar a compactação e pesar.

e) Usar a medida padrão com a capacidade da quantidade que se deseja pesar.

26. (TD) O planejamento de cardápio deve procurar atender alguns aspectos durante sua elaboração, dentre os quais se inclui:

    1) O respeito aos hábitos e/ou padrões alimentares e religiosos.
    2) A adequação ao clima e sazonalidade.
    3) A capacidade de produção e distribuição das refeições sugeridas.
    4) A adequação ao orçamento.
    5) Atentar para uma dimensão técnica e política.

    Estão corretos:

    a) Todos os itens (1 a 5).
    b) Somente os itens 1, 3 e 4.
    c) Somente os itens 1, 3 e 5.
    d) Somente os itens 3 e 4.
    e) Somente os itens 1, 2, 3 e 4.

27. (TD) **É** INCORRETO afirmar que por ocasião do planejamento de cardápio a seleção de alimentos e preparações deve considerar:

    a) A escolha de receitas que incluam nutrientes e métodos de preparo compatíveis com as diretrizes de uma alimentação saudável.
    b) O equilíbrio entre as cores e consistências dos alimentos e preparações.
    c) A uniformidade nas formas de apresentar os alimentos.
    d) A escolha de alimentos e preparações com menor densidade energética, de sódio e de gorduras saturadas.
    e) As características do cardápio ao tipo de serviço e à capacidade do refeitório.

28. (TD) Na elaboração de uma receita culinária ou Ficha Técnica de Preparo a ser usada em uma Unidade de Alimentação e Nutrição (UAN), alguns fatores devem ser considerados. É INCORRETO afirmar que se deve:

    a) Observar se a receita se adapta às necessidades da UAN quanto à composição nutricional, ao hábito de consumo dos clientes e ao custo.
    b) Definir a forma verbal de escrita da receita, que pode ser no gerúndio ou imperativo.
    c) Durante a elaboração de cardápios, ter domínio sobre as receitas que o comporão.
    d) Apresentar listagem dos ingredientes, quantidades, modo e tempo de pré-preparo e preparo, temperatura de cocção, rendimento e valor calórico.
    e) Contribuir para uma padronização nos resultados (reprodutibilidade) todas as vezes que a receita for preparada.

29. (TD) Em preparações culinárias, as hortaliças podem ser subdivididas em formatos diferentes para atender às exigências estéticas da preparação ou conferir uniformidade de cocção. Identifique a forma e a característica da subdivisão e marque a alternativa INCORRETA.

    a) *Julienne* ou Juliana apresenta o corte em palito ou tiras finas de 4 a 5 cm de comprimento e 2 a 3 mm de largura.

    b) *Brunoise* consiste em serem picadas na forma de pequenos cubos (2 a 3 mm) e pode ser elaborado a partir de uma *Julienne*.

    c) A denominação de *noisette* se deve ao formato de avelã ou esfera (10 mm de diâmetro), elaborado com um boleador de legumes.

    d) *Payssane* recebe cortes ou sulcos longitudinais para formar estrelas, triângulos, flores ou outras figuras que serão produzidas pelo corte transversal.

    e) *Chiffonnade* é um corte utilizado especificamente em legumes cilíndricos. Os legumes recebem um corte contínuo e depois o alimento é cortado enviesado ao ser girado.

30. (TD) O método de cocção indicado para hortaliças verdes é:

    a) Cozinhá-las inteiras, acrescentando álcali para preservar as vitaminas do complexo B.

    b) Cozinhá-las em panela destampada, acrescentando ácido para intensificar a cor verde.

    c) Cozinhá-las em panela destampada para que o ácido contido nas células vegetais se volatizem.

    d) Utilizar pouca água e panela tampada para evitar a produção de feofitina.

    e) Cozinhá-las em pouca água para diminuir a hidrossolubilidade da clorofila.

31. (TD) Considerando o comportamento dos principais pigmentos naturais presentes nos vegetais, quando submetidos à cocção, numere a 2ª coluna pela 1ª conforme a correlação existente entre elas.

1) Antocianina	( ) Estável ao pH do meio de cocção
2) Carotenoide	( ) Escurece em cocção prolongada
3) Clorofila	( ) Sob a ação de álcalis, fica amarelado
4) Flavona	( ) Intensifica a cor sob a ação de ácidos
5) Licopeno	( ) Modifica a cor em meio ácido

A sequência correta é:

    a) 2, 1, 5, 4, 3.

    b) 3, 5, 1, 4, 2.

    c) 4, 2, 1, 3, 5.

d) 2, 5, 4, 1, 3.
e) 5, 2, 4, 1, 3.

32. (TD) A adstringência de uma infusão de chá pode ser diminuída pelo acréscimo de leite. Isso se deve ao fato de:
    a) O tanino presente no chá ligar-se às proteínas do leite, formando um precipitado.
    b) A lactose tornar a infusão mais doce, mascarando sua adstringência.
    c) O leite ser fonte de cálcio e esse bloquear o desprendimento de substâncias adstringentes.
    d) O leite ser alcalino, favorecendo a insolubilidade do tanino.
    e) O chá, por ser rico em tanino, ligar-se às gorduras do leite, impedindo sua solubilidade.

33. (TD) Considerando os conhecimentos sobre chás, é CORRETO afirmar que:
    a) Chá-mate é o infuso proveniente da imersão de folhas da planta *Cammellia sinensis*.
    b) Chá-preto é obtido de folhas fermentadas da planta *Ilex paraguaiensis*, cujo processo deixa o tanino insolúvel e libera substâncias aromáticas.
    c) Chá refere-se ao produto de infusão de plantas do gênero *Cammelia sinensis*.
    d) Chá-verde é a infusão obtida de ervas ricas em clorofila e polifenóis submetidas à fermentação parcial para retenção de antioxidantes.
    e) Chá-branco é obtido de folhas jovens da *Cammelia sinensis* submetidas à fermentação completa para retenção de compostos funcionais.

34. (TD) O teor de cafeína no café brasileiro varia no café em pó, 36,5 mg de cafeína/xícara de 60 mL, no café instantâneo, 44,1 mg de cafeína/xícara de 60 mL e no café expresso, 59,8 mg/xícara de 60 mL. Essa diferença no teor de cafeína para o mesmo volume de café pode ser atribuída ao fato de:
    a) O café expresso utilizar metade de café em pó para o mesmo volume de café.
    b) O café instantâneo ser feito com uma espécie que apresenta maior teor de cafeína.
    c) O tempo de contato do pó do café com a água extrair mais cafeína.
    d) O café expresso favorecer a volatilização da cafeína.
    e) O processo de torrefação interferir na degradação da cafeína.

35. (TD) Dentre as várias técnicas de preparo de café, destaque a que preserva sabor e evita o desprendimento de substâncias que podem comprometer a saúde.
    a) Em cafeteira elétrica, por manter o café aquecido após o preparo, preservando seu sabor. A conservação da temperatura garante o prosseguimento da extração de substâncias saudáveis.

b) Por ebulição com 2 a 3 minutos de fervura, porque assegura maior dissolução de seus componentes, tornando-o menos adstringente e mais saudável.

c) Por percolação, porque conserva a teína e o cafeol, maiores responsáveis pelo sabor do café, e garante a presença de antioxidantes.

d) Por prensagem, em que a mistura de café com água quente é filtrada em filtro metálico, evitando o desprendimento de cafestol e caveol, estando a bebida pronta para ser servida.

e) Por filtração, em que o pó de café é colocado dentro de um filtro de papel e a água quente (a aproximadamente 90ºC) é despejada aos poucos sobre o pó, ocorrendo o cotejamento do café, evitando o desprendimento de compostos diterpênicos e preservando sabor e aroma.

36. (TD) O pigmento responsável pela mudança da cor da carne durante a cocção é:

a) Mioglobina, que, devido à oxigenação, se torna marrom.

b) Hemoglobina, que se oxida pela presença de ferro e se torna marrom.

c) Oximioglobina, que, por ação enzimática, muda de cor.

d) Hemicromo, resultante da desnaturação da oximioglobina sob ação do calor.

e) Metamioglobina, pigmento desejável que, por ação do calor, passa de vermelho brilhante para o marrom.

37. (TD) As substâncias responsáveis pelo amaciamento da carne por ocasião da maturação e do amaciamento artificial são, respectivamente:

a) Gordura e colágeno.

b) Colágeno e miofibrilas.

c) Ação de proteases endógenas e papaína.

d) Associação do complexo actina-miosina e bromelina.

e) Catepsina e gordura.

38. (TD) A técnica mais recomendada para cocção de peixe cozido é:

a) Cozinhá-lo sem acréscimo de ácido para evitar o endurecimento do tecido conjuntivo.

b) Cozinhá-lo em meio ácido para favorecer a eliminação de odores desagradáveis e coagular as proteínas mais rapidamente.

c) Cozinhá-lo em alta temperatura e em tempo curto para evitar que o peixe se desintegre.

d) Cozinhá-lo inicialmente em alta temperatura, colocando sobre o peixe o líquido em ebulição para que acelere a cocção.

e) Adicionar bicarbonato de sódio para eliminar o grupo amina, pois em meio básico ocorre sua dissolução.

39. (TD) Na elaboração de molhos há a combinação de itens aromáticos, fundos básicos ou caldos, ligações ou espessantes e embelezadores e melhoradores de sabor, que são denominados as bases da cozinha. Identifique uma dessas bases da cozinha na elaboração de molhos.

    a) O *mirepoix* é um elemento aromáticos utilizado na preparação de molhos em que se utilizam legumes, ervas e especiarias.

    b) Os fundos obedecem a uma padronização, podendo ser utilizados como base para o preparo de qualquer molho.

    c) *Roux* é considerado um fundo básico na elaboração de molho, no qual se utiliza farinha de trigo com manteiga em calor seco, resultando na dextrinização do amido.

    d) O molho *demi-glace* é o espessante mais utilizado quando se quer obter uma liga na elaboração de molhos.

    e) O *bouquet garni é um* melhorador de gosto acrescentado no início da preparação e retirado apenas no final, para garantir o desprendimento total do sabor.

40. (TD) No processo de fritura, para a escolha da gordura deve ser considerada sua resistência térmica para evitar a formação do ponto de fumaça. Na escolha da gordura, deve-se dar preferência a:

    a) Gorduras saturadas, como a margarina, por serem mais estáveis à hidrólise da gordura pelo calor.

    b) Gorduras que apresentarem mono e diglicerídios em sua composição, por apresentarem pontos de fumaça elevados.

    c) Gorduras com baixo ponto de fumaça, que são as mais indicadas para fritura dos alimentos.

    d) Gorduras com baixo conteúdo de ácidos graxos livres, o que diminui o ponto de fumaça e a estabilidade oxidativa do óleo.

    e) Óleos vegetais e banha, que são indicados para fritura por não apresentarem mono e diglicerídios em sua composição e terem pontos de fumaça elevados.

Respostas

1 - A

Para manutenção da saúde, preservação do ambiente e conservação do sabor, é importante saber os tipos de alimentos que são consumidos. O alimento é considerado orgânico quando é utilizado um solo equilibrado, isento de fertilizantes químicos, agrotóxicos, insumos artificiais tóxicos, organismos geneticamente modificados, transgênicos ou radiações ionizantes. Já o hidropônico é produzido em estufas, sem solo, e nutridos através de adubos químicos solúveis, ficando as plantas isentas de bactérias, fungos, lesmas, insetos ou vermes. O alimento é considerado transgênico (Lei nº 11.105, de 24 de março de 2005) quando entre seus genes é introduzido um novo gene de espécie semelhante ou diferente, alterando sua composição. O alimento é dito *diet* (Portaria SVS/MS nº 29/98) quando é formulado e/ou padronizado de modo que atenda às necessidades dietoterápicas especiais de uma pessoa. O alimento é considerado *light* (Portaria SVS/MS nº 27/98) quando há teor reduzido de nutrientes ou de valor energético de no mínimo 25% em relação a seu similar.

- REF.: Darolt (2007), pp. 8-13; Ornelas (2007), pp. 9-18.

2 - C

Para o planejamento de dietas e cardápios, é necessário definir a quantidade de alimentos a ser adquirida e o peso da porção comestível do alimento. O cálculo do Índice de Parte Comestível (IPC), anteriormente denominado Fator de Correção (FC), é obtido a partir da relação entre o peso bruto (gramas) e o peso líquido (gramas) do alimento. A utilização desse indicador prevê as perdas inevitáveis ocorridas durante as operações de pré-preparo mediante a retirada de cascas, aparas, sementes, talos, sujidades e degelo. Podem também ter influência no resultado o tipo de utensílio ou equipamento utilizado e o recurso humano envolvido. O peso bruto é também empregado para o dimensionamento de pedidos de compra e cálculo de custo. O peso líquido é empregado para o cálculo dietético do alimento, indicando a parte comestível.

- REF.: Ornelas (2007), pp. 44-9; Domene (2011), pp. 27-28; Monteiro (2012), pp. 39-42; Nonino (2012), p. 259; Philippi (2014), pp. 36-8.

3 - D

A alimentação cumpre um importante papel biológico na vida do ser humano e envolve aspectos sociais, psicológicos e econômicos. Segundo a Secretaria da Agricultura e Abastecimento do Estado de São Paulo, o Brasil figura entre os 10 países que mais desperdiçam alimentos. Estima-se que o desperdício no consumo doméstico atinja 20% e que a perda no setor de refeições seja de cerca de 15%. A avaliação e o controle de uma alimentação oferecem subsídios para averiguar se o objetivo da UAN, que é oferecer uma alimentação adequada às necessidades nutricionais de seu cliente, está sendo atingido. A verificação pode ser feita por meio do cálculo do índice de resto (IR) ou resto-ingestão, obtido pela relação entre o peso da refeição rejeitada (PR) pelos clientes e o peso da refeição distribuída, expressa em percentual. Consideram-se como refeição rejeitada todos os alimentos não ingeridos, subtraindo-se as partes não comestíveis (cascas de frutas, ossos). Os alimentos e as preparações oferecidas correspondem à refeição distribuída. Na obtenção do peso da refeição distribuída (PRD) pode ser utilizado o rendimento, que é estabelecido pelo índice de conversão (IC), calculado utilizando-se o quociente obtido pela razão entre o peso do alimento cozido (g) e o peso do alimento líquido cru (g). O IC ou fator de cocção corrige a variação de peso que o alimento apresenta em decorrência da etapa de cocção. Valores de 0 a 5% são considerados ótimos; de 5 a 10%, bons; de 10 a 15%, regulares, e quando maiores que 15%, péssimos. Preconizam-se como aceitáveis taxas de resto-ingestão inferiores a 10%.

Risoto: 150 g × 1,24 = 186 g (*per capita* cozido)
186 g × 300 = 55.800 g (total do risoto cozido).

Batata: 90 g × 0,83 = 744 g (*per capita* cozido)
744 g × 300 = 22.410 g (total de batata cozida).

O peso PRD é: 55.800 g + 22.410 g = 78.210 g. Como na distribuição restaram 3 kg de sobra limpa, esta deve ser deduzida do total de refeição distribuída, ficando: 78.210 g – 3.000 g = 75.210 g. Aplicando a fórmula do IR:

$$IR = \frac{PR \times 100}{PRD}$$

onde:
IR = índice de resto ou indicador de restos
PR = peso da refeição rejeitada
PRD = peso da refeição distribuída

tem-se:

$$IR = \frac{5.000 \text{ g} \times 100}{75.210} = 6,64\%.$$

- REF.: Araújo (2007), pp.112-3 e 122-3; Domene (2011), p. 28; Monteiro (2012), p. 42; Nonino (2012), pp. 258-259; Abreu (2014), p. 188; Philippi (2014), pp. 38-9.

4 – A

Os processos básicos de cocção dos alimentos são realizados por meio do calor úmido de calor seco e de calor misto. A transmissão de calor constitui um processo dinâmico empregado na preparação de alimentos e produtos alimentícios. Essa transmissão pode ser feita por condução, convecção ou radiação. Na condução, a difusão do calor se dá por contato direto por meio da colisão entre átomos e moléculas de uma substância sólida. Por convecção ocorre um deslocamento de moléculas determinado por variações de densidade ou movimentos forçados em meio fluido (líquido ou gasoso). Na irradiação, ocorre propagação do calor em meio aéreo ou vácuo por meio de ondas, raios solares, raios infravermelhos ou radiação eletromagnética.

- REF.: Philippi (2006), pp. 30-2; Ornelas (2007), p. 50; Domene (2011), pp. 58-9; Monteiro (2012), p. 34.

5 – E

As técnicas existentes para o preparo de alimentos por cocção compreendem cocção em calor úmido em líquido (fervura em ebulição e fervura em fogo lento), cocção em calor úmido a vapor (com pressão e sem pressão), cocção em calor seco (com gordura e sem gordura), cocção por irradiação e cocção mista.

A fervura em ebulição cozinha os alimentos em água abundante a uma temperatura de 100ºC. A fervura em fogo lento utiliza líquido suficiente para cobrir o alimento, cuja temperatura não deve ultrapassar 95ºC.

A cocção úmida a vapor (com pressão e sem pressão) é o modo mais eficiente de transmissão do calor para o preparo de alimentos, porque emprega menos energia que o gás e a eletricidade, uma vez que a água é um condutor melhor que o ar. A cocção úmida a vapor possibilita que o líquido atinja uma temperatura superior à de seu ponto de ebulição. Nos utensílios domésticos, a pressão interna alcança 14 ou 15 psi, e a água ferve a 120ºC.

A cocção por calor seco é caracterizada pela desidratação do alimento provocada por excesso de calor. O calor seco sem gordura utiliza o ar seco (livre ou confinado) e o com gordura utiliza a gordura em temperatura elevada, atingindo 180ºC no interior do alimento.

O calor misto utiliza calor seco seguido de calor úmido. Um dos métodos utilizados no calor misto é o *sous-vide*, que usa o alimento embalado a vácuo e o submerge em água a altas temperaturas até que fique cozido.

- REF.: Domene (2011), pp. 60-4; Monteiro (2012), pp. 35-6; Philippi (2014), pp. 32-6.

6 – B

Muito dos cuidados no preparo e conservação de alimentos depende do controle da temperatura. O crescimento e a redução das formas viáveis de micro-organismos, a inativação de fatores antinutricionais e a produção de toxinas dependem diretamente do controle adequado da temperatura empregada durante o preparo e a conservação de alimentos. Quando acima de 45 a 50ºC, poucas bactérias conseguem se multiplicar; assim, a temperatura de cocção garante sua destruição, com exceção dos esporos, que são mais resistentes.

A conservação refrigerada de alimentos prontos se dá em uma temperatura de < 10ºC, enquanto a conservação aquecida de alimentos prontos acontece em uma temperatura > 60ºC.

Para a garantia do processo de cocção, o alimento deve atingir, no mínimo, a temperatura de 74ºC em seu centro geométrico ou 70ºC por 2 minutos ou 65ºC por 15 minutos. Para assar carnes, a temperatura de cocção é de 160 a 180ºC. Para o reaquecimento de molhos a serem adicionados em alguma preparação, deve ser novamente atingida a temperatura de 74ºC em seu interior, tanto do molho como da preparação.

- REF.: Domene (2011), pp. 15-6; ABERC (2015), pp. 70 e 89; Mesomo (2015), p. 125.

7 – E

No processamento de alimentos, os óleos e as gorduras podem ser utilizados para fritar, dourar, corar ou refogar. O óleo age como meio mais rápido de transferência de calor

(calor seco com gordura) que o cozimento em água (calor úmido), uma vez que o óleo atinge temperaturas superiores à da água em ebulição e mais eficientes que o cozimento por ar quente em forno (calor seco sem gordura). A distinção entre óleo e gordura reside exclusivamente em sua aparência física. Óleos são líquidos à temperatura ambiente e as gorduras são sólidas, passando ao estado líquido a uma temperatura entre 30 e 42°C. A temperatura ideal para fritura é a de 180°C. Para o processo de dourar o alimento previamente cozido, a temperatura pode variar entre 190 e 198°C por curto período. Para corar o alimento, a temperatura pode variar entre 130 e 150°C. Considera-se baixa temperatura para gordura a faixa de 135 a 140°C e alta, a de 155 a 160°C. O azeite de oliva não é indicado para fritura, dado seu baixo ponto de fumaça e, quando aquecido em alta temperatura, perde odor e sabor.

- REF.: Domene (2011), p. 16; Japur (2012), pp. 108, 111 e 115; Philippi (2014), pp. 175-6; ABERC (2015), p. 90.

8 - B

O arroz é um cereal obtido de gramíneas, sendo considerado o principal alimento para metade da população mundial com diferentes aplicações culinárias. O grão do arroz tem quatro camadas principais: casca, película, endosperma e germe. A película detém a maior concentração de proteínas, minerais e vitaminas do complexo B. No arroz branco, a película e o germe são retirados como farelo pelo processo de polimento, restando principalmente o endosperma, porção rica em amido. O amido constitui 90% do peso seco do arroz beneficiado. As frações formadoras do amido, amilose e amilopectina variam no arroz de acordo com seu genótipo, ambiente e processamento. O teor de amilose encontrado no arroz tipo agulhinha é de cerca de 22%. O conteúdo de amilose está relacionado às propriedades do arroz, como maciez, coesão, cor, brilho e volume de expansão. Cultivares com baixo teor de amilose exigem mais tempo de cocção e maior quantidade de água, e o produto adquire um aspecto de papa. O arroz polido ou branco pode apresentar grãos curtos e arredondados, médios e longos. Os grãos de arroz curto e redondo tendem a empapar quando cozidos; tradicionalmente, são usados para fazer arroz-doce. O arroz de grão médio tem comprimento três vezes maior que sua espessura. Não empapa tanto e é indicado para o preparo de risotos. O arroz de grão longo é o mais utilizado nas preparações salgadas, apresentando os grãos bem soltos após o cozimento. O teor de amilose encontrado nos grãos longos exige mais água para seu cozimento. Os grãos de tamanho médio apresentam menor teor e, por isso, o cozimento exige menos água, assim como o de tamanho curto e redondo, que tende a empapar.

- REF.: Japur (2012), pp.150-1; Araújo (2013), pp. 312-9; Philippi (2014), pp. 55-6.

9 - A

Para que os alimentos possam ser consumidos, é necessário que eles passem por operações de pré-preparo nas quais são utilizados métodos de divisão simples de alimentos ou divisão com separação de partes. No método de divisão simples, o alimento é fracionado em partes sem alteração de suas características organolépticas originais, e todas as porções resultantes terão igual composição nutricional. Podem ser utilizados instrumentos cortantes, como facas, ou máquinas, como moedor, liquidificador ou processador. Nesse método de divisão simples, várias operações podem ser utilizadas, como cortar, picar, moer, triturar e amassar. No método com separação de partes, é possível, separar dois líquidos, dois sólidos ou um sólido e um líquido. O alimento é, portanto, fracionado em partes menores, e cada parte contém diferentes componentes. Dentre as operações que separam líquidos temos: destilar, decantar ou centrifugar. As operações que separam sólidos são: desossar, pelar ou descascar, peneirar e moer. As operações que separam um sólido e um líquido consistem em espremer, filtrar ou coar, sedimentar e centrifugar. Os métodos de união dos alimentos, agregam diferentes tipos de alimentos, resultando em uma única fase homogênea com a obtenção de um valor nutritivo equivalente à soma dos ingredientes utilizados. As operações usadas nos métodos de união são: misturar, bater, amassar e sovar.

- REF.: Monteiro (2012), pp. 28-33; Philippi (2014), pp. 30-2.

10 – D

Os valores da densidade são importantes para Unidades de Alimentação e Nutrição porque permitem calcular o volume de alimentos e preparações. Esses valores são utilizados no cálculo do número e do tamanho dos utensílios e equipamentos necessários para pré-preparo, preparo e distribuição das refeições, assim como o porcionamento da preparação na distribuição. A densidade exprime a quantidade de massa contida em um volume de 1 m^3. É o produto da equação massa (kg)/volume (m^3) ou g/cm^3. É importante ressaltar que essa medida só pode ser utilizada em matérias homogêneas, ou seja, com a mesma composição em todas as partes. A densidade do alimento sofre variações de acordo com a pressão e a temperatura aplicadas. A incorporação de água no cozimento de um alimento modifica o peso do alimento cru, alterando sua densidade. Há também a influência do tipo de corte do alimento.

- REF.: Japur (2012), p. 25.

11 – A

A densidade é a quantidade de massa contida em um volume. Pelo Sistema Internacional (SI), é representada em kg/m^3 ou g/cm^3. Logo, a quantidade de massa está contida em um volume de 1 m^3. Utilizando a fórmula da densidade – $D = M/V$ – é possível calcular o número de utensílios que serão utilizados para acondicionar as preparações durante as operações de preparo e distribuição e definir a porção *per capita*.

Calculando o volume total de arroz nas cubas, tem-se que:

$$5 \times 40\ L = 200\ L \Rightarrow \text{como 1 L equivale a 1.000 cm}^3\text{, temos 200.000 cm}^3.$$

Para calcular a massa de arroz nas cinco cubas, utiliza-se a fórmula:

$$\text{Densidade} = M/V$$

onde: $M = D \times V$.

Então,

$$M = 0{,}66\ g/cm^3 \times 200.000\ cm^3 \Rightarrow M = 132.000g \text{ ou } 132\ kg.$$

Para calcular o *per capita* cozido (quantidade individual), basta dividir o total de arroz preparado e acondicionado nas cinco cubas pelo número de clientes que serão servidos. Então, temos que:

$$\textit{Per capita} \text{ cozido} = \frac{132.000 \text{ g}}{400} = 330 \text{ g.}$$

- REF.: Ornelas (2007), pp. 59-60; Japur (2012), p. 25.

12 - C

Os valores da densidade são importantes para Unidades de Alimentação e Nutrição, pois permitem a estimativa de volume dos alimentos e preparações para o cálculo do número e do tamanho dos utensílios e equipamentos a serem utilizados para acondicionar as preparações durante as etapas de preparo e distribuição das refeições. Para isso, é necessário calcular a massa total da preparação e o volume que esta apresenta de acordo com a densidade.

A massa total da preparação é 270 kg ou 270.000 g. Para calcular o volume da preparação, aplica-se a fórmula da densidade, que é D = M/V, onde:

$$V = \frac{M}{D} = \frac{270.000 \text{ g}}{0{,}64 \text{ g/cm}^3} = 421.875 \text{ cm}^3 = 421 \text{ L (1 L equivale a } 1.000 \text{ cm}^3.$$

Sabendo o volume da preparação (421 L) e a dimensão da cuba (70 L), obtém-se o número de cubas necessárias à distribuição a partir da relação entre o volume da preparação e o volume da cuba.

$$\text{Número de cubas} = \frac{421 \text{ L}}{70} = 6 \text{ cubas.}$$

- REF.: Ornelas (2007), pp. 59-60; Japur (2012), p. 25.

13 - E

O indicador de reidratação (IR) é utilizado para calcular a modificação no peso de alimentos que são colocados de remolho (imersos em água). É normalmente utilizado para cereais, leguminosas e outros alimentos que necessitam ser deixados de remolho. As leguminosas secas necessitam ficar algumas horas de remolho (por 8 a 12 horas) antes de serem submetidas à cocção.

Quando um alimento fica de remolho, sofre aumento em seu peso em razão da hidratação a que foi submetido. Outro efeito do remolho é a diminuição do tempo de cocção com a maior retenção de água pelo alimento, razão pela qual essa prática é tão popular.

Para o cálculo do aumento do volume apresentado pelos cereais ou leguminosas, utiliza-se o indicador de reidratação, que é a relação entre o peso do alimento reidratado (sem a água do remolho) e o peso do alimento seco:

$$IR = \frac{\text{Peso do alimento reidratado (g)}}{\text{Peso do alimento seco (g)}}$$

Assim, teremos que:

$$IR = \frac{38.000 \text{ g}}{20.000 \text{ g}} = 1,9.$$

- REF.: Domene (2011), p. 105; Philippi (2014), p. 39.

14 - D

Uma limitação no consumo de leguminosas na alimentação humana se deve à propriedade que esses alimentos têm de causar flatulência, ou seja, produção de gases no intestino. Esse incômodo é aliviado quando a leguminosa passa pelo processo de remolho, uma vez que a água de maceração permitirá a ação de oligossacaridases naturalmente presentes no grão. A presença dessas enzimas diminuirá o conteúdo de ologossacárides (rafinose e estaquiose), melhorando a digestibilidade dos grãos e diminuindo a produção de gases e o desconforto intestinal. Grãos de leguminosas apresentam quantidades significativas dessas substâncias, que se distribuem na casca, no embrião e nos cotilédones. Sem o remolho, esses oligossacárides passam pelo trato digestivo até o intestino grosso sem sofrer hidrólise, tornando a microbiota intestinal propícia à formação de gases responsáveis pela flatulência.

- REF.: Yúfera (1997), p. 139; Domene (2011), p. 105; Araújo (2013), p. 129.

15 - B

As leguminosas secas necessitam ficar algumas horas (8 a 12 horas) de remolho antes de serem submetidas à cocção. Quando a leguminosa passa pelo processo de remolho, a água de maceração permite a ação de oligossacaridases naturalmente presentes no grão. A presença dessas enzimas diminuirá o conteúdo de ologossacárides (rafinose e estaquiose), melhorando a digestibilidade dos grãos e diminuindo a produção de gases e o desconforto intestinal. Outra vantagem do remolho é diminuir o tempo de cocção das leguminosas. O descarte da água do remolho acarretará a remoção de parte dos taninos. As leguminosas submetidas ao remolho apresentam coloração mais clara.

- REF.: Ornelas (2007), p. 122; Domene (2011), p. 105; Araújo (2013), p. 129; Philippi (2014), p. 39.

16 - C

As preparações frias, como sobremesas cremosas, maioneses e salpicões, são classificadas como alimentos potencialmente perigosos sob o ponto de vista sanitário, uma vez que favorecem a rápida multiplicação microbiana. Na distribuição, as preparações frias devem ser mantidas em temperaturas inferiores a 10°C por no máximo 4 horas ou entre 10 e 21°C por no máximo 2 horas. Decorrido esse tempo na distribuição ou espera, os alimentos frios devem ser desprezados.

- REF.: Silva Júnior (2014), p. 221; ABERC (2015), p. 92.

17 - A

O leite é o único alimento cuja finalidade natural e exclusiva é servir como tal. É rico em proteínas de alto valor biológico, carboidrato (lactose), lipídios, minerais e vitaminas. As proteínas do leite podem ser classificadas em dois grupos de acordo com suas propriedades físico-químicas e estruturais: caseínas e proteínas do soro.

As caseínas correspondem a 80% do total de proteínas, contendo quatro tipos (α, β, κ, γ). As caseínas interagem umas com as outras, formando agregados ou partículas denominadas micelas.

As proteínas do soro são β-lactoglobulina, lactoalbumina, imunoglobulina e lactoferrina. No soro de leite bovino predomina a β-lactoglobulina, o que praticamente não ocorre no leite humano. Essa proteína é altamente alergênica e antigênica, podendo causar alergia principalmente em crianças.

O carboidrato do leite é a lactose, responsável por sua caramelização.

O leite contém microbiota própria, os *Lactobacillus acidophilus*, que desdobram a lactose em ácido láctico, baixando o pH (4,6) até o ponto isoelétrico da caseína, no qual esta perde a estabilidade e se precipita em forma de caseinato de cálcio. Essa precipitação ou coagulação é um processo desejável na fabricação de queijos, iogurtes e outros produtos fermentados. O sabor do leite cru se modifica pela fervura porque a lactoalbumina e a globulina, coaguladas, aderem ao fundo da panela, podendo queimar-se, e a lactose pode caramelizar-se.

- REF.: Yúfera (1997), p. 344; Ornelas (2007), p. 68; Swaisgood (2010), pp.701 e 704; Domene (2011), pp.160-1, 164 e 168; Sanches (2012), pp. 128 e 130; Araújo (2013), p. 263; Philippi (2014), p.121.

18 - E

Na culinária, o uso do leite e de seus derivados é bastante extenso. O leite tem a propriedade de servir como meio de cocção para várias preparações, como mingaus, sopas, cremes e hortaliças (creme de aspargo, palmito, couve-flor etc.), conferindo-lhes cor, sabor, maciez, umidade e cremosidade, além de aumentar seu valor nutritivo. Serve de ingrediente na preparação de purês, bolos e molho branco.

A caseína que representa a maior fração proteica do leite, perde sua estabilidade e se precipita quando o pH atinge 4,8. Os ácidos contidos no vinagre e em certas frutas e hortaliças provocam a coagulação do leite. Quando a mistura contém ingredientes ácidos, como para o preparo de sopas, molhos com tomate ou creme de abacaxi, é recomendado cuidado com a ordem de combinação dos ingredientes e com o tempo de exposição ao calor. O leite e os derivados devem ser acrescentados no final, pouco a pouco, em calor baixo, para evitar a precipitação da caseína.

Também é usado em refrescos com suco e polpa de frutas, podendo eventualmente talhar quando adicionado a uma fruta ácida (laranja, abacaxi), o que não impede que seja servido depois de batido no liquidificador.

- REF.: Domene (2011), p. 164; Sanches (2012), p. 131; Araújo (2013), p. 282.

19 - D

O descongelamento é a etapa em que os alimentos passam da temperatura de congelamento para até 4°C sob refrigeração ou em condições controladas.

Os alimentos congelados são microbiologicamente estáveis enquanto mantidos nesse estado. Os perigos surgem quando o alimento é descongelado por tempo suficiente para permitir a multiplicação de micro-organismos.

O descongelamento deve ser conduzido de modo a evitar que as áreas superficiais dos alimentos se mantenham em condições favoráveis à multiplicação microbiana. É recomendado utilizar peças cárneas ou carnes já filetadas, embaladas por peças ou por lotes de até 2 kg, com o objetivo de facilitar o descongelamento.

Os cuidados fundamentais para garantir um descongelamento seguro podem empregar as seguintes técnicas:

- Sob refrigeração, em câmara ou geladeira em temperatura inferior a 5°C, ou
- Em forno de micro-ondas ou de convecção, quando o alimento for submetido imediatamente à cocção.

O alimento deve ser mantido em descongelamento protegido e devidamente identificado. Deve-se programar o uso de carnes congeladas, considerando que, após o descongelamento, elas poderão ser armazenadas somente sob refrigeração até 4°C para bovinos e aves e para os pescados até 2°C por até 72 horas.

- REF.: Silva Júnior (2014), pp. 217 e 540; ABERC (2015), pp.78 e 83.

20 – B

A clara ou albúmen é um fluido aquoso que representa 57% do peso de um ovo e é constituída por uma mistura de várias proteínas com diferentes viscosidades. Seu pH varia de 7,6 a 7,9 no ovo fresco, podendo chegar a 9,7 de acordo com o tempo e a temperatura de armazenamento. Suas principais proteínas são: ovoalbumina (solúvel em água), conalbumina, ovomucoide, lisozima, ovomucina, ovoglobulina e avidina. A ovoalbumina representa 50% de todas as proteínas da clara e coagula com o aquecimento. A absorção de biotina (vitamina) é quase evitada por completo pelo consumo da albumina de ovo cru, a qual contém a proteína avidina, que se liga à biotina. A avidina é uma glicoproteína da albumina do ovo que é capaz de se ligar a biotinas por subunidade. Essa proteína tem uma forte ligação com a biotina, resistindo à digestão. Pouca ou nenhuma biotina ligada é absorvida. O consumo crônico de ovos crus ou albúmen de ovo cru prejudica, dessa forma, a absorção de biotina, podendo ocasionar sua deficiência. A cocção desnatura a avidina, eliminando as propriedades de ligação da biotina.

- REF.: Gregory III (2010), p. 387; Bronzi (2012), p. 122; Araújo (2013), p. 243.

21 – A

O ovo é o ingrediente culinário mundialmente mais usado. Sua cocção é uma operação simples; no entanto, envolve complicadas reações químicas. Quando cozido no calor úmido em ebulição, apresenta características que vão se diferenciando de acordo com o tempo de cocção. Com 10 minutos de cocção em fogo brando, obtém-se um ovo cozido. A coagulação da proteína do ovo se dá entre 60 e 70°C, o que demonstra que o ovo cozido a 100°C além do tempo recomendado ficará demasiadamente coagulado, com a clara muito dura, a gema engrumada e com a presença de um anel verde na área entre a clara e a gema. A formação desse anel decorre da interação química entre o ferro presente na gema e o enxofre presente na clara, que altera a aparência do produto e, às vezes, produz sabor e odor fortes, mas sem prejuízos nutricionais. Para evitar a formação dessa camada escura de sulfeto de ferro entre a clara e a gema, recomenda-se resfriar o ovo imediatamente em água fria corrente depois de cozido. No resfriamento lento, o enxofre aquecido e volátil da clara reage com o ferro da gema, desencadeando a formação de sulfeto de ferro.

- REF.: Ornelas (2007), p. 85; Bronzi (2012), p. 124; Araújo (2013), p. 253; Philippi (2014), p. 163.

22 - C

O ovo é composto por casca, membrana externa, membrana interna, câmara de ar, clara, calazas e gema. A casca é porosa, permitindo a penetração de substâncias que podem modificar o gosto e o cheiro do ovo, além de possibilitar a penetração de bactérias da parte externa para a interna. Contudo, é coberta por uma membrana que a protege da perda de água e da entrada de micro-organismos.

Em estabelecimentos de alimentação ou indústria de alimentos, é necessário seguir medidas de controle no consumo de ovos devido à possível contaminação causada pela *Salmonella enteritidis*, uma das principais doenças transmitidas por ovos.

Quando o ovo é armazenado sem observação da temperatura/tempo, ocorre uma perda sensível na consistência da clara em pouco tempo, já a gema se mantém inalterada por período maior. Essa alteração se deve à troca de gases entre as atmosferas externa e interna do ovo pela porosidade da casca, com perda de CO_2 da clara e evaporação de água. A perda de água da clara também leva à perda de água da gema, alterando a consistência dos géis.

Quando o armazenamento ocorre em temperatura ambiente, a difusão de CO_2 promove aumento do pH, sobretudo da clara; em consequência, tem-se a perda de vapor de água, o que diminui a densidade e aumenta a câmara de ar. Algumas propriedades culinárias se modificam, especialmente a estabilidade da clara batida.

O preparo e a elaboração de alimentos à base de ovo são garantidos quando adotandos os seguintes procedimentos:

- Não comprar ovos com a casca rachada devido ao risco potencial de contaminação.
- Dar preferência para armazenar os ovos sob refrigeração até 10ºC por até 7 dias ou a 5ºC por 2 a 4 semanas.
- Não consumir ovos crus nem alimentos preparados em que os ovos permanecem crus, como maioneses caseira, mousses e glacês.
- Lavar os ovos em água potável, um a um, somente no momento do uso, nunca antes de estocar.
- Preparar ovos cozidos deixando-os em ebulição por 7 minutos.

A superfície externa do ovo está coberta por uma película protetora. Sua remoção por meio da lavagem torna os ovos mais atrativos, porém os poros da casca ficam expostos à penetração microbiana. Deve ser armazenado sob refrigeração até 10ºC por até 7 dias. O comunicado do Centro de Vigilância Sanitária (CVS) nº 18/2008 proíbe a comercialização de ovos com casca rachada, mesmo que sejam armazenados sob congelamento.

- REF.: Domene (2011), p. 143; Bronzi (2012), p. 122 e 125; Araújo (2013), p. 250; Philippi (2014), p. 160; ABERC (2015), p. 87.

23 - E

A clara é composta de 10% de proteína, quantidades mínimas de gordura e 90% de água. A ovoalbumina, que representa 50% de todas as proteínas da clara, incorpora ar quando submetida a estresse físico, o que confere leveza a várias preparações. As globulinas têm a propriedade de formar espuma. A ovomucina é responsável pelo espessamento da clara. Uma das principais propriedades da clara é a formação de espuma – agregação de ar em uma rede composta por proteínas que se ligam por força mecânica ou elétrica, o que é chamado de clara em neve. Quando a clara é batida em neve, ocorre retenção de ar devido à viscosidade da ovalbumina, conferindo esponjosidade e leveza às preparações. O volume da espuma é maior em ovos frescos e que se encontram em temperatura ambiente. A estabilidade da espuma depende da tensão superficial mantida no líquido. Se não há atração, as forças se separam umas das outras e se convertem em moléculas gasosas individuais. Essa propriedade é conferida pelas proteínas ovomucina e conalbumina, que, por serem tensoativas, estabilizam as bolhas de ar nelas incorporadas. A estabilidade da espuma é avaliada pela quantidade de líquido liberada após o batimento. O acréscimo de ácido estabiliza a espuma, dá uniformidade e volume às bolhas e retém a água, o que previne que haja colapso da espuma por escape de líquido. O acréscimo de açúcar aumenta a estabilidade em virtude da interferência das moléculas de açúcar na ligação das proteínas com a água, tornando o líquido viscoso e estabilizando o sistema. A adição de sal compromete a qualidade da espuma formada, diminuindo o volume e a estabilidade. A presença de outros ingredientes (gema, gordura) tem influência sobre o tempo de batimento, o volume final obtido e a estabilidade da clara em neve.

- REF.: Bronzi (2012), p. 122; Araújo (2013), p. 247; Philippi (2014), p. 162.

24 - B

Os ovos, quando utilizados em preparações, têm inúmeras funções, como espessar (mingaus), aerar (suflês), emulsificar (maionese), unir (bolos), corar (pães) e aromatizar (tortas). Uma das principais características dos ovos é a propriedade da gema de incorporar gordura em forma de emulsão, promovendo a mistura de dois líquidos não miscíveis.

A gema é uma importante fonte de lipídios e colesterol. É rica em lecitina, que tem a capacidade de combinar compostos hidrofóbicos e hidrofílicos, o que confere ao ovo a propriedade de estabilizar emulsões.

A lecitina pertence ao grupo dos fosfolipídios e é um componente importante das membranas celulares. Está presente em forma de complexos lipoproteicos, que aumentam a tensão superficial da gordura, permitindo a incorporação de um conglomerado maior de corpúsculos de gordura.

Os fosfolipídios são substâncias relacionadas ao transporte de lipídios no fluxo sanguíneo sob a forma de emulsões. A maionese é um tipo de emulsão de óleo em água que contém aproximadamente 70% de óleo. O óleo constitui a fase dispersa e a água a fase contínua.

- REF.: Domene (2011), pp.132 e 136; Bronzi (2012), p. 123; Philippi (2014), pp. 161-2.

25 - D

Para a pesagem correta de alimentos, é importante que sejam utilizadas balanças calibradas com capacidade e sensibilidade adequadas, recipientes graduados ou uso de medidas caseiras.

Medidas caseiras são representações das quantidades em utensílios usuais de cozinha com as quais, em vez de medir por peso, é medido o volume de um utensílio conhecido (colher, copo, xícara). Transformar quantidades pesadas em medidas caseiras exige cuidados, como observar o estado físico e a acomodação do alimento no utensílio, a capacidade volumétrica do utensílio e a densidade do alimento.

Na pesagem de alimentos sólidos secos, o procedimento correto consiste em inserir o alimento no recipiente citado na receita com o auxílio de uma colher, sem compactá-lo nem sacudir, e sem que o utensílio seja inserido na embalagem original do alimento. Caso haja grumos, eles devem ser desfeitos com o auxílio de uma colher ou garfo antes da medição. O açúcar mascavo é uma exceção, devendo ser colocado no utensílio de medição e pressionado até que esteja bem compactado, assumindo a forma do recipiente. Há, no entanto, a recomendação de "afofar" os seguintes alimentos antes de serem retirados de seus recipientes para medição: fermento químico, bicarbonato de sódio, cremor tártaro, fubá, farinha de trigo integral, araruta, polvilho e amido de milho. Para a farinha e o açúcar de confeiteiro, que são alimentos de fácil compactação no utensílio de medição, recomenda-se a pesagem após passá-los pela peneira, o que os torna mais fofos e reduz seu peso por volume, diminuindo a compactação no fundo do utensílio. Para o nivelamento da quantidade, utiliza-se uma espátula ou faca, que é passanda na superfície do utensílio, eliminando o excesso do ingrediente a ser medido e conferindo, assim, maior precisão à aferição.

- REF.: Japur (2012), pp. 22-3; Philippi (2014), pp.12-3.

26 - A

O planejamento de cardápios pode ter por finalidade atender indivíduos saudáveis em condições fisiológicas especiais, enfermos ou aqueles cuja modalidade esportiva ou trabalho extenuante demanda aumento das necessidades de energia e nutrientes.

Entre os aspectos a serem considerados na elaboração de cardápios, independente de serem destinados ao indivíduo ou coletividade, a restaurantes comerciais ou não, estão o respeito aos hábitos e/ou padrões alimentares e religiosos, a adequação ao clima e sazonalidade, (adequar a seleção de preparações e adequar a composição das refeições de acordo com o horário da distribuição), a capacidade de produção e distribuição das refeições sugeridas, com dimensionamento da área física e distribuição dos equipamentos e cuja execução atenda aos requisitos higiênicos e sanitários. Também, a adequação ao orçamento (corresponder à estimativa de custo institucional e de acordo com as expectativas dos clientes quanto ao valor a ser cobrado), compatível com a sustentabilidade do sistema alimentar, seguindo a filosofia e a política das instituições para atendimento aos clientes.

O profissional também deve considerar que a inclusão da matéria-prima no planejamento de um cardápio assume uma dimensão técnica e política em sintonia com as diretrizes para uma alimentação saudável, pois direciona a utilização dos recursos financeiros para setores do agronegócio e da indústria de alimentos. Essa atividade pode embutir ações de proteção ao ambiente e à natureza, quando são priorizados alimentos produzidos pela agricultura sustentável, em respeito a áreas de proteção constante, uso racional de insumos e menor contaminação dos alimentos e do meio ambiente.

- REF.: Vieira (2012), p. 73; Brasil (2014), p. 23; Pioli (2014), p. 41.

27 - C

O planejamento de cardápio engloba inúmeros fatores que irão determinar quais alimentos e preparações deverão ser selecionados. É necessário saber a que público se destina, seus hábitos alimentares, o tipo de serviço, a capacidade de produção e distribuição das refeições sugeridas, com dimensionamento da área física e distribuição dos equipamentos, e que a execução atenda aos requisitos higiênicos e sanitários.

Como regra geral na seleção de alimentos e preparações no planejamento de cardápios, preconiza-se o cuidado de promover o equilíbrio entre as cores e as consistências e preparações dos alimentos, evitando a repetição de ingredientes na mesma refeição ou nas refeições seguintes. A diversidade de cores dos alimentos pode traduzir a presença de diferentes carotenoides e pigmentos, resultando em múltiplos nutrientes e compostos bioativos, além da atração sensorial.

O uso de alimentos e preparações com consistências variadas e diferentes texturas fará que o cardápio não se torne monótono e contribuirá para melhorar a apresentação da alimentação. As preparações de um cardápio devem adotar uma variedade de formas de apresentação dos alimentos (bastão, cubos, tiras, fatias, rodelas, postas, brochetes, escalopes), alternando os tipos de carne e sua preparação (cozidos, assados, grelhados, gratinados). Deve também haver equilíbrio entre os pratos quentes e frios e uma harmonia de cores e sabores. É bom evitar a repetição das guarnições, ingredientes e molhos similares.

O nutricionista deve colaborar para conservar e proteger os recursos que contribuirão para a sustentabilidade do sistema alimentar. O mesmo cuidado se aplica à seleção de técnicas de preparo que priorizem o aproveitamento integral dos alimentos com menor produção de resíduos decorrentes do processo de industrialização e manipulação. Para isso, o nutricionista deve identificar as receitas que incluam nutrientes e métodos de preparo compatíveis com as diretrizes de uma alimentação saudável.

- REF.: Vieira (2012), p. 76; Brasil (2014), p. 25; Martinez (2014), p. 7; Carnauba (2015), p. 31.

28 - B

As receitas e as fichas técnicas padronizadas consistem em um instrumento gerencial de apoio operacional por meio do qual são realizados o levantamento dos custos, a ordenação do preparo e o cálculo do valor nutricional de preparações utilizadas em uma UAN. Para a elaboração de cardápios é necessário o domínio das receitas que o comporão. Na escrita da receita, é definida a forma verbal no infinitivo (ralar) ou a 3ª pessoa (rale), o que possibilitará uma abordagem impessoal ou pessoal ao leitor.

Um ponto importante na escolha de uma receita é observar se ela se adapta às necessidades da UAN, uma vez que define a composição nutricional de cada alimento, se a preparação faz parte do hábito de consumo e as prováveis combinações com outros alimentos. O uso de uma receita padronizada torna possível levantar os equipamentos, utensílios e gêneros, com a descrição da capacidade, do tamanho e das quantidades, em medidas usuais ou padronizadas e em gramas, para facilitar a mensuração dos ingredientes, temperatura de cocção e rendimento da receita (em número de porções), informações sobre custo (total e por porção), valor calórico e padronização dos resultados. Sua elaboração visa também garantir segurança alimentar e nutricional, facilitando a análise de perigos e pontos críticos de controle, a atenção dietética e a gestão.

Para que a informação nutricional reflita as estimativas realizadas nos cálculos nutricionais das receitas com a menor margem de erro, é necessário uma efetiva padronização do processo produtivo, o que exige a disponibilidade de fichas técnicas.

- REF.: Altenburg (2010), pp. 35-7; Domene (2011), pp. 27 e 45; Martinez (2014), pp. 49-54; Philippi (2014), pp.14-6.

29 - E

Hortaliça é a denominação genérica dos legumes e verduras. Denomina-se verdura quando as partes comestíveis do vegetal são as folhas, flores, botões ou hastes, e legume quando as partes comestíveis são os frutos, as sementes ou as partes que se desenvolvem na terra.

Durante o pré-preparo, as hortaliças podem receber diferentes tipos de corte por razões distintas, como melhorar o visual da preparação ou obter uniformidade durante a cocção, agregar valor ao prato ou aproveitar o alimento em sua totalidade. O corte é feito por utensílios como guilhotinas, mandolinas, cortadores manuais ou faca. Dentre os diferentes tipos de corte, podem ser citados: *Julienne* ou Juliana - corte em palito ou tiras finas com 4 a 5 cm de comprimento e 2 a 3 mm de largura; *Brunoise* - picadas na forma de pequenos cubos (2 a 3 mm), podendo ser elaborado a partir de uma *Julienne*; *Noisette* - formato de avelã ou esfera (10 mm de diâmetro), elaborado com um boleador de legumes; *Payssane* - cortes ou sulcos longitudinais para formar estrelas, triângulos, flores ou outras figuras que serão produzidas pelo corte transversal; *Chiffonnade* - corte utilizado especificamente em folhas. As folhas são enroladas na forma de charutos e fatiadas finamente. O emprego de cortes variados deve ser incluído no nome do prato.

- REF.: Domene (2011), p. 116; Araújo (2013), p. 344; Philippi (2014), p. 77; Silva (2014), pp. 20 e 24.

30 - C

Na cocção, a cor das hortaliças pode variar em função dos diferentes métodos empregados. Os pigmentos sofrem modificações que variam de acordo com a solubilidade, estrutura química, temperatura, tempo e meio de cocção. Os pigmentos responsáveis pela coloração das hortaliças são a clorofila, os carotenoides e os flavonoides (antocianinas, antoxantinas e betalaínas). A clorofila, o pigmento verde, é insolúvel em água, mas é afetada por alteração do pH.

A cor da hortaliça verde cozida varia de verde-brilhante ao verde-oliva da feofitina. Em meio ácido ou em recipientes tampados, há formação de feofitinas, pigmentos de cor verde-oliva que comprometem a aparência do produto. Com as panelas tampadas, os compostos voláteis evaporados se condensam e, ao entrarem em contato com a água do cozimento, formam substâncias ácidas.

O uso de panelas destampadas minimiza a alteração da coloração verde porque os ácidos orgânicos se volatilizam, assim como a relação tempo-temperatura. A cocção prolongada conduz a um decréscimo do pH natural do vegetal mediante a liberação de ácidos orgânicos celulares, criando as condições favoráveis para a feofitinização.

Em meio alcalino, ocorre a remoção do grupo fitol, resultando em um novo composto, de cor verde mais intensa, chamado clorofilina.

- REF.: Schwartz (2010), p. 455; Domene (2011), p. 119-20; Araújo (2013), p. 346-8; Philippi (2014), p. 90.

31 - D

Os pigmentos são compostos presentes nos vegetais, que, além de exercerem funções importantes no organismo, conferem cor aos alimentos. Os principais pigmentos são a clorofila, os carotenoides e os flavonoides (antocianinas, antoxantinas e betalaínas).

A clorofila está presente nas hortaliças verdes e é insolúvel em água em virtude de sua natureza apolar. A clorofila é muito suscetível às variações provocadas pela mudança de pH. Em meio ácido, torna-se verde-oliva e minimiza essa mudança em meio alcalino, mas compromete o sabor e a textura do vegetal.

Os carotenoides são responsáveis pela coloração amarelo-alaranjada, exercem o papel de pró-vitamina A e são estáveis ao pH do meio de cocção.

Os flavonoides compreendem um grande grupo de compostos fenólicos. No subgrupo dos flavonoides estão as antocianinas, as antoxantinas e as betalaínas. As betalaínas têm cores semelhantes às das antocianinas, mas, ao contrário das antocianinas, sua cor não é afetada pelo pH. A presença de betalaínas em plantas exclui a ocorrência de antocianinas e vice-versa. As antocianinas conferem coloração que varia do vermelho ao azulado. Trata-se de um pigmento muito solúvel que, na presença de ácido, intensifica o tom vermelho e com a ação de álcali se torna roxo ou azul. As antoxantinas conferem coloração variável de branco a amarelo-claro. Ficam amareladas sob a ação de álcalis e brancas sob a ação de ácido. As betalaínas contribuem para uma coloração arroxeada. O licopeno, um pigmento vermelho encontrado em concentração elevada em tomates e seus produtos derivados, é insolúvel, mas escurece sob a ação de uma cocção prolongada.

- *REF.*: Schwartz (2010), pp. 468 e 479; Domene (2011), pp. 119-20; Araújo (2013), pp. 346-50; Carnauba (2015), pp. 37-8.

32 - A

Adstringência é o fenômeno relacionado a uma sensação percebida como secura na boca, associada ao enrugamento áspero do tecido oral. Em geral, resulta da associação de taninos ou polifenóis a proteínas com formação de precipitados ou agregados. A adstringência pode ser uma propriedade de sabor desejável, como nos chás. No entanto, a prática de adicionar leite ou nata ao chá suprime a adstringência por meio das ligações de polifenóis às proteínas do leite. Os taninos são compostos fenólicos especiais, recebendo este nome em virtude da sua capacidade de combinação com proteínas e outros polímeros, como os polissacarídeos. Sua cor varia de branco-amarelada a castanho-clara.

- REF.: Schwartz (2010), pp. 479 e 512.

33 - C

A palavra chá se refere ao produto de infusões preparadas com plantas do gênero *Cammelia sinensis* ou *Tea sinensis*, havendo variações em sua denominação de acordo com o tipo de processamento: chá-preto, chá-*oolong*, chá-verde e chá-branco.

O chá-preto é obtido de folhas fermentadas antes de serem secas. O processo de fermentação deixa o tanino insolúvel e libera substâncias aromáticas. O tipo *oolong* passa por um processo de desidratação e fermentação parcial. O chá-verde não é fermentado, apenas desidratado, apresentando inativação enzimática total. Sua cor é suave e ele contém mais tanino que o chá-preto. O chá-branco é feito de folhas jovens da *Cammelia sinensis* submetidas à desidratação. O chá-mate é o produto da infusão de folhas da planta *Ylex paraguaiensis*. Os tipos mais consumidos de mate são o verde (no preparo de chimarrão) e o torrado. Outros infusos, de frutas (maçã, pêssego, limão), ervas (camomila, erva-cidreira, erva-doce, hortelã) ou outras partes de vegetais (caules como a canela ou raízes como o gengibre), são designados com o nome da planta de que são feitos.

Os diferentes tipos de chás são fontes principalmente de compostos fenólicos bioativos, destacando-se a atividade antioxidante como a propriedade nutricional mais importante.

- REF.: Domene (2011), pp. 186-7; Navarro (2012), p. 193; Philippi (2014), p. 240; Percegoni (2015), pp. 216-22.

34 - B

Para fazer o café são utilizados os frutos do cafeeiro devidamente torrados e moídos. As espécies cafeeiras mais utilizadas são a *Coffea arabica* e a *Coffea canephora* (café robusta). A espécie arábica é considerada de qualidade superior, contém baixo teor de cafeína (0,8 a 1,3%) e tem aroma mais intenso que o café robusta. A espécie robusta tem gosto forte e amargo e contém alto teor de cafeína (2 a 2,4%). Por apresentar qualidade sensorial inferior, se beneficia com uma torrefação mais intensa, em que prevalecem os taninos.

Os teores de cafeína no café variam segundo a taxa de extração e a forma de preparo. No preparo dessa bebida, os tempos de extração devem proporcionar o máximo de qualidade sensorial, o ideal sendo de 18 a 24 segundos. Tempos menores produzem pouca extração, e maiores, extração excessiva, ambas prejudiciais ao sabor e ao aroma da bebida. No método para o preparo do café expresso, o café é moído na hora e acondicionado em um filtro que sofre uma pressão de água a 90°C e 90 kg de pressão por aproximadamente 30 segundos, resultando em uma bebida cremosa e aromática com alto teor de cafeína. Tem sabor forte e é levemente amargo. Preventivamente, parece seguro o consumo de bebidas à base de chá e café, combinadas ou não, em doses que forneçam até 300 mg de cafeína por dia. Para que o café conserve suas substâncias aromáticas voláteis, a temperatura da água não deve exceder 85 a 95°C. A diferença nos teores de cafeína do café expresso e em pó se deve à quantidade de pó utilizada, que no café expresso representa o dobro para o mesmo volume. A diferença entre o café em pó e o instantâneo estaria no conteúdo de cafeína das espécies, uma vez que na fabricação do café instantâneo, geralmente, se utiliza a espécie *Coffea canephora*, que apresenta maior teor de cafeína.

- REF.: Domene (2011), pp. 187 e 189; Navarro (2012), p. 189-92; Philippi (2014), p. 238.

35 - E

As espécies mais utilizadas para fazer café são a *Coffea arabica* (15% de lipídios) e a *Coffea canephora* (10% de lipídios). Essa fração lipídica do grão de café é rica em diterpenos, principalmente cafestol e caveol. Durante a torrefação, o calor libera seu aroma característico, proveniente do cafeol, substância volátil capaz de se dissolver na água, conferindo à infusão grande parte de seu aroma característico. Para que o café conserve suas substâncias aromáticas voláteis, a temperatura da água não deve exceder 85 a 95ºC e o tempo de extração deve ficar entre 18 e 24 segundos.

Alguns estudos têm destacado a associação da maneira de preparo do café ao aparecimento de doenças crônicas não transmissíveis. O hábito de consumir café fervido pode favorecer o aumento da colesterolemia em até 10%, em função da ingestão de cafestol e caveol, com consequências negativas para a saúde. Isso não acontece com o café filtrado em papel, que retém as substâncias. No café preparado por fervura, o teor de cafestol é de 0,5 a 8 mg/mL e o de caveol é de 0,7 a 10 mg/100 mL. No café por prensagem, o teor de cafestol é de 1,5 a 3,7 mg/mL e o de caveol é de 1,7 a 5,3 mg/100mL. No método por percolação, o teor de cafestol é de 0,1 a 1,9 mg/mL e o de caveol, 0,1 a 2,6 mg/100mL. O método por filtragem é o que apresenta menor teor de diterpenos: 0 a 0,1 mg/mL de caveol e de cafestol.

Existem várias formas de preparo do café. Na técnica por ebulição, o pó do café é colocado em água fervente e deixado em ebulição por 2 a 3 minutos para assegurar maior dissolução da cafeína e do cafeol. O aumento do tempo de cocção extrai mais tanino e favorece a perda do cafeol. Na técnica por filtração, o pó de café é colocado dentro de um filtro, que pode ser de pano ou papel, e a água quente (aproximadamente a 90ºC) é despejada aos poucos sobre o pó, ocorrendo o gotejamento do café. Na prensagem é utilizado um recipiente de vidro (prensa francesa) onde é colocada uma mistura de café com água quente. Em seguida, é introduzido um filtro que é pressionado por um êmbolo que separa o pó do café já pronto para ser consumido. Na técnica por percolação, o pó do café é colocado no centro de um recipiente chamado moka ou cafeteira italiana, que, posicionado em um fogão, faz com que a água entre em ebulição, pressionando o café líquido para o recipiente.

- REF.: Domene (2011), pp. 187-9; Navarro (2012), pp. 189-92; Philippi (2014), pp. 237-9.

36 - D

A cor da carne tem grande importância por ser um dos primeiros atributos que influenciam o consumidor. A mioglobina e a hemoglobina são formadas em sua maior parte por proteínas: a mioglobina é o pigmento muscular que retém o oxigênio nos tecidos, ao passo que a hemoglobina é o pigmento sanguíneo responsável pelo transporte de O_2 na corrente sanguínea, ambos contendo ferro no estado de oxidação 2^+.

No tecido animal vivo, a mioglobina existe em equilíbrio com a oximioglobina, sua forma oxigenada. É formada por uma fração proteica denominada globina e por um grupo protético denominado anel ou grupo heme. Em certas condições, há a oxidação da mioglobina e da oximioglobina, passando o pigmento à forma conhecida por metamioglobina, de coloração castanho-clara, que se associa a um longo período de armazenamento. Durante o processo de congelamento, há o desenvolvimento de uma tonalidade parda que compromete a pigmentação. Isso se deve à dificuldade de penetração do oxigênio e ao acúmulo de eletrólitos, o que favorece a formação de metamioglobina. Quando a carne sofre ação do calor, a globina da oximioglobina é desnaturada e o ferro é oxidado, passando de ferroso a férrico, ou seja, o íon perde um elétron sob a ação do calor, ocorrendo a formação do pigmento de cor parda a marrom denominado hemicromo.

- REF.: Góis (2012), p. 177; Araújo (2013), p. 203, Philippi (2014), p. 133.

37 - C

A carne passa por dois processos de amaciamento, um natural, que se instala logo após o término do *rigor mortis*, quando a carne se torna mais macia e desenvolve o sabor natural, e outro artificial. Decorrido o estágio de *rigor mortis*, processo metabólico que culmina após se esgotarem as reservas energéticas do músculo com consequente abaixamento do pH próximo a 5,5 e inativação das enzimas, tem início o processo de maturação da carne, em que há a perda da contração da carne e o consequente amaciamento, fenômeno denominado maturação da carne. Durante a maturação, há uma dissociação do complexo actina-miosina e uma ação concomitante das catepsinas, calpaínas e outras proteínas endógenas responsáveis pela maciez autolítica da carne. O amaciamento artificial pode ser feito por ação mecânica (bater, moer), química (ação de ácidos fracos sobre o tecido conjuntivo) e enzimática, com o uso de enzimas proteolíticas de origem vegetal (papaína do mamão, ficina do fígado e bromelina do abacaxi). A importância dessas enzimas proteolíticas está associada à sua capacidade de hidrolisar um ou mais componentes do tecido muscular.

- REF.: Góis (2012), p. 172; Araújo (2013), pp. 205 e 207; Philippi (2014), p. 134.

38 - B

O preparo de pescados em geral é rápido em virtude do baixo teor de tecido conjuntivo. Isso torna o pescado mais frágil e fácil de digerir, mas exige cautela durante a cocção para evitar sua desintegração. No caso de peixes inteiros ou mais gordos, está indicado assar. Filés e postas podem ser grelhados, porém peixes mais magros necessitam de uma leve cobertura de farinha de trigo ou fubá de milho para não aderirem às chapas ou grelhas. Por meio da fritura, os pescados desenvolvem sabores fortes e apreciados. Na cocção do peixe por qualquer método, é importante evitar períodos longos e temperaturas excessivamente altas em razão do baixo teor de tecido conjuntivo. Durante o pré-preparo, recomenda-se o acréscimo de substâncias ácidas que reduzem o valor do pH, modificam as ligações moleculares, desnaturam parcialmente as proteínas, retardam o desenvolvimento de bactérias e eliminam odores desagradáveis. O ácido cítrico proveniente de limões é o mais utilizado.

- REF.: Domene (2011), p. 153; Góis (2012), p. 175; Araújo (2013), p. 235.

39 - A

Molhos são preparações líquidas ou cremosas, quentes ou frias, utilizadas como acompanhamento de diversas preparações com a função de complementá-las, tornando-as mais úmidas e acentuando seu sabor. Na elaboração de molhos há a combinação de: (a) itens aromáticos; (b) fundos básicos ou caldos; (c) ligações ou espessantes; e (d) embelezadores e melhoradores de sabor. Essa diversidade de ingredientes que agrega às preparações o aroma, a cor, a textura e o sabor dos alimentos recebe o nome de base de cozinha.

Os aromáticos constituem um conjunto de legumes, ervas e especiarias utilizado como realçadores de sabor das preparações culinárias. As combinações clássicas são: *mirepoix* (utiliza na preparação elementos aromáticos, legumes, ervas e especiarias), *bouquet garni* (todos os ingredientes são envolvidos e amarrados em uma folha de salsão), cebola *brulée* e cebola *piquée*, entre outras. Em geral, os aromáticos são retirados após terem liberado o sabor desejado na preparação.

Os fundos básicos ou caldos podem ser divididos em duas categorias, considerando a cor (que pode ser clara, utilizando ossos + água + *mirepoix* + aromáticos, ou escura, utilizando ossos assados + água + *mirepoix* caramelizado + purê de tomate + aromáticos) e considerando os ingredientes (podendo ser utilizado fundo de vegetais, fundo claro à base de carnes, fundo escuro à base de carne dourada na gordura ou fundo de peixes). Os fundos são denominados de acordo com o sabor a eles conferido: legumes, aves, peixe, carne, caça. Um exemplo clássico de base de fundo é o molho *demi-glace*.

Os espessantes servem para dar mais corpo a molhos, sopas ou cozidos. Utilizam o poder espessante de amidos, gemas, colágeno, legumes, creme de leite ou gelatina. Os principais são: *Roux, Slurry, Beurre manié, Liaison*, legumes e gelatina. Cada ligação se refere a um tipo de molho.

Dentre os embelezadores e melhoradores, estão: creme de leite, nata, manteiga, extrato de tomate e corantes.

- REF.: Domene (2011), pp. 174-6; Perotta (2012), pp. 196-9; Montebello (2013), pp. 420, 428-30; Philippi (2014), p. 205.

40 - E

Fritar é imergir o alimento em óleo à alta temperatura. No processo de fritura, o aquecimento do óleo provoca reações hidrolíticas, oxidativas e poliméricas da molécula do triglicerídio, que produzem compostos de degradação, alterando as qualidades funcional, organoléptica e nutricional.

A hidrólise de triacilgliceróis pode ocorrer na fritura em óleos em razão das temperaturas elevadas. Conforme aumenta o conteúdo de ácidos graxos livres do óleo de fritura, o ponto de fumaça e a estabilidade oxidativa diminuem, aumentando a formação de espuma. O ponto de fumaça é a faixa de temperatura em que se forma uma fumaça branco-azulada decorrente da quebra de ácidos graxos insaturados presentes no óleo. Nesse processo de decomposição, há a transformação do glicerol em acroleína por hidrólise. Esse processo de perda de água forma a acroleína, que é potencialmente cancerígena. A temperatura que caracteriza o ponto de fumaça varia, de acordo com o tipo de gordura, entre 160 e 260ºC.

A seleção da gordura é fundamental, porque sua composição química estabelece o grau de hidrólise dos lipídios. A resistência térmica dos óleos depende de sua estrutura química; gorduras alimentares com ácidos graxos saturados são mais estáveis, com exceção da margarina, que tem elevada concentração de água (18%), o que diminui seu ponto de fumaça. O ponto de fusão é uma referência para a melhor seleção do tipo de gordura. Recomenda-se o uso de óleos vegetais – exceto o de oliva – e banha por não apresentarem mono e diglicerídios em sua composição e apresentarem pontos de fumaça elevados. Dentre os óleos, o de soja é o mais indicado para fritura por ter ponto de fumaça mais elevado e ser mais resistente a elevadas temperaturas, começando a se decompor a 230ºC.

- REF.: McClements (2010), p. 155; Araújo (2013), pp. 180; Araújo (2013), pp. 368, 370 e 377.

Referências

ABERC - Associação Brasileira das Empresas de Refeições Coletivas. Manual ABERC de práticas de elaboração e serviço de refeições para coletividades. 11 ed. São Paulo: 2015.

Abreu ES de, Spinelli MGN. Avaliação da produção. In: Abreu ES de, Spinelli MGN, Pinto AMS. Gestão de unidades de alimentação e nutrição: um modo de fazer. 4. ed rev e ampl. São Paulo: Editora Metha, 2014.

Altenberg H, Dias KAC. Medidas e porções de alimentos. 2. ed. Campinas: Editora Komedi, 2010.

Araújo MOD, Guerra TM. Alimentos per capita. 3. ed. Natal: EDUFRN, 2007.

Araújo WMC, Borgo LA, Araújo HMC. Aspectos da química e funcionalidade das substâncias químicas presentes nos alimentos. In: Alquimia dos alimentos: série alimentos e bebidas. V. 2. 2. ed rev e ampl. Brasília: Editora Senac, 2013:97-164.

Araújo HMC, Montebello NP di, Botelho RBA, Zandonadi RP, Akutsu RC de, Ginani VC. Métodos e indicadores culinários. In: Araújo WMC, Montebello NP di, Botelho RBA, Borgo LA. Alquimia dos alimentos: série alimentos e bebidas. V. 2. 2. ed rev e ampl. Brasília: Editora Senac, 2013:167-95.

Araújo HMC, Ramos KL, Botelho RBA, Zandonadi RP, Ginani VC. Transformação dos alimentos: carnes, vísceras e produtos cárneos. In: Araújo WMC, Montebello NP di, Botelho RBA, Borgo LA. Alquimia dos alimentos: série alimentos e bebidas. V.2. 2. ed rev e ampl. Brasília: Editora Senac, 2013:197-237.

Araújo HMC, Ramos KL, Botelho RBA, Zandonadi RP, Ginani VC. Transformação dos alimentos: hortaliças, cogumelos, algas e frutas. In: Araújo WMC, Montebello NP di, Botelho RBA, Borgo LA. Alquimia dos alimentos: série alimentos e bebidas. V. 2. 2. ed rev e ampl. Brasília: Editora Senac, 2013:237-364.

Araújo HMC, Ramos KL, Montebello NP di, Botelho RBA, Zandonadi RP. Transformação dos alimentos: ovos. In: Araújo WMC, Montebello NP di, Botelho RBA, Borgo LA. Alquimia dos alimentos: série alimentos e bebidas. V. 2. 2. ed rev e ampl. Brasília: Editora Senac, 2013:239-57.

Araújo HMC, Ramos KL, Montebello NP di, Botelho RBA, Zandonadi RP, Ginani VC et al. Transformação dos alimentos: leite e lacticínios. In: Araújo WMC, Montebello NP di, Botelho RBA, Borgo LA. Alquimia dos alimentos: série alimentos e bebidas. V. 2. 2. ed rev e ampl. Brasília: Editora Senac, 2013:259-84.

Araújo HMC, Ramos KL, Botelho RBA, Zandonadi RP. Transformação dos alimentos: óleos e gorduras alimentares. In: Araújo WMC, Montebello NP di, Botelho RBA, Borgo LA. Alquimia dos alimentos: série alimentos e bebidas. V. 2. 2. ed rev e ampl. Brasília: Editora Senac, 2013:265-380.

Brasil, Ministério da Saúde. Secretaria de Atenção à Saúde. Departamento de Atenção Básica. Guia alimentar para população brasileira. 2. ed. Brasília: Ministério da Saúde, 2014.

Bronzi ES. Ovos. In: Japur CC, Vieira MNCM. Dietética aplicada na produção de refeições. Rio de Janeiro: Guanabara Koogan, 2012:120-6.

Carnauba RA, Nicastro H. Carotenoides. In: Chaves DFS. Compostos bioativos dos alimentos - Coleção nutrição clínica funcional. São Paulo: Valéria Paschoal Editora Ltda, 2015:31-50.

Darolt MR. Alimentos orgânicos - um guia para o consumidor consciente. 2. ed rev e ampl. Londrina: IAPAR, 2007.

Domene SMA. Técnica dietética: teoria e aplicações. Rio de Janeiro: Guanabara Koogan, 2011.

Galati GC, Vieira MNCM. Cereais, massas e pães. In: Japur CC, Vieira MNCM. Dietética aplicada na produção de refeições. Rio de Janeiro: Guanabara Koogan, 2012:149-58.

Góis L. Carnes. In: Japur CC, Vieira MNCM. Dietética aplicada na produção de refeições. Rio de Janeiro: Guanabara Koogan, 2012:165-88.

Gregory III JF. Vitaminas. In: Damodaran S, Parkin KL, Fennema OR. Química de alimentos de Fennema. 4. ed. Porto Alegre: Artmed, 2010:345-408.

Japur CC. Óleos e gorduras. In: Japur CC, Vieira MNCM. Dietética aplicada na produção de refeições. Rio de Janeiro: Guanabara Koogan, 2012:105-19.

Japur CC, Penaforte FRO de. Equivalência de pesos e medidas em utensílios domésticos. In: Japur CC, Vieira MNCM. Dietética aplicada na produção de refeições. Rio de Janeiro: Guanabara Koogan, 2012:22-7.

Martinez S, Freire RBM, Nogueira SFB de. Regras gerais de elaboração de cardápios. In: Silva SMCS da, Martinez S. Cardápio – Guia prático para elaboração. 3. ed. São Paulo: Roca, 2014:3-16.

Martinez S. Elaboração da receita culinária e ficha técnica padronizada. In: Silva SMCS da, Martinez S. Cardápio – Guia prático para elaboração. 3. ed. São Paulo: Roca, 2014:49-54.

McClements DJ, Decker EA. Lipídios. In: Damodaran S, Parkin KL, Fennema OR. Química de alimentos de Fennema. 4. ed. Porto Alegre: Artmed, 2010:131-78.
Mesomo IB. Os serviços de alimentação: planejamento e administração. 6. ed rev e atual. Barueri, SP: Manole, 2015.
Montebello NP di. Condimentos, fundos e molhos. In: Araújo WMC, Montebello NP di, Botelho RBA, Borgo LA. Alquimia dos alimentos: série alimentos e bebidas. V. 2. 2. ed rev e ampl. Brasília: Editora Senac, 2013:393-433.
Monteiro TH. Técnicas de pré-preparo e preparo de alimentos. In: Japur CC, Vieira MNCM. Dietética aplicada na produção de refeições. Rio de Janeiro: Guanabara Koogan, 2012:28-47.
Navarro AM, Meirelles CJCS de, Carvalho AL. Café e chá. In: Dietética aplicada na produção de refeições. Rio de Janeiro: Guanabara Koogan, 2012:189-95.
Nonino CB, Tanaka NYY, Marchini JS. Controle do desperdício e manejo de resíduos. In: Vieira MNCM, Japur CC. Gestão de qualidade na produção de refeições. Rio de Janeiro: Guanabara Koogan, 2012:258-65.
Ornelas LH. Técnica dietética: seleção e preparo de alimentos. 8. ed. São Paulo, Atheneu, 2007.
Percegoni N, Binoti ML, Carnauba RA. Camellia sinensis (L.): chá verde e chá preto. In: Chaves DFS. Compostos bioativos dos alimentos - Coleção nutrição clínica funcional. São Paulo: Valéria Paschoal Editora Ltda, 2015:215-43.
Perotta LM, Souza NAP. Caldos, molhos e sopas. In: Dietética aplicada na produção de refeições. Rio de Janeiro: Guanabara Koogan, 2012:196-201.
Pioli C. Utilização de alimentos funcionais na elaboração de cardápios. In: Silva SMCSda, Martinez S. Cardápio – Guia prático para elaboração. 3. ed. São Paulo: Roca, 2014:38-45.
Philippi ST. Nutrição e técnica dietética. 3. ed rev e atual. São Paulo: Manole, 2014.
Sanches LB, Arevabini CAM, Méllo MHG de. Leite e derivados. In: Japur CC, Vieira MNCM. Dietética aplicada na produção de refeições. Rio de Janeiro: Guanabara Koogan, 2012:127-33.
Schwartz SJ, Elbe JH von, Giusti MM. Corantes. In: Damodaran S, Parkin KL, Fennema OR. Química de alimentos de Fennema. 4. ed. Porto Alegre: Artmed, 2010:445-98.
Silva Júnior EA da. Manual de controle higiênico sanitário em serviços de alimentação. 7. ed. São Paulo: Livraria Varela, 2014.
Swaisgood HE. Características do leite. In: Damodaran S, Parkin KL, Fennema OR. Química de alimentos de Fennema. 4. ed. Porto Alegre: Artmed, 2010:687-717.
Vieira MNCM. Fatores a serem considerados na seleção de alimentos e preparações no planejamento de cardápios. In: Vieira MNCM, Japur CC. Gestão de qualidade na produção de refeições. Rio de Janeiro: Guanabara Koogan, 2012:73-86.
Vieira MNCM. Padronização de cardápios. In: Vieira MNCM, Japur CC. Gestão de qualidade na produção de refeições. Rio de Janeiro: Guanabara Koogan, 2012:120-36.
Yúfera EP. Química de los alimentos. Zaragoza: Sintesis, 1997.

Capítulo 4

Tecnologia de Alimentos (TA)

Claisa Andréa Freitas Rabelo
Clarice Maria Araújo Chagas Vergara

Questões

1. (TA) A tecnologia de alimentos dispõe de vários métodos para a conservação de alimentos, como o uso do frio, do calor, da irradiação, da desidratação, entre outros. Todos os métodos visam prevenir ou retardar as alterações indesejáveis, mantendo a estabilidade dos alimentos. No que se refere à conservação de alimentos, assinale a opção correta:
   a) A tecnologia de alimentos objetiva exclusivamente manter as qualidades nutricionais e sanitárias dos alimentos.
   b) Para definir o tempo de vida de prateleira de um produto alimentício, armazenado a uma determinada temperatura, basta considerar como alterações críticas a perda de nutrientes e o crescimento de bactérias.
   c) Por possibilitar a produção de alimentos processados, a tecnologia de alimentos está em contradição com as ações de Segurança Alimentar e Nutricional (SAN).
   d) Os melhores métodos de conservação são aqueles que possibilitam submeter o alimento às mais altas ou mais baixas temperaturas ou à mais baixa atividade de água, por produzirem alimentos mais estáveis e, portanto, de melhor qualidade.
   e) A tecnologia de alimentos busca combinar métodos de conservação para aumentar a estabilidade dos alimentos.

2. (TA) Um nutricionista responsável por uma Unidade de Alimentação e Nutrição (UAN), ao receber de um fornecedor frangos congelados, após remover a embalagem, percebeu que havia muitos cristais de gelo na superfície dos frangos. Ao verificar a temperatura no interior do caminhão frigorífico (que fazia o transporte dos frangos), foi constatada uma temperatura de 4°C. Avaliando essa situação quanto à adequada utilização do frio como método de conservação de alimentos, é correto afirmar que:
   a) Na refrigeração, o alimento é mantido à baixa temperatura, o que retarda o crescimento de micro-organismos e paralisa as alterações químicas e bioquímicas.
   b) O fornecedor de frangos realiza o transporte respeitando a cadeia do frio, pois mantém a temperatura de refrigeração (4ºC) no interior do caminhão.

c) A qualidade do produto congelado é diretamente proporcional à velocidade do congelamento a que foi submetido, por isso os frangos recebidos podem ser considerados adequados, pois os cristais de gelo na superfície do produto evidenciam o congelamento rápido.

d) O congelamento rápido resulta em produtos de melhor qualidade, pois produz um grande número de pequenos cristais de gelo no alimento.

e) Durante o armazenamento de alimentos em refrigeração, a qualidade pode ser assegurada pelo simples controle da temperatura na estocagem.

3. (TA) A conservação pelo calor é um dos métodos mais utilizados no processamento de alimentos tanto pelos efeitos desejáveis na qualidade sensorial dos produtos como pela inativação de enzimas e a destruição de micro-organismos. Em alguns alimentos, observa-se a destruição de fatores antinutricionais e, em outros, o aumento da bioacessibilidade de alguns nutrientes. Existem diferentes tipos de tratamentos térmicos com finalidades distintas. A escolha das condições do processamento térmico depende do pH e do potencial de oxirredução do alimento, bem como da resistência térmica dos micro-organismos contaminantes, dos atributos sensoriais desejáveis, dos tipos de nutrientes das matérias-primas e da capacidade de penetração do calor no alimento. Sobre os métodos de conservação pelo calor, é correto afirmar que:

a) A esterilização comercial é realizada em alimentos ácidos, utilizando temperaturas superiores a 100°C, possibilitando uma longa vida de prateleira à temperatura ambiente.

b) No branqueamento, é utilizada temperatura menor que 100°C com o objetivo de destruir os micro-organismos patogênicos.

c) A pasteurização de alimentos ácidos tem por finalidade a inativação enzimática e a destruição dos micro-organismos patogênicos e deteriorantes, possibilitando o envase em embalagens cartonadas e o armazenamento à temperatura ambiente.

d) A pasteurização de alimentos de baixa acidez tem por finalidade a inativação enzimática e a destruição dos micro-organismos patogênicos e deteriorantes, possibilitando, após o envase, o armazenamento à temperatura ambiente por longo tempo.

e) A pasteurização do leite deve ser sempre realizada a 72°C por 15 segundos, tratamento suficiente para destruir os patógenos não formadores de esporos mais resistentes – *Mycobacterium tuberculosis* e *Coxiella burnetii*.

4. (TA) Um alimento fermentado é obtido pela ação controlada de um ou mais tipos de micro-organismos específicos sobre um substrato, viabilizando determinadas conversões bioquímicas desejáveis que resultassem em um produto mais estável que sua matéria-prima e com sabor, aroma e textura característicos e agradáveis. Sobre os processos fermentativos utilizados para a produção de alimentos, é correto afirmar que:

a) Nas fermentações de alimentos de baixa acidez, como o leite e a carne, uma cultura iniciadora (*starter*) deve ser utilizada para acelerar o processo fermentativo e inibir o crescimento de micro-organismos patogênicos e deteriorantes.

b) A produção de cerveja, pão e vinho tem em comum uma etapa de fermentação alcoólica realizada por bactérias do gênero *Saccharomyces*.

c) As fermentações lácticas são realizadas por bactérias e podem ocorrer exclusivamente em leite e derivados, produzindo leites fermentados, iogurte e alguns queijos.

d) A produção de vinagre ocorre em duas etapas: inicialmente uma fermentação alcoólica por *Saccharomyces cerevisiae* com produção de etanol, que a seguir é reduzido por *Acetobacter aceti* a ácido acético e vários compostos aromáticos.

e) Para a produção de iogurtes, o leite deve ser inoculado com *Streptococcus thermophilus* ou com *Lactobacillus bulgaricus*.

5. (TA) Guimarães *et al.* (2012), avaliando os efeitos da irradiação nas propriedades físicas e físico-químicas do arroz submetido a diferentes doses de radiação gama Co^{60} (6,5 kGy e 7,5 kGy), observaram que a irradiação gama não promoveu alterações significativas na composição centesimal, no valor calórico e na acidez titulável do arroz; no entanto, promoveu diminuição do pH e intensificação da coloração à medida que se aumentavam as doses. Analisando os dados desses autores associados aos conhecimentos sobre irradiação de alimentos, é correto afirmar que:

a) Apesar de promover o inconveniente superaquecimento do alimento, a irradiação é utilizada com muitas finalidades, como a esterilização de temperos e especiarias, a redução de patógenos, o aumento da vida de prateleira, o controle do amadurecimento de algumas frutas e hortaliças, a desinfestação e a inibição do brotamento.

b) Os autores usaram o Co^{60}, uma das formas de radiação não ionizante utilizadas no processamento de alimentos, caracterizadas por comprimento de onda curto e alta frequência e, portanto, com boa capacidade de ação não só na superfície, mas também no interior dos alimentos.

c) No Brasil, não é permitido o processamento de alimentos por irradiação, devendo os produtos alimentícios importados irradiados apresentar no rótulo a expressão "ALIMENTO TRATADO POR PROCESSO DE IRRADIAÇÃO".

d) Os autores utilizaram doses médias de radiação, suficientes para eliminar os micro-organismos patogênicos não esporulados, caracterizando o processo de irradiação denominado radiciação.

e) A estabilidade na composição centesimal, no valor calórico e na acidez titulável do arroz investigado pelos autores aponta esse produto como promissor; no entanto, o escurecimento dos grãos pode ter sido decorrente dos efeitos primários da pirólise com produção de produtos pirolíticos coloridos.

6. (TA) Em março de 2017, a Agência Nacional de Vigilância Sanitária (ANVISA) publicou a RDC nº 149/2017, uma norma que autoriza o uso de aditivos alimentares e coadjuvantes de tecnologia em diversas categorias de alimentos. Dentre as inclusões ou extensões de uso de aditivos dessa resolução pode-se destacar que os aromatizantes tiveram seu uso estendido para os adoçantes de mesa e os óleos refinados, com exceção do azeite de oliva. Os reguladores de acidez – fosfato de sódio dibásico e fosfato

de potássio dibásico – passaram a ser permitidos nos alimentos à base de cereais para alimentação infantil, enquanto o nitrogênio líquido, coadjuvante de tecnologia, como agente de resfriamento e congelamento, foi permitido em gelados comestíveis. Com relação aos aditivos alimentares, é correto afirmar que:

a) No Brasil, a regulamentação para o uso de aditivos é realizada pelo Ministério da Agricultura, Pecuária e Abastecimento.

b) Ingrediente é qualquer substância, incluídos os aditivos alimentares, empregada na fabricação ou preparação de um alimento e que permanece no produto final.

c) Um antibiótico encontrado em um leite *in natura* é um exemplo de coadjuvante de Tecnologia de Fabricação.

d) Aditivo alimentar é qualquer ingrediente adicionado intencionalmente aos alimentos, com propósito de nutrir, com o objetivo de modificar as características físicas, químicas, biológicas ou sensoriais.

e) A levedura utilizada na produção da cerveja é um exemplo de ingrediente.

7. (TA) A ANVISA, diante da necessidade de segurança no uso de aditivos alimentares e coadjuvantes de tecnologia na fabricação de alimentos e considerando que cera de carnaúba consta do Inventário de Substâncias Utilizadas como Coadjuvantes de Tecnologia (IPA), elaborado pelo Comitê *Codex Alimentarius* de Aditivos Alimentares (CCFA), aprovou, de acordo com a RDC nº 27, de 26 de maio de 2009, a extensão do uso de cera de carnaúba como coadjuvante de tecnologia com a função de lubrificante, agente de moldagem ou desmoldagem, para subcategorias de alimentos: pães prontos para o consumo, biscoitos e similares e produtos de confeitaria. Sobre a segurança do uso de aditivos alimentares e coadjuvantes de tecnologia de fabricação, é correto afirmar que:

a) Os aditivos alimentares e os coadjuvantes de tecnologia são dispensados da necessidade do registro na ANVISA; no entanto, a rotulagem desses produtos destinados ao uso doméstico deve seguir as normas do regulamento técnico sobre rotulagem geral de alimentos embalados.

b) Para ser autorizado o uso de um aditivo alimentar, este precisa ser submetido à avaliação toxicológica, levando em conta os efeitos acumulativo, sinérgico e de proteção decorrentes de seu uso. Após aprovado para uso, o aditivo é considerado seguro, sendo desnecessárias reavaliações futuras.

c) No Brasil, um aditivo alimentar só pode ser utilizado quando estiver descrito em uma legislação específica para a categoria de alimentos correspondente, onde são estabelecidas suas funções e limites, sendo recomendado seu uso no maior nível para alcançar o efeito desejado.

d) De acordo com a legislação brasileira que regulamenta o uso de aditivos alimentares e coadjuvantes de tecnologia, um aditivo é considerado BPF quando este foi produzido de acordo com as boas práticas de fabricação.

e) Nos rótulos dos alimentos, os aditivos devem ser declarados na lista de ingredientes, devendo ser informados sua função principal no alimento e, obrigatoriamente, seu nome completo.

8. (TA) O *goji berry* (*Lycium barbarum L.*) é um fruto encontrado e conhecido há muito tempo na China e que passou a ser amplamente divulgado e investigado mundialmente nos últimos anos em razão de suas propriedades funcionais. Esses frutos são principalmente consumidos secos. Tradicionalmente, eles são secos ao sol ou desidratados em estufa por ar quente. No entanto, Dermesonlouoglou *et al.* (2018) observaram que para esses frutos a combinação da desidratação osmótica seguida da desidratação por ar quente levou a melhorias na qualidade do produto final, sobretudo nas características de cor, textura, capacidade antioxidante e teor fenólico total, além de prolongar a vida útil do produto, em comparação com os frutos submetidos apenas à desidratação por ar quente. Sobre os métodos utilizados para a redução da atividade de água em alimentos, marque a afirmativa verdadeira:

    a) A atividade de água equivale ao teor de água ligada ao alimento, ou seja, a água que interage com os componentes do alimento, sendo reduzida nos alimentos desidratados.

    b) Os *goji berry* são tradicionalmente secos ao sol, pois esse tipo de secagem é preferível por ter baixo custo, ser simples, natural e produzir produtos de melhor qualidade.

    c) Um dos métodos de desidratação muito utilizado pela indústria de alimentos é a secagem por atomização, também conhecida como *spray drying*, utilizando como matéria-prima alimentos sólidos cortados em pequenos pedaços.

    d) É importante avaliar em pesquisas futuras o efeito da liofilização sobre a qualidade de *goji berry*, por se tratar de um método de desidratação em que a água é evaporada a baixas temperaturas, o que possibilita melhor retenção dos nutrientes e menor alteração sensorial dos alimentos liofilizados.

    e) A desidratação osmótica a que foram submetidos os *goji berry* é um processo em que ocorre a redução da atividade água do alimento promovida por sua imersão em uma solução hipertônica, ou seja, com alta pressão osmótica em virtude da alta concentração de sais ou açúcares.

9. (TA) Evangelista-Barreto *et al.* (2017), avaliando o grau de frescor de pescados comercializados, constataram elevadas temperaturas internas dos músculos (27,2 a 45,1°C), pH acima de 6,5 em 65% das amostras e resultados positivos para amônia e gás sulfídrico, respectivamente, em 95,6% e 45,9% das amostras. Sob o aspecto microbiológico, os pescados apresentavam *Escherichia coli*, *Enterococcus faecalis*, *Vibrio cholerae* e *V. vulnificus*, assim como o gelo de conservação também apresentava elevada carga microbiana. Diante da suscetibilidade dos pescados à deterioração, é correto afirmar que:

    a) O peixe fresco próprio para consumo deve apresentar, entre outras características, olhos transparentes, brilhantes e salientes, ocupando completamente as órbitas; guelras róseas ou vermelhas, secas e brilhantes com odor natural, próprio e suave; ventre roliço, firme, deixando impressão duradoura à pressão dos dedos.

    b) De modo comparativo, o músculo do pescado contém mais glicogênio que a carne bovina. Por isso, o pH do pescado após a morte é mais alto, tornando essa carne mais susceptível ao ataque de bactérias.

c) A sensibilidade dos pescados ao processo de deterioração se deve, entre outros fatores, à sua alta atividade de água, ao elevado teor de gorduras insaturadas facilmente oxidáveis, à presença de enzimas tissulares e ao pH da carne próximo da neutralidade.

d) Nas fases mais avançadas da decomposição de carboidratos do pescado, podem ser encontrados vários compostos de odor forte, como gás sulfídrico, etanol e metanol. Portanto, os 45,9% de amostras analisadas apresentando gás sulfídrico são um indício de condições higiênico-sanitárias inadequadas.

e) Em alimentos proteicos, a liberação de amônia é proveniente do início da degradação das proteínas; portanto, a presença de amônia em 95,6% das amostras de pescado analisadas pode indicar processos autolíticos e deterioração. No entanto, também podem ocorrer alterações nos compostos nitrogenados não proteicos, como redução bacteriana da trimetilamina em óxido de trimetilamina.

10. (TA) A produção de óleos e gorduras e a elaboração de produtos a partir dessas matérias-primas exigem o conhecimento da natureza, da estabilidade e do potencial de uso dessas substâncias. Portanto, sobre as características químicas e a deterioração de lipídios, é correto afirmar que:

a) Os lipídios encontrados nos alimentos são constituídos por unidades monoméricas de ácidos graxos que se repetem.

b) Mono e diacilgliceróis são moléculas lipídicas que, por possuírem certa polaridade, podem ser utilizadas pela indústria de alimentos como emulsificantes.

c) Nos óleos e gorduras, as propriedades físico-químicas, como ponto de fusão, viscosidade e suscetibilidade à oxidação, estão diretamente relacionadas às estruturas químicas dos ácidos graxos que os compõem. Por exemplo, quanto maiores a quantidade e o comprimento dos ácidos graxos saturados presentes, mais baixo será o ponto de fusão.

d) A rancificação oxidativa é uma reação de caráter autocatalítico que resulta no aparecimento de odores e sabores indesejáveis e que depende da composição do óleo ou gordura em ácidos graxos. O predomínio de ácidos graxos saturados reflete maior instabilidade oxidativa.

e) A redução da qualidade dos óleos utilizados na fritura se deve exclusivamente à degradação térmica, gerando ácidos graxos cíclicos e ácidos graxos trans, além de dímeros e polímeros.

11. (TA) Os óleos e gorduras são amplamente utilizados na cadeia produtiva de alimentos, sendo ingredientes de vários produtos industrializados e preparações culinárias. São utilizados na tecnologia de alimentos para atender a propósitos sensoriais e tecnológicos, como conferir características de sabor, cremosidade, aparência, aroma, maciez e suculência. Sobre as tecnologias de extração, refino e processamento de óleos e gorduras, é correto afirmar que:

a) Azeite de oliva extra virgem é o produto obtido do fruto da oliveira (*Olea europaea L.*) por prensagem a quente e refinação química, apresentando acidez livre menor ou igual a 0,8%.

b) A reação de hidrogenação de óleos, ou seja, a adição de hidrogênio às duplas ligações dos ácidos graxos insaturados, tornando-os saturados, promove o aumento da estabilidade oxidativa dos óleos e possibilita a produção de gorduras hidrogenadas, utilizadas na elaboração de margarinas. Apesar de a reação de hidrogenação apresentar a inconveniente formação de isômeros trans, ainda não há uma tecnologia que a substitua.

c) A refinação é o conjunto de processos que visam reduzir a viscosidade dos óleos brutos, tornando-os óleos comestíveis.

d) A extração de óleo de frutos e grãos é geralmente realizada de maneira contínua por prensagem mecânica a quente, seguida por uma etapa de extração com solvente orgânico, sendo mais utilizado o hexano comercial.

e) A transesterificação é a reação que ocorre no processo de hidrogenação dos óleos, acarretando a formação dos indesejáveis isômeros trans.

12. (TA) Ribeiro *et al.* (2017), avaliando a percepção de consumidores quanto à qualidade nutricional e tecnológica dos alimentos, observaram que para 53,5% dos consumidores as tecnologias são importantes e contribuem para aumentar o valor nutricional dos alimentos; no entanto, os entrevistados destacaram a irradiação (26,9%), os aditivos e conservantes (20,3%) e a secagem (15,3%) como as tecnologias que mais acarretam perdas nutricionais. Quanto aos efeitos dos métodos de processamento sobre a qualidade dos alimentos, é correto afirmar que:

a) A liofilização mantém a qualidade nutricional dos alimentos, porém acarreta perdas substanciais nas características sensoriais, principalmente em decorrência da redução dos compostos aromáticos voláteis.

b) Todos os alimentos sofrem alterações durante a desidratação, diminuindo sua qualidade em comparação ao alimento *in natura*. Entre essas mudanças pode-se citar, para a maioria dos alimentos, a perda de valor biológico e digestibilidade das proteínas.

c) Apesar de a irradiação ter sido considerada pelos consumidores (26,9%) a tecnologia que acarreta maiores perdas nutricionais nos alimentos, na verdade, nas doses usuais comerciais, a irradiação não causa danos maiores à qualidade nutricional comparativamente a outros métodos de processamento de alimentos.

d) O maior efeito do congelamento sobre a qualidade dos alimentos é o dano às células animais e vegetais em virtude da formação dos cristais de gelo. Portanto, durante a estocagem sob congelamento (-18°C), os alimentos são estáveis, não havendo perdas nutricionais.

e) Mesmo quando são utilizadas condições moderadas nos processos fermentativos de alimentos, ocorrem muitas mudanças prejudiciais à qualidade nutricional.

13. (TA) O processamento por aplicação de calor é um dos métodos mais utilizados e importantes para a conservação e o desenvolvimento de características sensoriais desejáveis dos alimentos. Os vários tipos de tratamento térmico, como branqueamento,

pasteurização e esterilização, têm aplicações diferentes e interferem de modo diferenciado nas propriedades nutricionais e sensoriais dos produtos. Diante dessa perspectiva, é correto afirmar que:

a) A destruição de muitas vitaminas, compostos aromáticos e pigmentos ocorre, em geral, à temperatura superior àquela que causa a morte microbiana e a inativação enzimática, desejáveis nos processamentos térmicos com finalidade de conservação dos alimentos.

b) No processamento térmico, as propriedades nutricionais e sensoriais dos alimentos são mais bem preservadas pelo uso de baixas temperaturas e tempos mais longos de aquecimento.

c) A esterilização causa a hidrólise de carboidratos e lipídios e altas perdas de aminoácidos, afetando drasticamente o valor nutricional do alimento.

d) Apesar dos benefícios do processamento térmico para a conservação de alimentos, em razão da destruição de micro-organismos e enzimas indesejáveis, sob o aspecto nutricional predominam as perdas.

e) No processo de produção de alimentos pasteurizados ou esterilizados, as maiores perdas de vitaminas e minerais são decorrentes da ação do calor sobre esses nutrientes.

14. (TA) De acordo com a legislação brasileira vigente, as enzimas podem ser utilizadas como coadjuvantes de tecnologia de fabricação de alimentos, sendo definidas como substâncias de origem animal, vegetal ou microbiana que atuam favorecendo as reações químicas desejáveis. Com relação ao processamento de alimentos mediante o uso de enzimas, é correto afirmar que:

a) A maior parte da produção de enzimas comerciais utilizadas no processamento de alimentos é extraída de vegetais.

b) No processamento de alimentos, o uso de enzimas amilolíticas afeta as características do amido, liquefazendo-o e sacarificando-o, o que resulta no aumento da doçura e na redução da viscosidade.

c) A imobilização de enzimas consiste em cessar sua ação catalítica ao final do processo de produção de alimentos.

d) Na fabricação de pães, as enzimas amilolíticas são importantes no processo fermentativo, sendo naturalmente encontradas na farinha de trigo e produzidas pelas leveduras fermentativas, não havendo, portanto, necessidade de incorporação de enzimas comerciais.

e) A aplicação de enzimas no processamento de laticínios tem dois objetivos: coagular o leite para a produção de queijos e acelerar a maturação de queijos.

15. (TA) Leite e Frasson (2017), ao abordarem os desafios da ciência e tecnologia de alimentos, enumeraram algumas ações que buscam atender às exigências do mercado consumidor, como o desenvolvimento de produtos de melhor aceitação sensorial, produtos nutricionalmente adequados, produtos funcionais, produtos para fins especiais,

alimentos com teor reduzido de sódio e gordura e produção de farinhas a partir do aproveitamento de subprodutos. Diante dos desafios e tendências na indústria de alimentos, é correto afirmar que:

a) O impacto ambiental da indústria de alimentos é relevante, pois esta demanda grandes quantidades de água e energia, além de geralmente produzir resíduos do processamento. Desses três fatores, o alto consumo de água é um problema sem perspectiva de solução, pois não é possível o reúso de água na produção de alimentos.

b) O setor de alimentos necessita de avanços contínuos, buscando atender à alta produtividade. Por isso, quando uma nova tecnologia de processamento é apresentada, ela deve ser imediatamente implantada para que seja aproveitado seu potencial de inovação.

c) Na área de rastreabilidade de produtos alimentícios, os maiores avanços na atualidade são o código de barras e a indicação do lote impresso na embalagem.

d) Diante da globalização da indústria de alimentos, a distância não é mais problema, havendo uma tendência de maiores valorização e investimentos na produção de alimentos mesmo distantes dos centros consumidores.

e) Apesar das questões culturais ocidentais, várias pesquisas têm sido realizadas e apontam como muito eficiente a produção de proteína animal de alta qualidade biológica a partir de insetos por apresentar baixo consumo de energia e água e alta conversão biológica.

16. (TA) A elaboração de produtos cárneos é considerada uma tecnologia altamente sofisticada. Basicamente, os produtos cárneos podem ser classificados em cinco grupos principais: produtos cárneos frescos, produtos cárneos crus condimentados, produtos cárneos tratados pelo calor, embutidos crus curados e produtos cárneos salgados (Ordóñez *et al.*, 2005). Sobre esses produtos, é correto afirmar que:

a) Os produtos cárneos frescos são elaborados à base de carne com ou sem gordura e são submetidos a tratamentos de dessecação, cozimento ou salga.

b) Produtos cárneos crus condimentados são submetidos à ação de sal, especiarias e condimentos, que lhes conferem aspecto e sabor característicos, e a tratamento térmico.

c) Produtos cárneos tratados pelo calor alcançam em seu interior temperatura suficiente para a coagulação parcial das proteínas cárneas.

d) Nos embutidos crus curados ocorre uma fermentação microbiana que leva ao acúmulo de ácido láctico com a consequente elevação do pH.

e) Consideram-se produtos cárneos salgados as carnes submetidas à ação do sal comum e dos demais ingredientes de salga em forma sólida ou salmoura.

17. (TA) A utilidade dos produtos derivados do ovo em grande quantidade de alimentos se deve à sua coagulabilidade por ação do calor, por sua capacidade formadora de espuma e por sua ação emulsificante, além da cor e do aroma que conferem (Ordóñez *et al.*, 2005). Sobre as propriedades funcionais dos ovos, é correto afirmar que:

a) Todas as proteínas, exceto a fosvitina e o ovomucoide, são facilmente coaguláveis. Devido a essa propriedade, os produtos derivados do ovos são importantes meios aglutinantes.
b) As propriedades funcionais da clara de ovo sofrem mudanças significativas quando submetidas ao processo de congelamento e descongelamento de maneira rápida.
c) A desidratação influi consideravelmente na capacidade emulsificante das proteínas da clara ao se desnaturar por efeito do calor.
d) Os tratamentos mais rígidos de pasteurização são empregados nas claras e os mais suaves em ovos inteiros e gemas.
e) Se as condições são adequadas, as propriedades funcionais dos produtos derivados do ovo desidratado mantêm-se razoavelmente bem por no máximo 6 meses.

18. (TA) Os alimentos processados são geralmente acondicionados em embalagens próprias que visam facilitar sua conservação, comercialização e utilização (Gava *et al.*, 2008). Com base nos requisitos de embalagens para alimentos, avalie as afirmações a seguir:

I) As propriedades notórias de polietileno estão em sua resistência, baixo custo, disponibilidade, transparência e excelente barreira à água, aos gases e às gorduras.
II) Embalagens fabricadas com folhas de alumínio podem ter diferentes graus de rigidez, dependendo da espessura, da liga e do formato, e não resistem a altas temperaturas.
III) Com relação a novas tecnologias, deve ser destacada a atual importância adquirida pela comercialização de alimentos minimamente processados, resfriados, acondicionados em atmosfera modificada ou controlada, que necessitam de embalagens especiais.
IV) A nanotecnologia deverá transformar o setor de embalagens, buscando novas propriedades mecânicas, visuais e funcionais, além de melhor compatibilidade com o meio ambiente.

É correto apenas o que se afirma em:

a) I e II.
b) II e III.
c) III e IV.
d) I e IV.
e) II e IV.

19. (TA) A qualidade do leite é uma preocupação constante para técnicos e autoridades ligadas à área de saúde, principalmente em virtude do risco de veiculação de micro-organismos relacionados com surtos de doenças de origem alimentar (Santos & Ferreira, 2017). Sobre a tecnologia de leite e derivados, é correto afirmar que:

a) As enterobactérias e as bactérias psicitróficas gram-negativas podem ser encontradas no leite pasteurizado, dado que os dois grupos são termorresistentes.

b) Os métodos analíticos propostos para o controle dos tratamentos térmicos aplicados ao leite se baseiam na mudança de algum dos componentes do leite durante o aquecimento.

c) A esterilização do leite e os processos UHT não asseguram a obtenção de um produto microbiologicamente estável devido à presença dos micro-organismos mais termorresistentes, ou seja, as formas esporuladas das bactérias.

d) O leite concentrado sofre processo térmico diferente do pasteurizado, e outra diferença entre ambos é a redução de água.

e) O leite condensado é fabricado de modo similar aos demais com a diferença de que, nesse caso, adiciona-se a sacarose (em torno de 41%), o que ocasiona a elevação da atividade de água.

20. (TA) Os alimentos orgânicos são definidos como aqueles alimentos *in natura* ou processados oriundos de um sistema orgânico de produção agropecuária e industrial. A produção de alimentos orgânicos é baseada em técnicas que dispensam o uso de insumos, como pesticidas sintéticos, fertilizantes químicos, medicamentos veterinários, organismos geneticamente modificados, conservantes, aditivos e irradiação (FAO, 2017). Sobre os alimentos orgânicos, é correto afirmar que:

a) É importante destacar que na produção dos alimentos orgânicos é possível garantir a ausência total de resíduos de contaminantes químicos.

b) É consenso que a qualidade do solo e a quantidade de nutrientes dos alimentos orgânicos, especialmente micronutrientes, são superiores em relação aos alimentos provenientes dos métodos convencionais de plantio.

c) A produção orgânica exige menor envolvimento de mão de obra. Ao adquirir esse tipo de alimento, o consumidor passa a contribuir para o fortalecimento e a viabilidade da agricultura familiar.

d) A ênfase da produção está direcionada ao uso de práticas de gestão e manejo do solo que levam em conta as condições regionais e a necessidade de adaptar localmente os sistemas de produção.

e) Há informações suficientes e seguras sobre o poder cumulativo, o efeito combinado, a mutabilidade (capacidade de sofrer mudanças em seu nível de toxicidade após a ingestão) e as possibilidades de interação no organismo humano de muitos contaminantes utilizados no sistema agroalimentar.

21. (TA) A questão dos Organismos Geneticamente Modificados (OGM), ou "transgênicos", exige uma atenção crescente, especialmente em espaços agrários, onde se observa que sua incorporação traz consigo dramáticas transformações nas relações sociais e na estrutura e funções ambientais. Há um aumento na pesquisa e na literatura acadêmica sobre o assunto, com ênfase, por vezes, em análises mais amplas da biotecnologia, além de visões críticas expressas por movimentos de base, organizações camponesas e indígenas, pequenos e médios produtores, entre outros, que veem ameaçadas a qualidade de seu ambiente e a manutenção de seus sistemas socioeconômicos (CUVI, 2014).

Sobre o assunto, avalie as afirmações a seguir:

I) O *Codex Alimentarius* recomenda uma avaliação posterior à comercialização de produtos geneticamente modificados caso a caso, incluindo uma avaliação tanto dos efeitos diretos (do gene inserido) como dos efeitos não desejados (que podem surgir em consequência da inserção de um novo gene).

II) Os efeitos potenciais diretos dos alimentos geneticamente modificados sobre a saúde são geralmente comparados aos riscos associados já conhecidos dos alimentos convencionais e incluem, por exemplo, o potencial de alergenicidade e a toxicidade dos componentes presentes, bem como a qualidade nutricional e a inocuidade microbiológica dos alimentos.

III) As empresas multinacionais foram ampliando suas participações no mercado brasileiro através de fusões e aquisições estimuladas por seu tamanho, pela possibilidade de liberação definitiva para o plantio de OGM em escala comercial e pelas sinergias com outras áreas de atuação (por exemplo, os agroquímicos).

IV) O princípio da precaução deve ser aplicado para prever e preparar a liberação de OGM e seus produtos na cadeia alimentar até que seus impactos na saúde e no meio ambiente sejam devidamente avaliados.

É correto apenas o que se afirma em:

a) I e II.

b) III e IV.

c) I e IV.

d) I, II, III.

e) II, III e IV.

22. (TA) Um novo perfil de consumidores, preocupados com a estreita relação alimentação-saúde-doença, vem exigindo das indústrias alimentícias novas estratégias de mercado. Desde a década de 1990, essas indústrias vêm intensificando o estímulo ao consumo de novos produtos, entre eles os alimentos para fins especiais (Marins, Araújo & Jacob, 2011). Sobre o assunto, é correto afirmar que:

a) A utilização de aditivos e coadjuvantes de tecnologia não previstos nos alimentos convencionais similares não é permitida mesmo quando apresentada a comprovação técnico-científica dos níveis de segurança toxicológica dos aditivos e coadjuvantes de tecnologia.

b) Os alimentos para fins especiais estão sujeitos a procedimentos administrativos distintos dos exigidos para o registro de alimentos em geral.

c) Alimentos para fins especiais são os alimentos especialmente formulados ou processados, nos quais se introduzem modificações no conteúdo de nutrientes adequadas à utilização em dietas diferenciadas e/ou opcionais, atendendo às necessidades de pessoas com condições metabólicas e fisiológicas específicas.

d) Os alimentos para fins especiais não podem ser comercializados fracionados ou a granel, mesmo que no ponto de venda ao consumidor final sejam afixadas, em lugar visível, as exigências de rotulagem constantes na legislação vigente.

e) As embalagens ou rótulos dos alimentos podem ser similares às embalagens ou rótulos dos alimentos convencionais correspondentes da mesma empresa.

23. (TA) Com demanda correlacionada diretamente ao crescimento econômico e a novos padrões de consumo, o setor de bebidas tem boas perspectivas de expansão, sobretudo nos segmentos de maior valor agregado. No Brasil, a produção de refrigerantes se destaca como o principal item do setor de bebidas, aparecendo em seguida a produção de cervejas (Cervieri Júnior *et al.*, 2014). Sobre a industrialização de bebidas no Brasil, é correto afirmar que:

a) Em razão da dificuldade de acesso a fontes de água no Brasil, a localização geográfica das plantas industriais do setor é orientada pela proximidade a seus mercados consumidores. Assim, essa indústria se encontra distribuída em regiões específicas do território nacional.

b) Os refrigerantes, os vinhos de uvas (exceto do tipo champanha) e as aguardentes de cana-de-açúcar se destacam como produtos de valor agregado relativamente baixo, uma vez que, dentro de suas respectivas classes, a participação no valor das vendas desses produtos é substancialmente inferior à participação na quantidade produzida.

c) A bebida alcoólica tipicamente associada ao Brasil, conhecida por diversos nomes populares, como cachaça, aguardente, pinga, caninha, branquinha etc., apresenta mais de trinta variedades, segundo a legislação brasileira.

d) As bebidas produzidas em grandes volumes, destinadas basicamente ao mercado interno, têm como característica uma relativa heterogeneidade. No entanto, o crescimento da renda acarreta mudanças nos hábitos de consumo, que em parte dos compradores se reflete na busca por diferenciação via aquisição de produtos mais sofisticados.

e) Em razão de variações de aromas e sabores entre as cervejas fabricadas pela grande indústria e aquelas produzidas por microcervejarias ou mesmo por cervejeiros artesanais, elas são produzidas seguindo processos de fabricação distintos.

24. (TA) De acordo com dados da Associação Brasileira das Indústrias de Massas Alimentícias (ABIMA), o Brasil é o terceiro maior produtor de massas alimentícias do mundo, atrás apenas da Itália e dos Estados Unidos (ABIMA, 2017). Sobre o assunto, é correto afirmar que:

a) As massas alimentícias podem ser apresentadas secas, frescas, pré-cozidas, instantâneas ou prontas para o consumo, em formato único padrão e, dependendo do processo de fabricação, são consideradas industrializadas ou caseiras.

b) É permitido o enriquecimento das massas alimentícias com vitaminas, sais minerais e outras substâncias de valor biológico específico, desde que solicitado mediante parecer técnico.

c) As massas alimentícias com ovos devem ser expostas à venda com a designação "massa com ovos" se o produto contiver no mínimo 1,45 g de colesterol por quilo de massa, expresso em base seca.

d) As massas frescas contém umidade máxima de 55% (contra uma umidade máxima de 13% das massas secas). Em razão desse alto teor de umidade, o período de validade dessas massas é relativamente elevado em comparação ao dos outros tipos de massas alimentícias.

e) As massas alimentícias são classificadas de acordo com sua composição (massa mista ou massa recheada), seu formato (massa longa ou comprida, massa curta ou massinha) e com relação a seu teor de umidade (massa fresca ou massa seca).

25. (TA) A expressão "fator antinutricional" tem sido usada para descrever compostos ou classes de compostos presentes em uma extensa variedade de alimentos de origem vegetal, os quais, quando consumidos, reduzem o valor nutritivo desses alimentos (Benevides *et al.*, 2011). Sobre o tema, é correto afirmar que:

a) Os taninos têm a habilidade de precipitar proteínas. Em determinados alimentos, como as leguminosas, os taninos têm recebido atenção por causa de alguns efeitos prejudiciais à dieta, como na cor do alimento, em virtude das reações de escurecimento enzimático e diminuição de sua palatabilidade devido à adstringência.

b) Os oxalatos podem formar complexos com proteínas e minerais. Os oxalatos representam uma classe complexa de componentes naturais que ocorrem principalmente em cereais e leguminosas e que afetam suas propriedades funcionais e nutricionais.

c) Os fitatos podem precipitar com o cálcio, formando cristais insolúveis e cálculos renais nos indivíduos. O efeito tóxico do fitatos no organismo se deve ao aumento do risco de formação de cálculos renais.

d) Nos grãos das leguminosas, verifica-se a ocorrência, após o cozimento, de inibidores de enzimas proteolíticas, como a tripsina. A ação desses inibidores no trato gastrointestinal leva à redução da disponibilidade dos aminoácidos.

e) Os nitratos interferem no metabolismo da vitamina A, mas não nas funções da glândula tireoide, podendo sofrer redução a nitrito no organismo e, após absorvidos, originar cianoses devido à formação de metamioglobina, ou ainda, reagir com aminas secundárias e terciárias, formando compostos N-nitrosos potencialmente carcinogênicos.

26. (TA) Os alérgenos alimentares mais comuns são as proteínas presentes no leite de vaca, em ovos, no amendoim, no trigo, na soja, em peixes, em marisco e em nozes (AAAAI, 2017). Sobre os alérgenos alimentares, avalie as afirmações a seguir:

I) A alergia a um membro de uma família de alimentos pode resultar na alergia a outros membros do mesmo grupo (reatividade cruzada).

II) A informação da presença de ingredientes alergênicos é assegurada pela RDC nº 26/2015. Dentre esses, é opcional a informação da presença de elementos de traços alergênicos, que são resultantes principalmente da contaminação durante a produção.

III) Segundo a RDC nº 26/2015, o tratamento dispensado aos produtos importados deve ser diferenciado do direcionado aos produtos nacionais.

IV) A RDC nº 26/2015 estabeleceu requisitos de legibilidade que contemplam regras sobre a localização da advertência e exigências sobre os caracteres utilizados. Devem ser legíveis, ter cor contrastante com o fundo do rótulo, e devem estar em caixa alta, em negrito, com altura mínima de 2 mm e nunca inferior à altura da letra utilizada na lista de ingredientes.

É correto apenas o que se afirma em:

a) I e II.

b) II e III.

c) IIII e IV.

d) I e IV.

e) I, II e III.

27. (TA) Estudo publicado pela revista científica *Innovative Food Science and Emerging Technologies* (Jermann *et al.*, 2015) listou tecnologias inovadoras para conservação de alimentos, identificando o potencial de uso comercial de cada uma no momento atual e nos próximos anos. Sobre tecnologias inovadoras utilizadas em alimentos, é correto afirmar que:

a) Processamento por alta pressão (HPP): também chamado de pasteurização a alta pressão, pascalização ou pasteurização a frio, caracteriza-se por utilizar pressões acima de 600 Mpa à temperatura ambiente para inativar formas vegetativas de bactérias, fungos e leveduras. Esse tipo de processamento possibilita menor retenção da qualidade nutricional e sensorial dos alimentos, sejam líquidos ou sólidos, quando comparado ao processo térmico tradicional.

b) Aquecimento por micro-ondas (MWH): uso de energia eletromagnética em frequências específicas (915 e 2.450 MHz) para aquecer alimentos. A profundidade de penetração das micro-ondas nos alimentos promove aquecimento mais rápido e uniforme.

c) Luz ultravioleta: nos comprimentos de onda de 200 a 280 nm, a luz ultravioleta produz radiação não ionizante com propriedades germicidas. Essa propriedade é usada como alternativa térmica para redução da contaminação em água, alimentos fluidos e outros ingredientes, e pode também ser usada no tratamento de superfícies.

d) Irradiação: processo químico de tratamento que consiste em submeter o alimento já embalado ou a granel a doses controladas de radiação ionizante com finalidades sanitária, fitossanitária e/ou tecnológica. Esse tratamento pode aumentar o prazo de validade dos produtos, uma vez que normalmente destrói bactérias e bolores responsáveis pela deterioração.

e) Campo Elétrico Pulsado (PEF): processo que envolve a aplicação de alta voltagem (20 a 80 kV/cm) a alimentos situados entre dois eletrodos. Assim como o HPP, destrói bactérias vegetativas, fungos e leveduras, esporos e enzimas.

28. (TA) A regulação sanitária de alimentos tem se moldado pelas influências da dinâmica social que, de maneira contrária, aflora tanto benefícios e inovações tecnológicas como agravos e riscos à saúde da população. Os riscos à saúde que emergem acarretam necessidades de aperfeiçoamento contínuo do aparato oficial, comportando-se como o motor do processo regulatório na área de vigilância sanitária de alimentos (Figueiredo, Recine & Monteiro, 2017). Sobre a regulação sanitária de alimentos no Brasil, é correto afirmar que:

a) A vigilância sanitária, como uma das modalidades de regulação social voltadas à proteção do interesse público nacional ou supranacional, tem por função identificar precocemente as falhas de mercado, externalidades negativas e a falta de informação ao consumidor em prol do interesse coletivo.

b) A legislação representa o aprimoramento do controle sanitário e será um dos passos preparatórios para a inserção do país como futuro membro da Comissão do Codex Alimentarius (FAO/OMS) para poder participar da normalização internacional de alimentos.

c) A Lei Orgânica de Saúde destacou o papel da vigilância sanitária como instância essencialmente corretiva e regulatória, cujo objetivo precípuo é intervir nos riscos à saúde de qualquer ordem advindos de atividades econômicas. Isso significa unir o saber técnico ao legal, para corrigir falhas do processo produtivo, no sentido de reparar danos ou impedir que se disseminem, em defesa da saúde da população.

d) A Agência Nacional de Vigilância Sanitária (ANVISA) pretende introduzir em suas estruturas os procedimentos de informação, audiência pública e consulta pública. A ANVISA contará, ainda, com uma instância de participação institucionalizada da sociedade, denominada Conselho Consultivo, e, para proporcionar visibilidade, transparência e governança ao processo de regulamentação participativo, introduzirá a Agenda Regulatória (AR).

e) O fato de os componentes nutricionais em excesso (gorduras saturadas, açúcares e sal) produzirem efeitos nocivos à saúde distintos (acumulativos e de longo prazo) daqueles causados pela maioria dos agentes contaminantes (em geral, de curto prazo e de propagação extensiva e rápida, se o produto for de circulação global), justifica a adoção de intervenções distintas por parte do governo e a aplicação de regras compulsórias apenas para esse segundo grupo de riscos.

29. (TA) A logística é de extrema importância para as operações das cadeias de alimentos perecíveis, como carnes, peixes, lácteos, frutas e produtos hortícolas, que necessitam do uso da cadeia do frio em razão de sua perecibilidade. A temperatura é o fator mais importante para a conservação da qualidade e manutenção da vida útil desses produtos, sendo a refrigeração um dos métodos mais amplamente utilizados para retardar

o desenvolvimento de vários fatores que conduzem à sua deterioração (Spagnol *et al.*, 2018). Sobre o assunto, é correto afirmar que:

a) O processo de deterioração em frutas e hortaliças é, em geral, inversamente proporcional à taxa de seu metabolismo, estando inversamente relacionado à temperatura. Com a redução do metabolismo ocorre o retardamento de alterações indesejáveis, como amolecimento e mudanças na textura e na cor, além de perda de água, que também conduz à perda de peso.

b) Embora certo número de tecnologias seja utilizado para manter a qualidade de produtos perecíveis, essas são utilizadas de forma dependente nos diferentes elos da cadeia logística, ocorrendo uma interação e continuidade das informações entre esses elos.

c) Para as frutas e hortaliças, a manutenção da temperatura adequada é o fator mais complexo para diminuir os processos de metabolismo que permanecem após sua colheita e que conduzem à rápida deterioração.

d) As variações das condições de conservação que inevitavelmente ocorrem na cadeia do frio dos produtos perecíveis alteram sua qualidade e, consequentemente, a vida útil prevista durante a colheita ou produção, exercendo grande influência nas perdas de produtos.

e) Em uma cadeia do frio, a vida útil, a qualidade e a segurança dos produtos perecíveis sofrem reduzida influência dos fatores ambientais em todas as etapas da logística, especialmente da temperatura e da umidade relativa.

30. (TA) Rotulagem nutricional é toda descrição destinada a informar ao consumidor as propriedades de um alimento (Brasil, 2003). Com base na legislação vigente acerca da rotulagem nutricional, é correto afirmar que:

a) Será obrigatório declarar a quantidade do valor energético e dos seguintes nutrientes: carboidratos, proteínas, gorduras totais, gorduras saturadas, gorduras trans, fibra alimentar, sódio e potássio.

b) As vitaminas e os minerais, sempre e quando estiverem presentes em quantidade igual ou acima de 5% da Ingestão Diária Recomendada (IDR) por porção indicada no rótulo, devem ser obrigatoriamente declarados.

c) Os alimentos destinados a pessoas com transtornos metabólicos específicos e/ou condições fisiológicas particulares podem, mediante regulamentação, estar isentos de declarar as porções e/ou o percentual de valor diário estabelecidos no regulamento técnico específico.

d) A Informação Nutricional optativamente pode apresentar, além da quantidade da porção do alimento em gramas ou mililitros, o correspondente em medida caseira, utilizando utensílios domésticos, como colher, xícara, copo, dentre outros.

e) A informação correspondente à rotulagem nutricional deve estar redigida no idioma oficial do país de origem da produção do alimento, sem prejuízo de textos em outros idiomas, e deve ser colocada em lugar visível, em caracteres legíveis, e ter cor contrastante com o fundo onde estiver impressa.

Respostas

1 – E

O item "a" está incorreto, pois a tecnologia de alimentos objetiva manter as qualidades nutricionais, sanitárias e sensoriais dos alimentos, utilizando medidas preventivas associadas a vários métodos de conservação. Para conservar os alimentos, são utilizadas estratégias tecnológicas para prevenir ou retardar as alterações indesejáveis causadas por agentes biológicos (p. ex., micro-organismos, insetos, roedores), enzimáticos (p. ex., peroxidases, polifenol-hidroxilases, proteinases), químicos (p. ex., interações com a composição gasosa do ambiente, interações entre os constituintes químicos do alimento ou do alimento com a embalagem) e físicos (p. ex., efeito da umidade do ambiente no murchamento de vegetais).

No item "b", seria correto afirmar que para cada produto alimentício armazenado sob determinadas condições é definido um tempo de vida de prateleira como o maior período de tempo em que o alimento mantém sua estabilidade, monitorada periodicamente, em curtos intervalos de tempos, por análises laboratoriais, sendo consideradas alterações críticas a perda de nutrientes, o crescimento de micro-organismos patogênicos e/ou deteriorantes (bactérias, bolores e leveduras) e as alterações químicas, físico-químicas e sensoriais que comprometam a segurança e/ou a aceitação do produto.

No item "c", o correto seria afirmar que, por possibilitar a produção de alimentos minimamente processados e processados, mantendo as qualidades nutricionais, microbiológica, química e bioquímica dos produtos, possibilitando a maior disponibilidade de alimentos seguros, a tecnologia de alimentos busca garantir a segurança alimentar e nutricional (SAN) dos consumidores.

O item "d" está incorreto pois não se pode categorizar os vários métodos de conservação como melhores ou piores, uma vez que a escolha do método de conservação vai depender das características intrínsecas da matéria-prima e do produto a ser obtido, das características dos agentes de deterioração envolvidos, das condições de armazenamento, da vida de prateleira desejada, das perdas nutricionais e sensoriais advindas do processo e do custo do processo. É o somatório desses fatores que define o melhor método de conservação para cada alimento. No entanto, buscando otimizar os produtos alimentícios quanto as necessidades e exigências do consumidor, há uma tendência de utilizar a combinação de métodos de conservação, minimizando os efeitos indesejáveis do processamento.

A afirmação no item "e" está correta.

- REF.: Ordóñez *et al.* (2005).

2 – D

O item "a" está incorreto, pois na refrigeração o alimento é mantido à baixa temperatura, o que retarda o crescimento de micro-organismos e as alterações químicas e bioquímicas. A velocidade das reações que causam as alterações indesejáveis é desacelerada nas temperaturas de refrigeração, mas não cessa.

No item "b", seria correto afirmar que o fornecedor de frangos realiza o transporte desrespeitando a cadeia do frio por manter a temperatura de refrigeração (4ºC) no interior do caminhão, uma vez que deveria transportar produtos congelados à temperatura de congelamento (em geral –18°C).

No item "c", o correto seria afirmar que a qualidade do produto congelado é diretamente proporcional à velocidade do congelamento a que foi submetido; por isso, os frangos recebidos podem ser considerados inadequados, uma vez que os cristais de gelo na superfície do produto evidenciam o descongelamento seguido de recongelamento lento, possivelmente por oscilações da temperatura durante o armazenamento e/ou transporte.

A afirmação no item "d" está correta.

O item "e" está incorreto porque durante o armazenamento de alimentos em refrigeração, para assegurar a qualidade, faz-se necessário o controle da temperatura de estocagem, da umidade relativa e da circulação do ar no interior do equipamento de refrigeração.

- REF.: Ordóñez *et al.* (2005); Fellows (2006).

3 - C

O item "a" está incorreto, pois a esterilização comercial é realizada em alimentos de baixa acidez, utilizando temperaturas superiores a 100°C, possibilitando uma longa vida de prateleira à temperatura ambiente.

O item "b" está incorreto, pois no branqueamento é utilizada temperatura menor que 100°C com o objetivo de inativar enzimas, fixar a cor e remover oxigênio, sendo possível apenas uma redução da quantidade de micro-organismos contaminantes.

A afirmação no item "c" está correta.

No item "d", a afirmação correta seria que a pasteurização de alimentos de baixa acidez tem por finalidade a inativação enzimática e a destruição dos micro-organismos patogênicos, podendo, após o envase, serem armazenados sob refrigeração por curto período.

O item "e" está incorreto, pois a pasteurização do leite pode ser realizada a 72°C por 15 segundos ou em outras combinações de tempo/temperatura, como 89°C/1 s ou 63°C/30 min, desde que o tratamento seja suficiente para destruir os patógenos não formadores de esporos mais resistentes (*Mycobacterium tuberculosis* e *Coxiella burnetii*).

- REF.: Jay (2005); Fellows (2006).

4 - A

O item "a" está correto.

O item "b" está incorreto, pois a produção de cerveja, pão e vinho tem em comum uma etapa de fermentação alcoólica realizada por bactérias do gênero *Saccharomyces*.

O item "c" está incorreto, pois as fermentações lácticas são realizadas por bactérias e podem ocorrer em leite e derivados, produzindo leites fermentados, iogurte e alguns queijos. No entanto, as fermentações lácticas não ocorrem exclusivamente em leite e derivados. Esse tipo de fermentação se caracteriza pela produção de ácido láctico e pode ocorrer também em peixes, carnes, milho, pepino, repolho, entre outros, produzindo alimentos fermentados.

No item "d", a afirmação correta seria que a produção de vinagre ocorre em duas etapas: inicialmente uma fermentação alcoólica por *Saccharomyces cerevisiae*, com produção de etanol, que a seguir é oxidado por *Acetobacter aceti* a ácido acético e vários compostos aromáticos.

O item "e" está incorreto, pois para a produção de iogurtes o leite deve ser inoculado com uma cultura inicial mista de *Streptococcus thermophilus* e *Lactobacillus bulgaricus*. Favorecido pelo pH inicial do leite, o *S. thermophilus* cresce rapidamente, produzindo os ácidos diacetil, láctico, acético e fórmico. O aumento da acidez inibe o *S. thermophilus* e promove o crescimento do *L. bulgaricus*, que produz a maior parte dos compostos que proporcionam o sabor e o aroma característicos do produto.

- REF.: Jay (2005); Fellows (2006).

5 – D

No item "a", o correto seria afirmar que a irradiação é utilizada com muitas finalidades, como esterilização de temperos e especiarias, redução de patógenos, aumento da vida de prateleira, controle do amadurecimento de algumas frutas e hortaliças, desinfestação e inibição do brotamento. Em todas essas aplicações, uma das principais vantagens da irradiação é impedir o aumento significativo da temperatura do alimento no decorrer do processo.

O item "b" está incorreto, pois os autores usaram o CO^{60}, uma das formas de radiação ionizante utilizadas no processamento de alimentos, caracterizadas por comprimento de onda curto e alta frequência e, portanto, com boa capacidade de ação não só na superfície, mas também no interior dos alimentos.

O item "c" está incorreto, pois no Brasil é permitido e regulamentado o processamento de alimentos por irradiação. De acordo com a legislação vigente, qualquer alimento poderá ser tratado por radiação, desde que a dose mínima absorvida seja suficiente para alcançar a finalidade pretendida e a dose máxima absorvida seja inferior àquela que comprometeria as propriedades funcionais e/ou os atributos sensoriais do alimento. Não só nos produtos importados, mas na rotulagem de todos os alimentos irradiados deve constar no painel principal a frase "ALIMENTO TRATADO POR PROCESSO DE IRRADIAÇÃO" e, quando um produto irradiado for utilizado como ingrediente em outro alimento, essa circunstância deve ser declarada na lista de ingredientes, entre parênteses, após o nome do produto.

O item "d" está correto.

No item "e", a afirmação correta seria que a estabilidade na composição centesimal, no valor calórico e na acidez titulável do arroz investigado pelos autores aponta esse produto como promissor; no entanto, o escurecimento dos grãos pode ter sido decorrente dos efeitos secundários da radiólise com produção de produtos radiolíticos coloridos.

- REF.: Brasil (2001); Ordóñez *et al.* (2005); Fellows (2006); Guimarães *et al.* (2012).

6 – B

No item "a", o correto seria afirmar que no Brasil a regulamentação do uso de aditivos é realizada pela Agência Nacional de Vigilância Sanitária.

O item "b" está correto.

O item "c" está incorreto, pois um antibiótico encontrado em um leite *in natura* não é um exemplo de Coadjuvante de Tecnologia de Fabricação e sim um contaminante; trata-se de um resíduo veterinário e, portanto, compromete a segurança do produto para consumo humano.

O item "d" está incorreto. A afirmação correta seria: aditivo alimentar é qualquer ingrediente adicionado intencionalmente aos alimentos, sem o propósito de nutrir, com o objetivo de modificar as características físicas, químicas, biológicas ou sensoriais.

O item "e" está incorreto, pois a levedura utilizada na produção da cerveja não é um exemplo de ingrediente; trata-se de um Coadjuvante de Tecnologia de Fabricação, empregado intencionalmente na elaboração do produto para a obtenção de uma finalidade tecnológica durante a fabricação e que deverá ser eliminado ou inativado, podendo ser admitido no produto final a presença de quantidades traços.

- REF.: Brasil (1997, 2017).

7 - A

O item "a" está correto.

No item "b", o correto seria afirmar que, para ser autorizado o uso de um aditivo alimentar, este precisa ser submetido à avaliação toxicológica, levando em conta os efeitos acumulativo, sinérgico e de proteção decorrentes de seu uso. Após aprovado para uso, o aditivo é considerado seguro; no entanto, deve ser reavaliado, quando necessário, em função das pesquisas e informações científicas disponíveis e quando houver a necessidade de modificação de suas condições de uso.

O item "c" está incorreto, pois no Brasil um aditivo alimentar só pode ser utilizado quando estiver descrito em uma legislação específica para uma categoria de alimentos na qual sejam estabelecidas suas funções e limites, sendo recomendado o uso do aditivo no menor nível para alcançar o efeito desejado, colaborando para que o consumo do aditivo não supere os valores de Ingestão Diária Aceitável (IDA).

O item "d" está incorreto. A afirmação correta seria que, de acordo com a legislação brasileira que regulamenta o uso de aditivos alimentares e coadjuvantes de tecnologia, um aditivo é considerado BPF quando sua IDA não é especificada, ou seja, pode ser acrescentado ao alimento na quantidade necessária para se obter o efeito tecnológico desejado, desde que o aditivo não afete as características autênticas do alimento.

O item "e" está incorreto, pois nos rótulos dos alimentos os aditivos devem ser declarados na lista de ingredientes, devendo ser informados sua função principal no alimento e, obrigatoriamente, seu nome completo e/ou seu número INS. INS é a sigla de *International Numbering System*, ou seja, Sistema Internacional de Numeração de Aditivos Alimentares. Trata-se de um sistema numérico internacional de identificação dos aditivos alimentares. Foi produzido pelo Comitê do *Codex Alimentarius* (FAO/OMS) sobre Aditivos Alimentares e Contaminantes de Alimentos (CCFAC). Portanto, o número INS do aditivo pode ser utilizado nas listas de ingredientes em substituição à declaração do nome do produto.

- REF.: Brasil (1997, 2002, 2010, 2017).

8 – E

No item "a", o correto seria afirmar que a atividade de água equivale ao teor de água livre no alimento, ou seja, é a água disponível para o crescimento microbiano, as reações químicas e as atividades enzimáticas indesejáveis por propiciar a deterioração dos alimentos, sendo por isso reduzida nos alimentos desidratados para possibilitar a conservação dos produtos.

O item "b" está incorreto, pois os *goji berry* são tradicionalmente secos ao sol por motivos culturais, uma vez que esse tipo de secagem, apesar de ter baixo custo e ser simples e natural, apresenta vários inconvenientes, entre os quais: a evaporação ocorre nas condições ambientais sem controle de temperatura, umidade e condições higiênico-sanitárias; necessita de longo tempo de secagem; depende das condições climáticas e apresenta dificuldade em manter a uniformidade e a qualidade dos produtos.

No item "c", o correto seria afirmar que um método de desidratação muito utilizado pela indústria de alimentos é a secagem por atomização, também conhecida como *spray drying*, que utiliza como matéria-prima alimentos líquidos ou na forma de purês de baixa viscosidade, os quais são pulverizados do ponto mais alto, dentro de uma torre com ar aquecido, perdendo rapidamente a umidade no decorrer da queda livre dentro do equipamento, e, ao final, as pequenas partículas secas são recuperadas no fundo da torre na forma de pó. Esse tipo de desidratação é comumente utilizado para a produção de leite em pó, ovo em pó e café solúvel.

O item "d" está incorreto, pois é importante avaliar em pesquisas futuras o efeito da liofilização sobre a qualidade do *goji berry*, por se tratar de um método de desidratação em que a água é congelada e em seguida sublimada em decorrência da redução da pressão, abaixo da pressão do ponto triplo da água, o que possibilita melhor retenção dos nutrientes e menor alteração sensorial dos alimentos liofilizados.

O item "e" está correto.

- REF.: Augusto (2018); Dermesonlouoglou, Chalkia & Taoukis (2018).

9 – C

No item "a", o correto seria afirmar que o peixe fresco próprio para consumo deve apresentar, entre outras características, olhos transparentes, brilhantes e salientes, ocupando completamente as órbitas; guelras róseas ou vermelhas, úmidas e brilhantes com odor natural, próprio e suave; ventre roliço, firme, não deixando impressão duradoura à pressão dos dedos. Outras características desejáveis são: escamas brilhantes, bem aderentes à pele, e nadadeiras apresentando certa resistência aos movimentos provocados; carne firme, de consistência elástica, de cor própria à espécie; vísceras íntegras, perfeitamente diferenciadas, e ânus fechado.

O item "b" está incorreto, pois, em comparação com a carne bovina, o músculo do pescado contém menos glicogênio. Por isso, o pH do pescado é mais alto após a morte, tornando essa carne mais suscetível ao ataque de bactérias. Quanto mais glicogênio, maior o efeito protetor, pois, após a morte, a degradação do glicogênio por via enzimática promove o acúmulo do ácido láctico, reduzindo o pH da carne e inibindo o crescimento de bactérias.

O item "c" está correto.

O item "d" está incorreto, pois nas fases mais avançadas da decomposição de aminoácidos do pescado podem ser encontrados vários compostos de odor ativo, como etil-mercaptana, metil-mercaptana, dimetil-sulfeto, dimetil-dissulfeto, gás sulfídrico, diacetil, acetaldeído, propionaldeído, etanol, metanol, acetona, acetoína, butanol e metil-butanol. Portanto, os 45,9% de amostras analisadas apresentando gás sulfídrico são indício de condições higiênico-sanitárias inadequadas.

No item "e", a afirmativa correta seria que em alimentos proteicos a liberação de amônia é proveniente do início da degradação das proteínas; portanto, a presença de amônia em 95,6% das amostras de pescado analisadas pode indicar processos autolíticos e deterioração. No entanto, também podem ocorrer alterações nos compostos nitrogenados não proteicos, como a redução bacteriana do óxido de trimetilamina em trimetilamina volátil, que confere o cheiro ativo típico do pescado em degradação.

- REF.: Brasil (1997); Ordóñez *et al.* (2005); Evangelista-Barreto *et al.* (2017).

10 – B

No item "a", o correto seria afirmar que os lipídios encontrados nos alimentos são constituídos por uma gama heterogênea de substâncias, como triacilglicerídeos, ceras, ácidos graxos, esteróis, álcoois graxos, terpenoides, hidrocarbonetos, carotenoides e vitaminas lipossolúveis, que apresentam uma única propriedade em comum, que é a solubilidade em solventes apolares (hexano, benzeno, clorofórmio e éter) com a consequente insolubilidade em água.

O item "b" está correto.

O item "c" está incorreto, pois nos óleos e gorduras as propriedades físico-químicas, como ponto de fusão, viscosidade e suscetibilidade à oxidação, estão diretamente relacionadas às estruturas químicas dos ácidos graxos que os compõem. O ponto de fusão, por exemplo, é mais alto quanto maior for a quantidade e o comprimento dos ácidos graxos saturados presentes. O comprimento da cadeia hidrocarbonada dos ácidos graxos, bem como a predominância de ligações saturadas, contribui para o aumento do ponto de fusão, enquanto a ocorrência de insaturações promove a redução do ponto de ebulição. Por isso, à temperatura ambiente (28°C ± 2°C), os óleos são líquidos e as gorduras hidrogenadas são sólidas.

No item "d", a afirmativa correta seria que a racificação oxidativa é uma reação de caráter autocatalítico que resulta no aparecimento de odores e sabores indesejáveis e que depende da composição do óleo ou gordura em ácidos graxos. O predomínio de ácidos graxos insaturados reflete a maior instabilidade oxidativa, pois as duplas ligações são sítios reativos sensíveis às reações de oxidação. Por isso, quanto maior for o grau de instauração dos ácidos graxos constituintes mais intensa será a racificação.

No item "e", o correto seria afirmar que a redução da qualidade dos óleos utilizados na fritura se deve a três tipos de degradações: (1) degradação térmica, gerando ácidos graxos cíclicos, ácidos graxos trans, dímeros e polímeros; (2) oxidações, desencadeadas pela incorporação de oxigênio atmosférico durante a fritura, gerando triglicerídeos oxidados, dímeros e polímeros oxidados e compostos voláteis; e (3) alterações hidrolíticas, desencadeadas pelos vapores de água liberados dos alimentos, gerando diglicerídeos e ácidos graxos livre.

- REF.: Oetterer *et al.* (2006); Oetterer *et al.* (2006); Augusto (2018).

11 – D

No item "a", o correto seria afirmar que o azeite de oliva extra virgem é o produto obtido do fruto da oliveira (*Olea europaea L.*) exclusivamente por processos mecânicos ou outros meios físicos, sob controle de temperatura adequada, mantendo-se a natureza original do produto, podendo ser submetido aos tratamentos de lavagem, decantação, centrifugação e filtração, mas não podendo ser prensado a quente nem submetido à refinação química e apresentando acidez livre menor ou igual a 0,8%.

O item "b" está incorreto, pois a reação de hidrogenação de óleos, ou seja, a adição de hidrogênio às duplas ligações dos ácidos graxos insaturados, tornando-os saturados, promove o aumento da estabilidade oxidativa dos óleos e possibilita a produção de gorduras hidrogenadas, utilizadas na elaboração de margarinas. A reação de hidrogenação apresenta a inconveniente formação de isômeros trans; por isso, a reação de transesterificação ou interesterificação é um tratamento substituto.

O item "c" está incorreto, pois a refinação é o conjunto dos processos de degomagem, neutralização, clarificação e desodorização aos quais o óleo bruto é submetido com a finalidade de melhorar a qualidade quanto à aparência, ao sabor, ao odor e à estabilidade química. Portanto, o objetivo do refino é remover todas as substâncias que conferem características químicas ou sensoriais indesejáveis, como coloides, proteínas, fosfolipídios, ácidos graxos livres, clorofila, carotenoides, tocoferóis, ceras, gomas, aldeídos, cetonas e peróxidos, entre outras.

O item "d" está correto.

O item "e" está incorreto, pois a transesterificação ou interesterificação é um processo substituto da hidrogenação dos óleos, cuja reação possibilita modificar a posição dos ácidos graxos na mesma molécula ou entre diferentes moléculas de triacilglicerídeos, objetivando, por exemplo, aumentar a consistência de óleos e gorduras. A reação não modifica os ácidos graxos; portanto, não há formação de isômeros trans.

- REF.: Brasil (2005); Oetterer *et al.* (2006); Brasil (2012); Augusto (2018).

12 – C

O item "a" está incorreto, pois a liofilização mantém a qualidade nutricional e as características sensoriais dos alimentos. Os compostos aromáticos voláteis ficam retidos no alimento, pois não são absorvidos no vapor d'água produzido pela sublimação.

O item "b" está incorreto, pois todos os alimentos sofrem alterações durante a desidratação, diminuindo sua qualidade em comparação aos *in natura*. No entanto, para a maioria dos alimentos, o valor biológico e a digestibilidade das proteínas não mudam significativamente durante a desidratação.

O item "c" está correto.

No item "d", seria correto afirmar que o principal efeito do congelamento sobre a qualidade dos alimentos é o dano às células animais e vegetais devido à formação dos cristais de gelo, o que pode ocasionar a perda de material celular durante o descongelamento, fenômeno chamado de "perda por gotejamento". No entanto, em alguns alimentos, durante a estocagem sob congelamento (–18°C), há perdas nutricionais gradativas decorrentes de alterações químicas e da atividade enzimática. As principais mudanças nesses alimentos são a degradação de pigmentos, como clorofila e antocianinas, as perdas de algumas vitaminas (vitamina C e ácido pantotênico), as alterações nas proteínas pela ação de proteinases e a oxidação de lipídios.

O item "e" está incorreto, pois nas condições moderadas utilizadas nos processos fermentativos de alimentos ocorrem poucas mudanças prejudiciais à qualidade nutricional. Em muitos casos, os processos fermentativos melhoram as características nutricionais do alimento, como aumento do teor de vitaminas e da digestibilidade de proteínas e polissacarídeos.

- REF.: Fellows (2006); Ribeiro *et al.* (2017).

13 – A

O item "a" está correto.

No item "b", o correto seria afirmar que no processamento térmico as propriedades nutricionais e sensoriais dos alimentos são mais preservadas pelo uso de altas temperaturas e tempos mais curtos de aquecimento. Logo, é possível estabelecer combinações de temperatura e tempo de tratamento para cada tipo de alimento de modo a favorecer a preservação dos nutrientes e das qualidades sensoriais e potencializar a destruição de micro-organismos e enzimas indesejáveis.

O item "c" está incorreto, pois a esterilização acarreta a hidrólise de carboidratos e lipídios, mas isso não afeta o valor nutricional do alimento. Uma quantidade pequena de aminoácidos é perdida, como lisina, triptofano e metionina, em decorrência da degradação de proteínas e da reação de Maillard.

O item "d" está incorreto e a afirmação correta seria que, somado aos benefícios do processamento térmico, a conservação de alimentos, pela destruição de micro-organismos e enzimas indesejáveis, sob o aspecto nutricional, apesar de algumas perdas, o calor promove grandes vantagens, como: (1) a destruição de fatores antinutricionais, como inibidores de tripsina em algumas leguminosas; (2) o aumento da disponibilidade de alguns nutrientes devido ao aumento da digestibilidade de proteínas, à gelatinização de amidos e à liberação de niacina ligada.

O item "e" está incorreto, pois no decorrer do fluxo de produção de alimentos pasteurizados ou esterilizados as maiores perdas de vitaminas e minerais não estão relacionadas à ação do calor sobre esses nutrientes, mas às etapas de processamento anteriores que propiciam a extração desses nutrientes pela água (lixiviação) e à oxidação promovida pelo ar dissolvido. Apenas algumas vitaminas, como o ácido ascórbico, o ácido fólico e a tiamina, apresentam perdas consideráveis quando aquecidas, pois são termolábeis. Em alguns alimentos, o tratamento térmico promove melhor absorção de vitaminas e minerais.

- REF.: Fellows (2006); Augusto (2018).

14 – B

O item "a" está incorreto, pois a maior parte da produção de enzimas comerciais utilizadas no processamento de alimentos é proveniente da fermentação microbiana. Apenas 8% das enzimas comerciais são de origem animal e 4% de origem vegetal.

O item "b" está correto.

No item "c", o correto seria afirmar que a imobilização de enzimas consiste em manter as enzimas presas em alguma matriz física para que possam ser recuperadas ao final do processo de produção de alimentos. Isso possibilita o reúso das enzimas e torna o processo enzimático economicamente viável.

O item "d" está incorreto, e a afirmação correta seria que na fabricação de pães as enzimas amilolíticas são importantes no processo fermentativo e, apesar de serem naturalmente encontradas em baixas quantidades na farinha de trigo e produzidas pelas leveduras fermentativas, necessitam ser incorporadas na forma de enzimas comerciais para que o processo de hidrólise do amido seja mais rápido e uniforme, melhorando a textura do produto final.

O item "e" está incorreto, pois a aplicação de enzimas no processamento de laticínios tem três objetivos principais: coagular o leite para a produção de queijos, acelerar a maturação de queijos e produzir produtos sem lactose. Com a finalidade de atender a demanda das pessoas com intolerância à lactose, a indústria utiliza a betagalactosidase comercial para hidrolisar a lactose do leite.

- REF.: Brasil (1997); Augusto (2018).

15 – E

O item "a" está incorreto, pois o impacto ambiental da indústria de alimentos é relevante, uma vez que esta demanda grandes quantidades de água e energia, além de geralmente produzir resíduos do processamento. Várias pesquisas têm sido realizadas para solucionar todos esses problemas, e muitas mudanças estão sendo implantadas. Especificamente para a redução do consumo de água, estão sendo realizadas algumas ações, como a adequação das tecnologias de lavagens e o reúso de águas de processo utilizando tecnologias de membranas, entre outras.

O item "b" está incorreto, pois o setor de alimentos necessita de avanços contínuos, buscando atender a alta produtividade; no entanto, quando uma nova tecnologia de processamento é apresentada, esta deve ser avaliada quanto à demanda energética, ao uso de água, à produção de resíduos, ao impacto ambiental e, sobretudo, quanto à segurança dos alimentos produzidos e à viabilidade econômica do processo.

No item "c", o correto seria afirmar que na área de rastreabilidade de produtos alimentícios o código de barras e a indicação do lote impresso na embalagem dos produtos são ferramentas importantes; no entanto, foram desenvolvidos sensores e etiquetas "inteligentes" para o monitoramento de várias ações, como para a garantia de manutenção adequada da temperatura de produtos refrigerados.

O item "d" está incorreto, e a afirmação correta seria que, apesar da globalização da indústria de alimentos, a distância ainda é um problema por acarretar altos custos de transporte. Portanto, há uma tendência de maior valorização e de mais investimentos nas indústrias de alimentos regionais, mais próximos dos centros consumidores.

O item "e" está correto.

- REF.: Leite & Frasson (2017); Augusto (2018).

16 – E

O item "a" está incorreto, pois os produtos cárneos frescos são elaborados à base de carne com ou sem gordura e NÃO são submetidos a tratamentos de dessecação, cozimento ou salga.

O item "b" está incorreto, pois o produtos cárneos crus condimentados são submetidos à ação de sal, especiarias e condimentos que lhes conferem aspecto e sabor característicos, porém NÃO são submetidos a tratamento térmico.

No item "c", a afirmativa correta seria que produtos cárneos tratados pelo calor alcançam em seu interior temperatura suficiente para conseguir a coagulação TOTAL das proteínas cárneas.

No item "d", seria correto afirmar que nos embutidos crus curados ocorre uma fermentação microbiana que leva ao acúmulo de ácido láctico com a consequente REDUÇÃO do pH.

A afirmação do item "e" está correta.

- REF.: Ordóñez *et al.* (2005).

17 – A

O item "a" está correto.

No item "b", seria correto afirmar que as propriedades funcionais da clara de ovo NÃO sofrem mudanças significativas quando submetidas ao processo de congelamento e descongelamento, desde que se realize congelamento rápido para evitar a presença de cristais grandes que possam permanecer retidos na clara do ovo durante o descongelamento.

No item "c", o correto seria afirmar que a desidratação influi LIGEIRAMENTE na capacidade emulsificante das proteínas da clara ao se desnaturar por efeito do calor.

O item "d" está incorreto, pois na realidade são empregados tratamentos mais rígidos de pasteurização nos ovos inteiros e nas gemas e mais suaves nas claras, tendo em vista que a temperatura máxima que pode ser aplicada ao ovo é limitada pela coagulação da clara.

O item "e" está incorreto, pois, se as condições são adequadas, as propriedades funcionais dos produtos derivados do ovo desidratado se mantêm razoavelmente bem por mais de 1 ano.

- REF.: Ordóñez *et al.* (2005).

18 – C

Está correto apenas o contido em III e IV. Desse modo, a alternativa correta é o item "c".

Na afirmativa I, as propriedades notórias de polietileno são sua resistência, baixo custo, disponibilidade, transparência e excelente barreira à água, todavia NÃO é uma boa barreira contra os gases e as gorduras.

Na afirmativa II, as embalagens fabricadas com folhas de alumínio podem ter diferentes graus de rigidez, dependendo da espessura, da liga e do formato, e resistem a altas temperaturas, e os alimentos podem ser congelados ou cozidos na própria embalagem.

- REF.: Gava, Silva & Frias (2008).

19 – B

O item "a" está incorreto, pois as enterobactérias e as bactérias psicitróficas gram-negativas não deveriam ser encontradas no leite pasteurizado, dado que os dois grupos são muito termolábeis e, portanto, essas bactérias são destruídas durante o tratamento térmico.

O item "b" está correto.

O item "c" está incorreto, pois a esterilização do leite e os processos UHT perseguem o mesmo objetivo: a obtenção de um produto microbiologicamente estável mediante a destruição dos micro-organismos mais termorresistentes, ou seja, as formas esporuladas das bactérias.

O item "d" está incorreto, pois o leite concentrado sofre processo térmico similar ao do leite pasteurizado e, portanto, a única diferença entre ambos é a eliminação de água. O mesmo se pode dizer do leite evaporado e do esterilizado, que só se diferenciam pela quantidade final de água.

O item "e" está incorreto, pois o leite condensado é fabricado de modo similar aos demais, com a diferença de que, nesse caso, adiciona-se a sacarose (em torno de 41%), o que leva à diminuição da atividade de água a valores incompatíveis com o desenvolvimento de quase todos os micro-organismos.

- REF.: Santos & Ferreira (2017); Ordóñez *et al.* (2005).

20 – D

O item "a" está incorreto, pois é importante destacar que, mesmo que a produção dos alimentos orgânicos não utilize esses insumos, não é possível garantir a ausência total de resíduos de contaminantes químicos por problemas relacionados à contaminação ambiental com produtos persistentes e por derivação e proximidade de propriedades convencionais.

No item "b", a afirmativa está incorreta, pois outra questão diz respeito ao declínio da qualidade do solo e da quantidade de nutrientes, especialmente micronutrientes, em muitos alimentos provenientes dos métodos convencionais de plantio, irrigação e uso intensivo de agrotóxicos e fertilizantes. Também há controvérsia quanto ao valor nutricional e ao preço de venda dos alimentos orgânicos em comparação aos alimentos produzidos da maneira convencional.

O item "c" está incorreto, pois a produção orgânica exige maior envolvimento de mão de obra. Ao adquirir esse tipo de alimento, o consumidor passa a contribuir para o fortalecimento e a viabilidade da agricultura familiar.

O item "d" está correto.

O item "e" está incorreto, pois não há informações suficientes e seguras sobre o poder cumulativo, o efeito combinado, a mutabilidade (capacidade de sofrer mudanças em seu nível de toxicidade após a ingestão) e as possibilidades de interação no organismo humano de muitos contaminantes utilizados no sistema agroalimentar.

- REF.: Souza *et al.* (2012); FAO (2017).

21 – E

A afirmativa I está incorreta, pois o *Codex Alimentarius* recomenda uma avaliação prévia à comercialização de produtos geneticamente modificados caso a caso, incluindo uma avaliação tanto dos efeitos diretos (do gene inserido) como dos efeitos não desejados (que podem surgir em consequência da inserção de um novo gene).

As afirmativas II, III e IV estão corretas; portanto, o item "e" está correto.

- REF.: Brasil (2005); Venzke (2006); Cuvi (2014).

22 - C

O item "a" está incorreto, pois é permitida a utilização de aditivos e coadjuvantes de tecnologia não previstos nos alimentos convencionais similares, desde que apresentadas a comprovação técnico-científica dos níveis de segurança toxicológica dos aditivos e coadjuvantes de tecnologia e a justificativa tecnológica de uso, acrescidas da proposta para inclusão ou extensão de uso para que sejam avaliadas pelo órgão competente.

O item "b" está incorreto, pois os alimentos para fins especiais estão sujeitos aos mesmos procedimentos administrativos exigidos para o registro de alimentos em geral.

O item "c" está correto e é o gabarito da questão.

O item "d" está incorreto, pois os alimentos para fins especiais podem ser comercializados fracionados ou a granel, desde que no ponto de venda ao consumidor final sejam afixadas, em lugar visível, as exigências de rotulagem constantes na legislação vigente.

O item "e" está incorreto, pois as embalagens ou rótulos dos alimentos devem ser diferenciados das embalagens ou rótulos dos alimentos convencionais ou similares correspondentes da mesma empresa.

- REF.: Brasil (1998); Marins, Araújo & Jacob (2011); Lohn, Eskelsen & Ramos (2017).

23 - B

O item "a" está incorreto, pois, em razão do fácil acesso a fontes de água no Brasil (um dos principais insumos da produção de bebidas), a localização geográfica das plantas industriais do setor é orientada pela proximidade a seus mercados consumidores. Assim, essa indústria se encontra distribuída por todo o território nacional.

O item "b" está correto.

O item "c" está incorreto, pois a bebida alcoólica tipicamente associada ao Brasil e conhecida por diversos nomes populares, como cachaça, aguardente, pinga, caninha, branquinha etc., possui dez variedades, segundo a legislação brasileira.

O item "d" não está correto, pois as bebidas produzidas em grandes volumes, destinadas basicamente ao mercado interno, têm como característica uma relativa homogeneidade. No entanto, o aumento da renda acarreta mudanças de hábitos de consumo que, em parte dos compradores, se reflete na busca por diferenciação via aquisição de produtos mais sofisticados. Esse processo, que vem ocorrendo no Brasil, leva ao aumento da procura por produtos importados.

O item "e" está incorreto, pois, embora existam variações de aromas e sabores entre as cervejas fabricadas pela grande indústria e aquelas produzidas por microcervejarias ou mesmo por cervejeiros artesanais, elas são produzidas seguindo basicamente o mesmo processo de fabricação.

- REF.: Coenders (2011); Cervieri Júnior *et al.* (2014).

24 – E

O item "a" está incorreto, pois as massas alimentícias podem ser apresentadas secas, frescas, pré-cozidas, instantâneas ou prontas para o consumo, em diferentes formatos e recheios, e, dependendo do processo de fabricação, são consideradas industrializadas ou caseiras.

O item "b" está incorreto, pois é permitido o enriquecimento das massas alimentícias com vitaminas, sais minerais e outras substâncias de valor biológico específico.

O item "c" está incorreto, pois as massas alimentícias com ovos devem ser expostas à venda com a designação "massa com ovos" se o produto contiver no mínimo 0,45 g de colesterol por quilo de massa, expresso em base seca.

O item "d" está incorreto, pois as massas frescas têm umidade máxima de 35% (contra uma umidade máxima de 13% das massas secas), fazendo desse tipo de massa o ambiente mais propício ao desenvolvimento de micro-organismos patogênicos, como *Staphylococcus aureus* e *Bacillus cereus*, e deteriorantes, como bolores, leveduras e algumas bactérias psicrotróficas. Em virtude dessa alta umidade, o período de validade dessas massas é relativamente pequeno, entre 3 e 6 meses, em comparação aos outros tipos de massas alimentícias. Ravióli, nhoque e massas para lasanha são alguns exemplos de massas frescas.

O item "e" está correto e é o gabarito da questão.

- REF.: Brasil (2005); ABIMA (2017).

25 – A

O item "a" está correto.

O item "b" está incorreto, pois os fitatos podem formar complexos com proteínas e minerais. Os fitatos representam uma classe complexa de componentes naturais que ocorrem principalmente em cereais e leguminosas e que afetam suas propriedades funcionais e nutricionais.

O item "c" está incorreto, pois os oxalatos podem precipitar com o cálcio, formando cristais insolúveis e cálculos renais nos indivíduos. O efeito tóxico do ácido oxálico no organismo se deve à formação de oxalato de cálcio na urina e ao aumento do risco de formação de cálculos renais, pois o oxalato de cálcio é pouco solúvel na urina e diminui a disponibilidade do cálcio para realização de numerosos processos fisiológicos.

O item "d" está incorreto, pois nos grãos das leguminosas verifica-se a ocorrência natural de inibidores de enzimas proteolíticas, como a tripsina. A ação desses inibidores no trato gastrointestinal leva à redução da disponibilidade dos aminoácidos.

O item "e" não está correto, pois os nitratos interfem no metabolismo da vitamina A e nas funções da glândula tireoide, podendo sofrer redução a nitrito no organismo e, após absorvidos, originar cianoses devido à formação de metamioglobina ou ainda reagir com aminas secundárias e terciárias, formando compostos N-nitrosos, potencialmente carcinogênicos.

- REF.: Benevides *et al.* (2011).

26 – D

A afirmativa I está correta. A afirmativa II está errada, pois a informação da presença de ingredientes alergênicos é assegurada pela RDC nº 26/2015. Dentre esses, é obrigatória a informação da presença de elementos de traços alergênicos, que são resultantes principalmente da contaminação durante a produção. A afirmativa III está errada, pois, segundo a RDC nº 26/2015, o tratamento dado aos produtos importados deve ser similar ao dispensado aos produtos nacionais. A afirmativa IV está correta. Portanto, a opção correta é o item "d", sendo verdadeiro apenas o que se afirma em I e IV.

- REF.: AAAAI (2017); Brasil (2015); Alves *et al.* (2017).

27 – B

O item "a" está incorreto, pois o processamento por alta pressão (HPP), também chamado de pasteurização a alta pressão, pascalização ou pasteurização a frio, caracteriza-se por utilizar pressões acima de 600 Mpa à temperatura ambiente para inativar formas vegetativas de bactérias, fungos e leveduras. Esse tipo de processamento promove maior retenção da qualidade nutricional e sensorial dos alimentos, sejam líquidos ou sólidos, quando comparado ao processo térmico tradicional.

O item "b" está correto.

O item "c" está incorreto, pois nos comprimentos de onda de 200 a 280 nm a luz ultravioleta produz radiação não ionizante com propriedades germicidas. Essa propriedade é usada como alternativa não térmica para redução da contaminação em água, alimentos fluidos e outros ingredientes e pode também ser usada no tratamento de superfícies.

O item "d" está incorreto, pois a irradiação é o processo físico de tratamento que consiste em submeter o alimento, já embalado ou a granel, a doses controladas de radiação ionizante com finalidades sanitárias, fitossanitárias e/ou tecnológicas. Esse tratamento pode aumentar o prazo de validade dos produtos, uma vez que normalmente destrói bactérias e bolores responsáveis pela deterioração.

O item "e" está incorreto, pois o campo elétrico pulsado (PEF) é o processo que envolve a aplicação de alta voltagem (20 a 80 kV/cm) a alimentos situados entre dois eletrodos. Assim como o HPP, destrói bactérias vegetativas, fungos e leveduras, mas não destrói esporos e não é efetivo contra muitas enzimas.

- REF.: Jermann (2015).

28 – A

O item "a" está correto.

O item "b" está incorreto, pois a legislação representa o aprimoramento do controle sanitário e foi um dos passos preparatórios para a inserção do país como membro da Comissão do *Codex Alimentarius* (FAO/OMS), para poder participar da normalização internacional de alimentos.

O item "c" está incorreto, pois a Lei Orgânica de Saúde destacou o papel da vigilância sanitária como instância essencialmente preventiva, cujo objetivo precípuo é intervir nos riscos à saúde de qualquer ordem, advindos de atividades econômicas. Isso significa unir o saber técnico ao legal, para se antecipar às falhas do processo produtivo, no sentido de evitar danos ou impedir que se disseminem, em defesa da saúde da população.

O item "d" está incorreto, pois a ANVISA já introduziu em suas estruturas os procedimentos de informação, audiência pública e consulta pública. A ANVISA conta, ainda, com uma instância de participação institucionalizada da sociedade, denominado Conselho Consultivo, e para proporcionar visibilidade, transparência e governança ao processo de regulamentação participativo introduziu a Agenda Regulatória (AR).

O item "e" está incorreto, pois o fato de os componentes nutricionais em excesso (gorduras saturadas, açúcares e sal) produzirem efeitos nocivos à saúde distintos (acumulativos e de longo prazo) daqueles causados pela maioria dos agentes contaminantes (em geral, de curto prazo e de propagação extensiva e rápida, se o produto for de circulação global) não justifica a adoção de intervenções distintas por parte do governo, que sempre aplicou regras compulsórias para esse segundo grupo de riscos.

- REF.: Figueiredo, Recine & Monteiro (2017).

29 – D

O item "a" está incorreto, pois o processo de deterioração em frutas e hortaliças é geralmente proporcional à taxa de seu metabolismo, estando diretamente relacionado à temperatura. Com a redução do metabolismo ocorre o retardamento de alterações indesejáveis, como amolecimento e mudanças na textura e na cor, além de perda de água, que também conduz à perda de peso.

O item "b" está incorreto, pois, embora certo número de tecnologias seja utilizado para manter a qualidade de produtos perecíveis, elas são utilizadas de modo independente nos diferentes elos da cadeia logística, não ocorrendo interação e continuidade das informações entre esses elos.

O item "c" está incorreto, pois para as frutas e hortaliças a manutenção da temperatura adequada é o fator mais importante e mais simples para diminuir os processos de metabolismo que permanecem após sua colheita e que conduzem à rápida deterioração.

O item "d" está correto.

O item "e" está incorreto, pois em uma cadeia do frio a vida útil, a qualidade e a segurança dos produtos perecíveis sofrem enorme influência dos fatores ambientais em todas as etapas da logística, especialmente da temperatura e da umidade relativa. A conservação nas condições ideais de temperatura é essencial e constitui uma maneira eficaz de retardar o crescimento de micro-organismos deteriorantes.

- REF.: Spagnol (2018).

30 – C

O item "a" está incorreto, pois será obrigatório declarar a quantidade do valor energético e dos seguintes nutrientes: carboidratos, proteínas, gorduras totais, gorduras saturadas, gorduras trans, fibra alimentar e sódio, porém não é obrigatório declarar o teor de potássio.

O item "b" está incorreto, pois optativamente podem ser declarados as vitaminas e os minerais, sempre e quando estiverem presentes em quantidade igual ou maior que 5% da Ingestão Diária Recomendada (IDR) por porção indicada no rótulo.

O item "c" está correto.

O item "d" está incorreto, pois a informação nutricional deve apresentar obrigatoriamente, além da quantidade da porção do alimento em gramas ou mililitros, o correspondente em medida caseira, utilizando utensílios domésticos, como colher, xícara e copo, dentre outros.

O item "e" está incorreto, pois a informação correspondente à rotulagem nutricional deve estar redigida no idioma oficial do país de consumo (espanhol ou português), sem prejuízo de textos em outros idiomas, e deve ser colocada em lugar visível, em caracteres legíveis, e ter cor contrastante com o fundo onde estiver impressa.

- REF.: Brasil (2002, 2003); ANVISA (2008).

Referências

American Academy of Allergy, Asthma and Immunology - AAAAI. Food Allergy. Disponível em: http://www.aaaai.org/conditions-and-treatments/allergies/food-allergies. Acessado em 7 de abril de 2017.

Associação Brasileira das Indústrias de Massas Alimentícias - ABIMA. Estatísticas de Massas Alimentícias. Disponível em: https://www.abimapi.com.br/estatistica-massas.php. Acessado em 7 de abril de 2017.

Alves MK, Feltrin C, Santos GKS, Morbach R. Presença de alérgenos e aditivos alimentares em chocolate branco. Higiene Alimentar, São Paulo, v. 31, n. 270/271, p. 30-5, julho/agosto 2017.

Agência Nacional de Vigilância Sanitária - ANVISA. Rotulagem nutricional obrigatória: manual de orientação aos consumidores. Brasília, 2008.

Augusto PED. Composição dos alimentos. In: Princípios de tecnologia de alimentos. V. 3. 1. ed. Rio de Janeiro: Atheneu, 2018:3-58.

Augusto PED. Perspectivas para a indústria alimentar. In: Princípios de tecnologia de alimentos. V. 3. 1. ed. Rio de Janeiro: Atheneu, 2018:383-91.

Augusto PED. Processo térmico. In: Princípios de tecnologia de alimentos. V. 3. 1. ed. Rio de Janeiro: Atheneu, 2018:255-83.

Augusto PED. Reações enzimáticas. In: Princípios de tecnologia de alimentos. V. 3. 1. ed. Rio de Janeiro: Atheneu, 2018:111-43.

Augusto PED. Redução da atividade de água. In: Princípios de tecnologia de alimentos. V. 3. 1. ed. Rio de Janeiro: Atheneu, 2018:285-319.

Benevides CMJ, Souza MV, Souza RDB, Lopes MV. Fatores antinutricionais em alimentos: revisão. Segurança Alimentar e Nutricional, Campinas, v. 18, n. 2, p. 67-79, 2011.

Brasil. Ministério da Saúde. Agência Nacional de Vigilância Sanitária - ANVISA. Portaria nº 149, de 29 de março de 2017. Autoriza o uso de aditivos alimentares e coadjuvantes de tecnologia em diversas categorias de alimentos e dá outras disposições. Diário Oficial [da] República Federativa do Brasil, Brasília, DF, 30 mar 2017.

Brasil. Agência Nacional de Vigilância Sanitária – ANVISA. RDC nº 26, de 2 de julho de 2015. Dispõe sobre os requisitos para rotulagem obrigatória dos principais alimentos que causam alergias alimentares. Diário Oficial [da] República Federativa do Brasil, Brasília, DF, 2015.

Brasil. Ministério da Agricultura, Pecuária e Abastecimento - MAPA. Instrução Normativa nº 1, de 30 de janeiro de 2012. Estabelece o Regulamento Técnico do Azeite de Oliva e do Óleo de Bagaço de Oliva. Diário Oficial [da] República Federativa do Brasil, Brasília, DF, 01 fev 2012.

Brasil. Ministério da Saúde. Agência Nacional de Vigilância Sanitária - ANVISA. RDC nº 45, de 03 de novembro de 2010. Dispõe sobre aditivos alimentares autorizados para uso segundo as Boas Práticas de Fabricação (BPF). Diário Oficial [da] República Federativa do Brasil, Brasília, DF, 05 nov 2010.

Brasil. Ministério da Saúde. Agência Nacional de Vigilância Sanitária - ANVISA. RDC nº 27, de 06 de agosto de 2010. Dispõe sobre as categorias de alimentos e embalagens isentos e com obrigatoriedade de registro sanitário. Diário Oficial [da] República Federativa do Brasil, Brasília, DF, 09 ago 2010.

Brasil. Ministério da Saúde. Agência Nacional de Vigilância Sanitária - ANVISA. RDC nº 270, de 22 de setembro de 2005. Aprova o Regulamento Técnico para Óleos Vegetais, Gorduras Vegetais e Creme Vegetal. Diário Oficial [da] República Federativa do Brasil, Brasília, DF, 23 set 2005.

Brasil. Comissão Técnica Nacional de Biossegurança. Lei nº 11.105, de 24 de março de 2005. Dispõe sobre as normas de segurança e mecanismos de fiscalização de atividades que envolvam organismos geneticamente modificados - OGM e dá outras providências. Diário Oficial [da] República Federativa do Brasil, Brasília, DF, 2005.

Brasil. Ministério da Saúde. Agência Nacional de Vigilância Sanitária - ANVISA RDC nº 263, de 22 de setembro de 2005. Aprova o regulamento técnico para produtos de cereais, amidos, farinhas e farelos. Diário Oficial [da] República Federativa do Brasil, Brasília, DF, 2005.

Brasil. Agência Nacional de Vigilância Sanitária – ANVISA. RDC nº 359, de 23 de dezembro de 2003. Aprova o regulamento técnico de porções de alimentos embalados para fins de rotulagem nutricional, tornando obrigatória a rotulagem nutricional. Diário Oficial [da] República Federativa do Brasil, Brasília, DF, 2003.

Brasil. Agência Nacional de Vigilância Sanitária - ANVISA. RDC nº 360, de 23 de dezembro de 2003. Aprova o regulamento técnico sobre rotulagem nutricional de alimentos embalados, tornando obrigatória a rotulagem nutricional. Diário Oficial [da] República Federativa do Brasil, Brasília, DF, 2003.

Brasil. Agência Nacional de Vigilância Sanitária - ANVISA. RDC nº 259, de 20 de setembro de 2002. Aprova o regulamento técnico sobre rotulagem de alimentos embalados. Diário Oficial [da] República Federativa do Brasil, Brasília, DF, 23 set 2002.

Brasil. Ministério da Saúde. Agência Nacional de Vigilância Sanitária - ANVISA. RDC nº 21, de 26 de janeiro de 2001. Aprova o regulamento técnico para irradiação de alimentos. Diário Oficial [da] República Federativa do Brasil, Poder Executivo, Brasília, 2001.

Brasil. Agência Nacional de Vigilância Sanitária - ANVISA. Portaria SVS/MS nº 29, de 13 de janeiro de 1998. Aprova o regulamento técnico referente a alimentos para fins especiais. Diário Oficial [da] República Federativa do Brasil, Brasília, DF, 1998.

Brasil. Ministério da Saúde. Agência Nacional de Vigilância Sanitária - ANVISA. Portaria nº 540, de 27 de outubro de 1997. Aprova o regulamento técnico: aditivos alimentares - definições, classificação e emprego. Diário Oficial [da] República Federativa do Brasil, Brasília, DF, 28 out 1997.

Brasil. Ministério da Agricultura, Pecuária e Abastecimento. Regulamento da Inspeção Industrial e Sanitária de Produtos de Origem Animal - RIISPOA, aprovado pelo Decreto n° 30.691, de 29 de março de 1952, alterado pelo Decreto n° 2.244. Diário Oficial [da] República Federativa do Brasil, Poder Executivo, Brasília, 1997.

Cervieri Júnior O, Teixeira Junior, JR, Galinari R, Rawet EL, Silveira CTJ. O setor de bebidas no Brasil. BNDES Setorial, n. 40, p. 93-130. Setembro, 2014.

Coenders A. Bebidas. In: Química culinaria: estudio de lo que les sucede a los alimentos antes, durante y después de cocinados. España: Editorial ACRIBIA S.A, 2011.

Cuvi N. Transgénicos y sociedad. Revista Latinoamericana de Estudios Socioambientales, n. 16, p. 1-3. Setembro, 2014.

Dermesonlouoglou E, Chalkia A, Taoukis P. Application of osmotic dehydration to improve the quality of dried goji berry. Journal of Food Engineering, Sep 2018, Vol. 232, p. 36-43.

Evangelista-Barreto et al. Condições higiênico-sanitárias e grau de frescor do pescado comercializado no mercado de peixe em Cachoeira, Bahia. Revista Brasileira de Higiene e Sanidade Animal, v.11, n.1, p. 60-74. Janeiro/março, 2017.

Fellows PJ. Liofilização e concentração por congelamento. In: Tecnologia do Processamento de Alimentos: princípios e práticas. 2. ed. Porto Alegre: Artmed, 2006:453-62.

Fellows PJ. Congelamento. In: Tecnologia do Processamento de Alimentos: princípios e práticas. 2. ed. Porto Alegre: Artmed, 2006:429-52.

Fellows PJ. Desidratação. In: Tecnologia do Processamento de Alimentos: princípios e práticas. 2. ed. Porto Alegre: Artmed, 2006:323-52.

Fellows PJ. Processamento por remoção de calor. In: Tecnologia do Processamento de Alimentos: princípios e práticas. 2. ed. Porto Alegre: Artmed, 2006: 397-462.

Fellows PJ. Processamento por aplicação de calor. In: Tecnologia do Processamento de Alimentos: princípios e práticas. 2. ed. Porto Alegre: Artmed, 2006: 239-96.

Fellows PJ. Irradiação. In: Tecnologia do Processamento de Alimentos: princípios e práticas. 2. ed. Porto Alegre: Artmed, 2006: 207-19.

Fellows PJ. Tecnologia das fermentações e enzimas. In: Tecnologia do Processamento de Alimentos: princípios e práticas. 2. ed. Porto Alegre: Artmed, 2006:183-206.

Figueiredo AVA, Recine E, Monteiro R. Regulação dos riscos dos alimentos: as tensões da Vigilância Sanitária no Brasil. Ciênc Saúde Coletiva, v. 22, n. 7, p. 2353-66. Julho, 2017.

Food and Agriculture Organization - FAO. Inter-Departmental Working Group on Organic Agriculture. Organic agriculture. Disponível em: http://www. fao.org/organicag/oa-faq/oa-faq1/es/. Acessado em 7 de abril de 2017.

Gava AJ, Silva CAB, Frias JRG. Tecnologia de alimentos: princípios e aplicações. São Paulo: Nobel, 2008.

Guimaraes ICO et al. The effect of CO^{60} on the physical and physicochemical properties of rice. Ciênc Agrotec, Lavras, v. 36, n. 2, p. 210-6. Apr 2012.

Jay JM. Conservação de alimentos por altas temperaturas e características de micro-organismos termofílicos. In: Microbiologia de alimentos. 6. ed. Porto Alegre: Artmed, 2005:365-86.

Jay JM. Fermentação e produtos lácteos fermentados. In: Microbiologia de alimentos. 6. ed. Porto Alegre: Artmed, 2005:131-49.

Jermann C, Koutchma T, Margas E, Leadley C, Ros-Polski V. Mapping trends in novel and emerging food processing technologies around the world. Innovative Food Science and Emerging Technologies. V. 31, p. 14-27, 2015.

Leite DBG, Frasson AC. Desafios da ciência e tecnologia de alimentos. Vol. 3. Curitiba (PR): Atena, 2017:194.

Lima LLA, Melo Filho AB, Silva AMAD. Tecnologia de bebidas. Recife: EDUFRPE, 2011:126.

Lohn SK, Eskelsen MW, Ramos RJ. Avaliação do conhecimento sobre produtos diet e light por funcionários e universitários de instituição de ensino superior. Higiene Alimentar, São Paulo, v. 31, n. 264/265, p.30-7. Janeiro/fevereiro, 2017.

Marins BR, Araujo IS, Jacob SC. A propaganda de alimentos: orientação ou apenas estímulo ao consumo? Ciênc Saúde Coletiva. Rio de Janeiro, v. 16, n. 9, p. 3873-82. Setembro, 2011.

Oetterer M et al. Deterioração de lipídios - Ranço. In: Fundamentos de Ciência e Tecnologia de Alimentos. São Paulo: Manole, 2006:243-99.

Oetterer M et al. Extração e refino de óleos vegetais. In: Fundamentos de Ciência e Tecnologia de Alimentos. São Paulo: Manole, 2006:300-54.

Oetterer M et al. Química básica dos lipídios. In: Fundamentos de Ciência e Tecnologia de Alimentos. São Paulo: Manole, 2006:196-242.

Ordóñez JA et al. Características gerais do pescado. In: Tecnologia de Alimentos. V. 2 – Alimentos de origem animal. Porto Alegre: Artmed, 2005:219-29.

Ordóñez JA et al. Conceitos e objetivos da tecnologia de alimentos. In: Tecnologia de Alimentos. V. 1 – Componentes dos alimentos e processos. Porto Alegre: Artmed, 2005:13-8.

Ordóñez JA et al. Conservação pelo frio. In: Tecnologia de Alimentos. V. 1 – Componentes dos alimentos e processos. Porto Alegre: Artmed, 2005:155-95.

Ordóñez JA et al. Leites de consumo. In: Tecnologia de Alimentos. V. 2 – Alimentos de origem animal. Porto Alegre: Artmed, 2005:49-65.

Ordóñez JA et al. Ovos e produtos derivados. In: Tecnologia de Alimentos. V. 2 – Alimentos de origem animal. Porto Alegre: Artmed, 2005:269-79.

Ordóñez JA et al. Produtos cárneos. In: Tecnologia de Alimentos. V. 2 – Alimentos de origem animal. Porto Alegre: Artmed, 2005:187-217.

Ordóñez JA et al. Utilização de radiações eletromagnéticas na indústria alimentícia. Irradiação de alimentos. In: Tecnologia de Alimentos. V. 1 – Componentes dos alimentos e processos. Porto Alegre: Artmed, 2005:125-54.

Ribeiro MI et al. Qualidade nutricional e tecnológica dos alimentos na ótica do consumidor. Rev Ciênc Agr, 2017, vol. 40, n. sp, p. 255-65.

Santos MG, Ferreira LC. Variação da qualidade microbiológica, durante o período de validade, de leite pasteurizado em um laticínio da cidade de Januária-MG. Higiene Alimentar, São Paulo. V. 31, n. 264/265, p.72-5. Janeiro/fevereiro, 2017.

Souza AA, Azevedo E, Lima EE, Silva APF. Alimentos orgânicos e saúde humana: estudo sobre as controvérsias. Rev Panam Salud Publica. V. 31, n. 6, p. 513-17, 2012.

Spagnol WA, Silveira Junior V, Pereira E, Guimaraes Filho N. Monitoramento da cadeia do frio: novas tecnologias e recentes avanços. Braz J Food Technol, Campinas. V. 21, 2018.

Venzke JG. Segurança alimentar de milho geneticamente modificado contendo o gene cry Ab de Bacillus thuringiensis. Dissertação (Mestrado) – Universidade Federal de Pelotas, Pelotas, 2006.

Capítulo 5

Inflamação e Nutrição (IN)

Daianne Cristina Rocha
Bruna Yhang da Costa Silva

Questões

1. (IN) Em que consiste a inflamação?
   a) Um conjunto de mecanismos de defesa provenientes de um agente infeccioso que visa à sobrevivência diante da resposta imunológica do hospedeiro.
   b) Um ou mais danos que acometem células normais do hospedeiro decorrentes de mediadores químicos imunológicos produzidos por células imunológicas em resposta a um insulto crônico.
   c) Uma resposta imune protetora do hospedeiro, ativada a partir de uma agressão ou agente estranho, que envolve células da imunidade inata e mediadores químicos, interrompida após a resolução ou o controle do agente agressor, mas que pode se cronificar diante da persistência do dano.
   d) Um componente da imunidade inespecífica, que inclui alterações bioquímicas, vasculares e celulares e que surge em resposta a uma lesão celular para reparar o tecido danificado. Portanto, não resulta em prejuízos ao hospedeiro.
   e) Um processo agudo, autolimitado, do sistema imunológico em resposta a qualquer dano celular que é espontaneamente interrompido após a resolução da agressão ou quando começa a trazer efeitos adversos ao hospedeiro.

2. (IN) Acerca dos mecanismos envolvidos na finalização da resposta inflamatória, marque a afirmativa CORRETA:
   a) É um processo de autorregulação, bioquímico e celular, que envolve a ativação de mecanismos de *feedback* negativo, como a secreção de citocinas anti-inflamatórias, a inibição de cascatas de sinalização inflamatória, a clivagem de quimiocinas e a ativação de células reguladoras.
   b) A resolução da inflamação *é* um fenômeno fundamentalmente celular. Assim, à medida que há redução da carga infecciosa, as células que migraram para o foco inflamatório retornam à circulação sanguínea, restabelecendo-se a homeostase tecidual.

c) A resolução da inflamação é um processo essencialmente bioquímico que resulta da secreção de citocinas anti-inflamatórias pelo hospedeiro e da simultânea inibição de cascatas de sinalização pró-inflamatória.

d) Enquanto a fase inflamatória é orquestrada por neutrófilos e macrófagos, a fase de resolução é unicamente dependente de macrófagos que, após a eliminação do agente agressor, mudam de fenótipo e fagocitam neutrófilos e macrófagos inflamatórios.

e) Para que ocorra a finalização da resposta inflamatória, a imunidade inata dá lugar à imunidade específica, que possibilita o restabelecimento da homeostase tecidual.

3. (IN) O termo "inflamassoma" apresenta conceito comum no campo de estudo da inflamação. O que ele significa?

   a) O conjunto de todos os fatores capazes de iniciar uma resposta inflamatória crônica.

   b) Um complexo proteico implicado no sistema imunitário inato que é responsável pela ativação de processos inflamatórios.

   c) Conjunto de efeitos adversos decorrentes da produção demasiada de citocinas inflamatórias.

   d) Classificação que se dá à inflamação quando ela é provocada por agentes infecciosos.

   e) Processo de apoptose de células da imunidade inata que se dá como última etapa antes da regeneração do tecido lesado.

4. (IN) Acerca das características da inflamação e de seus subtipos, assinale a alternativa INCORRETA:

   a) A inflamação crônica de baixo grau, em comparação com a inflamação aguda, tem evolução mais lenta e maior complexidade no diagnóstico e na seleção de uma terapêutica eficaz.

   b) Embora não exista consenso sobre quais marcadores biológicos auxiliam melhor a identificação da fase de inflamação de um determinado indivíduo, da gravidade da inflamação ou de seu tempo de duração, a mensuração sanguínea de leucócitos, citocinas, moléculas de adesão e proteínas de fase aguda é costumeiramente utilizada para detectar a existência de um estado inflamatório.

   c) Os marcadores biológicos tradicionalmente utilizados para o diagnóstico de inflamação sofrem variação entre diferentes mensurações, inclusive em pessoas saudáveis.

   d) O ciclo de vida de um indivíduo pode ser determinante para a instalação de um estado de inflamação crônica de baixo grau.

   e) Estudos atuais evidenciam a existência de marcadores biológicos que possibilitam identificar com precisão a presença de inflamação crônica de baixo grau, mas não diferenciam inflamação aguda de inflamação crônica.

5. (IN) Leia as afirmativas abaixo, que relacionam inflamação crônica com doenças crônico-degenerativas, e em seguida assinale a opção que contém as corretas.
   1) Indivíduos com doenças crônico-degenerativas apresentam níveis séricos elevados de citocinas inflamatórias como consequência dessas morbidades, mas não como causa.
   2) A relação entre obesidade e inflamação crônica pode ser compreendida como um ciclo vicioso.
   3) A interleucina 6 (IL-6) e o fator de necrose tumoral alfa (TNF-α) podem direta e indiretamente contribuir com a ocorrência de resistência à insulina (RI) e de doenças dela decorrentes.
   4) A proteína C-reativa ultrassensível (PCR-US) é um reconhecido fator de risco para o desenvolvimento de *diabetes mellitus* tipo 2 (DM2).

   Estão corretas as afirmativas:
   a) 1 e 3.
   b) 1 e 4.
   c) 2 e 3.
   d) 2, 3 e 4.
   e) Apenas a afirmativa 4.

As questões 6 a 9, a seguir, referem-se à relação entre fatores de estilo de vida e o risco para o desencadeamento de doenças crônico-degenerativas. Os enunciados trazem mecanismos através dos quais esses aspectos podem conduzir a doenças crônicas, intermediados pela inflamação crônica de baixo grau. Assinale o fator de estilo de vida correspondente à descrição dos enunciados.

6. (IN) A exposição repetida ou contínua a esse fator se associa à maior produção de marcadores inflamatórios e de função hipotálamo-hipófise-adrenal, aumentando o risco de doenças crônicas futuras e reafirmando a teoria da carga alostática:
   a) Alcoolismo.
   b) Poluição ambiental.
   c) Baixa qualidade do sono.
   d) Tabagismo ativo.
   e) Estresse psicológico.

7. (IN) Aumenta o risco para doenças cardiovasculares, uma vez que afeta o endotélio vascular, reduzindo a disponibilidade de óxido nítrico (NO) e promovendo a inflamação.
   a) Sedentarismo.
   b) Poluição ambiental.
   c) Baixa qualidade do sono.

d) Tabagismo passivo.
e) Estresse psicológico.

8. (IN) Conduz a um risco maior para raquitismo, osteoporose e outras doenças ósseas por induzir à ação de citocinas inflamatórias sobre os osteoclastos.
   a) Excesso de atividade física.
   b) Poluição ambiental.
   c) Baixa qualidade do sono.
   d) Dieta hipercalórica.
   e) Estresse psicológico.

9. (IN) Em sua presença, as células musculares deixam de produzir citocinas de potencial anti-inflamatório, capazes de prevenir a disfunção endotelial e estimular a síntese de óxido nítrico.
   a) Tabagismo passivo.
   b) Tabagismo ativo.
   c) Estresse psicológico.
   d) Poluição ambiental.
   e) Sedentarismo.

10. (IN) Sobre os mecanismos que interligam inflamação com hipertensão arterial, selecione a opção INCORRETA:
   a) Há evidências que justificam a inflamação tanto como causa quanto como consequência da hipertensão arterial.
   b) O tratamento com drogas anti-inflamatórias é adotado atualmente como rotina para indivíduos com hipertensão arterial resistente.
   c) Dentre os vários mecanismos fisiopatológicos sugeridos para a ligação entre inflamação e hipertensão arterial, nesta direção, está a promoção da ativação do sistema nervoso simpático.
   d) O tabagismo pode iniciar uma cascata que começa com a ocorrência de disfunção endotelial, evolui para inflamação crônica de baixo grau e finaliza com a evolução para hipertensão arterial.
   e) A interrupção do tabagismo é a estratégia mais eficaz para reverter o dano inflamatório ou de outro caráter que ocasionou o dano vascular característico da hipertensão arterial.

11. (IN) As seguintes afirmativas trazem as etapas do processo inflamatório crônico de baixo grau que caracteriza os eventos aterotrombóticos. Analise-as e, em seguida, ordene-as na sequência em que elas realmente acontecem:

1) Promoção da formação de células espumosas, carregadas de lipídios.
2) Leucócitos são recrutados para o compartimento subendotelial das artérias danificadas e passam a produzir os mediadores inflamatórios que intermedeiam a cascata de eventos característica da aterosclerose.
3) Início da proliferação de células do músculo liso.
4) Instabilidade da placa aterotrombótica e ruptura.
5) Propagação da aterosclerose por quimiocinas e citocinas de leucócitos, que acentuam a produção de mais quimiocinas e a expressão de moléculas de adesão endotelial, estimulando o recrutamento de leucócitos adicionais.

A descrição correta dos eventos aterotrombóticos obedece à seguinte sequência:

a) 2, 5, 1, 3, 4.
b) 1, 2, 5, 3, 4.
c) 4, 3, 2, 1, 5.
d) 3, 1, 2, 5, 4.
e) 1, 5, 2, 4, 3.

12. (IN) Sobre a relação entre inflamação crônica de baixo grau e doença hepática gordurosa não alcoólica (DHGNA), selecione a afirmativa INCORRETA:

a) A DHGNA se caracteriza histologicamente por: (1) acúmulo isolado de triglicerídios nos hepatócitos, ou (2) excesso de triglicerídio hepático associado a sinais de inflamação lobular, ou (3) deposição de gordura em concomitância com degeneração balonosa, ou ainda (4) excesso de depósito gorduroso, com degeneração balonosa, e corpúsculos de Mallory-Denk ou fibrose.
b) O acúmulo hepático de triglicerídios na DHGNA pode ser proveniente da ingestão dietética de gordura, da lipólise de tecido adiposo e da lipogênese *de novo* (a partir de carboidratos). A resistência à insulina pode agravar o processo, desencadeando inflamação de hepatócitos.
c) É uma hipótese aceitável para a patogênese da DHGNA: a resistência à insulina contribui para a esteatose hepática, que sensibiliza o fígado ao estresse oxidativo, resultando em inflamação, fibrose e necrose.
d) São ainda mecanismos inflamatórios possivelmente envolvidos na evolução da DHGNA: (1) o acúmulo de lipídios e outros estresses intracelulares hepáticos, que ativam a transcrição e liberação de fatores inflamatórios, e (2) o estilo de vida sedentário, ao promover obesidade e, assim, maior secreção de adiponectina.
e) Podem ainda estar envolvidos, entre os fatores de risco para DHGNA, a produção de adipocinas, que incluem citocinas inflamatórias do tecido adiposo, e a disfunção mitocondrial.

13. (IN) Analise as afirmativas abaixo e, em seguida, assinale aquela que NÃO retrata adequadamente a relação entre inflamação crônica de baixo grau e o *diabetes mellitus* tipo 2:

    a) A obesidade pode contribuir com o diabetes por mecanismos que vão além da inflamação. Assim, o obeso apresenta níveis elevados de proteínas quinases, que alteram a sinalização da insulina, promovendo a fosforilação da serina de um substrato receptor de insulina e a supressão da fosforilação de tirosina.

    b) A obesidade é uma causa de diabetes porque resulta em níveis elevados de ácidos graxos livres, o que induz a resistência à insulina em tecidos periféricos e a ativação de células da imunidade inata, as quais produzem citocinas inflamatórias redutoras da sinalização da insulina.

    c) Os níveis de TNF-α são mais elevados em indivíduos com tolerância à glicose prejudicada que naqueles com níveis glicêmicos compatíveis com diabetes tipo 2.

    d) A IL-6, produzida por vários tecidos, principalmente o tecido adiposo, pode prejudicar a sinalização de insulina por inúmeros mecanismos, dentre os quais, ao induzir a síntese de proteínas que se ligam ao receptor de insulina.

    e) A IL-6 pode ainda provocar resistência à insulina por reduzir a expressão do transportador 4 de glicose (GLUT-4) e do substrato do receptor 1 de insulina (IRS-1).

14. (IN) A inflamação crônica de baixo grau, que contribui com a ocorrência dos variados tipos de câncer, pode ter diversos fatores desencadeantes. As afirmativas abaixo tratam desse aspecto. Analise-as e assinale a opção que apresenta as corretas.

    1) A obesidade é um fator de risco para os cânceres de trato gastrointestinal.

    2) Diferentes tipos de macrófagos se relacionam de maneiras diferentes com a etiologia do câncer, podendo induzir ou prevenir o surgimento da doença.

    3) A obesidade é o único fator nutricional evidenciado para o câncer de mama. Portanto, a inflamação que contribui com o desencadeamento dessa neoplasia é proveniente da obesidade.

    4) Os aditivos alimentares emulsificantes podem aumentar o risco de câncer de cólon por mecanismos que independem da inflamação e que envolvem a alteração da microbiota intestinal.

    Estão corretas as afirmativas:

    a) 2 e 4.

    b) 2 e 3.

    c) 1 e 2.

    d) 2, 3 e 4.

    e) Apenas a afirmativa 1.

15. (IN) Assinale a opção INCORRETA acerca da relação entre inflamação e doenças que envolvem o sistema nervoso central:

 a) A inflamação crônica que contribui para o desenvolvimento da doença de Parkinson é local, isto é, no parênquima cerebral, uma vez que citocinas inflamatórias sintetizadas em outros tecidos não conseguem acessar a barreira hematoencefálica.
 b) A inflamação crônica de baixo grau é um fator de risco para doença de Alzheimer entre pessoas com predisposição genética para essa doença.
 c) A inflamação em mulheres, que aumenta o risco de doença de Alzheimer, pode ser resultado da queda na produção de estrógeno durante a menopausa.
 d) As citocinas inflamatórias podem estar envolvidas no desenvolvimento de doenças neuropsiquiátricas, incluindo depressão, em condições de inflamação crônica.
 e) A redução dos sintomas depressivos entre obesos, após cirurgia bariátrica, está associada à redução da adiposidade central.

16. (IN) Os alimentos são uma parte importante da manutenção da saúde não só porque fornecem minerais e vitaminas necessários e essenciais às funções do corpo, mas também porque muitos de seus metabólitos secundários exercem atividade anti-inflamatória que favorece a homeostase, mantendo um equilíbrio entre mecanismos inflamatórios e anti-inflamatórios. De acordo com o exposto, assinale a afirmativa CORRETA:

 a) Dietas ricas em frutas, vegetais e grãos integrais, complementadas com óleos ricos em EPA (ácido eicosapentaenoico), podem aumentar significativamente a produção de biomarcadores inflamatórios.
 b) É possível criar um ambiente anti-inflamatório aumentando o consumo de alimentos ricos em fitoquímicos, controlando a ingestão de alimentos ricos em PUFA-6 (ácidos graxos poli-insaturados 6), aumentando as fontes de MUFA-3 (ácidos graxos poli-insaturados 3), restringindo alimentos que convertem AA (ácido araquidônico) em prostaglandinas E2 e LTB4 (leucotrieno tipo B) e evitando grandes ingestões de carboidratos que causam picos de insulina.
 c) A dieta mediterrânea, rica em legumes, frutas frescas e secas e cereais, pobre em gorduras saturadas e moderada em vinho, azeite e peixe, constitui um tipo de dieta inflamatória.
 d) Os compostos que induzem funções anti-inflamatórias são, entre outros, os fenólicos, alcaloides, terpenoides, flavonoides, isotiocianatos (como sulforafano), carotenoides e ácidos graxos saturados.
 e) Os fitoquímicos presentes em seres humanos em sua forma original ou quando metabolizados podem formar metabólitos ativos e se comportar como mensageiros de ativação intracelular ou inibição da expressão de genes envolvidos em processos inflamatórios.

17. (IN) Vários mecanismos foram propostos para explicar os efeitos inflamatórios/anti-inflamatórios dos alimentos. Marque a alternativa que NÃO corresponde a um desses mecanismos:

    a) Modulação da expressão gênica de citocinas pró-inflamatórias.
    b) Modulação de atividades celulares relacionadas à inflamação.
    c) Modulação da atividade de enzimas pró-inflamatórias.
    d) Produção de outras moléculas pró-inflamatórias.
    e) Modulação da produção de nutrientes essenciais.

18. (IN) Considerando os fotoquímicos presentes nos alimentos, avalie as informações a seguir:

    1) As famílias dos principais fitoquímicos com propriedades anti-inflamatórias são os carotenoides, compostos fenólicos, alcaloides, compostos nitrogenados e organossulfurados.
    2) As bactérias do cólon podem transformar antocianinas, proantocianidinas, flavanonas, flavonóis, taninos e isoflavonas, aos metabólitos fenólicos, aumentando sua capacidade funcional.
    3) Os compostos fenólicos são capazes de interferir nos processos bioquímicos e metabólicos associados ao desenvolvimento e à progressão de doenças inflamatórias, podendo inibir a atividade mutagênica e ativar processos desintoxicantes, antivirais e antioxidantes.
    4) Compostos nitrogenados são o grupo mais abundante de substâncias bioativas presentes, principalmente, nos alimentos com pigmentação escura e coloridos.

    Estão corretas as afirmativas:

    a) 1 e 2.
    b) 1, 2 e 3.
    c) 1, 2, 3 e 4.
    d) 3 e 4.
    e) 2, 3 e 4.

19. (IN) Sobre a atividade anti-inflamatória dos alimentos, assinale a afirmativa INCORRETA:

    a) O consumo de frutas e hortaliças variadas garante o consumo da maioria dos micronutrientes, de fibra dietética e de uma série de fitoquímicos com efeito antioxidante e anti-inflamatório.
    b) As uvas, o vinho e as amoras são ricos em um polifenol, o resveratrol, importante por suas propriedades associadas à imunidade, à redução do estresse oxidativo e ao efeito anti-inflamatório associado à redução de mediadores pró-inflamatórios.

c) Os pêssegos vermelhos contêm mais flavonoides que os brancos e amarelos. De modo semelhante, a goiaba rosa tem maior quantidade de fitoquímicos que a de cor mais clara.

d) O conteúdo de flavonoide dos pêssegos é aumentado com as técnicas de processamento em razão das mudanças em suas características químicas.

20. (IN) Refere-se a um grande número de espécies de bactérias que pertencem ao filo Cyanobacteria. Seus efeitos anti-inflamatórios são decorrentes de alguns de seus componentes, como a ficocianina, que inibe a formação de citocinas pró-inflamatórias, suprime a expressão de COX-2 (cicloxigenase 2) e reduz a produção de prostaglandina E.

a) *Lactobacillus*.
b) Iogurte.
c) Kimchi.
d) Vinagre.
e) Espirulina.

21. (IN) São fontes do flavonoide naringenina que, em concentrações utilizadas na dieta habitual, reduz a expressão gênica de TNF-α em macrófagos.

a) Abacate e castanha-do-pará.
b) Açaí e cupuaçu.
c) Laranja e toranja.
d) Alho e alho-poró.
e) Alho e cebola.

22. (IN) Contém bromelina com efeito analgésico, antitrombótico, antifibrinolítico e anti-inflamatório em doses de 270 a 1.800 mg/dia, o que equivale à ingestão de aproximadamente 400 g da fruta.

a) Acerola.
b) Abacate.
c) Kiwi.
d) Abacaxi.
e) Laranja.

23. (IN) Alimento de grande interesse nutricional, contendo moléculas lipídicas poli-insaturadas, importante substrato na formação de citocinas anti-inflamatórias.

a) Banana.
b) Abacate.

c) Abacaxi.
d) Tomate.
e) Brócolis.

24. (IN) Fonte de uma vasta gama de fitoquímicos, como luteolina, glicosídeos de luteolina e flavonóis, que regulam a transcrição da resposta inflamatória sistêmica, inibem o sinal transdutor e ativador do fator STAT3 e do receptor Toll4 e bloqueiam o caminho dos lipopolissacarídeos na produção de citocinas inflamatórias.
    a) Cebola.
    b) Abacate.
    c) Goiaba.
    d) Mirtilo.
    e) Gengibre.

25. (IN) Semente rica em polissacarídeos, ácidos fenólicos (rosmarínicos, cafeicos, gálicos), protocatequinas e daidzeína, que lhe conferem atividade antioxidante. Seu teor de gordura (25 a 40%) é distribuído em ácido linolênico (ômega 3 – 60%) e ácido linoleico (ômega 6 – 20%). Também é fonte de tocoferóis, fosfolipídios, esfingolipídios e esteróis.
    a) Semente de romã.
    b) Semente de linhaça.
    c) Semente de chia.
    d) Semente de abóbora.
    e) Semente de girassol.

26. (IN) A curcumina é um dos principais curcuminoides de seus rizomas, mas outros dois curcuminoides derivados de seus extratos são o desmetoxicurcumina (DMC – 15%) e a bisdesmetoxicurcumina (BDMC – 5%).
    a) Orégano.
    b) Alho.
    c) Gengibre.
    d) Açafrão.
    e) Pimenta.

27. (IN) Com relação aos efeitos anti-inflamatórios da curcumina, assinale a opção INCORRETA.
    a) Inibe a atividade da cicloxigenase (COX).
    b) Inibe a atividade da lipoxigenase (LOX).

c) Aumenta a produção de espécies reativas de oxigênio (ERO).

d) Suprime as respostas inflamatórias mediadas pelo HMGB1 (*high mobility group box* 1).

e) Diminui o desenvolvimento de fatores de transcrição ativados por ERO.

28. (IN) Evidências indicam que a maioria dos fenótipos do envelhecimento pode ser explicada por um desequilíbrio entre mecanismos pró e anti-inflamatórios, que resulta em envelhecimento com um estado pró-inflamatório crônico de baixo grau. De acordo com o exposto, qual dessas substâncias tem relação com o retardo do envelhecimento mediante o controle do processo inflamatório?

    a) Resveratrol.

    b) Fitosteróis.

    c) Licopeno.

    d) Quercetina.

    e) Catequina.

Respostas

1 - C

A inflamação é um processo normal da defesa do hospedeiro. Consiste em um componente central da imunidade inata ou inespecífica que envolve mecanismos como aumento do fluxo sanguíneo, dilatação capilar, de ativação celular e liberação de mediadores químicos, que se inicia em resposta a um patógeno, agressão tecidual ou estresse metabólico. Uma vez que a infecção ou o insulto são eliminados, ou pelo menos controlados, mecanismos de finalização da inflamação entram em jogo, a fim de evitar danos adicionais a componentes orgânicos normais do hospedeiro e iniciar o reparo tecidual.

A ausência de resolução da inflamação ou exposição contínua ao agente desencadeante pode permitir que os processos inflamatórios normalmente agudos se tornem crônicos.

- REF.: Calder *et al.* (2013); Minihane *et al.* (2015).

2 - A

Durante a fase inicial da inflamação, a produção de mediadores inflamatórios promove o acúmulo de leucócitos e a sobrevivência no local inflamatório. Enquanto a resposta inflamatória evolui, vários mecanismos possibilitam o ajuste desses fenômenos, criando um ambiente favorável para a fase de resolução, na qual há retorno da homeostase tecidual. A proteólise de quimiocinas, o sequestro de receptores atípicos e a degradação de moléculas de superfície de neutrófilos são importantes para regular o gradiente de quimiocinas que restringem o influxo de neutrófilos. Além disso, os mediadores inflamatórios podem induzir um *feedback* negativo que regula a produção de citocinas inflamatórias. As prostaglandinas geradas na fase ativa da inflamação estão envolvidas na mudança da produção lipídica inflamatória para a síntese de lipoxinas e outros lipídios pró-resolução, dentro de exsudatos inflamatórios. Os mediadores liberados no início da inflamação, como o hormônio adrenocorticotrófico (ACTH), também podem promover a indução da fase de pró-resolução.

Após a ativação, os neutrófilos liberam micropartículas contendo mediadores pró-resolução que controlam a entrada de granulócitos adicionais e ativam a resolução da inflamação e o reparo de tecidos. A anexina A1 (AnxA1) é um componente importante, derivado das micropartículas, com propriedades pró-resolução. Muitos mediadores da resolução minimizam as vias de sobrevivência e ativam a apoptose dos granulócitos. Os neutrófilos apoptóticos liberam mediadores pró-resolução que contribuem para a inibição da infiltração contínua de neutrófilos e para o recrutamento de monócitos. Após a apoptose, os neutrófilos também promovem seu próprio *clearance* ao emitirem sinais que atraem células *scavenger* (macrófagos) e possibilitam a identificação da célula em apoptose. Em resposta aos mediadores locais, os macrófagos inflamatórios mudam seu fenótipo para macrófagos de fase de resolução. Esses eventos vão restabelecer a homeostase do tecido.

- REF.: Sugimoto *et al.* (2016).

3 – B

O inflamassoma é um sensor macromolecular de células da imunidade inata, heptamérico, constituído de receptores *Nod-like* (NLR), proteína ASC (associada à apoptose e que contém um domínio de recrutamento de enzima caspase) e a enzima caspase-1, complexo este que inicia a resposta inflamatória. O reconhecimento de diversos sinais nocivos pelo NLR resulta em uma cascata inflamatória, na qual primariamente há ativação da enzima caspase-1, que induz a secreção de formas inativas de citocinas pró-inflamatórias potentes, as quais, em seguida, são convertidas em suas formas ativas. Assim, a cascata de ativação se inicia com a conversão da pró-IL-1β em IL-1β e finaliza com a secreção de mediadores bioquímicos reparadores de tecido.

- REF.: Rodríguez-Hernández *et al.* (2013).

4 – E

A inflamação sistêmica, crônica, de baixo grau, caracteriza-se por uma elevação de duas a três vezes nos níveis de mediadores inflamatórios. Apresenta evolução lenta, em contraste com a resposta inflamatória aguda (p. ex., a sepse), e seu início não pode ser facilmente identificado (quando comparada a doenças inflamatórias crônicas, como artrite reumatoide e doença inflamatória intestinal, cujos sintomas indicam uma inflamação local desregulada). Esses aspectos tornam difícil o desenvolvimento de estratégias terapêuticas adequadas, focadas nos sintomas e nas causas da inflamação.

Não há consenso sobre quais marcadores representam melhor a inflamação crônica de baixo grau, bem como possibilitem identificar a presença de inflamação aguda ou crônica ou em qual fase da inflamação um indivíduo se encontra. Mesmo em indivíduos saudáveis, há grande variação nas dosagens obtidas, uma vez que uma série de fatores modificadores podem afetar a concentração dos marcadores biológicos, o que inclui a idade, a dieta, o percentual de gordura corporal, a fertilidade, a genética, entre outros. Apesar disso, para diagnóstico da inflamação, comumente são avaliados marcadores celulares sanguíneos (p. ex., leucócitos totais, granulócitos e monócitos ativados), mediadores solúveis (citocinas e quimiocinas, como TNF, IL-1, IL-6, IL-8, ligante de quimiocinas CC2 ou CCL2, CCL3 e CCL5), moléculas de adesão (molécula de adesão de células vasculares 1, molécula de adesão intercelular 1 e E-selectina), adipocinas (adiponectina) e proteínas de fase aguda (PCR, amiloide sérico, fibrinogênio).

O envelhecimento pode influenciar o estabelecimento de um estado de inflamação crônica de baixo grau, uma vez que a senescência representa uma resposta celular ao dano e ao estresse. Desse modo, células senescentes secretam numerosas citocinas inflamatórias, denominadas fenótipo secretor associado à senescência (SASP), que modificam o microambiente dos tecidos e alteram a função de células normais ou modificadas.

- REF.: Calder *et al.* (2013); Calçada *et al.* (2014); Franceschi & Campisi (2014); Minihane *et al.* (2015).

5 – C

Há evidências de que níveis mais elevados de marcadores inflamatórios, como proteína C reativa (PCR), IL-6 e TNF-α, são encontrados em pessoas com doenças crônico-degenerativas, dentre as quais as doenças cardiovasculares, o DM2 e a síndrome metabólica. Nesses estudos, esses marcadores se correlacionaram com a adiposidade abdominal, que aumenta o risco para resistência à insulina, DM2, doenças cardiovasculares e síndrome metabólica.

Obesidade e inflamação crônica estão fortemente envolvidas, uma vez que o tecido adiposo produz citocinas inflamatórias que aumentam a síntese hepática de proteínas de fase aguda, que são marcadores da inflamação. Por outro lado, algumas citocinas inflamatórias, como TNF-α e IL-6, parecem contribuir com a etiologia da obesidade. O TNF-α, por exemplo, já foi positivamente correlacionado com essa condição nutricional, pois parece suprimir os genes que regulam a oxidação de ácidos graxos livres.

Essas citocinas também podem contribuir com um estado de resistência à insulina e, assim, com o desencadeamento de doenças crônicas que a têm como fator etiológico central. O TNF-α pode causar RI ao aumentar a lipólise de adipócitos e a fosforilação de serina/treonina dos receptores de insulina, e a IL-6 por reduzir a expressão de GLUT-4 e de receptores de insulina. Níveis expressivamente elevados de PCR têm sido apontados como fator de risco e indicador para o DM2. No entanto, até o momento não há uma causalidade aparente entre PCR sérica, RI e DM2, o que sugere que a PCR é mais provavelmente um marcador que agente efetor na relação entre inflamação e resistência à insulina.

- REF.: Khan & Joseph (2014); Lasselin & Capuron (2014); Sowmya *et al.* (2014); Chen *et al.* (2015); Volp, Silva & Bressan (2015).

6 – E

O estresse psicológico tem sido associado a respostas fisiológicas relevantes, como maior síntese de marcadores da inflamação (p. ex., IL-6, IL-1β e PCR) e que refletem a estimulação do eixo hipotálamo-hipófise-adrenal (HHA). Isso tem relevância direta, por exemplo, para a teoria da carga alostática, que sugere que a exposição repetida ou contínua a estressores psicológicos resulta na superativação ou desregulação de sistemas fisiológicos importantes, incluindo processos inflamatórios, aumentando assim o risco à saúde futura. Alostase consiste na condição de constante modificação do meio interno dos organismos vivos que se dá em troca de um grande gasto energético com o objetivo de manter a homeostase.

- REF.: Sousa, Silva & Galvão-Coelho (2015); Schreier & Chen (2017).

7 – D

A exposição passiva ao cigarro, mesmo em baixos teores, representa risco cardiovascular significativo. Os níveis circulantes de citocinas inflamatórias permanecem elevados durante pelo menos 3 horas após a exposição, sugerindo que uma inflamação sistêmica crônica e de baixo grau está presente em indivíduos expostos regularmente ao fumo passivo. A expressão de NF-κB se mantém aumentada, e a expressão de óxido nítrico sintetase endotelial (eNOS) e de óxido nítrico sintetase endotelial fosforilada (P-eNOS) parece ser reduzida de modo semelhante em fumantes passivos e ativos em comparação com indivíduos controles, significando que há lesão inflamatória endotelial e prejuízo aos mecanismos de dilatação vascular.

- REF.: Adams *et al.* (2015).

8 – B

As exposições ao longo da vida a um ambiente poluído estão associadas à inflamação sistêmica significativa e à imunodesregulação. Em decorrência, níveis elevados de IL-6, TNF α e IL1β, por exemplo, parecem estar associados à maior atividade osteoclástica através da ativação de caminhos de proteínas quinase, ativados por mitógenos p38 (MAPK).

- REF.: Calderón-Garcidueñas *et al.* (2013).

9 – E

O fato de ser fisicamente ativo parece estar inversamente associado aos níveis de PCR-US, o que confirma os resultados de estudos que relataram uma relação inversa entre inflamação e atividade física. Os mecanismos envolvidos com o efeito benéfico do exercício parecem estar relacionados às citocinas produzidas pelas células musculares, que podem exercer um papel de proteção contra doenças crônicas associadas à inflamação de baixo grau por intermédio da regulação da função endotelial e da síntese de óxido nítrico.

- REF.: Alves, Silva & Spritzer (2016).

10 – B

A hipertensão arterial é igualmente uma causa e uma consequência da hipertensão arterial. O estresse oxidativo e a disfunção endotelial parecem intermediar a relação entre inflamação e a doença, constituindo um ciclo vicioso.

O tabagismo é fator de risco para hipertensão arterial, relação que pode ser explicada pela ocorrência de uma cascata que se inicia com a redução da biodisponibilidade do óxido nítrico e pelo aumento da expressão de moléculas de adesão vascular com subsequente disfunção endotelial. O aumento da adesão de plaquetas e macrófagos induzido pelo tabagismo produz, portanto, um ambiente pró-coagulante e inflamatório. Por esse motivo, a cessação do tabagismo é a medida considerada mais eficaz para reverter o dano vascular que causou a hipertensão arterial e para prevenir desfechos cardiovasculares fatais.

Além de ser proveniente da disfunção endotelial, a inflamação como causa da hipertensão arterial pode ser intermediada pela ativação do sistema nervoso simpático, uma vez que citocinas inflamatórias, como as prostaglandinas, podem atravessar a barreira hematoencefálica e ativar o sistema nervoso simpático, o qual inerva os órgãos linfoides primários e secundários e a maioria dos receptores para catecolaminas expressos em células imunes.

Apesar dessas evidências, atualmente há poucas opções de drogas para tratamento da hipertensão arterial, e o uso de agentes anti-inflamatórios ainda não é apoiado, o que conta com a contribuição de seus reconhecidos efeitos adversos, em especial dos imunossupressores.

- REF.: Dinh *et al.* (2014); Messner & Bernhard (2014).

11 – A

A participação da inflamação na etapa inicial da fisiopatologia da doença aterosclerótica é reconhecida há mais de 20 anos. O recrutamento de leucócitos para o compartimento subendotelial das artérias danificadas inicia uma cascata de eventos guiados por mediadores inflamatórios derivados de leucócitos. Em particular, as quimiocinas e as citocinas propagam a aterosclerose através de: (1) aumento da produção de outras quimiocinas e da expressão de moléculas de adesão endotelial, estimulando o recrutamento de leucócitos adicionais; (2) promoção da formação de células espumosas carregadas de lipídios; (3) desencadeamento da proliferação de células do músculo liso; (4) indução da instabilidade da placa e eventual ruptura. A trombose resultante depende, em grande parte, do estado inflamatório da placa quebrada.

- REF.: Minihane *et al.* (2015).

12 - D

Os fatores precisos que desencadeiam a inflamação na DHGNA não são claros, mas vários têm sido sugeridos. A elevada taxa de β-oxidação de ácidos graxos, resultante do aumento da lipólise do tecido adiposo em pacientes com a doença, aumenta a produção de espécies reativas de oxigênio e o estresse oxidativo. O acúmulo de lipídios hepáticos e outros estresses intracelulares ativam a transcrição e a liberação de fatores inflamatórios, como IL-6, TNF-α e PCR. Estilo de vida sedentário, em conjunto com a ingestão calórica excessiva, promove obesidade e disfunção do tecido adiposo branco, o qual secreta mais TNF-α e IL-6 e reduz a secreção de adiponectina. Esta, quando secretada em quantidade adequada, reduz os níveis plasmáticos dos ácidos graxos livres e aumenta a sensibilidade à insulina, fatores que teriam correlação negativa com o desencadeamento ou a evolução da DHGNA.

- REF.: Pinto (2014); Fotbolcu & Zorlu (2016).

13 - C

O TNF-α parece estar superexpresso nos tecidos adiposos e musculares de indivíduos obesos não diabéticos e resistentes à insulina, situação que está correlacionada positivamente com a resistência à insulina. Os níveis circulantes de TNF-α são mais elevados em pessoas com diabetes tipo 2 que naquelas com tolerância prejudicada à glicose.

- REF.: Rodríguez-Hernández *et al.* (2013).

14 - C

A atuação das células do sistema imunológico pode ser diversa no que tange à etiologia do câncer. Por exemplo, enquanto os macrófagos tipo I secretam enzimas, citocinas inflamatórias, como TNF-α, fatores reguladores e espécies reativas de oxigênio e de nitrogênio, estando envolvidos no processo de formação de células tumorais, os macrófagos do tipo II moderam a resposta inflamatória, eliminam os resíduos celulares, remodelam tecidos e liberam citocinas anti-inflamatórias.

Sobre a relação entre a obesidade e os cânceres de trato gastrointestinal (TGI) e mama, sabe-se que as adipocinas secretadas pelo tecido adiposo apresentam propriedades pró-carcinogênicas diretas no TGI. No câncer de mama, o excesso de peso contribui com a inflamação que favorece o desenvolvimento da doença; entretanto, os altos níveis de marcadores inflamatórios associados com a etiologia do câncer de mama não dependem puramente da presença de obesidade.

Quanto à associação entre os aditivos alimentares e o câncer de cólon, é possível que o consumo de emulsificantes dietéticos resulte em alteração na composição da microbiota intestinal, onde o número de bactérias do gênero *Firmicutes* diminui e aumentam os membros do gênero *Bacteroidetes*. A maior quantidade dessas é percebido pela elevação dos níveis de flagelina e lipopolissacarídeos (LPS), componentes estruturais bacterianos que acentuam a expressão de genes inflamatórios, criando, assim, um ambiente inflamatório de baixa qualidade associado a taxas alteradas de proliferação e de apoptose de células intestinais, que pode predispor ao desenvolvimento de tumores.

- REF.: Pietrzyk *et al.* (2015); Dias *et al.* (2016); Vienoiss *et al.* (2017).

15 – A

Como já visto, a adiposidade abdominal está associada à maior produção de marcadores inflamatórios. Essa inflamação, caracterizada como de baixo grau, também se manifesta no sistema nervoso central. Isso pode ser respaldado pelo achado de que a perda de peso conseguida com a cirurgia bariátrica induziu a melhora significativa da inflamação sistêmica e dos sintomas depressivos em pessoas obesas.

A inflamação crônica de baixo grau também é um fator de risco para doença de Alzheimer entre as pessoas com predisposição genética para essa doença e para a doença de Parkinson. Esta última condição decorre do processo inflamatório que incide especificamente sobre neurônios dopaminérgicos, mas que é proveniente de várias condições inflamatórias crônicas sistêmicas, como doenças infecciosas, doenças degenerativas, envelhecimento e obesidade.

Nas mulheres em menopausa, o risco aumentado de doença de Alzheimer parece ter a participação dos baixos níveis de estrógeno característicos desse período, uma vez que esse hormônio é protetor em relação à adiposidade e à inflamação central, ambas envolvidas no início e na progressão da doença.

- REF.: Lasselin & Capuron (2014); Monastero, Caruso & Vasto (2014); Christensen & Pike (2015); Ugalde-Muñiz, Pérez-H & Chavarría (2016).

16 – B

Estudos dirigidos com pacientes de alto risco e dietas ricas em frutas, verduras, legumes e grãos integrais, suplementados com óleos ricos em EPA, podem reduzir significativamente a produção de biomarcadores inflamatórios. A dieta mediterrânea constitui um tipo de dieta anti-inflamatória. Os compostos que induzem funções anti-inflamatórias são, entre outros, compostos fenólicos, alcaloides, terpenoides, flavonoides, isotiocianatos, como sulforafano, carotenoides e ácidos graxos poli-insaturados. Os fitoquímicos presentes nos alimentos, em sua forma original ou quando metabolizados, podem formar metabólitos ativos e se comportar como mensageiros de ativação intracelular ou inibição da expressão de genes envolvidos em processos inflamatórios.

- REF.: Caballero-Gutiérrez & Gonzáles (2016); Medina *et al.* (2016).

17 – E

Vários mecanismos têm sido propostos para explicar os efeitos anti-inflamatórios dos alimentos, entre eles a modulação da expressão gênica de citocinas pró-inflamatórias, a modulação de atividades celulares relacionadas à inflamação, a atividade de enzimas pró-inflamatórias e a produção de outras moléculas pró-inflamatórias.

- REF.: Caballero-Gutiérrez & Gonzáles (2016).

18 – B

Compostos fenólicos são o grupo mais abundante de substâncias bioativas presentes, principalmente, nos alimentos com pigmentação escura e coloridos.

- REF.: Caballero-Gutiérrez & Gonzáles (2016).

19 – D

Os pêssegos vermelhos são os que apresentam maior conteúdo de fenóis. Eles contêm mais flavonoides do que os pêssegos brancos e amarelos. No entanto, o conteúdo desses princípios é reduzido com técnicas de processamento devido a mudanças em suas características químicas; portanto, os pêssegos frescos com casca exercem melhor efeito. O mecanismo envolvido está associado à inibição do processo de glicação, à redução da capacidade de produção de espécies reativas de oxigênio e à menor liberação de mediadores inflamatórios.

- REF.: Gasparotto *et al.* (2014).

20 – E

Espirulina se refere a muitas espécies de bactérias que pertencem ao filo Cyanobacteria. Seus efeitos anti-inflamatórios são decorrentes de alguns de seus componentes, como a ficocianina, que inibe a formação de citocinas pró-inflamatórias, suprime a expressão de COX-2 e reduz a produção de prostaglandina E.

- REF.: Samuels *et al.* (2002); Deng & Chow (2010).

21 – C

A laranja e a toranja são fontes do flavonoide naringenina, que, em concentrações utilizadas na dieta habitual, reduz a expressão gênica de TNF-α em macrófagos.

- REF.: Gaggeri *et al.* (2013).

22 – D

O abacaxi contém bromelina, que apresenta efeito analgésico, antitrombótico, antifibrinolítico e anti-inflamatório em doses de 270 a 1.800 mg/dia, o que equivale à ingestão de aproximadamente 400 g da fruta.

- REF.: Lopez (2012).

23 – B

O abacate é um alimento de grande interesse nutricional, contendo moléculas lipídicas poli-insaturadas, importante substrato na formação de citocinas anti-inflamatórias.

- REF.: Tremocoldi *et al.* (2018).

24 – A

A cebola, um dos produtos mais utilizados na cozinha, é fonte de uma vasta gama de fitoquímicos, como luteolina, glicosídeos de luteolina e flavonóis, que regulam a transcrição da resposta inflamatória sistêmica, inibem o sinal transdutor e ativador do fator STAT3 e do receptor Toll4 e bloqueiam o caminho dos lipopolissacarídios na produção de citocinas inflamatórias.

- REF.: Zhang (2012); Kim, Lee & Yun (2014).

25 – C

A chia é uma semente cujo reconhecimento de seu conteúdo nutricional e químico é recente. Ela é rica em polissacarídeos, ácidos fenólicos (rosmarínicos, cafeicos, gálicos), protocatequinas e daidzeína, que conferem atividade antioxidante. Seu teor de gordura (25 a 40%) é distribuído em ácido linolênico (ômega 3 - 60%) e ácido linoléico (ômega 6 - 20%); ela também é fonte de tocoferóis, fosfolipídios, esfingolipídios e esteróis.

- REF.: Jiménez, Masson & Quitral (2013); Martínez & Paredes (2014).

26 – D

O açafrão tem uma longa história de uso na medicina Ayurvedica como tratamento para condições inflamatórias. A curcumina é um dos principais curcuminoides de seus rizomas, mas outros dois curcuminoides derivados de seus extratos são o desmetoxicurcumina (DMC - 15%) e a bisdesmetoxicurcumina (BDMC - 5%).

- REF.: Yin *et al.* (2018).

27 – C

Os mediadores derivados do ácido araquidônico, que desempenham papéis importantes na inflamação, são sintetizados através de vias nas quais as enzimas cicloxigenase (COX) e lipoxigenase (LOX) são enzimas limitadoras da velocidade. Tem sido demonstrado que a curcumina inibe tanto a atividade de COX como de LOX. Os papéis das isoformas de LOX e COX, especialmente COX-2, foram bem documentados na inflamação. Além disso, a curcumina demonstrou inibir a produção de ERO induzida pelo 12-O-tetradecanoilforbol-13-acetato (TPA) e suprimir respostas pró-inflamatórias mediadas por HMGB1- caixa de alta mobilidade do grupo 1.

A HMGB1 é uma proteína modificadora da cromatina que é secretada a partir de macrófagos ativados como um mediador de inflamação. O fator nuclear-*kappa B* (NF-kB) é o fator de transcrição preliminar que rege a via de sinalização em resposta a estímulos celulares, incluindo ERO, fator de necrose tumoral alfa (TNF-α), interleucina 1b (IL-1b) e lipopolissacarídios bacterianos (LPS). O NF-kB é considerado um mediador crítico da ativação do gene pró-inflamatório nas células endoteliais e na aterosclerose. A esse respeito, a curcumina foi eficaz na prevenção da produção de ERO e no desenvolvimento de fatores de transcrição ativados por ROS, incluindo NF-kB e proteína ativadora 1 (AP-1), que é outro fator de transcrição envolvido nas respostas inflamatórias.

- REF.: Panahi *et al.* (2018).

28 – A

Evidências acumuladas indicam que a maioria dos fenótipos do envelhecimento pode ser explicada por um desequilíbrio entre mecanismos pró e anti-inflamatórios, que resulta em envelhecimento com um estado pró-inflamatório crônico de baixo grau. Assim, agir sobre a inflamação por meio de suplementos naturais anti-inflamatórios pode ser um tratamento eficaz, seguro e adequado para retardar o processo de envelhecimento ou para melhorar as doenças relacionadas com o envelhecimento. Os efeitos protetores do resveratrol na inflamação no envelhecimento foram documentados em vários estudos.

- REF.: Li, Li & Lin (2018).

Referências

Adams T, Wan E, Wei Y et al. Secondhand smoking is associated with vascular inflammation. Chest, 2015; 148(1):112-9.

Alves BC, Silva TR, Spritzer PM. Sedentary lifestyle and high-carbohydrate intake are associated with low--grade chronic inflammation in post-menopause: a cross-sectional study. Rev Bras Ginecol Obstet, 2016; 38(7):317-24.

Caballero-Gutiérrez L, Gonzáles GF. Alimentos con efecto anti-inflamatorio. Acta Med Peru, .2016; 33(1):50-64.

Calçada D, Vianello D, Giampieri E et al. The role of low-grade inflammation and metabolic flexibility in aging and nutritional modulation thereof: a systems biology approach. Mech Ageing Dev, 2014; 136(137):138-47.

Calder PC, Ahluwalia N, Albers L et al. A consideration of biomarkers to be used for evaluation of inflammation in human nutritional studies. Br J Nutr, 2013; 109(S1):S3-S25.

Calderón-Garcidueñas L, Mora-Tiscareño A, Franco-Lira M et al. Exposure to urban air pollution and bone health in clinically healthy six-year-old-children. Arh Hig Rada Toksikol, 2013; 64(1):23-34.

Chen L, Chen R, Wang H et al. Mechanisms linking inflammation to insulin resistance. Int J Endocrinol [Internet], 2015; 2015 [cited 2018 Feb 12]. Available from: doi: 10.1155/2015/508409.

Christensen A, Pike CJ. Menopause, obesity and inflammation: interactive risk factors for Alzheimer's disease. Front Aging Neurosci, 2015; 7:130-44.

Deng R, Chow TJ. Hypolipidemic, antioxidant, and anti-inflammatory activities of microalgae Spirulina. Cardiovasc Ther, 2010; 28(4):e33-45.

Dias JA, Fredrikson GN, Ericzon U et al. Low-grade inflammation, oxidative stress and risk of invasive post-menopausal breast cancer: a nested case-control study from the malmö diet and cancer cohort. PlosOne [Internet], 2016; 11(7) [cited 2018 Feb 28]. Available from: doi: 10.1371/journal.pone.0158959.

Dinh QM, Drummond GR, Sobey CG et al. Roles of inflammation, oxidative stress, and vascular dysfunction in hypertension. BioMed Res Int [Internet], 2014; 2014 [cited 2018 Mar 14]. Available from: doi: 10.1155/2014/406960.

Fotbolcu H, Zorlu, E. Nonalcoholic fatty liver disease as a multi-systemic disease. World J Gastroenterol, 2016; 22(16):4079-90.

Franceschi C, Campisi J. Chronic inflammation (inflammaging) and its potential contribution to age-associated diseases. J Gerontol A Biol Sci Med Sci, 2014; 69(S1):S4–S9.

Gaggeri R, Rossi D, Daglia M, Leoni F, Avanzini MA, Mantelli M et al. An eco-friendly enantioselective access to (R)-naringenin as inhibitor of proinflammatory cytokine release. Chem Biodivers, 2013; 10(8):1531-8.

Gasparotto J, Somensi N, Bortolin RC, Moresco KS, Girardi C, Klafke K et al. Effects of different products of peach (Prunus persica L. Batsch) from a variety developed in southern Brazil on oxidative stress and inflammatory parameters in vitro and ex vivo. J Clin Biochem Nutr, 2014; 55(2):110-9.

Jiménez P, Masson LS, Quitral RV. Composición química de semillas de chía, linaza y rosa mosqueta y su aporte en ácidos grasos omega-3. Rev Chil Nutr, 2013; 40(2):155-60.

Khan M, Joseph F. Adipose tissue and adipokines: the association with and application of adipokines in obesity. Scientifica [Internet], 2014; 2014 [cited 2018 Feb 07]. Available from: doi: 10.1155/2014/328592.

Kim HJ, Lee W, Yun JM. Luteolin inhibits hyperglycemia-induced proinflammatory cytokine production and its epigenetic mechanism in human monocytes. Phytother Res, 2014; 28(9):1383-91.

Lasselin J, Capuron L. Chronic low-grade inflammation in metabolic disorders: relevance for behavioral symptoms. Neuroimmunomodulation, 2014; 21(2-3):95-101.

Lopez HL. Nutritional interventions to prevent and treat osteoarthritis. Part II: focus on micronutrients and supportive nutraceuticals. Osteoarthritis Supplement, 2012; 4(5 Suppl):S155-68.

Martínez CO, Paredes LO. Phytochemical profile and nutraceutical potential of chia seeds (Salvia hispanica L.) by ultra-high-performance liquid chromatography. J Chromatogr A, 2014; 1346:43-8.

Medina A, Casas R, Tressserra A, Ros E, Martínez MA, Fitó M et al. Polyphenol intake from a Mediterranean diet decreases inflammatory biomarkers related to atherosclerosis: A sub-study of The PREDIMED trial. Br J Clin Pharmacol, 2016 Apr 21. doi: 10.1111/bcp.12986.

Messner B, Bernhard D. Smoking and cardiovascular disease: mechanisms of endothelial dysfunction and early atherogenesis. Arterioscler Thromb Vasc Biol, 2014; 34(3):509-15.

Minihane AM, Vinoy S, Russell WR et al. Low-grade inflammation, diet composition and health: current research evidence and its translation. Br J Nutr, 2015; 114(7):999-1012.

Monastero R, Caruso C, Vasto S. Alzheimer's diseases and infections, where we stand and where we go. Immun Ageing [Internet], 2014; 11(26) [cited 2018 Mar 12]. Available from: doi: 10.1186/s12979-014-0026-4.

Pietrzyk L, Torres A, Maciejewski R et al. Obesity and obese-related chronic low-grade inflammation in promotion of colorectal cancer development. Asian Pac J Cancer Prev, 2015; 16(10):4161-8.

Pinto WJ. A função endócrina do tecido adiposo. Rev Fac Ciênc Méd Sorocaba, 2014; 16(3):111-20.

Rodríguez-Hernández H, Simental-Medía LE, Rodríguez-Ramírez G et al. Obesity and inflammation: epidemiology, risk factors, and markers of inflammation. Int J Endocrinol [Internet], 2013; 2013 [cited 2018 Feb 12]. Available from: doi: 10.1155/2013/678159.

Samuels R, Mani UV, Iyer UM, Nayak US. Hypocholesterolemic effect of spirulina in patients with hyperlipidemic nephrotic syndrome. J Med Food, 2002 Summer; 5(2):91-6.

Schreier HMC, Chen E. Low-grade inflammation and ambulatory cortisol in adolescents: interaction between interviewer-rated versus self-rated acute stress and chronic stress. Psychosom Med, 2017; 79(2):133-42.

Sousa MBC, Silva HPA, Galvão-Coelho NL. Resposta ao estresse: i. homeostase e teoria da alostase. Estud Psicol, 2015; 20(1):2-11.

Sowmya S, Thomas T, Bharathi AV et al. A body shape index and heart rate variability in healthy Indians with low body mass index. J Clin Nutr Metab [Internet], 2014; 2014 [cited 2018 Feb 07]. Available from: doi: 10.1155/2014/865313.

Sugimoto MA, Sousa LP, Pinho V et al. Resolution of inflammation: what controls its onset? Front Immunol, 2016; 160(7):1-18.

Tremocoldi MA, Rosalen PL, Franchin M, Massarioli AP, Denny C, Daiuto ÉR et al. Exploration of avocado by-products as natural sources of bioactive compounds. PlosOne, 2018; 13(2): e0192577. https://doi.org/10.1371/journal.pone.0192577.

Ugalde-Muñiz P, Pérez-H J, Chavarría A. Is chronic systemic inflammation a determinant factor in developing Parkinson's disease? In: Dorszewska J, Kozubski W (eds.). Challenges in Parkinson's disease. Intech, 2016:107-133.

Vienoiss E, Merlin D, Gewirtz AT et al. Dietary emulsifier-induced low-grade inflammation promotes colon carcinogenesis. Cancer Res, 2017; 77(1):27-40.

Volp ACP, Silva FCS, Bressan J. Hepatic inflammatory biomarkers and its link with obesity and chronic diseases. Nutr Hosp, 2015; 31(5):1947-56.

Zhang Y. The molecular basis that unifies the metabolism, cellular uptake and chemopreventive activities of dietary isothiocyanates. Carcinogenesis, 2012; 33(1):2-9.

Capítulo 6

Imunonutrição (IM)

Andrea Bonvini
Marcelo Macedo Rogero

Questões

1. (IM) O sistema imune atua na eliminação de patógenos e na proteção e reparo de estruturas celulares e teciduais a partir do desenvolvimento das respostas imune inata e adaptativa. A resposta imune inata:
   a) Corresponde à primeira linha de defesa do organismo, constituída apenas por barreiras físicas.
   b) Corresponde à primeira linha de defesa do organismo, constituída apenas por barreiras celulares.
   c) Corresponde à primeira linha de defesa do organismo, constituída apenas por barreiras químicas e físicas.
   d) Corresponde à primeira linha de defesa do organismo, constituída apenas por barreiras físicas e celulares.
   e) Corresponde à primeira linha de defesa do organismo, constituída por barreiras químicas, físicas e celulares.

2. (IM) A resposta imune adaptativa:
   a) Apresenta alta especificidade a antígenos e memória imunológica, desempenhada por linfócitos T e B.
   b) Apresenta baixa especificidade a antígenos e memória imunológica, desempenhada apenas por linfócitos.
   c) Apresenta alta especificidade a antígenos e ausência de memória imunológica, desempenhada por linfócitos T e B.
   d) Apresenta baixa especificidade a antígenos e ausência de memória imunológica, desempenhada por linfócitos T e B.
   e) Apresenta alta especificidade a antígenos e memória imunológica, desempenhada apenas por linfócitos B.

3. (IM) A resposta imune adaptativa é subdivida em dois tipos: humoral e celular, respectivamente desempenhadas por:
   a) Apenas linfócitos T.
   b) Apenas linfócitos B.
   c) Linfócitos B e T.
   d) Linfócitos T e B.
   e) Nenhuma das opções anteriores.

4. (IM) As citocinas são proteínas de baixo peso molecular que desempenham atividade anti-inflamatória ou pró-inflamatória. Relacione as colunas abaixo de acordo com a atividade da citocina:

1. Pró-inflamatória	( ) Interferon-gama (IFN-γ)
2. Anti-inflamatória	( ) Interleucina 1 (IL-1)
	( ) Fator de necrose tumoral alfa (TNF-α)
	( ) Interleucina 10 (IL-10)
	( ) Fator de transformação e crescimento beta (TGF-β)

   A sequência correta é:
   a) 1, 1, 1, 2, 2.
   b) 1, 1, 2, 1, 2.
   c) 1, 2, 2, 1, 1.
   d) 2, 2, 2, 1, 1.
   e) 2, 1, 2, 2, 1.

5. (IM) Com relação à função imune de neonatos, indivíduos adultos e idosos, é correto afirmar que:
   a) A função imune pode variar entre os diferentes ciclos da vida, sendo mais eficiente durante a infância e decaindo progressivamente durante a juventude, a fase adulta e a velhice.
   b) De acordo com a "Hipótese da Higiene", para que ocorra a maturação do sistema imune é necessário evitar a exposição a antígenos durante a infância com o intuito de proteger o indivíduo contra o desenvolvimento de alergias ao longo de seu desenvolvimento.
   c) Durante a fase adulta, quando ocorrem alterações nos parâmetros imunológicos, independentemente do grau de exposição a antígeno, o sistema imune é incapaz de se adaptar e compensar esses desequilíbrios, levando ao comprometimento irreversível da homeostase.
   d) Para a análise dos parâmetros de avaliação da função imune, não devem ser considerados fatores específicos e individuais, como idade, gênero, dieta etc.
   e) Em idosos é possível observar maior comprometimento da função imune, quando comparados com adultos jovens.

6. (IM) Durante o processo de envelhecimento, mesmo em indivíduos saudáveis, diversas alterações podem impactar a função imune, como:

   1. Redução da concentração sérica de imunoglobulinas (Ig) A e G.
   2. Diminuição da proliferação de linfócitos.
   3. Redução das respostas de linfócitos do tipo Th1.
   4. Diminuição da síntese de prostaglandina $E_{2.}$
   5. Diminuição das respostas de linfócitos do tipo Th2.

   Dentre as afirmativas acima, estão corretas:

   a) 1, 2 e 3.
   b) 1, 2 e 5.
   c) 2, 3 e 5.
   d) 2, 4 e 5.
   e) Todas estão corretas (1 a 5).

7. (IM) A imunodeficiência é uma desordem do sistema imune caracterizada pela redução da capacidade de estabelecer uma resposta efetiva à exposição de patógenos, que pode promover:

   1. Aumento da capacidade de síntese de anticorpos.
   2. Redução da atividade fagocítica de macrófagos.
   3. Prejuízo da função de linfócitos T e B e do sistema complemento.
   4. Redução do número de linfócitos nas placas de Peyer.

   Dentre as afirmativas acima, estão corretas:

   a) 1, 2 e 4.
   b) 2, 3 e 4.
   c) 1, 3 e 4.
   d) 1, 2 e 3.
   e) Todas estão corretas (1 a 4).

8. (IM) Infecções graves podem desencadear expressivas complicações em pacientes, principalmente no estado pós-cirúrgico. Em resposta a esse estresse fisiológico, não ocorre o aumento da:

   a) Concentração plasmática de citocinas pró-inflamatórias.
   b) Concentração plasmática de proteínas de fase aguda positiva.
   c) Concentração plasmática de colesterol HDL.
   d) Secreção dos hormônios adrenocorticotrófico e cortisol.
   e) Secreção de catecolaminas.

9. (IM) Algumas situações clínicas podem comprometer o funcionamento do sistema imune, como a presença de:
   1. Subnutrição.
   2. Disfunções do sistema digestório.
   3. Doenças e comorbidades associadas.
   4. Estado catabólico intenso.
   5. Balanço nitrogenado negativo.

   Dentre as afirmativas acima, estão corretas:
   a) 1, 2, 3 e 4.
   b) 1, 3, 4 e 5.
   c) 1, 2, 4 e 5.
   d) 2, 3, 4 e 5.
   e) Todas estão corretas (1 a 5).

10. (IM) A desnutrição proteico-energética é caracterizada pela ingestão deficiente de proteína e energia com manifestações leves a graves, exceto:
   a) Déficit de crescimento e perda de peso.
   b) Comprometimento das respostas imunes inata e adaptativa.
   c) Linfocitose e basofilia.
   d) Kwashiorkor e marasmo.
   e) Sarcopenia.

11. (IM) Durante a sepse, ocorrem três tipos de situação inflamatória: a síndrome da resposta inflamatória sistêmica (SRIS), que ativa o sistema imunológico para culminar na eliminação de patógenos, a síndrome da resposta anti-inflamatória compensatória (do inglês CARS), que promove a diminuição da função imune com o intuito de restaurar a homeostase, e a síndrome da resposta antagonista mista (MARS), uma combinação entre os dois extremos da SRIS e da CARS. A partir das informações acima, classifique os três tipos de resposta inflamatória no gráfico abaixo:

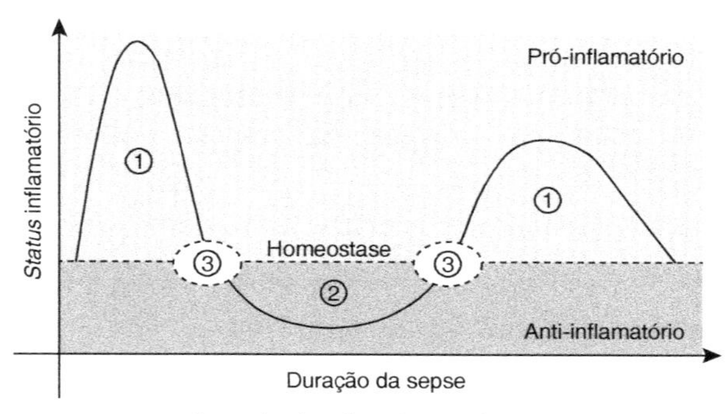

Adaptado de Iskander *et al.*, 2013.

a) 1 = SRIS, 2 = MARS, 3 = CARS.
b) 1 = SRIS, 2 = CARS, 3 = MARS.
c) 1 = CARS, 2 = MARS, 3 = SRIS.
d) 1 = CARS, 2 = SRIS, 3 = MARS.
e) 1 = MARS, 2 = CARS, 3 = SRIS.

12. (IM) A terapia nutricional é uma importante estratégia para correção da imunodeficiência, visto que:

1. Fornece a quantidade adequada de carboidratos, proteínas, ácidos graxos, vitaminas, minerais e água que o indivíduo necessita.
2. Configura uma técnica aplicável para todos os pacientes hospitalizados independentemente da condição clínica.
3. Viabiliza a administração da dieta por vias não convencionais (enteral e parenteral).
4. Permite a mudança qualitativa e quantitativa de determinados nutrientes na dieta.

Dentre as afirmativas acima, estão corretas:

a) 1 e 3.
b) 1 e 4.
c) 1, 3 e 4.
d) 2, 3 e 4.
e) Todas estão corretas (1 a 4).

13. (IM) Com relação à terapia nutricional enteral, pode-se afirmar que:

1. Preserva a integridade da mucosa do trato gastrointestinal.
2. Aumenta o risco de translocação bacteriana e de infecções.
3. Atenua a resposta inflamatória de fase aguda mediada por citocinas.
4. Aumenta o risco de desenvolvimento de falência orgânica múltipla.

A partir do texto acima, estão corretas as sentenças:

a) 1 e 3.
b) 2 e 4.
c) 1, 2 e 3.
d) 1, 2 e 4.
e) Todas estão corretas (1 a 4).

14. (IM) O estado hipermetabólico é comum em pacientes graves, visando fornecer energia e substratos para o sistema imune. Entretanto, nessa condição, ocorre intenso desgaste orgânico devido ao aumento do ____________________ proteico, levando à

instalação da ______________, com consequente _______________ de massa magra. Esse estado catabólico é acompanhado pelo(a) __________ da oxidação de lipídios.

a) Catabolismo, subnutrição, perda, aumento.
b) Catabolismo, subnutrição, perda, redução.
c) Catabolismo, obesidade, ganho, aumento.
d) Anabolismo, subnutrição, perda, redução.
e) Anabolismo, obesidade, ganho, redução.

15. (IM) São considerados imunonutrientes, exceto:

a) Glutamina.
b) Arginina.
c) Fenilalanina.
d) Ácidos graxos ômega 3.
e) Nucleotídeos.

16. (IM) Com relação à glutamina, é INCORRETO afirmar que:

a) Corresponde ao aminoácido livre mais abundante no corpo humano.
b) É o principal combustível metabólico de enterócitos e de células imunes.
c) É um aminoácido indispensável e sintetizado por células do sistema imune.
d) Modula as respostas imune e inflamatória.
e) É precursora de glutationa.

17. (IM) A arginina é um aminoácido condicionalmente indispensável que desempenha importante papel imunomodulador, uma vez que:

1. Participa da síntese de óxido nítrico.
2. Está envolvida nos processos de cicatrização.
3. Melhora a funcionalidade dos linfócitos T.

A partir do texto acima, estão corretas as afirmativas:

a) 1 e 2.
b) 1 e 3.
c) 2 e 3.
d) Apenas a 1.
e) Todas estão corretas (1 a 3).

18. (IM) Com relação aos aminoácidos de cadeia ramificada, é CORRETO afirmar que:

a) São aminoácidos dispensáveis para o organismo.
b) São precursores diretos da arginina.

c) Contribuem para o catabolismo proteico.

d) São precursores da glutamina.

e) Diminuem a função fagocítica dos neutrófilos.

19. (IM) O papel imunomodulador do ômega 3 é atribuído aos ácidos graxos eicosapentaenoico (EPA) e docosaexaenoico (DHA), que participam como moduladores da resposta inflamatória. Dentre os mecanismos de atuação dos ácidos graxos ômega 3 EPA e DHA, destacam-se:

    1. Alteração da composição dos fosfolipídios presentes na membrana plasmática.
    2. Aumento da expressão gênica do fator de necrose tumoral alfa (TNF-α).
    3. Diminuição da ativação do fator de transcrição nuclear *kappa* B (NF-κB).
    4. Papel antagônico à síntese de eicosanoides pró-inflamatórios a partir do ácido araquidônico.

    Dentre as afirmativas acima, estão corretas:

    a) 1, 2 e 3.
    b) 1, 2 e 4.
    c) 1, 3 e 4.
    d) 2, 3 e 4.
    e) Todas estão corretas (1 a 4).

20. (IM) Com relação ao zinco, é INCORRETO afirmar que:

    a) O excesso de zinco pode causar lesões de pele, anorexia, retardo de crescimento e hipogonadismo.
    b) Participa da síntese proteica e da divisão celular.
    c) Exerce papel estrutural e catalítico em diversas enzimas.
    d) Promove aumento da função de células *natural killer* e linfócitos T.
    e) Cumpre papel antioxidante.

21. (IM) De acordo com a Food and Agriculture Organization of the United States/World Health Organization (FAO/WHO), os probióticos são "micro-organismos vivos que, quando administrados em quantidades adequadas, conferem benefícios à saúde do hospedeiro". Para que um micro-organismo seja considerado probiótico, ele deve:

    1. Ser, preferencialmente, de origem humana, tendo sido isolado do trato gastrointestinal humano.
    2. Ser reconhecido como seguro à saúde mesmo em indivíduos imunocomprometidos.
    3. Ser inativo no veículo em que for administrado.

4. Ser resistente aos sucos gástricos e intestinais.
5. Ser incapaz de aderir ao intestino humano.

Dentre as afirmativas acima, estão corretas:

a) 1, 2 e 4.
b) 1, 3 e 4.
c) 2, 3 e 5.
d) 3, 4 e 5.
e) Todas estão corretas (1 a 5).

22. (IM) Apesar de os probióticos serem considerados seguros à saúde, determinados grupos populacionais apresentam risco potencial para desenvolver efeitos adversos. São eles:

1. Pacientes que utilizam medicamentos antirrejeição pós-transplante de órgãos e células-tronco ou corticosteroides.
2. Indivíduos que estejam em tratamento quimioterápico ou de radiação.
3. Indivíduos imunocomprometidos.
4. Pacientes que apresentam comprometimento da mucosa intestinal.

Dentre as afirmativas acima, estão corretas:

a) 1 e 3.
b) 2 e 3.
c) 1, 2 e 3.
d) 2, 3 e 4.
e) Todas estão corretas (1 a 4).

Respostas

1 – E

A resposta imune inata é constituída por todos os três tipos de barreiras: as barreiras químicas, como os ácidos graxos presentes na derme, a enzima lisozima secretada na saliva, no suor e nas lágrimas, a pepsina presente no estômago e os peptídios antibacterianos, como as defensinas, catelicidinas e criptidinas; as barreiras físicas, como a pele, a mucosa intestinal e os cílios do epitélio respiratório; e as barreiras celulares, como os macrófagos, neutrófilos e as células *natural killer*.

- REF.: Abbas, Lichtman & Pillai (2012).

2 – A

A resposta imune adaptativa é desempenhada tanto por linfócitos T como por linfócitos B, apresentando alta especificidade aos antígenos fagocitados e formação de memória imunológica, com a sucessiva exposição a um micro-organismo em particular aumentando a magnitude e a capacidade defensiva dessa resposta.

- REF.: Cruvinel *et al.* (2010).

3 – C

A resposta imune humoral é desempenhada por linfócitos B, que sintetizam anticorpos responsáveis pela neutralização de toxinas e eliminação de antígenos extracelulares. A imunidade celular é mediada pelos linfócitos T, que promovem a morte de micro-organismos que sobreviveram e se proliferaram no meio intracelular. A interação com moléculas MHC de classe I ou II determina a diferenciação dos correceptores de linfócitos em CD8+ ou CD4+, respectivamente. Os linfócitos T-CD4+ são responsáveis por orquestrar outras células da resposta imune na eliminação de patógenos e participam da ativação de linfócitos B e macrófagos e os próprios linfócitos T-CD8+ que, por sua vez, estão envolvidos principalmente nas respostas antivirais e exercem também atividade antitumoral. Ambos os subtipos apresentam papel muito importante no controle de patógenos intracelulares.

- REF.: Cruvinel *et al.* (2010); Abbas, Lichtman & Pillai (2012).

4 – A

As citocinas atuam na proliferação, diferenciação, sobrevida da célula imunológica e modulação da resposta imunológica. Desempenhando papel pró-inflamatório, destacam-se as interleucinas 1 (IL-1), o fator de necrose tumoral alfa (TNF-α) e o interferon-gama (IFN-γ), que cumprem papel importante na modulação da resposta de fase aguda da resposta inflamatória. A interleucina 10 (IL-10) e o fator de transformação e crescimento beta (TGF-β), por sua vez, desempenham papel anti-inflamatório, atenuando a expressão gênica e a síntese de citocinas pró-inflamatórias.

- REF.: Barros de Oliveira *et al.* (2011).

5 - E

Apesar de o sistema imune de neonatos saudáveis ser eficiente, considerando que ele ainda está em desenvolvimento, é possível observar algumas diferenças nas respostas imunes inata e adaptativa em comparação àquela presente em indivíduos adultos. De acordo com a "Hipótese da Higiene", para que ocorra a maturação do sistema imune é necessária a exposição a antígenos durante a infância com intuito de proteger o indivíduo contra o desenvolvimento de alergias ao longo dr seu desenvolvimento.

O sistema imune de um indivíduo adulto saudável está no ápice de seu funcionamento e nessa fase, quando ocorrem alterações em alguns parâmetros imunológicos, o sistema imune é capaz de se adaptar e compensar essas situações no intuito de manter a homeostase. Entretanto, é válido ressaltar que a função imunológica e o risco de infecções variam individualmente, visto que dependem de diversos fatores, como o grau de exposição ao antígeno. Para avaliação da função imune, são considerados diversos fatores, como idade, gênero, dieta, consumo de álcool, tabagismo, índice de massa corporal etc. Contudo, é possível observar que os idosos apresentam declínio da função imune decorrente de alterações hormonais e do acúmulo da exposição a antígenos, promovendo maior suscetibilidade à infecções.

- REF.: Albers *et al.* (2005).

6 - A

Com relação ao declínio da função imune em idosos, observam-se diversas alterações que podem impactar a imunocompetência desses indivíduos, como redução da concentração sérica de imunoglobulinas (Ig) A e G, diminuição da proliferação de linfócitos, redução das respostas de linfócitos do tipo Th1 e aumento da síntese de prostaglandina E_2 e das respostas de linfócitos do tipo Th2.

- REF.: Albers *et al.* (2005).

7 - B

Dentre os principais efeitos observados na imunodeficiência, destacam-se a diminuição da síntese de anticorpos, a redução da atividade fagocítica de macrófagos, o prejuízo da função de linfócitos T e B e do sistema complemento e a redução do número de linfócitos nas placas de Peyer.

- REF.: França *et al.* (2009)

8 - C

A sepse grave é a principal causa de mortalidade pós-operatória em pacientes submetidos a cirurgias de grande porte. Em resposta ao estresse cirúrgico, ocorre aumento das concentrações plasmáticas de citocinas pró-inflamatórias, como IL-1β e TNF-α, e de proteínas de fase aguda, como a proteína C reativa (PCR). Paralelamente a esse processo, ocorre a secreção de diversos hormônios, como o hormônio adrenocorticotrófico (ACTH), o cortisol e as catecolaminas, o que favorece a ocorrência de imunossupressão.

- REF.: Ogawa *et al.* (2000).

9 – E

O funcionamento do sistema imune pode ser comprometido por diversos fatores, como a presença de subnutrição, acompanhada ou não de disfunções no sistema digestório, o processo de envelhecimento e outras condições fisiopatológicas, como câncer e hepatopatias, as quais provocam catabolismo intenso e balanço nitrogenado negativo, especialmente em pacientes submetidos a cirurgias.

- REF.: França *et al.* (2009); White *et al.* (2012).

10 – C

A desnutrição proteico-energética (DPE) é uma doença multifatorial caracterizada pela ingestão deficiente de proteínas e de energia. As manifestações da DEP podem ser leves, apresentando discretos déficits de crescimento e perda de peso, ou mais graves, como *kwashiorkor* e marasmo em crianças e sarcopenia em adultos e idosos. Com relação à função imune, a DPE compromete as respostas imunes inata e adaptativa, promovendo prejuízos na função fagocítica, no sistema complemento e na síntese de citocinas e de anticorpos.

- REF.: Chandra & Kumari (1994); Grover & Ee (2009); Costa *et al.* (2010); Lima, Gamallo & Oliveira (2010); Radtke, Macdonald & Tacchini-Cottier (2013).

11 – B

Infecções graves podem desencadear expressivas complicações que atuam como gatilhos para o desenvolvimento da síndrome da resposta inflamatória sistêmica (SRIS), que ativa o sistema imunológico para culminar na eliminação de patógenos, caracterizada pelo aumento de biomarcadores pró-inflamatórios. A SRIS é contrabalançada pela síndrome da resposta anti-inflamatória compensatória (CARS), que promove a diminuição da função imune com intuito de restaurar a homeostase, caracterizada pela síntese de mediadores anti-inflamatórios. Adicionalmente, os mediadores anti-inflamatórios secretados durante a CARS desempenham papel fundamental no equilíbrio da resposta pró e anti-inflamatória, configurando um quadro combinado entre esses dois estados extremos, definido como síndrome da resposta antagonista mista (MARS).

- REF.: Kumar & Leaper (2005); Ward, Casserly & Ayala (2008); Hotchkiss *et al.* (2009); Iskander *et al.* (2013).

12 – C

A terapia nutricional é uma importante estratégia de recuperação e manutenção do estado nutricional de pacientes enfermos, uma vez que fornece a quantidade adequada de carboidratos, proteínas, ácidos graxos, vitaminas, minerais e água que o indivíduo necessita e viabiliza a administração da dieta por vias não convencionais, como a enteral e a parenteral, reduzindo o risco de subnutrição e de balanço nitrogenado negativo. Ademais, possibilita a mudança qualitativa e quantitativa de determinados macronutrientes na dieta, assim como a suplementação com nutrientes isolados que impactam diretamente o funcionamento do sistema imune.

- REF.: Albers *et al.* (2005); Ferreira (2007); McClave *et al.* (2016); Muscaritoli *et al* (2016).

13 - A

Dentre os benefícios da terapia nutricional enteral, se destacam a preservação da integridade da mucosa do trato gastrointestinal, que atenua o risco de translocação bacteriana e de consequentes infecções locais e sistêmicas, além de atenuar a resposta inflamatória de fase aguda mediada por citocinas, diminuindo o risco de desenvolvimento de falência orgânica múltipla.

- REF.: Ferreira (2007); Fujino & Nogueira (2007).

14 - A

Em pacientes graves, ocorre o aumento do metabolismo que objetiva o aumento do fornecimento de energia e de substratos para a síntese de proteínas e de mediadores inflamatórios. Esse estado hipermetabólico promove maior catabolismo proteico, o que pode levar à instalação do quadro de subnutrição, principalmente em pacientes idosos ou com prévia depleção da massa muscular. Paralelamente a esse processo, ocorre o aumento da oxidação de lipídios com o mesmo intuito de aumentar o fornecimento de energia.

- REF.: Fujino & Nogueira (2007).

15 - C

Nos últimos anos, diversos estudos têm evidenciado o papel de determinados nutrientes na imunomodulação. Nesse sentido, destacam-se algumas estratégias para modulação da função imune e da resposta inflamatória, como o aumento da ingestão de proteínas e a suplementação com imunonutrientes, como a glutamina, a arginina, a N-acetilcisteína, a taurina, os aminoácidos de cadeia ramificada (ACR), o β-hidróxi-β-metilbutirato (HMB), os nucleotídeos, os ácidos graxos poli-insaturados ômega 3 e o zinco.

- REF.: Annetta *et al.* (2016).

16 - C

A glutamina, um aminoácido condicionalmente indispensável, é sintetizada principalmente pelo músculo esquelético. Corresponde ao aminoácido livre mais abundante no corpo humano, sendo o principal combustível metabólico de enterócitos e de células imunes. Em condições hipercatabólicas, é comum a redução da concentração plasmática de glutamina, impactando diretamente a proliferação de células imunes, como os linfócitos, e a diminuição da síntese de glutationa.

- REF.: Castell (2002); Rogero *et al.* (2004).

17 - E

A arginina, assim como a glutamina, é um aminoácido condicionalmente indispensável com relevante participação no metabolismo do ciclo da ureia e na síntese de óxido nítrico, creatina e poliaminas. Estudos evidenciam que a síntese de poliaminas a partir da arginina pode promover o aumento da proliferação de linfócitos, além de ser importante na divisão celular, na regulação do ciclo celular e na replicação do

DNA. Adicionalmente, como precursora do óxido nítrico sintetizado em macrófagos e neutrófilos, contribui para a regulação da resposta inflamatória e está envolvida no processo de cicatrização, uma vez que esse aminoácido aumenta a produção de colágeno.

- REF.: Popovic, Zeh & Ochoa (2007); Wu *et al.* (2007, 2008); Kavalukas & Barbul (2011).

18 – D

Os aminoácidos de cadeia ramificada – leucina, isoleucina e valina - são considerados indispensáveis, ou seja, não são sintetizados no organismo e, portanto, necessitam ser obtidos por meio da dieta. Esses aminoácidos contribuem substancialmente para a modulação do sistema imune, uma vez que estão vinculados à síntese endógena de glutamina a partir da transferência do grupamento amina (NH_3), oriundo do processo de transaminação, para o α-cetoglutarato, proveniente do ciclo do ácido tricarboxílico, convertendo-o a glutamato. O glutamato, por sua vez, pode gerar glutamina a partir da adição de amônia à sua molécula, que ocorre por meio da ação da enzima glutamina sintetase.

- REF.: Calder (2006); Rogero *et al.* (2006); Rogero & Tirapegui (2008).

19 – C

Dentre os mecanismos de atuação dos ácidos graxos eicosapentaenoico (EPA) e docosaexaenoico (DHA), destacam-se a alteração da composição dos fosfolipídios presentes na membrana plasmática, que influencia a síntese de mediadores inflamatórios, como as prostaglandinas, os tromboxanos e os leucotrienos, e a diminuição da ativação do fator de transcrição nuclear *kappa B* (NF-κB), responsável pelo aumento da expressão gênica de proteínas com ação pró-inflamatória, como o fator de necrose tumoral alfa (TNF-α). Outro importante mecanismo atribuído a esses ácidos graxos é a competição com o ácido araquidônico, produzido a partir da ingestão do ômega 6, o qual apresenta potencial pró-inflamatório.

- REF.: Perini *et al.* (2010).

20 – A

O zinco é um micronutriente traço com ativa participação na síntese proteica e na divisão celular, além de exercer papel catalítico e estrutural em diversas enzimas. Além disso, esse mineral está relacionado à regulação da resposta imune, atuando na funcionalidade de neutrófilos, de células *natural killer* e de linfócitos T. Esse mineral desempenha, ainda, importante papel antioxidante, mantendo a estabilidade da membrana celular e protegendo essas estruturas do estresse oxidativo durante o processo inflamatório, bem como participa da estrutura e função da enzima antioxidante superóxido dismutase (SOD), responsável pela redução da toxicidade das espécies reativas de oxigênio a partir da transformação de íons altamente reativos, como o radical superóxido, em íons menos reativos, como o peróxido de hidrogênio.

- REF.: Sena & Pedrosa (2005); Santos & Fonseca (2012).

21 – A

Para que um micro-organismo seja considerado probiótico, deve cumprir alguns critérios preestabelecidos pela Agência Nacional de Saúde e Vigilância Sanitária (ANVISA). São eles: ser, preferencialmente, de origem humana, tendo sido isolado do trato gastrointestinal humano; ser reconhecido como seguro à saúde mesmo para indivíduos imunocomprometidos; ser viável e ativo no veículo em que for administrado; ser resistente aos sucos gástricos e intestinais e ser capaz de aderir ao intestino humano.

- REF.: ANVISA (2002); Martinez, Bedani & Saad (2015).

22 – E

Segundo a Food and Drug Administration (FDA), o risco de desenvolvimento de efeitos adversos mediante o uso de probióticos pode estar aumentado em determinados grupos populacionais, destacando-se pacientes que utilizam medicamentos antirrejeição pós-transplante de órgãos e células-tronco ou corticosteroides (doses superiores a 0,5 mg/kg de peso corporal), indivíduos que estejam em tratamento quimioterápico ou de radiação e indivíduos imunocomprometidos. Na prática clínica, é senso comum a não utilização de probióticos em indivíduos imunocomprometidos, ainda que sejam raras as infecções causadas por esses micro-organismos.

- REF.: FAO/WHO (2002); Lerayer *et al.* (2013).

Referências

Abbas A K, Lichtman AH, Pillai SHIV. Imunologia celular e molecular. 7. ed. Rio de Janeiro: Elsevier, 2012.

Albers R, Antoine JM, Bourdet-Sicard R, Calder PC, Gleeson M, Lesourd B, Samartín S, Sanderson IR, Van Loo J, Vas Dias FW, Watzl B. Markers to measure immunomodulation in human nutrition intervention studies. Br J Nutr, 2005; 94(3):452-81.

Annetta MG, Pittiruti M, Vecchiarelli P, Silvestri D, Caricato A, Antonelli M. Immunonutrients in critically ill patients: an analysis of the most recent literature. Minerva Anestesiol, 2016; 82(3):320-31.

ANVISA - Ministério da Saúde. Resolução RDC nº 2, de 7 de janeiro de 2002. Regulamento Técnico de Substâncias Bioativas e Probióticos Isolados com Alegação de Propriedades Funcional ou de Saúde. [resolução na internet]. [capturado em 2017 mar 13]. Disponível em: http://elegis.anvisa.gov.br/leisref/public/showAct.php?id=1567.

Barros de Oliveira CM, Sakata RK, Issy AM, Gerola LRG, Salomão R. Citocinas e Dor. Rev Bras Anestesiol, 2011; 61(2):255-65.

Calder PC. Branched-chain amino acids and immunity. J Nutr, 2006; 136:288S-93S.

Castell LM. Can glutamine modify the apparent immunodepression observed after prolonged, exhaustive exercise? Nutrition, 2002; 18(5):371-5.

Chandra RK, Kumari S. Nutrition and immunity: an overview. J Nutr, 1994; 124(8 Suppl):1433S-5S.

Costa DP, Mota ACM, Bruno GB, Almeida MEL, Fonteles CSR. Desnutrição energético-protéica e cárie dentária na primeira infância. Rev Nutr, 2010; 23(1):119-26.

Cruvinel W et al. Sistema imunitário: Parte I. Fundamentos da imunidade inata com ênfase nos mecanismos moleculares e celulares da resposta inflamatória. Rev Bras Reumatol, 2010; 50(4):434-47.

Ferreira IKC. Terapia nutricional em Unidade de Terapia Intensiva. RBTI, 2007; 19(1):90-7.

Food and Agriculture Organization of the United States/World Health Organization (FAO/WHO). Guidelines for the Evaluation of Probiotics in Food, 2002. [resolução na internet]. [capturado em 2018 mar 10]. Disponível em: http://www.who.int/foodsafety/fs_management/en/probiotic_guidelines.pdf.

França TGC, Ishikawa LLW, Zorzella-Pezavento SFG, Chiuso-Miniucci F, Da Cunha MLRS, Sartori A. Impact of malnutrition on immunity and infection. J Venom Anim Toxins incl Trop Dis, 2009; 15(3).

Fujino V, Nogueira LABNS. Terapia nutricional enteral em pacientes graves: revisão de literatura. Arq Ciênc Saúde, 2007 out-dez; 14(4):220-6.

Grover Z, Ee LC. Protein energy malnutrition. Pediatr Clin North Am, 2009; 56(5):1055-68.

Hotchkiss RS, Coopersmith CM, Mcdunn JE, Ferguson TA. The sepsis seesaw: tilting toward immunosuppression. Nat Med, 2009; 15(5):496-7.

Iskander KN, Osuchowski MF, Stearns-Kurosawa DJ, Kurosawa S, Stepien D, Valentine C, Remick DG. Sepsis: multiple abnormalities, heterogeneous responses, and evolving understanding. Physiol Rev, 2013; 93(3):1247-88.

Kavalukas SL, Barbul A. Nutrition and wound healing: an update. Nutrition and Wound Healing, 2011; 127(1):38-43.

Kumar S, Leaper DJ. Basic science of sepsis. Surgery, 2005; 23(8):272-7.

Lerayer A, Barreto BAP, Waitzberg DL, Baracat EC, Grompone G, Vannucchi H, Antoni ZM, De Oliveira MM, Miszputen SJ. In gut we trust. 1. ed. São Paulo, SP: Sarvier, 2013.

Lima AM, Gamallo SMM, Oliveira FLC. Desnutrição energético-proteica grave durante a hospitalização: aspectos fisiopatológicos e terapêuticos. Rev Paul Pediatr, 2010; 28(3):353-61.

Martinez RCR, Bedani R, Saad SMI. Scientific evidence for health effects attributed to the consumption of probiotics and prebiotics: an update for current perspectives and future challenges. Br J Nutr, 2015; v. 114.

McClave SA, Taylor BE, Martindale RG et al. Guidelines for the provision and assessment of nutrition support therapy in the adult critically ill patient: Society of Critical Care Medicine (SCCM) and American Society for Parenteral and Enteral Nutrition (A.S.P.E.N.). Journal of Parenteral and Enteral Nutrition, 2016; 40(2):159-211.

Muscaritoli M, Krznarić Z, Barazzoni R, Cederholm, Golay A, Van Gossum A, Kennedy N, Kreimann G, Laviano A, Pavić T, Schneider SM, Singer P. Effectiveness and efficacy of nutritional therapy - A Cochrane systematic review. Clin Nutr, 2016; S0261-5614:30157-1.

Ogawa K, Hirai M, Katsube T et al. Suppression of cellular immunity by surgical stress. Surgery, 2000:329-36.
Perini JAL, Stevanato FB, Sargi SC et al. Ácidos graxos poli-insaturados n-3 e n-6: metabolismo em mamíferos e resposta imune. Rev Nutr, 2010; 23(6):1075-86.
Popovic PJ, Zeh HJ, Ochoa JB. Arginine and immunity. The Journal of Nutrition, 2007:1681-6.
Radtke F, Macdonald HR, Tacchini-Cottier F. Regulation of innate and adaptive immunity by Notch. Nat Rev Immunol, 2013; 13:427-37.
Rogero MM, Tirapegui J. Aspectos atuais sobre aminoácidos de cadeia ramificada e exercício físico. RBCF, 2008; 44(4).
Rogero MM, Tirapegui J, Pedrosa RG et al. Effect of alanyl-glutamine supplementation on plasma and tissue glutamine concentrations in rats submitted to exhaustive exercise. Nutrition, 2006; 22:564-71.
Rogero MM, Tirapegui J, Pedrosa RG et al. Plasma and tissue glutamine response to acute and chronic supplementation with L-glutamine and L-alanyl-L-glutamine in rats. Nutrition Research, 2004; 24:261-70.
Santos C, Fonseca J. Zinco: fisiopatologia, clínica e nutrição. APNEP, 2012; 6(1).
Sena KCM, Pedrosa LFC. Efeitos da suplementação com zinco sobre o crescimento, sistema imunológico e diabetes. Rev Nutr, 2005; 18(2):251-9.
Ward NS, Casserly B, Ayala A. The compensatory anti-inflammatory response syndrome (CARS) in critically ill patients. Clin Chest Med, 2008; 29(4):617-25, viii.
White JV, Guenter P, Jensen G, Malone A, Schofield M. Consensus statement of the Academy of Nutrition and Dietetics/American Society for Parenteral and Enteral Nutrition: characteristics recommended for the identification and documentation of adult malnutrition (undernutrition). J Acad Nutr Diet, 2012; 112:730-8.
Wu G, Bazer FW, Cuddy TA et al. Pharmacokinetics and safety of arginine supplementation in animals. The Journal of Nutrition, 2007:1673-80.
Wu G, Bazer FW, Davis TA et al. Arginine metabolism and nutrition in growth, health and disease. Amino Acids, 2008; 37:153-68.

Capítulo 7

Genômica Nutricional (GN)

Antonio Augusto Ferreira Carioca
Daniel Câmara Teixeira

Questões

1. (GN) O sequenciamento completo do genoma humano foi um marco para os testes nutrigenéticos, que, a partir de 2012, ganharam força no Brasil. O número de empresas que realizam esse serviço vem crescendo, e é fundamental que os nutricionistas estejam aptos a utilizar da maneira correta esses testes.

   Sobre os testes de nutrigenética, avalie as afirmações a seguir.

   I. Os testes de nutrigenética isoladamente são suficientes para personalizar a alimentação e prescrição de suplementos.

   II. Testes nutrigenéticos são exames preditivos e não podem ser realizados para diagnóstico, devendo ser utilizados em adição à prescrição nutricional.

   III. Não há evidências científicas, até o momento, para recomendação de suplementos baseados em testes de nutrigenética, devendo os nutricionistas informar riscos, benefícios e limitações desses testes.

   É correto o que se afirma em:

   a) I, apenas.
   b) II, apenas.
   c) I e III, apenas.
   d) II e III, apenas.
   e) I, II e III.

2. (GN) A responsabilidade do nutricionista no cuidado à saúde deve ser pautada em uma visão bioética em sua conduta. Apesar dos avanços na genômica nutricional, ainda há muito o que discutir sobre esses aspectos bioéticos. Avalie as asserções a seguir e a relação proposta entre elas.

I. Os nutricionistas devem dominar o conhecimento técnico na área da biologia molecular, além de conhecer aspectos dos pacientes, como história familiar, variáveis bioquímicas e clínicos.

PORQUE

II. A interpretação errônea de um teste genético pode desencadear prejuízos físicos e psicossociais aos pacientes.

Acerca dessas asserções, assinale a opção correta.

a) As asserções I e II são proposições verdadeiras e a II é uma justificativa correta da I.
b) As asserções I e II são verdadeiras, mas a II não justifica a I.
c) A asserção I é uma proposição verdadeira e a II é uma proposição falsa.
d) A asserção I é uma proposição falsa e a II é uma proposição verdadeira.
e) As asserções I e II são proposições falsas.

3. (GN) O desenvolvimento de novas ferramentas em biologia molecular estrutural levou à compreensão do genoma, e o Projeto Genoma Humano abriu novas perspectivas de investigação. Entretanto, o conhecimento das sequências de todos os genes não foi suficiente para entender todos os mecanismos de uma célula ou organismo. Com isso, a metabolômica surgiu com a proposta de aumentar e complementar as informações fornecidas pela genética e proteômica e tornou-se um novo domínio da ciência.

Sobre a metabolômica, avalie as afirmações a seguir.

I. A metabolômica dedica-se ao estudo limitado dos metabólitos que não podem inferir a dinâmica, a composição, as interações, tampouco a resposta a intervenções ou mudanças no ambiente, em células, tecidos ou fluidos biológicos.
II. A metabolômica traz a oportunidade de identificar novos biomarcadores para o consumo alimentar, o estado nutricional e as doenças crônicas, projetando novos conceitos para prevenção de doenças e intervenções dietéticas.
III. A metabolômica envolve o estabelecimento de relações entre fenótipo e metabolismo, que são aspectos fundamentais das funções biológicas.

É correto o que se afirma em:

a) I, apenas.
b) II, apenas.
c) I e III, apenas.
d) II e III, apenas.
e) I, II e III.

4. (GN) A metabolômica moderna começou a se formar em 1970, quando Linus Pauling e Arthur B. Robinson investigaram como a variabilidade biológica explicava o intervalo

de necessidades nutricionais, traçando perfis de vapor de urina. Porém, as tecnologias disponíveis na década de 1970 eram muito limitadas e a avaliação da grande quantidade de metabólitos tornou-se possível somente com os avanços no desenvolvimento de técnicas de análise.

Quais técnicas de análises são utilizadas em metabolômica?

a) Densitometria e fotometria de reflexão.
b) Ensaio de imunoabsorção enzimática e reação em cadeia da polimerase.
c) Eletroforese e eletroforese capilar.
d) Citometria de fluxo e fluorimetria.
e) Ressonância magnética nuclear e espectrometria de massas.

5. (GN) Sobre os fundamentos da nutrigenética, avalie as afirmativas a seguir.

I. Representa a influência de compostos bioativos na expressão génica.
II. Foca no estudo das variações no DNA, como polimorfismos de nucleotídeo único (SNP).
III. Representa a influência da variabilidade genética no risco de desenvolvimento de doenças.

É correto o que se afirma em:

a) I, apenas.
b) II, apenas.
c) I e III, apenas.
d) II e III, apenas.
e) I, II e III.

6. (GN) Sobre os conceitos básicos em genética, avalie as afirmativas a seguir.

I. A constituição alélica de um indivíduo é denominada genótipo, constituído por dois alelos, todos de origem materna.
II. As quatro bases nitrogenadas, quando agrupadas em trios, formam 64 trincas diferentes, denominadas códons, que codificam os aminoácidos.
III. As mutações gênicas podem ser divididas em sinônimas e não sinônimas, as quais diferem pela alteração da composição de aminoácidos de uma proteína.
IV. A variação genética no DNA pode ser denominada polimorfismo, sendo os mais comuns no genoma humano os polimorfismos de nucleotídeo único (SNP).

É correto o que se afirma em:

a) I e II.
b) I e III.

c) II e IV.

d) I, III e IV.

e) II, III e IV.

7. (GN) A escolha de polimorfismos de nucleotídeo único (SNP) de interesse em estudos de nutrigenética segue algumas etapas. Avalie as asserções a seguir e a relação proposta entre elas.

   I. O SNP escolhido deve se encontrar em genes que respondam à ingestão alimentar e estejam ativados em doenças crônicas.

   PORQUE

   II. Apesar de serem importantes, não precisam participar de cascatas biológicas ou prevalecer na população de interesse.

   Acerca dessas asserções, assinale a opção correta.

   a) As asserções I e II são proposições verdadeiras e a II é uma justificativa correta da I.

   b) As asserções I e II são verdadeiras, mas a II não justifica a I.

   c) A asserção I é uma proposição verdadeira e a II é uma proposição falsa.

   d) A asserção I é uma proposição falsa e a II é uma proposição verdadeira.

   e) As asserções I e II são proposições falsas.

8. (GN) O gene que codifica APOE apresenta modificações no éxon 4 que se diferencia pelo conteúdo de cisteína e arginina nos códons 112 e 158, resultando em três alelos, conforme descrito na figura abaixo:

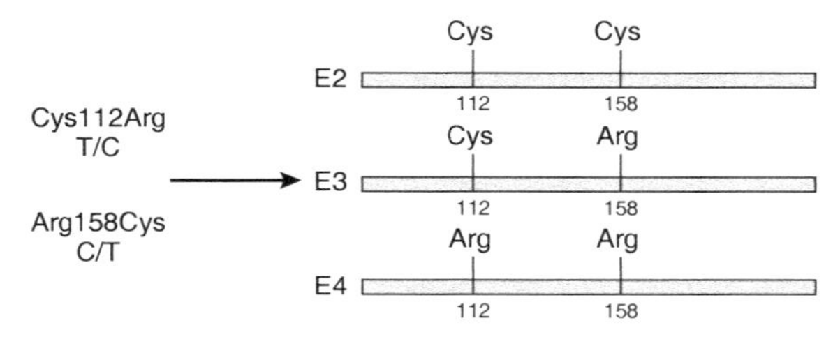

Fonte: elaborada pelos autores.

   Considerando o polimorfismo do gene da APOE, assinale a opção correta.

   a) A APOE não tem relação com quilimícrons remanescentes e as lipoproteínas de muito baixa densidade (VLDL).

   b) As isoformas da APOE alteram as concentrações de colesterol e podem influenciar o desenvolvimento de doenças cardiovasculares.

   c) Todas as isoformas do polimorfismo do gene da APOE são bastante prevalentes em todos os grupos étnicos.

d) Os alelos originados não diferem entre si pela composição em aminoácidos na estrutura primária da proteína.

e) A associação entre as isoformas da APOE com perfil lipídico independe dos hábitos alimentares.

9. (GN) Sobre a nomenclatura de um polimorfismo de nucleotídeo único (SNP), avalie as afirmações a seguir.

I. Os SNP podem ser catalogados sob um número de registo (rs – *register number*) - por exemplo: rs1421085.

II. A nomenclatura pode ser realizada descrevendo a troca de nucleotídeo e a posição do DNA em que ocorre - por exemplo: 974G>A.

III. Caso o SNP altere a sequência de aminoácidos codificados, essa modificação pode ser utilizada na identificação - por exemplo: Pro198Leu.

É correto o que se afirma em:

a) II, apenas.

b) III, apenas.

c) I e II, apenas.

d) I e III, apenas.

e) I, II e III.

10. (GN) O *diabetes mellitus* tipo 2 (DM2) apresenta altas taxas de comorbidade e mortalidade e grande prevalência em todo o mundo. O conhecimento sobre genômica nutricional e DM2 tem crescido nas últimas décadas. Com isso, avalie as asserções a seguir e a relação proposta entre elas.

I. A ação da insulina pode ser prejudicada após a ingestão de dietas ricas em lipídios, principalmente de ácidos graxos saturados

PORQUE

II. Ativam receptores de membrana denominados receptores do tipo *Toll* (TLR), que reconhecem também o lipopolissacarídeo (LPS).

Acerca dessas asserções, assinale a opção correta.

a) As asserções I e II são proposições verdadeiras e a II é uma justificativa correta da I.

b) As asserções I e II são verdadeiras, mas a II não justifica a I.

c) A asserção I é uma proposição verdadeira e a II é uma proposição falsa.

d) A asserção I é uma proposição falsa e a II é uma proposição verdadeira.

e) As asserções I e II são proposições falsas.

11. (GN) A enzima metilenotetra-hidrofolato redutase é uma enzima envolvida no metabolismo dos aminoácidos e sintetiza metionina a partir da homocisteína. Um polimorfismo

no gene dessa enzima causa menor instabilidade e maior acúmulo de homocisteína na circulação, aumentando o risco de doenças cardiovasculares (DCV). De acordo com a nutrigenômica, a medida nutricional para evitar o risco de DCV nessa deficiência seria:

a) Aumentar o consumo de vitamina B_1.
b) Diminuir o consumo de vitamina B_5.
c) Aumentar o consumo de ácido fólico.
d) Diminuir o consumo de vitamina C.
e) Aumentar o consumo de alimentos ricos em metionina.

12. (GN) Quanto ao resveratrol, um composto bioativo com efeitos importantes no organismo, avalie as asserções a seguir e a relação proposta entre elas.

I. A suplementação ou simplesmente o consumo de alimentos ricos em resveratrol aumenta o estímulo da lipólise no nosso organismo.

PORQUE

II. O efeito atribuído a esse nutriente é devido a ativação da enzima AMPK e diminuição da síntese de mitocôndrias.

Acerca dessas asserções, assinale a opção correta.

a) As asserções I e II são proposições verdadeiras e a II é uma justificativa correta da I.
b) As asserções I e II são proposições verdadeiras e a II não justifica a I.
c) A asserção I é uma proposição verdadeira e a II é uma proposição falsa.
d) A asserção I é uma proposição falsa e a II é uma proposição verdadeira.
e) As asserções I e II são proposições falsas.

13. (GN) A curcumina é um polifenol proveniente do açafrão da índia. A presença desse composto bioativo em alimentos ou suplementos apresenta atividade antioxidante contra doenças como DM e câncer. Entretanto, estudos têm demonstrado efeitos antiobesidade desse nutriente. Considerando os efeitos da curcumina na manutenção da massa corporal, avalie as afirmativas a seguir.

I. A curcumina aumenta a atividade de adipócitos marrons.
II. A curcumina permite uma transição de adipócitos beges para adipócitos brancos em tecido adiposo subcutâneo.
III. A curcumina proporciona a conversão de células adipogênicas progenitoras (pré-adipócitos) em adipócitos brancos.

É correto o que se afirma em:

a) I, apenas.
b) II, apenas.
c) I e III, apenas.

d) II e III, apenas.
e) I, II e III.

14. (GN) Ácidos graxos (AG) do tipo ômega 3 (n-3) são encontrados em alimentos como linhaça, chia e óleo de peixes marinhos. Os ácidos graxos de cadeia muito longa são conhecidos por seus efeitos na prevenção de doenças cardiovasculares (DCV). Considerando os efeitos dos AG n-3 na prevenção de DCV, avalie as afirmativas a seguir.

I. Os AG n-3 de cadeia longa (18 carbonos) presentes nas sementes de linhaça ou chia promovem melhores efeitos contra DCV que os de cadeia muito longa (maiores que 20 carbonos) presentes em óleos de peixe marinho (EPA e DHA).

II. Os AG n-3 têm o efeito de diminuir a aderência de monócitos no endotélio de artérias por reduzirem as moléculas de adesão, como VCAM-I, ICAM-I e MCP-1.

III. Apesar do efeito antiaterogênico, os AG n-3 não exercem efeitos anti-inflamatórios, necessitando de outros nutrientes que complementem essa função.

É correto o que se afirma em:

a) I, apenas.
b) II, apenas.
c) I e III, apenas.
d) II e III, apenas.
e) I, II e III.

15. (GN) A vitamina D é um nutriente que atua como um hormônio esteroide, interage com receptores nucleares e funciona como um fator de transcrição, proporcionando diversos caminhos metabólicos celulares. Um dos efeitos associados aos níveis séricos altos de vitamina D é o controle da insulina e da glicemia com a consequente diminuição da incidência de diabetes. Quanto ao efeito da vitamina D no diabetes, avalie as asserções a seguir e a relação proposta entre elas.

I. Níveis séricos elevados de vitamina D podem auxiliar as células B a melhorarem a sensibilidade à insulina.

PORQUE

II. Nas células B, a vitamina D aumenta a quantidade de calbindina que se liga ao cálcio e os retém dentro das células B, aumentando a secreção de insulina em direção ao sangue. Adicionalmente, a vitamina D é um fator de transcrição que aumenta a síntese de insulina nas células B.

Acerca dessas asserções, assinale a opção correta.

a) As asserções I e II são proposições verdadeiras e a II é uma justificativa correta da I.
b) As asserções I e II são proposições verdadeiras e a II não justifica a I.

c) A asserção I é uma proposição verdadeira e a II é uma proposição falsa.
d) A asserção I é uma proposição falsa e a II é uma proposição verdadeira.
e) As asserções I e II são proposições falsas.

16. (GN) O sulforofano é um composto bioativo presente em vegetais crucíferos, como couve-flor e brócolis. O sulforofano é um nutriente com propriedades anticancerígenas por meio de alterações epigenéticas (Ho *et al.*, 2011). Quanto ao efeito nutriepigenético do sulforofano na incidência de câncer, avalie as asserções a seguir e a relação proposta entre elas.

I. O sulforofano tem a capacidade de diminuir a acetilação de genes como p21 e BAX e evitar a proliferação desenfreada de células.

PORQUE

II. A menor acetilação desses oncogenes faz as células crescerem e terem a apoptose de uma maneira organizada, evitando o surgimento de câncer.

Acerca dessas asserções, assinale a opção correta.

a) As asserções I e II são proposições verdadeiras e a II é uma justificativa correta da I.
b) As asserções I e II são proposições verdadeiras e a II não justifica a I.
c) A asserção I é uma proposição verdadeira e a II é uma proposição falsa.
d) A asserção I é uma proposição falsa e a II é uma proposição verdadeira.
e) As asserções I e II são proposições falsas.

17. (GN) O contexto que envolve a metilação de regiões promotoras de genes depende de vários fatores ambientais, como alimentação, exposição a toxinas, patógenos, exercício, estresse etc. Vários genes no organismo são regulados epigeneticamente quanto à sua expressão devido à metilação de sua região promotora. A consequência da metilação em um gene é:

a) Aumentar a expressão gênica de maneira irreversível.
b) Diminuir a expressão gênica de maneira irreversível.
c) Alterar a sequência de DNA de maneira irreversível.
d) Aumentar a expressão gênica de maneira reversível.
e) Diminuir a expressão gênica de maneira irreversível.

18. (GN) A metilação de DNA é um evento que influencia ou não a transcrição de genes, particularmente quando ocorre na região promotora do gene. Esse evento epigenético é influenciado por vários fatores ambientais, principalmente alimentação. Os nutrientes responsáveis por influenciar a metilação de genes são:

a) Vitamina B_1, B_2 e B_5.
b) Curcumina, ácido graxo ômega 3 e flavonoides.

c) Ácido fólico, vitamina B_{12} e colina.

d) Resveratrol, quercetina e selênio.

e) Vitaminas A, D e E.

19. (GN) Grande parte de nosso genoma é constituída de sequências de DNA que não são codificadoras de genes. Uma parte desse DNA é transcrita para RNA não codificantes, como os microRNA (miRNA). De acordo com as funções epigenéticas dos miRNA, avalie as afirmativas a seguir.

I. miRNA apresentam sequências complementares à de RNA mensageiros (mRNA).

II. A ligação de miRNA aos mRNA aumenta a tradução desse mRNA-alvo, fazendo com que mais proteínas sejam expressas.

III. O complexo recrutado pela interação entre miRNA e mRNA tem a função de silenciar genes que expressam esse mesmo mRNA.

É correto o que se afirma em:

a) I.

b) II.

c) I e III.

d) II e III.

e) I, II e III.

20. (GN) Nosso organismo sofre regulação epigenética por influência de diversos fatores ambientais, como privação/excesso de nutrientes, exposição a xenobióticos, toxinas e estresse. De acordo com a programação epigenética que ocorre nas diferentes fases do desenvolvimento humano, avalie as afirmativas a seguir.

I. Modificações epigenéticas durante o desenvolvimento fetal (embriogênese) podem determinar predisposição ao desenvolvimento de doenças na fase adulta.

II. A privação de nutrientes pode modificar a epigenética que regula o crescimento, principalmente em períodos de transição entre a infância e a adolescência.

III. Modificações epigenéticas podem ser transmitidas por três gerações (dos avós para os netos) quando ocorrem durante a embriogênese.

IV. A composição corporal é afetada principalmente quando o momento da influência epigenética se dá durante a infância.

É correto o que se afirma em:

a) II.

b) I e III.

c) I e IV.

d) II, III e IV.

e) I, II, III e IV.

21. (GN) Estudos têm mostrado que níveis inferiores a 30ng/mL de concentração sérica de 25-hidroxivitamina D estão associados a riscos de desenvolvimento de uma variedade de alguns dos cânceres mais comuns, como o câncer de mama e o de cólon. Considerando os efeitos da vitamina D na incidência do câncer, avalie as asserções a seguir e a relação proposta entre elas.

    I. A vitamina D pode servir como um quimiopreventivo natural antiestresse para impedir a transformação das células.

    PORQUE

    II. Sua interação com receptores de vitamina D (VDR) regula negativamente proteínas oncogênicas, como a p53 e o antígeno de proliferação nuclear (PCNA), e inibe a proliferação celular.

    Acerca dessas asserções, assinale a opção correta.

    a) As asserções I e II são proposições verdadeiras e a II é uma justificativa correta da I.
    b) As asserções I e II são proposições verdadeiras e a II não justifica a I.
    c) A asserção I é uma proposição verdadeira e a II é uma proposição falsa.
    d) A asserção I é uma proposição falsa e a II é uma proposição verdadeira.
    e) As asserções I e II são proposições falsas.

22. (GN) Os microRNA (miRNA) são ácidos nucleicos capazes de regular a expressão gênica de várias vias metabólicas de doenças, como o câncer. Esses miRNA são capazes de ser manipulados por meio de nutrientes da dieta. Considerando a regulação de miRNA por nutrientes, avalie as afirmativas a seguir.

    I. Alimentos que estimulam miR-200 promovem efeitos antiproliferativos.
    II. Alimentos que estimulam miR-let-7a-3 promovem efeitos proliferativos.
    III. miRNA constam como mecanismos epigenéticos na incidência do câncer quando inibem a expressão de oncogenes ou quando a falta deles possibilita a expressão de genes supressores de tumor.
    IV. Simultaneamente, regulação por metilação, regulação por acetilação e regulação por miRNA podem agir na incidência do câncer, porém não interagem uns com os outros.

    É correto o que se afirma em:

    a) II.
    b) I e IV.
    c) III e IV.
    d) I, II e III.
    e) I, II, III e IV.

23. (GN) Vários fatores nutricionais podem contribuir com a causa de doenças neurodegenerativas, como a doença de Alzheimer (DA). A DA é uma condição neurodegenerativa

cerebral irreversível que causa demência na maioria dos casos. Essa condição é caracterizada patologicamente por perda das sinapses e de neurônios, assim como pela formação extracelular de placas amiloides e emaranhados neurofibrilares intracelulares. Considerando as alterações metabólicas de repercussões nutricionais na DA, avalie as afirmações a seguir.

I. O estresse oxidativo aumentado no parênquima cerebral é um fator etiológico na DA.
II. A resistência à insulina no parênquima cerebral é um fator etiológico na DA.
III. O metabolismo do transporte de colesterol através de lipoproteínas com a apoE no parênquima cerebral é um fator etiológico na DA.

É correto o que se afirma em.

a) I.
b) II.
c) I e III.
d) II e III.
e) I, II e III.

24. (GN) Os estados oxidativo e inflamatório têm impacto significativo durante o envelhecimento saudável e na ausência de doenças neurodegenerativas. Considerando os efeitos do estresse oxidativo na incidência de doenças neurodegenerativas, como Alzheimer e Parkinson, avalie as asserções a seguir e a relação proposta entre elas.

I. Espécies reativas de oxigênio (ERO) neuronais ao longo da vida vão gerar cada vez menos estresse oxidativo.

PORQUE

II. Ocorre aumento tanto de enzimas antioxidantes, como glutationa peroxidase, catalase e superóxido dismutase, quanto de nutrientes, como vitamina E, selênio, vitaminas do complexo B e zinco, dentro dos neurônios na terceira idade.

Acerca dessas asserções, assinale a opção correta.

a) As asserções I e II são proposições verdadeiras e a II é uma justificativa correta da I.
b) As asserções I e II são proposições verdadeiras e a II não justifica a I.
c) A asserção I é uma proposição verdadeira e a II é uma proposição falsa.
d) A asserção I é uma proposição falsa e a II é uma proposição verdadeira.
e) As asserções I e II são proposições falsas.

25. (GN) O exercício físico provoca adaptações energéticas favoráveis ao organismo. A figura a seguir apresenta uma via metabólica que melhora a capacidade muscular de oxidar nutrientes e produzir contração muscular de modo mais eficiente.

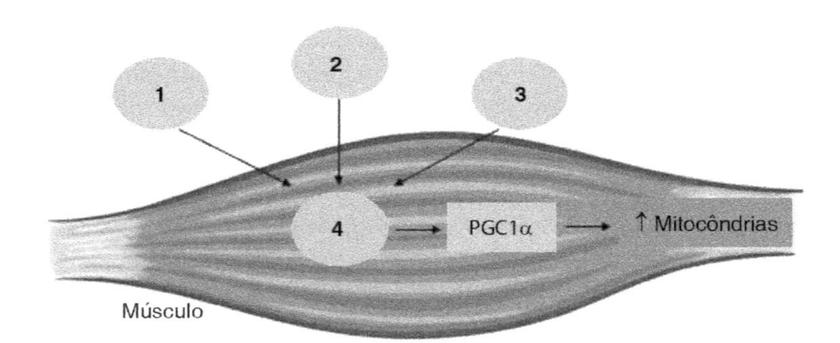

Fonte: elaborada pelos autores.

Com base na figura que mostra o metabolismo aeróbico muscular, conclui-se que:

a) 1, 2 e 3 são fatores que diminuem a capacidade de oxidação aeróbica muscular;

b) 4 pode ser a enzima proteína quinase A, que aumenta PGC1-a e a biogênese mitocondrial;

c) 1 pode ser o momento de repouso, que é um fator que induz maior gasto energético aeróbico na musculatura;

d) 2 pode ser acúmulo de glicogênio muscular, que é um fator que induz maior estímulo da biogênese mitocondrial;

e) 3 pode ser uma taxa baixa de ATP combinada com uma taxa alta de AMP (razão ATP:AMP baixa), que é um estímulo para a biogênese mitocondrial.

26. (GN) Considerando a temática microbiota intestinal, avalie as asserções a seguir e a relação proposta entre elas.

I. A modificação da microbiota em qualidade e quantidade de micro-organismos é denominada disbiose intestinal, na qual há aumento das bactérias patogênicas no intestino.

PORQUE

II. O predomínio de firmicutes sobre os bacteroidetes tem sido associado à obesidade em modelos animais e humanos.

Acerca dessas asserções, assinale a opção correta.

a) As asserções I e II são proposições verdadeiras e a II é uma justificativa correta da I.

b) As asserções I e II são proposições verdadeiras e a II não justifica a I.

c) A asserção I é uma proposição verdadeira e a II é uma proposição falsa.

d) A asserção I é uma proposição falsa e a II é uma proposição verdadeira.

e) As asserções I e II são proposições falsas.

27. (GN) A área de genômica nutricional evoluiu com o desenvolvimento de ferramentas ômicas, entre os anos de 1990 a 2000. Sobre as ferramentas ômicas, assinale a opção correta.

    a) Dentre as ferramentas ômicas, destacam-se a epidemiológica, a bioestatística e a biologia molecular.
    b) A tecnologia de microarranjos de DNA é a principal ferramenta para a análise da metabolômica.
    c) A transcriptômica, a proteômica e a metabolômica são análises de baixo custo e podem ser utilizadas na prática clínica.
    d) A transcriptômica, a proteômica e a metabolômica avaliam os transcitos, as proteínas e os metabólitos, respectivamente.
    e) A proteômica destaca-se por ser a ferramenta ômica mais próxima do fenótipo.

Respostas

1 – D

O Conselho Regional de Nutrição 3 (CRN3), no Parecer Técnico CRN-3 nº 09/2015, aborda a prescrição e a utilização de testes nutrigenéticos por nutricionistas com as seguintes exposições: os testes de nutrigenética são preditivos e não diagnósticos, não devem substituir outros exames e avaliações necessários ao tratamento e devem ser utilizados apenas como ferramenta adicional à prescrição nutricional. Com isso, os testes de nutrigenética isoladamente não são suficientes para personalizar a alimentação e a prescrição de suplementos, pois a recomendação de suplementos baseada em testes de nutrigenética não apresentam evidências científicas suficientes até o momento, devendo o nutricionista enfatizar para o paciente a importância do consumo dos alimentos. Os nutricionistas deverão estar capacitados para solicitar e interpretar corretamente esses testes.

- REF.: Conselho Regional de Nutricionistas (2015); Cominetti, Horst & Rogero (2017).

2 – A

A possibilidade de realização dos testes preditivos pode influenciar diferentes aspectos da saúde com consequências psicossociais, éticas e profissionais muitos específicas e complexas. Apesar dos avanços na genômica nutricional, diversos aspectos bioéticos e psicossociais ainda podem ser analisados com o uso de material genético, sua prescrição e utilização na prática clínica. Cabe ao profissional nutricionista dominar o conhecimento técnico na área da biologia molecular para a correta utilização de testes preditivos de nutrigenéticos.

- REF.: Lopes-Cendes, Rocha & Jardim (2007); Morais & Cominetti (2017).

3 – D

A metabolômica dedica-se ao estudo global dos metabólitos, sua dinâmica, composição, interações e resposta a intervenções ou mudanças no ambiente, em células, tecidos ou fluidos biológicos. Assim, a metabolômica é uma estratégia para os propósitos de investigação dos sistemas de importância médica ou nutricional. Os metabólitos, pequenas moléculas, são substratos, produtos ou cofatores nas reações bioquímicas, desempenhando um papel muito importante na conexão das diferentes vias metabólicas que operam dentro de uma célula viva. Sua concentração é função de um complexo sistema regulatório operante dentro da célula. O nível dos metabólitos define o fenótipo de uma célula em resposta a alterações ambientais ou genéticas.

- REF.: Nicholson & Lindon (2008).

4 – E

As tecnologias disponíveis na década de 1970 eram muito limitadas e não possibilitaram o avanço da temática, só observado após o surgimento e aperfeiçoamento da cromatografia gasosa ou líquida acoplada à espectrometria de massa (MS) e à ressonância magnética nuclear (RMN).

- REF.: Cruz & Horst (2017).

5 – D

A nutrigenética estuda a relação entre a variabilidade genética, como polimorfismo de nucleotídeo único (SNP), e as necessidades nutricionais, o *status* da saúde e a doença. A nutrigenômica estuda a relação entre os efeitos da ingestão de nutrientes e compostos bioativos e a expressão gênica e suas consequências.

- REF.: Cominetti, Rogero & Horst (2017).

6 – E

A constituição alélica de um indivíduo é denominada genótipo, o qual é constituído por dois alelos, um de origem paterna e outro de origem materna.

- REF.: Bertuzzi, Genro & Contini (2014).

7 – C

Segundo Gillies, algumas características podem ser consideradas na escolha do SNP de interesse em nutrigenética. São eles: genes que estejam relacionados à ingestão alimentar e às necessidades nutricionais e que estejam ativados cronicamente nas doenças; estar associado a cascatas biológicas de interesse; ter biomarcadores associados; e ter alta prevalência na população.

- REF.: Gillies (2003).

8 – B

O gene que codifica a APOE está localizado no cromossomo 19. Duas modificações que ocorrem no éxon 4 causam alterações na composição de aminoácidos (cisteína e arginina) na estrutura da proteína, resultando em três alelos. Sua prevalência é muito variável mesmo em grupos étnicos semelhantes. O APOE está associado aos remanescentes de quilomícrons e às lipoproteínas de muito baixa densidade (VLDL); por isso, seu polimorfismo tem relação direta com as concentrações de colesterol e pode influenciar o desenvolvimento de doenças cardiovasculares. Estudos recentes apontam que a associação entre as isoformas de APOE e o perfil lipídico é mediada pelos hábitos alimentares.

- REF.: Cominetti, Rogero & Horst (2017).

9 – E

A nomenclatura de um SNP pode ser estabelecida de diversas maneiras, dentre as quais:

- Utilizando o número de registro (rs – *register number*) – por exemplo: rs1799964.
- Pode ser realizada descrevendo a troca de nucleotídeo e a posição do DNA em que ocorre – por exemplo: 974G>A – e caso ocorra na região promotora, indica-se com um sinal de menos à frente da troca (-308G>A).
- Caso altere a sequência de aminoácidos codificados, essa modificação pode ser utilizada na identificação – por exemplo: Pro198Leu.
- A troca de nucleotídeo e a posição do DNA também podem ser indicadas – por exemplo: C593T.

- REF.: Cominetti, Rogero & Horst (2017).

10 – A

A ação da insulina é prejudicada pela ingestão excessiva de ácidos graxos, principalmente ácidos graxos saturados. Os ácidos graxos saturados são capazes de ativar receptores de membrana, como *Toll-Like Receptors* (TLR). Seu estudo possibilitou entender como o organismo reconhece antígenos (como o lipopolissacarídeo - LPS) e como ocorrem as reações pró-inflamatórias e os distúrbios metabólicos, ligados aos TLR 2 e 4.

- REF.: De Moraes *et al.* (2014); Pauli, Formigari & Cintra (2017).

11 – C

A enzima metilenotetra-hidrofolato redutase (MTHFR) catalisa a conversão da 5-metilenotetra-hidrofolato em 5,10-metilenotetra-hidrofolato. Essa reação é essencial para converter o metabólito intermediário homocisteína no aminoácido metionina. Polimorfismos nessa enzima são comuns e geram enzimas menos instáveis e com função diminuída. Os pacientes com polimorfismos acabam acumulando homocisteína no sangue. O aumento da homocisteína sérica está associado ao incremento do risco de DCV. Em resposta à maioria das deficiências enzimáticas de holoenzimas, o aumento do suporte da coenzima correspondente estimula a maior produção da enzima e a melhor eficiência catalítica. Portanto, suplementar pacientes deficientes em MTHFR com ácido fólico ajuda a diminuir o acúmulo de homocisteína e a reduzir o risco de DCV.

- REF.: Ueland *et al.* (2001); Cominetti, Rogero & Horst (2017).

12 – C

O resveratrol é um composto polifenólico proveniente de uvas vermelhas que exerce algumas ações nutrigenômicas no organismo humano. Uma das funções já determinadas para o resveratrol é o aumento da regulação da proteína quinase ativada por AMP (AMPK) com consequente estímulo de biogênese mitocondrial via PGC1-a. Esses achados em estudos de modelos animais e cultura celular sugeriram aumento da termogênese em tecido adiposo e muscular com incremento do consumo de energia proveniente do triacilglicerol do tecido adiposo.

- REF.: Arias *et al.* (2017); Okla *et al.* (2017).

13 – A

A curcumina é um composto fitoquímico encontrado no açafrão-da-terra com ações antidiabéticas e anti-inflamatórias. Uma das funções já determinadas é a termogênese de tecido adiposo. Esse processo consiste no aumento da capacidade de gasto energético e termogênico do tecido adiposo branco mediante estímulo de biogênese mitocondrial via PGC1-a para um fenótipo mais escuro (bege). A transição que a curcumina induz para transformar adipócitos brancos em bege (*browning*) ou criar mais adipócitos marrons a partir de pré-adipócitos aumenta o gasto energético e combate a obesidade.

- REF.: Wang (2015); Kim *et al.* (2016); Okla *et al.* (2017).

14 – B

Os AG do tipo ômega 3 (n-3) são precursores de eicosanoides anti-inflamatórios, antioxidantes e com reduzida capacidade de acúmulo de placas de ateromas. Os AG tanto n-3 (presentes na linhaça e na chia) como n-6 precisam ser alongados por elongases e ter insaturações introduzidas em suas cadeias para que sejam convertidos em EPA e DHA, que são precursores diretos de eicosanoides antiateroscleróticos. Esse alongamento e instauração é competitivo e, desse modo, a grande quantidade de n-6 na dieta pode atrapalhar a conversão dos AG n-3 em EPA e DHA. Portanto, os AG em óleo de peixes marinhos que já estão na forma de EPA e DHA são vantajosos, pois não precisam ser alongados.

Proteínas de adesão endotelial, como VCAM-I, ICAM-I e MCP-1, são provenientes da via inflamatória estimulada pelo NF-KB. Portanto, o caminho aterogênico pró-inflamatório e todas as suas proteínas de adesão endotelial são inibidos pelos efeitos anti-inflamatórios de AG n-3 EPA e DHA sem necessariamente ser complementados por outros nutrientes antioxidantes.

- REF.: Rangel-Huerta (2012); Harvey *et al.* (2015); Leslie *et al.* (2015).

15 – A

A vitamina D age como um hormônio com efeito de fator de transcrição em vários tecidos, como as células B do pâncreas, e, nessas células, a vitamina D estimula maior expressão gênica da insulina e do receptor de insulina. A vitamina D também promove maior retenção de cálcio intracelular, o que estimula a secreção da insulina para fora da célula, além de promover a sobrevivência das células B por inibição da apoptose, mediante a inibição de NF-KB e da vias metabólicas relacionadas ao Fas (Fas/Fas-L). Todos esses efeitos melhoram a síntese e a secreção de insulina, aumentando a sensibilidade à insulina e reduzindo a incidência de diabetes tipo 2.

- REF.: Mitri & Pittas (2014).

16 – E

O sulforofano é um isotiocianato precursor de glicosinolatos de vegetais crucíferos. O sulforofano tem a capacidade de aumentar a acetilação de genes como p21 e BAX por conseguir inibir a histona deacetilase (HDAC) e permitir a expressão livre desses fatores de transcrição. A maior acetilação desses genes supressores de tumor faz que as células tenham seu ciclo celular normal de maneira a evitar o surgimento de câncer, particularmente o de próstata.

- REF.: Ho *et al.* (2011).

17 – D

A metilação das regiões promotoras de genes costuma ocorrer em uma citosina (formando 5-metilcitosina) em meio a longas sequências de citosina e guanina (ilhas CpG). Essa adição de um radical metila é realizada por enzimas denominadas DNA metiltransferases (DNMT). A adição de um radical metila nessas regiões impede a interação dos fatores de transcrição com essas regiões e o recrutamento da RNA polimerase. Portanto, a metilação de DNA inibe a transcrição gênica. Entretanto, as influências que podem levar à metilação podem ser reversíveis, dependendo de diversos fatores ambientais (alimentação, exposição a toxinas, estresse, exercício, fumo, drogas, patógenos etc.).

- REF.: Tammen, Friso & Choi (2013).

18 – C

O ciclo do metabolismo da metilação de DNA sofre a influência de diversas enzimas dependentes de vitaminas, como as coenzimas. As vitaminas B_2, B_6, B_{12}, colina, betaína, metionina e, principalmente, ácido fólico participam nessa via que possibilita a formação da S-adenosilmetionina. A S-adenosilmetionina é o substrato que as DNMT usam para metilar a citosina das ilhas de CpG na região promotora de genes, silenciando-os.

- REF.: Anderson, Sant & Dolinoy (2012); Tammen, Friso & Choi (2013).

19 – C

MicroRNA (miRNA) são RNA de fita única que são transcritos e contêm sequências complementares às de RNA mensageiros (mRNA). A ligação de miRNA aos mRNA inibe a tradução desse mRNA-alvo, fazendo que as proteínas não sejam expressas. Com isso, o complexo recrutado pela interação entre miRNA e mRNA tem a função de silenciar especificamente esse gene.

- REF.: Tammen, Friso & Choi (2013).

20 – E

Nosso organismo sofre regulação epigenética por influência de diversos fatores ambientais, como privação/excesso de nutrientes, exposição a xenobióticos, toxinas, estresse e influências placentárias durante o desenvolvimento embrionário. Um dos impactos dessa influência epigenética é o surgimento de doenças crônicas não transmissíveis.

- REF.: Aguilera *et al.* (2010); Hochberg *et al.* (2010).

21 – A

A vitamina D pode servir como um quimiopreventivo, impedindo a transformação das células por regular negativamente a p53, que é uma proteína citoplasmática aumentada na oncogênese. Adicionalmente, a vitamina D regula negativamente o antígeno de proliferação nuclear (PCNA), um marcador de células em proliferação. Com esse tipo de regulação e a de vários caminhos genéticos, o complexo vitamina D/receptor de vitamina D (VDR) favorece o desenvolvimento e a progressão em vários tipos de tecidos, como mama, próstata e cólon, mediante a inibição da proliferação celular e da angiogênese.

- REF.: Peng et *al.* (2010); Holick (2014).

22 – D

Vários miRNA exercem efeito antiproliferativo. São exemplos: miR-21, miR-26 a/b, miR-146, miR-200 e miR203, que, em tecidos normais, apresentam níveis de expressão elevados. Entretanto, alguns miRNA cumprem ação oncogênica, como o miR-Let-7a, cuja expressão se encontra aumentada em diversos tipos de cânceres. O controle epigenético de miRNA está integrado diretamente com DNMT (metilação de DNA), HAT e HDAC (acetilação ou desacetilação de histonas). Portanto, a maquinaria epigenética induzida por miRNA exerce efeitos de modo interdependente tanto na metilação de DNA como no modelamento de cromatina via HAT e HDAC na incidência de câncer.

- REF.: Parasramka *et al.* (2012); Shah, Davidson & Chapkin (2012).

23 – E

Todos os fatores citados estão envolvidos no patogênese da doença de Alzheimer. A neuroinflamação associada ao estresse oxidativo é comum em pacientes com polimorfismos de importantes enzimas antioxidantes, como glutationa peroxidase, superóxido dismutase e catalase. A resistência à insulina, ou diabetes do tipo 2, foi observada como fator agravante de alterações cognitivas. Existe uma grande evidência do envolvimento da alteração do metabolismo de insulina e glicose para o risco de desenvolvimento da DA. A relação da resistência à insulina com a patogênese da DA atualmente é conhecida como "diabetes tipo 3". Finalmente, o gene da apolipoproteína E (apoE) foi identificado como o mais importante relacionado à suscetibilidade para DA e, com isso, essa apolipoproteína que participa no transporte de colesterol no parênquima cerebral tem sido o alvo primário de diversos estudos que investigam a prevenção e a resposta terapêutica na DA.

- REF.: Talbot *et al.* (2012), Anderson *et al.* (2013), Liu *et al.* (2013), Yu, Tan & Hardy (2014).

24 – E

O estado oxidativo e inflamatório representa uma circunstância detrimental para doenças neurodegenerativas. Danos oxidativos têm sido encontrados em células neuronais e periféricas em pacientes de idade avançada com doença de Alzheimer. A doença de Parkinson também se apresenta com aumento de espécies reativas de oxigênio (ERO) inerente ao metabolismo celular normal que, ao longo do tempo, compromete a função neuronal em pacientes idosos. A neuroinflamação associada ao estresse oxidativo é observada em pacientes idosos com pouca atividade das enzimas antioxidantes e diminuição de nutrientes antioxidantes, como vitamina E, selênio, vitaminas do complexo B e zinco.

- REF.: Bosco & Genro (2014).

25 – E

A musculatura é um tecido excepcionalmente responsivo a estímulos metabólicos que alteram sua arquitetura celular. A contração muscular, o excesso de gasto de energia que gera uma razão de ATP: AMP baixa e a depleção de glicogênio muscular são fatores que aumentam a atividade da proteína quinase ativada por AMP (AMPK), com consequente estímulo de biogênese mitocondrial via PGC1-a na musculatura. O treinamento por meio de exercícios que condicionam a adaptação da musculatura provoca alterações, como maior quantidade de enzimas oxidativas, maior vascularização e aumento da quantidade e do tamanho de mitocôndrias, e proporcionam maior capacidade de oxidação aeróbica de nutrientes e desempenho mais eficiente.

- REF.: Margolis & Rivas (2017).

26 – A

A modificação da microbiota em qualidade e quantidade de micro-organismos é denominada disbiose intestinal, em que há aumento das bactérias patogênicas no intestino. Desse modo, a microbiota pode ter efeito nocivos, interferindo na integridade da mucosa mediante o aumento da permeabilidade intestinal. A hiperpermeabilidade intestinal possibilita a passagem de nutrientes intactos não digeridos, antígenos, patógenos e toxinas, ativando assim o sistema imunológico e ocasionando sua fadiga, bem como processos inflamatórios. Assim, o predomínio de firmicutes sobre os bacteroidetes tem sido associado à obesidade em modelos animais e em humanos.

- REF.: Myers (2004); Ley *et al.* (2006).

27 – D

Na genômica nutricional, destacam-se as seguintes ferramentas ômicas: transcriptômica, proteômica e metabolômica, que avaliam, respectivamente, os transcritos, as proteínas e os metabólitos. Dentre as tecnologias utilizadas nessas áreas estão os microarranjos de DNA na transcriptômica e a espectrometria de massa na proteômica e na metabolômica que, por se utilizarem de técnicas laboratoriais de alto custo, ainda não são utilizadas na prática clínica. A metabolômica é a ferramenta ômica mais próxima do fenótipo, fornecendo uma visão global das alterações moleculares promovidas por fatores genéticos e ambientais.

- REF.: Cominetti, Rogero & Horst (2017).

Referências

Aguilera O et al. Epigenetics and environment: a complex relationship. Journal of Applied Physiology, 2010; 109(1):243-51.
Anderson OS, Sant KE, Dolinoy DC. Nutrition and epigenetics: an interplay of dietary methyl donors, one--carbon metabolism and DNA methylation. The Journal of Nutritional Biochemistry, 2012; 23(8):853-9.
Anderson RA et al. Cinnamon counteracts the negative effects of a high fat/high fructose diet on behavior, brain insulin signaling and Alzheimer-associated changes. PlosOne, 2013; 8(12):e83243.
Arias N et al. A combination of resveratrol and quercetin induces browning in white adipose tissue of rats fed an obesogenic diet. Obesity, 2017; 25(1):111-21.
Bertuzzi G, Genro JP, Contini V. Conceitos básicos em genética. In: Bosco SM, Genro JP. Nutrigenética e implicações na saúde humana. 1 ed. São Paulo: Editora Atheneu, 2014.
Cominetti C, Horst MA, Rogero MM. Brazilian Society for Food and Nutrition position statement: nutrigenetic tests. Nutrire, 2017; 42(1):10.
Conselho Regional de Nutricionistas – CRN-3. Parecer Técnico CRN-3 nº 09/2015: Genômica Nutricional – Testes de Nutrigenética. São Paulo, 2015.
Cominetti C, Rogero MM, Horst MA. Fundamentos da nutrigenética. In: Cominetti C, Rogero MM, Horst MA (org.). Genômica nutricional: dos fundamentos à nutrição molecular. 1 ed. Barueri: Manole, 2017; 1:41-54.
Cruz AC, Horst MA. Metabolômica aplicada aso estudos de genômica nutricional. In: Cominetti C, Rogero MM, Horst MA (org.). Genômica nutricional: dos fundamentos à nutrição molecular. 1 ed. Barueri: Manole, 2017; 1:489-500.
De Moraes ACF et al. Microbiota intestinal e risco cardiometabólico: mecanismos e modulação dietética. Arq Bras Endocrinol Metab, 2014; 58(4):317-27.
Gillies PJ. Nutrigenomics: the Rubicon of molecular nutrition. Journal of the American Dietetic Association, 2003; 103(12):50-5.
Harvey KA et al. Modulation of endothelial cell integrity and inflammatory activation by commercial lipid emulsions. Lipids in Health and Disease, 2015; 14(1):9.
Ho E et al. Dietary factors and epigenetic regulation for prostate cancer prevention. Advances in nutrition, 2011; 2(6):497-510.
Hochberg Z et al. Child health, developmental plasticity, and epigenetic programming. Endocrine Reviews, 2010; 32(2):159-224.
Holick MF. Cancer, sunlight and vitamin D. Journal of Clinical & Translational Endocrinology, 2014; 1(4):179-86.
Pauli JR, Formigari GP, Cintra DE. Diabete melito tipo 2. In: Cristiane Cominetti C, Rogero MM, Horst MA. (org.). Genômica nutricional: dos fundamentos à nutrição molecular. 1 ed. Barueri: Manole, 2017; 1:291-309.
Kim SW et al. Proteomic identification of fat-browning markers in cultured white adipocytes treated with curcumin. Molecular and Cellular Biochemistry, 2016; 415(1-2):51-66.
Leslie MA et al. A review of the effect of omega-3 polyunsaturated fatty acids on blood triacylglycerol levels in normolipidemic and borderline hyperlipidemic individuals. Lipids in Health and Disease, 2015; 14(1):53.
Ley RE et al. Microbial ecology: human gut microbes associated with obesity. Nature, 2006; 444(7122):1022.
Liu CC et al. Apolipoprotein E and Alzheimer disease: risk, mechanisms and therapy. Nature Reviews Neurology, 2013; 9(2):106.
Lopes-Cendes I, Rocha JCC, Jardim LB. Testes preditivos. In: Projeto Diretrizes - Associação Médica Brasileira e Conselho Federal de Medicina, 2007; 6p.
Margolis LM, Rivas DA. Implications of exercise training and distribution of protein intake on molecular processes regulating skeletal muscle plasticity. Calcified Tissue International, 2015; 96(3):211-21.
Mitri J, Pittas AG. Vitamin D and diabetes. Endocrinology and Metabolism Clinics, 2014; 43(1):205-32.
Morais CC, Cominetti C. Bioética e testes (nutri)genéticos preditivos. In: Cominetti C, Rogero MM, Horst MA (org.). Genômica nutricional: dos fundamentos à nutrição molecular. 1 ed. Barueri: Manole, 2017; 1:516-21.

Myers SP. The causes of intestinal dysbiosis: a review. Altern Med Rev, 2004; 9(2):180-97.
Nicholson JK, Lindon JC. Systems biology: metabonomics. Nature, 2008; 455(7216):1054-6.
Okla M et al. Dietary factors promoting brown and beige fat development and thermogenesis. Advances in Nutrition, 2017; 8(3):473-83.
Parasramka MA et al. MicroRNAs, diet, and cancer: new mechanistic insights on the epigenetic actions of phytochemicals. Molecular Carcinogenesis, 2012; 51(3):213-30.
Peng X et al. Protection against cellular stress by 25-hydroxyvitamin D3 in breast epithelial cells. Journal of Cellular Biochemistry, 2010; 110(6):1324-33.
Rangel-Huerta OD et al. Omega-3 long-chain polyunsaturated fatty acids supplementation on inflammatory biomarkers: a systematic review of randomised clinical trials. British Journal of Nutrition, 2012; 107(S2):S159-S170.
Shah MS, Davidson LA, Chapkin RS. Mechanistic insights into the role of microRNAs in cancer: influence of nutrient crosstalk. Frontiers in Genetics, 2012; 3:305.
Dal Bosco SM, Genro JP. Nutrigenética e implicações na saúde humana. 1 ed. São Paulo: Editora Atheneu, 2014.
Talbot K et al. Demonstrated brain insulin resistance in Alzheimer's disease patients is associated with IGF-1 resistance, IRS-1 dysregulation, and cognitive decline. The Journal of Clinical Investigation, 2012; 122(4):1316-38.
Tammen SA, Friso S, Choi SW. Epigenetics: the link between nature and nurture. Molecular Aspects of Medicine, 2013; 34(4):753-64.
Ueland PM et al. Biological and clinical implications of the MTHFR C677T polymorphism. Trends in Pharmacological Sciences, 2001; 22(4):195-201.
Wang S et al. Curcumin promotes browning of white adipose tissue in a norepinephrine-dependent way. Biochemical and Biophysical Research Communications, 2015; 466(2):247-53.
Yu JT, Tan L, Hardy J. Apolipoprotein E in Alzheimer's disease: an update. Annual Review of Neuroscience, 2014; 37:79-100.

Parte II

Tópicos em Nutrição Aplicada

Capítulo 8

Avaliação Nutricional (AN)

Soraia Pinheiro Machado Arruda

Questões

1. (AN) O principal objetivo da avaliação nutricional é identificar distúrbios e riscos nutricionais, bem como sua gravidade, para que sejam traçadas condutas que possibilitem a recuperação ou manutenção adequada do estado de saúde. Assinale a opção que não traz uma aplicação da avaliação nutricional.
   a) O monitoramento do paciente para acompanhar as respostas do indivíduo às intervenções nutricionais.
   b) Vigilância alimentar e nutricional nos diferentes ciclos da vida.
   c) Diagnóstico da magnitude e distribuição geográfica dos problemas nutricionais.
   d) Tomada de decisão para intervenção nutricional no âmbito das políticas e dos programas públicos de combate aos problemas nutricionais.
   e) Nenhuma das opções anteriores.

2. (AN) Os métodos de avaliação nutricional podem ser classificados em diretos e indiretos. Marque a opção que traz apenas métodos diretos de avaliação nutricional.
   a) Antropometria, exame físico, bioimpedância elétrica, avaliação subjetiva global.
   b) Antropometria, exames laboratoriais, estatísticas vitais, exame físico.
   c) Inventário alimentar, avaliação subjetiva global, bioimpedância elétrica, antropometria.
   d) Antropometria, questionário de frequência de consumo alimentar, recordatório alimentar de 24 horas, exame físico.
   e) Exames laboratoriais, anamnese clínica, antropometria, estatísticas vitais.

3. (AN) A antropometria pode ser definida como a medida das variações das dimensões físicas corporais. Sobre esse método de avaliação nutricional, assinale a opção INCORRETA.
   a) Tem como vantagens o uso de equipamentos portáteis e de baixo custo, técnicas não invasivas, obtenção rápida dos resultados e fidedignidade do método.
   b) Não possibilita a identificação de carências nutricionais específicas.
   c) Torna possível detectar alterações recentes na composição e distribuição corporal.
   d) Um dos problemas encontrados na avaliação nutricional antropométrica é a escassez de padrões de referência especificamente para a população brasileira.
   e) Para a avaliação antropométrica, é necessário que as medidas corporais sejam associadas entre si e a parâmetros como sexo e idade.

4. (AN) Os índices e indicadores antropométricos tornam possível avaliar diferentes aspectos do corpo humano. Assinale a opção que traz um índice de avaliação da massa corporal total.
   a) Relação cintura/quadril.
   b) Relação altura/idade.
   c) Índice de conicidade.
   d) IMC (índice de massa corporal)/idade.
   e) Perímetro cefálico/perímetro torácico.

5. (AN) A literatura descreve diversos métodos de avaliação da composição corporal que diferem em seu grau de complexidade. Assinale a opção que traz um método duplamente indireto de avaliação da composição corporal.
   a) Dobras cutâneas.
   b) Pesagem hidrostática.
   c) Pletismografia.
   d) Dissecção do corpo humano.
   e) Ultrassonografia.

6. (AN) A Sociedade Brasileira de Pediatria recomenda parâmetros a serem aferidos durante a anamnese para avaliação nutricional. Assinale a opção que NÃO se refere ao período neonatal.
   a) Peso e comprimento ao nascer.
   b) Perímetro cefálico ao nascer.
   c) Desenvolvimento neuropsicomotor, cognitivo e social.
   d) Intercorrências ou doenças no primeiro mês de vida.
   e) Aleitamento materno.

7. (AN) A Sociedade Brasileira de Pediatria especifica índices antropométricos de avaliação nutricional para crianças e adolescentes, que são recomendados pela Organização Mundial da Saúde e adotados pelo Ministério da Saúde do Brasil. Assinale a opção que aponta os índices para crianças de 5 a 10 anos incompletos.
   a) IMC (índice de massa corporal)/idade; estatura/idade.
   b) Peso/estatura; peso/idade; IMC/idade; estatura/idade.
   c) Peso/idade; IMC/idade; estatura/idade.
   d) Peso/estatura; IMC/idade; estatura/idade.
   e) Peso/estatura; peso/idade; estatura/idade.

8. (AN) A relação perímetro cefálico/perímetro torácico (PC/PT) representa um indicador antropométrico para avaliação de crianças. Sobre esse indicador, assinale a opção CORRETA.
   a) Seu uso é recomendado para crianças de zero a 24 meses.
   b) Na criança de zero a 6 meses, a relação PC/PT deve ser aproximadamente igual a 1.
   c) Uma relação maior que 1 indica desnutrição energético-proteica.
   d) A Organização Mundial da Saúde propôs curvas com pontos de corte para a relação PC/PT em crianças de zero a 24 meses.
   e) Todas as opções anteriores.

9. (AN) Em 2006 e 2007, a Organização Mundial da Saúde propôs novo referencial para os principais índices antropométricos para avaliação nutricional de crianças e adolescentes, que são adotados pelo Ministério da Saúde do Brasil. Sobre esse referencial, marque V para as afirmações verdadeiras e F para as falsas. Assinale a opção que traz a sequência correta.
   ( ) Em 2006 foram publicadas as curvas referentes a crianças de 0 a 5 anos incompletos e em 2007, para crianças e adolescentes de 5 a 19 anos.
   ( ) Todos os valores foram produzidos com base em uma amostra de diferentes origens étnicas, proveniente de seis países (entre os quais o Brasil) de maneira semilongitudinal.
   ( ) As crianças mais jovens que participaram do estudo eram, em geral, saudáveis e receberam uma alimentação condizente com o preconizado pela Organização Mundial da Saúde, especificamente no que se refere ao aleitamento materno.
   ( ) No *site* da Organização Mundial da Saúde está disponível gratuitamente um programa para análise dos dados que considera os novos valores de referência.
   a) V F V V.
   b) V V V V.
   c) F V F V.
   d) F V V V.
   e) V F F V.

10. (AN) Crianças que nascem prematuras apresentam risco nutricional maior. Sobre a avaliação nutricional dessas crianças, assinale a opção CORRETA.
    a) Considera-se que uma criança é prematura quando a gestação não atingiu 38 semanas.
    b) Uma criança que nasceu há 10 meses e cuja gestação compreendeu 32 semanas deverá ser avaliada pelas curvas da Organização Mundial da Saúde como uma criança de 9 meses.
    c) Existem curvas de crescimento específicas para crianças nascidas prematuramente.
    d) Bebês prematuros têm mais chances de apresentar baixo peso ao nascer, que é classificado como valores de peso ao nascer abaixo de 3.000 g.
    e) Apenas o indicador peso/idade deve ser visto com esse olhar diferenciado, pois a estatura e outras medidas não são influenciadas pela prematuridade.

11. (AN) O Ministério da Saúde publicou em 2011 um manual de orientações para coleta e análise de dados antropométricos em serviços de saúde. Assinale a afirmativa INCORRETA sobre essas orientações.
    a) Foram elaboradas com o objetivo principal de amparar as ações do Sistema de Vigilância Alimentar e Nutricional.
    b) Contemplam orientações para crianças, adolescentes, adultos, idosos e gestantes.
    c) As medidas de peso e altura devem ser aferidas para todos os indivíduos.
    d) A medida de circunferência da cintura deve ser aferida apenas para adultos e idosos.
    e) Os pontos de corte adotados para avaliação do IMC (índice de massa corporal) de adultos, mas não para os idosos, são aqueles propostos pela Organização Mundial da Saúde.

12. (AN) A avaliação nutricional do adolescente deve considerar o estágio de maturação sexual em que ele se encontra. Assinale a opção INCORRETA sobre esse tema.
    a) A maturação sexual está relacionada com o crescimento linear e a composição corporal.
    b) Os critérios mais frequentemente adotados para avaliar a maturação sexual são os propostos por Tanner em 1962.
    c) O adolescente pode realizar uma autoavaliação e informar ao profissional em qual estágio se encontra.
    d) Os critérios propostos por Tanner consideram as mamas nas meninas, a genitália nos meninos e os pelos pubianos em ambos.
    e) Está bem estabelecida na literatura a idade com que cada estágio ocorre em cada sexo.

13. (AN) Sobre a medida de circunferência da panturrilha, assinale a opção INCORRETA.
    a) Aparece como uma medida antropométrica sensível de massa muscular em idosos.
    b) É considerada um bom indicador de sarcopenia.
    c) Valores menores que 31 cm estão associados à perda de capacidades.
    d) A medida pode ser obtida com o avaliado em pé ou sentado.
    e) O ponto para obtenção da medida é o maior diâmetro da panturrilha.

14. (AN) Os idosos são mais suscetíveis aos riscos nutricionais que os adultos. Assinale a opção que NÃO contempla um fator associado ao risco nutricional em idosos.
    a) Uso de próteses dentárias.
    b) Diminuição do olfato e da audição.
    c) Aposentadoria.
    d) Aumento da massa magra.
    e) Uso de medicamentos.

15. (AN) Em algumas situações, o paciente idoso está impossibilitado de ter sua altura aferida. Nesses casos, a altura pode ser estimada por meio de equações. A mais utilizada é a de Chumlea *et al.* (1998), que considera as seguintes variáveis:
    a) Envergadura do braço, altura do joelho e sexo.
    b) Altura do joelho, idade, etnia/raça e sexo.
    c) Circunferência da panturrilha, etnia/raça e idade.
    d) Metade da envergadura do braço, sexo e idade.
    e) Circunferência da panturrilha, etnia/raça, sexo e idade.

16. (AN) Indivíduos que tiveram alguma parte de seu corpo amputada necessitam de avaliação nutricional específica. Considerando um indivíduo do sexo masculino, 42 anos, 1,60 m de altura, que teve as duas pernas amputadas completamente e cujo peso, aferido em uma maca balança, é de 60 kg, e ainda que uma perna completa representa aproximadamente 16% de seu corpo, dê o diagnóstico nutricional com base no índice de massa corporal (IMC).
    a) Desnutrição.
    b) Eutrofia.
    c) Sobrepeso.
    d) Obesidade grau I.
    e) Obesidade grau II.

17 (AN) A avaliação nutricional de gestantes inclui diversos indicadores antropométricos. Entretanto, o Ministério da Saúde traz um indicador principal para diagnóstico nutricional atual na caderneta da gestante. Qual é esse indicador?

a) IMC (índice de massa corporal) pré-gravídico.
b) Ganho de peso gestacional.
c) Perímetro do braço.
d) IMC (índice de massa corporal) por semana gestacional.
e) Adequação de peso/estatura.

18. (AN) Um ganho de peso gestacional é fundamental para a saúde materna e da criança. Sobre esse indicador, assinale a opção INCORRETA.

a) O ganho de peso gestacional total deve ser definido de acordo com o estado nutricional pré-gravídico.
b) Em mulheres com baixo peso, recomenda-se o ganho de 12,5 a 18 kg durante toda a gravidez.
c) Entre as eutróficas, a recomendação é de ganho de 12 kg na gestação.
d) Entre aquelas com sobrepeso, a recomendação é o ganho de 7 a 11,5 kg na gravidez.
e) Entre as obesas, recomenda-se um ganho de peso total na gravidez de 5 a 9 kg.

19. (AN) Sobre a medida de avaliação do músculo adutor, assinale a opção INCORRETA.

a) Trata-se de uma medida obtida com trena inelástica flexível.
b) O músculo adutor é o único do corpo humano que torna possível a medida direta de sua espessura sem incluir o tecido adiposo.
c) O objetivo dessa medida na antropometria é acompanhar o grau de degradação do tecido muscular.
d) É considerado um indicador de prognóstico em pacientes clínicos e críticos.
e) A medida deve ser feita no ponto do triângulo imaginário formado entre o dedo polegar e o indicador.

20. (AN) A bioimpedância elétrica tem sido apontada como um método preciso e confiável para determinar a composição corporal. Sobre ela, assinale a opção INCORRETA.

a) É recomendada para uso em indivíduos saudáveis e em algumas situações clínicas, como desnutrição, traumas e câncer.
b) Consiste na medida da resistência total do corpo à passagem de uma corrente elétrica de pequena intensidade, baixa amplitude e baixa frequência.
c) Os tecidos magros são fracos condutores de corrente elétrica devido à grande quantidade de água e eletrólitos, ou seja, apresentam maior resistência à passagem da corrente elétrica.

d) Para realização do exame, o indivíduo deve estar em jejum de pelo menos 4 horas.

e) Os tipos de aparelhos de bioimpedância elétrica podem ser por região do corpo, total ou segmentar.

21. (AN) O exame físico visa principalmente identificar sinais e sintomas relacionados a distúrbios nutricionais. Assinale a opção que NÃO compreende um sinal de hipovitaminose A.

a) Alterações de crescimento.

b) Sangramentos em mucosas.

c) Maior predisposição a infecções.

d) Alterações cutâneas.

e) Alterações oculares.

22. (AN) As proteínas plasmáticas integram a síntese e degradação proteica durante longos períodos, representando indicadores laboratoriais do estado nutricional. Sobre essas proteínas, assinale a opção CORRETA.

a) A albumina é a mais indicada para monitorar a eficácia da intervenção nutricional em pacientes hospitalizados.

b) A proteína ligadora de retinol (RBP) e a proteína C reativa são proteínas de fase aguda positivas.

c) Os níveis séricos de albumina e pré-albumina podem não refletir a situação proteica do paciente.

d) Quando as reservas de ferro estão esgotadas, a síntese de transferrina diminui.

e) A meia-vida da pré-albumina é de cerca de 18 a 21 dias.

23. (AN) A anemia é uma das principais deficiências nutricionais no Brasil, e os exames de hemograma auxiliam a diferenciar as causas nutricionais da anemia. Assinale a opção INCORRETA.

a) A anemia microcítica é mais associada à frequência de ferro, enquanto a macrocítica está mais relacionada à falta de folato ou vitamina B_{12}.

b) Hematócrito e hemoglobina fazem parte do hemograma de rotina e são avaliados em conjunto para avaliar o estado de ferro.

c) O exame de ferro sérico mede a quantidade de ferro circulante que está ligado à transferrina.

d) As anemias macrocíticas incluem a anemia megaloblástica ou por deficiência de vitamina B_{12} e a anemia perniciosa por deficiência de folato.

e) A concentração de hemoglobina é uma medida mais direta da deficiência de ferro que o hematócrito.

24. (AN) O balanço nitrogenado é um parâmetro bioquímico indicado para o monitoramento periódico da terapia nutricional por meio da avaliação da ingestão e degradação proteica de pacientes hospitalizados. Assinale a opção CORRETA sobre balanço nitrogenado e a situação expressa a seguir.

    Paciente V.P.A., sexo masculino: ingestão proteica de 60 g/dia; perda de 8 g de nitrogênio por diurese e eliminações fecais normais.

    a) O paciente cujos dados são apresentados provavelmente está em fase de crescimento e/ou desenvolvimento.
    b) O valor do balanço nitrogenado do paciente é – 4,2.
    c) O balanço nitrogenado deve ser medido no mínimo semanalmente naqueles que recebem suporte nutricional de curta duração.
    d) O cálculo do balanço nitrogenado baseia-se no fato de que aproximadamente 25% da massa proteica são compostos de nitrogênio.
    e) O cálculo do balanço nitrogenado baseia-se no fato de que a perda ocasionada pelo suor e pelas fezes, mais o nitrogênio não proteico, é de aproximadamente 6,25 g/dia.

25. (AN) A avaliação nutricional subjetiva global é um método de triagem nutricional. Sobre ele, assinale a opção INCORRETA.

    a) Foi proposto inicialmente para utilização em idosos institucionalizados.
    b) Trata-se de um método simples, de baixo custo e não invasivo.
    c) Pode ser realizado à beira do leito.
    d) É um método subjetivo, cuja acurácia depende da experiência do examinador.
    e) Inclui exame físico.

26. (AN) As ingestões dietéticas de referência (DRI - *Dietary Reference Intakes*) constituem um conjunto de valores de referência para a ingestão de nutrientes para indivíduos e grupos. Assinale a opção que traz a sequência correta, considerando se as sentenças são verdadeiras (V) ou falsas (F).

    ( ) São valores para indivíduos saudáveis e não devem ser utilizadas para aqueles com doenças ou deficiência nutricional prévia.
    ( ) Na avaliação de dietas de indivíduos e grupos deve ser utilizada a EAR (*Estimated Average Requirement* ou necessidade média estimada), ou AI (*Adequate Intake* ou ingestão adequada) e o UL (*Tolerable Upper Intake Level* ou nível de ingestão superior tolerável).
    ( ) Para avaliar a ingestão de micronutrientes de indivíduos, calcula-se o percentual de adequação sobre a RDA (*Recommended Dietary Allowances* ou ingestão dietética recomendada) e considera-se adequado quando o consumo representa de 90 a 110% da RDA para aquele sexo e faixa etária.
    ( ) O IMC (índice de massa corporal) é o melhor indicador para avaliar a ingestão energética.

( ) A AMDR (*Acceptable Macronutrient Distribution Range* ou faixa de distribuição aceitável de micronutrientes) representa a recomendação para os macronutrientes, em gramas, segundo sexo e faixa etária.

a) F V V V F

b) V F V F V

c) V F F V F

d) F V F V F

e) V V V V V

27. (AN) Os métodos para estimativa do consumo alimentar podem ser divididos em retrospectivos e prospectivos. Sobre eles, assinale a opção INCORRETA.

a) Recordatório alimentar de 24 horas, questionário de frequência alimentar (QFA) e história alimentar são métodos retrospectivos.

b) O recordatório de 24 horas pode ser aplicado a indivíduos de todos os estratos socioculturais.

c) O questionário de frequência alimentar reúne informações importantes sobre um longo intervalo de tempo.

d) O diário alimentar e a pesagem direta são métodos prospectivos que têm como vantagens não depender da memória e não afetar o consumo de rotina do indivíduo.

e) O inventário é exemplo de método prospectivo.

28. (AN) Assinale a opção que traz um método de avaliação do consumo alimentar que permite demonstrar, de maneira sensível e específica, se o indivíduo apresenta deficiência, adequação ou possível intoxicação de determinado nutriente.

a) Recordatório alimentar de 24 horas.

b) Registro alimentar por pesagem direta.

c) Questionário de frequência alimentar do tipo quantitativo.

d) História alimentar.

e) Marcadores bioquímicos de consumo alimentar.

29. (AN) O questionário de frequência alimentar (QFA) é um método de avaliação de consumo alimentar capaz de estimar a ingestão habitual de alimentos ou nutrientes específicos com base em uma lista contendo diferentes alimentos e suas respectivas frequências de consumo. Com relação ao QFA, assinale a opção que NÃO representa uma de suas vantagens.

a) Fornece uma completa e detalhada descrição quantitativa e qualitativa na ingestão alimentar.

b) Baixo custo, simples administração e não requer tanta especialização do entrevistador.

c) Não altera o padrão de consumo.

d) Estima a ingestão habitual.

e) Pode descrever padrões de ingestão alimentar.

30. (AN) A nutrição apresenta papel importante na resposta imune. Assinale a opção que NÃO representa um parâmetro indicativo da função imune.

a) Concentração sérica de anticorpos (imunoglobulina A, imunoglobulina G e imunoglobulina M).

b) Proliferação de linfócitos.

c) Contagem total de leucócitos.

d) Função de células *natural killer*.

e) Hemoglobina.

Respostas

1 - E

Compreendendo o estado nutricional como a síntese orgânica das relações entre o homem, a natureza e o alimento, as quais se estabelecem no interior de uma sociedade, a avaliação nutricional tem importantes aplicações, elencadas nos itens "a", "b", "c" e "d". Para tanto, faz-se necessária a aplicação de métodos de coleta e procedimentos diagnósticos que possibilitem determinar o estado nutricional, assim como as causas prováveis que deram origem aos problemas nutricionais, para que medidas de intervenção sejam planejadas, executadas e monitoradas nos âmbitos individual ou coletivo.

- REF.: Silva & Sampaio (2012).

2 - A

Os métodos diretos são aqueles que identificam as manifestações orgânicas dos problemas nutricionais no nível do corpo, enquanto os indiretos identificam as causas desses problemas. Os métodos diretos são classificados, ainda de acordo com o tipo de abordagem, em objetivos (abordagem quantitativa) e subjetivos (abordagem qualitativa). Os métodos objetivos compreendem os exames antropométricos, exames laboratoriais e métodos sofisticados, como densitometria, pletismografia e bioimpedância, entre outros, enquanto os subjetivos incluem a semiologia nutricional, a avaliação subjetiva global e a avaliação muscular subjetiva. Os métodos indiretos incluem os inquéritos demográficos, socioeconômicos, culturais, estilo de vida e de inquérito de consumo alimentar (recordatório alimentar de 24 horas, frequência alimentar, pesagem direta, entre outros).

- REF.: Silva & Sampaio (2012).

3 - C

A antropometria é um importante método de avaliação nutricional, com destaque para sua importância no acompanhamento do processo de crescimento e desenvolvimento, de acordo com a faixa etária e/ou sexo, avaliação da massa corporal total, a distribuição de gordura e a composição corporal. Tem como vantagens o uso de equipamentos de baixo custo e portáteis, técnicas não invasivas, obtenção rápida dos resultados e fidedignidade do método. Entretanto, apresenta limitações, como não permitir identificar carências nutricionais específicas nem detectar alterações recentes na composição e distribuição corporal. Para avaliação antropométrica, é necessário que as medidas corporais sejam associadas entre si e a parâmetros como sexo e idade, formando índices e indicadores que serão comparados e analisados de acordo com os padrões de referência e pontos de corte recomendados. Entretanto, observa-se a escassez de padrões de referência, especificamente para a população brasileira, sendo comumente utilizados estudos populacionais americanos e europeus.

- REF.: Sampaio *et al.* (2012).

4 - D

Os índices/indicadores antropométricos são divididos em grupos que avaliam o crescimento e o desenvolvimento (P/I - peso/idade; A/I - altura/idade; P/A - peso/altura; CB/I - circunferência do braço/idade; PC/PT - perímetro cefálico/perímetro torácico), massa corporal total (IMC/I - índice de massa corporal/idade), composição corporal (CMB - circunferência muscular do braço; AMB - área muscular do braço; AMBc - área muscular do braço corrigida; CP - circunferência da panturrilha; AGB - área gordurosa do braço; Σ PCT + PCSE - somatório das dobras cutâneas tricipital e subescapular; Σ 4 pregas (PCT +PCB + PCSE + PCSI - somatório das dobras cutâneas tricipital, bicipital, subescapular e suprailíaca) e distribuição da gordura corporal (RCE - relação cintura estatura; CCx - circunferência da coxa; CC - circunferência da cintura; RCQ - relação cintura quadril; IC - índice de conicidade; DAS - diâmetro abdominal sagital).

- REF.: Sampaio *et al.* (2012).

5 - A

A medida direta dos componentes do corpo humano derivou de estudos de análise química de cadáveres humanos, que serviu para proposição e validação de vários outros métodos. Assim, o método direto se restringe à dissecção de cadáveres e os métodos indiretos, ditos padrão-ouro, são os mais precisos depois dele. Utilizam equipamentos complexos e de alto custo, ficando limitados, na maioria das vezes, ao ambiente de pesquisa. Incluem: pesagem hidrostática, pletismografia, tomografia computadorizada, água duplamente marcada, densitometria óssea (DEXA), ultrassonografia, entre outros. Os métodos duplamente indiretos estão mais acessíveis para uso e incluem dobras cutâneas, circunferências e diâmetros.

- REF.: Freiberg, Rossi & Caramico (2015).

6 - C

A anamnese compreende história, anamnese nutricional, antecedentes pessoais e familiares, avaliação socioeconômica e cultural, do estilo de vida, da rotina diária e do vínculo mãe-filho. Para cada fase da vida, parâmetros específicos são indicados, embora alguns sejam comuns. A Sociedade Brasileira de Pediatria recomenda, para o período neonatal, os seguintes parâmetros: peso, perímetro cefálico e comprimento ao nascer; intercorrências ou doenças no primeiro mês de vida e aleitamento materno. O Desenvolvimento neuropsicomotor, cognitivo e social é recomendado para a fase de lactente (1-2 anos).

- REF.: Sociedade Brasileira de Pediatria (2009).

7 - C

A Sociedade Brasileira de Pediatria especifica os seguintes índices antropométricos de avaliação nutricional para crianças e adolescentes com base em recomendações da Organização Mundial da Saúde e do Ministério da Saúde do Brasil: crianças de 0 a 5 anos incompletos (peso/estatura; peso/idade; índice de massa corporal - IMC/idade;

estatura/idade); crianças de 5 a 10 anos incompletos (peso/idade; IMC/idade; estatura/idade); adolescentes - 10 a 19 anos (IMC/idade; estatura/idade).

- REF.: Sociedade Brasileira de Pediatria (2009).

8 - B

O perímetro cefálico isolado tem relação com o tamanho do encéfalo e pode ser indicador de estados patológicos, como microcefalia ou hidrocefalia, enquanto o perímetro torácico tem relação com a massa muscular e adiposa. As novas curvas da Organização Mundial da Saúde trazem valores de perímetro cefálico do nascimento até 5 anos. A relação PC/PT é um indicador antropométrico de desnutrição usado em crianças de zero a 5 anos; naquelas com até 6 meses, a relação deve se aproximar de 1, enquanto entre aqueles de 6 meses até 5 anos a relação deve ser maior que 1. Valores menores que 1 são indicativos de desnutrição.

- REF.: Vitolo & Louzada (2015).

9 - A

As curvas de referência da Organização Mundial da Saúde são hoje o melhor referencial para índices antropométricos de avaliação nutricional de crianças e adolescentes, especialmente para aquelas menores de 5 anos, cujos valores foram produzidos com base em uma amostra de diferentes origens étnicas proveniente de seis países (entre os quais o Brasil), de maneira semilongitudinal. Para aqueles de 5 a 19 anos, foram reconstruídas tabelas e gráficos a partir de dados do CDC/NCHS 2000, visando atenuar algumas limitações dessas referências do CDC. O programa de computador WHO Anthro está disponível gratuitamente no *site* e permite o cálculo desses índices individual ou coletivamente.

- REF.: Sociedade Brasileira de Pediatria (2009).

10 - C

A Sociedade Brasileira de Pediatria estabelece como gestação a termo aquela que atingiu 37 a 41 semanas. Quando abaixo de 37 semanas, considera-se pré-termo. Crianças que nascem prematuramente devem ter uma avaliação nutricional diferenciada para todos os indicadores antropométricos, com ênfase em peso/idade, estatura/idade e perímetro cefálico/idade. Existem curvas de crescimento específicas para crianças prematuras ou, então, corrige-se a idade para que as crianças sejam avaliadas nas curvas da OMS. Assim, considera-se o tempo de gestação que faltou para atingir 40 semanas e desconta-se da idade cronológica da criança. Na questão, a criança nasceu de 32 semanas, ou seja, faltaram 8 semanas para 40, o que equivale a 2 meses. Assim, em vez de considerá-la com 10 meses, ela deveria ser avaliada como uma criança de 8 meses. Bebês prematuros costumam apresentar baixo peso ao nascer, ou seja, peso inferior a 2.500 g, ou peso insuficiente ao nascer, que representa valores entre 2.500 e 3.000 g de peso ao nascer.

- REF.: Sociedade Brasileira de Pediatria (2009); Vitolo & Louzada (2015).

11 – D

O manual de orientações para coleta e análise de dados antropométricos em serviços de saúde é uma publicação importante para orientar as ações do Sistema de Vigilância Alimentar e Nutricional, contemplando orientações para todo o ciclo da vida. As medidas de peso e altura devem ser aferidas para todos os indivíduos, mas a circunferência da cintura é recomendada apenas para os adultos. Os idosos serão avaliados apenas pelo IMC (índice de massa corporal), adotando os pontos de corte do The Nutrition Screening Initiative (1994).

- REF.: The Nutrition Screening Initiative (1994); Brasil (2011).

12 – E

A avaliação do grau de maturação sexual dos adolescentes é etapa indispensável na avaliação nutricional, uma vez que pode interferir no estado nutricional, bem como sofrer influência deste. Os critérios mais frequentemente adotados para avaliar a maturação sexual são os propostos por Tanner em 1962 e consideram as características sexuais secundárias, ou seja, as mamas nas meninas, a genitália nos meninos e os pelos pubianos em ambos. Embora alguns estudos apontem idades médias para a ocorrência de eventos de cada estágio, isso se dá de maneira bastante individualizada e variável. Assim, o exame, que pode ser realizado por profissional treinado ou pelo próprio adolescente, é indispensável.

- REF.: Tanner (1962); Ganen, Lira & Blachiunas (2018).

13 – B

Considerando-se que a perda de massa muscular ocorre predominantemente nos membros inferiores, a circunferência da panturrilha, embora não possa ser usada para diagnóstico de sarcopenia, fornece informações importantes sobre incapacidades relativas à musculatura e à função física, sendo estabelecido como ponto de corte o valor de 31 cm. O ponto para obtenção da medida é o maior diâmetro da panturrilha, com o indivíduo posicionado em pé ou sentado, ou ainda, levando-se a perna do idoso a uma flexão de 90°, quando este não consegue se posicionar de pé ou sentado.

- REF.: Ribeiro & Zukeran (2018).

14 – D

As razões que colocam os idosos em condição de maior suscetibilidade a alterações do estado nutricional vão desde as fisiológicas, próprias do envelhecimento, a fatores socioeconômicos e familiares, além da presença frequente de doenças crônicas e do uso de múltiplos medicamentos. Questões de integração social, como isolamento social, solidão, condição financeira (a aposentadoria normalmente reduz a renda do idoso e pode implicar maior isolamento social), depressão, luto pela perda de amigos e familiares e ausência de um papel social que o valorize podem comprometer a ingestão de alimentos e o estado nutricional de idosos. A saúde oral também pode comprometer o estado nutricional em virtude da presença de cárie, infecções periodontais, utilização de próteses mal ajustadas e da xerostomia. Pessoas que usam prótese têm mastigação menos eficiente. Os órgãos dos sentidos também têm sua função reduzida no envelhecimento e podem afetar diretamente a ingestão alimentar. A redução do olfato e do paladar compromete o interesse pela comida, enquanto a redução da audição, da visão e do tato compromete o interesse em preparar alimentos e participar dos momentos de alimentação em família. O uso de medicamentos em longo prazo pode interferir na ingestão, na absorção e no metabolismo de nutrientes.

Com o envelhecimento ocorrem redução da massa magra corporal, aumento da massa gorda e redistribuição desta, que fica acumulada mais na região central ou abdominal.

- REF.: Pfrimer & Ferrioli (2015).

15 – B

Com o envelhecimento há um declínio progressivo da altura, provocado por compressão dos discos vertebrais, cifose torácica e osteoporose, entre outras causas. Estima-se que esse declínio tenha início aos 40 anos. Sempre que possível, usa-se como estatura de referência aquela antes dos 50 anos. Mas, como nem sempre essa informação está disponível, em pacientes acamados, com curvatura espinhal acentuada ou outros casos específicos, a estatura pode ser estimada por medidas como envergadura do braço e estatura recumbente, que, às vezes, também apresenta limitações. Assim, estimativas da altura por meio de outras medidas foram propostas por alguns autores. A mais utilizada é a equação proposta por Chumlea *et al.* (1988), que considera sexo, idade e altura do joelho. Em 1998, Chumlea *et al.* propuseram equações considerando, além dessas variáveis, a etnia/raça. O peso também pode ser estimado por equações, sendo para tanto consideradas as seguintes variáveis: sexo, idade, altura do joelho, dobra cutânea subescapular, circunferência da panturrilha e circunferência do braço.

- REF.: Chumlea *et al.* (1998); Silveira, Lopes & Caiaffa (2007).

16 – D

Para avaliar o estado nutricional de pacientes amputados pelo IMC, é necessário corrigir seu peso. Realiza-se uma regra de três simples: o peso atual (60 kg) representa a massa corporal total (100%) subtraída do percentual amputado (2 × 16%). Assim, 60 kg representa 68% da massa corporal, e é necessário estimar quanto seria o peso sem amputação (para 100%). Neste caso, o peso corrigido é de 88,2 kg e, consequentemente, o IMC é 34,4 kg/m^2, o que, segundo a Organização Mundial da Saúde, classifica o indivíduo com obesidade grau I. As demais categorias são assim definidas com base no IMC: desnutrição (< 18,5), eutrofia (18,5 a 24,99), sobrepeso (25,0 a 29,99), obesidade grau I (30,0 a 34,99), obesidade grau II (35,0 a 39,99) e obesidade grau III (≥ 40,0).

- REF.: Passadore, Frangella & Fujimoto (2015).

17 – D

Os indicadores antropométricos mais utilizados na avaliação nutricional pregressa e atual de gestantes são: peso pré-gravídico, estatura, perímetro do braço e da panturrilha, pregas cutâneas, IMC pré-gestacional, IMC por idade gestacional e ganho ponderal gestacional. O Ministério da Saúde recomenda no manual de orientações para coleta e análise de dados antropométricos em serviços de saúde considerar para gestantes os indicadores ganho de peso gestacional e IMC por semana gestacional. Na caderneta da gestante, o IMC por semana gestacional, expresso na curva adaptada de Atalah *et al.* (1997), é o indicador do estado nutricional atual de gestantes.

- REF.: Amorim, Lacerda & Kac (2007); Brasil (2014).

18 - C

É com base no estado nutricional pré-gravídico da gestante que se estabelecem as recomendações de ganho de peso ao longo de toda a gravidez: baixo peso (12,5 a 18 kg), eutrofia (11,5 a 16 kg), sobrepeso (7 a 11,5 kg) e obesidade (5 a 9 kg).

- REF.: Vitolo (2015).

19 - A

O emprego da medida de espessura do músculo adutor do polegar (EMAP) foi proposta por Lameu *et al.* (2004) para avaliação nutricional relacionada à massa magra, uma vez que a má nutrição promove diminuição na força de contração e na taxa de relaxamento e aumento da fadiga do músculo adutor do polegar. Assim, o valor de EMAP está relacionado diretamente à avaliação da depleção muscular. O objetivo dessa medida na antropometria é acompanhar o grau de degradação do tecido muscular e tem sido associada a risco maior de complicações sépticas e não sépticas, à mortalidade e ao tempo de internação, sendo considerada, portanto, um importante indicador de prognóstico em pacientes clínicos e críticos. A medida deve ser feita com adipômetro aplicado no ponto do triângulo imaginário formado entre o dedo polegar e o indicador, seguindo a padronização de Lameu *et al.* (2004), que estabelece como critério de normalidade valores maiores que 1 desvio padrão da média.

- REF.: Frangella (2015).

20 - C

A bioimpedância elétrica tem sido validada para estimar a composição corporal e o estado nutricional em indivíduos saudáveis e em diversas situações clínicas, como desnutrição, traumas, câncer pré e pós-operatório, doenças hepáticas e insuficiência renal em crianças, idosos e atletas. Consiste na medida da resistência total do corpo à passagem de uma corrente elétrica de pequena intensidade, baixa amplitude e alta frequência. Os tecidos magros são fortes condutores de corrente elétrica devido à grande quantidade de água e eletrólitos, ou seja, apresentam menor resistência à passagem da corrente elétrica, quando comparados aos tecidos gordos. Assim, quanto maior a proporção de massa magra do indivíduo, menor a resistência. Existe uma variedade de aparelhos de bioimpedância elétrica disponíveis no mercado que avaliam a composição corporal de diferentes maneiras: por região, quando a corrente atravessa apenas a porção superior ou inferior do corpo; total, quando a corrente atravessa todo o corpo; e segmentar, onde podem ser avaliados os segmentos corporais ou membros separadamente.

Alguns cuidados precisam ser tomados para sua execução - por exemplo: o avaliado deve estar em jejum de 4 horas; a ingestão alcoólica e a prática de atividade física ou sauna não devem ocorrer por, no mínimo, 8 horas antes do exame; e a bexiga deve ser esvaziada antes da realização do exame, entre outros.

- REF.: Sampaio *et al.* (2012).

21 – B

A hipovitaminose é uma deficiência nutricional ainda muito frequente no Brasil, especialmente entre pré-escolares. Em sua fase subclínica (retinol plasmático 20 a 40 µg/dL – microgramas por decilitros), há diminuição progressiva das reservas hepáticas, mas ainda sem alterações clínicas evidentes. Já na fase clínica (retinol plasmático < 20 µg/dL), podem ser observados: alterações de crescimento; maior predisposição a infecções; alterações cutâneas, como xerose e hiperceratose folicular, bem como alterações oculares.

- REF.: Sociedade Brasileira de Pediatria (2009).

22 – C

Apesar de os níveis séricos de albumina e pré-albumina serem utilizados como parte da avaliação nutricional, podem não refletir a situação proteica do paciente. Juntamente com a proteína ligadora de retinol e a transferrina, a albumina e a pré-albumina são denominadas proteínas de fase aguda negativa e estão baixas em situação de estresse inflamatório, lesões e doenças. Já a proteína C reativa é uma proteína de fase aguda positiva, estando aumentada nessas condições. A albumina tem a maior meia-vida (18 a 21 dias), não sendo indicada para monitorar a intervenção nutricional. A transferrina é uma proteína que transporta ferro para a medula óssea e tem sua síntese aumentada quando as reservas de ferro estão esgotadas.

- REF.: Littchford (2012).

23 – D

As anemias macrocíticas incluem a anemia megaloblástica, que resulta de deficiência de folato, e a anemia perniciosa, resultante da deficiência de vitamina B_{12}. As demais opções trazem afirmações verdadeiras sobre os tipos de anemia e o hemograma.

- REF.: Littchford (2012).

24 – C

O balanço nitrogenado (BN) permite avaliar o grau de equilíbrio nitrogenado, monitorando a eficácia da terapia nutricional, não sendo considerado, portanto, um indicador do estado nutricional. Seu cálculo considera que aproximadamente 16% da massa proteica são de nitrogênio e que a perda ocasionada pelo suor e pelas fezes, mais o nitrogênio não proteico, é de aproximadamente 4 g/dia. Por isso, para obtermos o valor de BN, dividimos a ingestão proteica por 6,25 e subtraímos desse valor 4 g e a quantidade perdida na urina. Assim, para a situação apresentada temos:

$$\frac{60}{6{,}25} - (4 + 8) = -2{,}4$$

o que representa um BN negativo, caracterizando uma situação de catabolismo não coerente com o período de crescimento/desenvolvimento.

- REF.: Sampaio *et al.* (2012).

25 – A

A avaliação subjetiva global (ASG) é um método de triagem nutricional que abrange informações sobre peso, alimentação, sintomas gastrointestinais, condições patológicas e exame físico. Apresenta como vantagens ser um método simples, de baixo custo, não invasivo e poder ser realizado à beira do leito, mas, por ser subjetivo, tem como desvantagem o fato de sua acurácia e precisão serem dependentes da experiência do avaliador, que deve ter treinamento criterioso anterior.

Foi proposta inicialmente para utilização em pacientes cirúrgicos, embora estudos realizados nas últimas décadas apontem para a viabilidade de seu uso em outras populações.

- REF.: Caruso & Marucci (2015).

26 – C

As ingestões dietéticas de referência (DRI - *Dietary Reference Intakes*) são um conjunto de valores de referência para a ingestão de nutrientes para indivíduos e grupos saudáveis e não devem ser utilizadas para aqueles com doenças ou deficiência nutricional prévia. Para avaliação de dietas de indivíduos, deve-se usar a EAR ou o AI e o UL, mas para grupos, apenas a EAR e o UL.

Para avaliar quantitativamente a ingestão de micronutrientes de um indivíduo, utilizam-se equações estatísticas para analisar o grau de confiança de modo a concluir que um indivíduo está consumindo valores similares, acima ou abaixo de suas necessidades. Para avaliar a ingestão energética, o IMC é o melhor indicador, e os valores dentro dos limites de eutrofia indicam que a ingestão energética está adequada.

A AMDR é um dos componentes das DRI e representa o intervalo de distribuição aceitável de macronutrientes, expresso em percentuais do valor energético total.

- REF.: Galante, Schwartzman & Voci (2015).

27 – D

Recordatório alimentar de 24 horas, questionário de frequência alimentar (QFA) e história alimentar são métodos retrospectivos por demandarem do entrevistado recordar o consumo do dia ou de um período anterior. O QFA frequentemente se refere a um período de 6 meses ou 1 ano. O diário alimentar, a pesagem direta e o inventário são métodos prospectivos que têm como vantagem não depender da memória, mas, especialmente os dois primeiros, podem afetar o consumo de rotina do indivíduo.

- REF.: Domene (2011).

28 – E

A obtenção de dados quantitativos mais exatos quanto ao consumo de nutrientes pelos métodos convencionais de avaliação de consumo alimentar (R24h, diário ou registro alimentar, história alimentar, questionário de frequência alimentar, inventário alimentar) é mais difícil por conta de uma série de limitações, como sub-relato, erros de memória, registro, estimativa das porções, cooperação do entrevistado, material de apoio confiável para conversão de medidas caseiras para gramas e avaliação da composição nutricional, entre outros. Assim, os biomarcadores ganham destaque por terem maior acurácia, refletirem a ingestão a longo prazo, não requererem memória e não sofrerem interferências de erros sistemáticos. Além disso, permitem avaliar a biodisponibilidade do nutriente. Entretanto, cabe destacar que a concentração de nutrientes nos tecidos e nos fluidos corporais pode ser afetada por vários fatores, como consumo crônico ou moderado de álcool, tabagismo, obesidade, genética e atividade física, além de algumas doenças. Uma limitação importante desse método é o custo elevado, que varia com o nutriente investigado.

- REF.: Mourão & Bressan (2015).

29 – A

O QFA é um método bastante utilizado, especialmente em estudos epidemiológicos, por apresentar vantagens como: baixo custo, simples administração e não exigir tanta especialização do entrevistador; não alterar o padrão de consumo; estimar a ingestão habitual; poder descrever padrões de ingestão alimentar; poder ser utilizado para associar nutrientes específicos às patologias e necessidades fisiológicas; poder ser autoaplicável; e produzir resultados padronizados. Por outro lado, apresenta algumas limitações, como: impossibilidade de saber as circunstâncias em que o alimento foi consumido; quantificação pouco exata; pode haver subestimação por não contemplar todos os alimentos consumidos pelo indivíduo; dificuldade da análise sem uso de computadores e programas especiais; necessidade de elaborar questionários direcionados; listas pequenas (< 50 itens) podem subestimar a ingestão e as grandes (> 150 itens) podem cansar o entrevistado; depende da memória do entrevistado. O método que fornece uma completa e detalhada descrição quantitativa e qualitativa da ingestão alimentar é a história alimentar.

- REF.: Sampaio *et al.* (2012).

30 – E

Existem diversos parâmetros indicativos da função imune, e o uso de apenas um deles não possibilita caracterizar a imunocompetência de um indivíduo, exceto para os efeitos clínicos da própria infecção. Assim, é importante combinar parâmetros com adequações média e alta. Esses parâmetros incluem as respostas integradas *in vivo* (resposta para vacinação, resposta de hipersensibilidade do tipo tardio); funções de células do sistema imune *ex vivo* (função de fagócitos *Burst* oxidativo, função de células *natural killer*, proliferação de linfócitos); marcadores basais da função imune (atividade do sistema complemento, concentração sérica de anticorpos imunoglobulina A, imunoglobulina G e imunoglobulina M, contagem diferencial de linfócitos T); funções imunes associadas ao intestino (imunoglobulina A salivar).

- REF.: Rogero (2015).

Referências

Amorim AR, Lacerda EMA, Kac G. Uso e interpretação dos indicadores antropométricos na avaliação do estado nutricional de gestantes. In: Kac G, Sichieri R, Gigante DP. Epidemiologia nutricional. Atheneu, 2007:31-48.

Brasil. Caderneta de Saúde da Gestante. Edição eletrônica. Brasília, 2014. Disponível em: http://www.mds.gov.br/webarquivos/arquivo/crianca_feliz/Treinamento_Multiplicadores_Coordenadores/Caderneta-Gest-Internet(1).pdf

Brasil. Ministério da Saúde. Secretaria de Atenção à Saúde. Departamento de Atenção Básica. Orientações para a coleta e análise de dados antropométricos em serviços de saúde: Norma Técnica do Sistema de Vigilância Alimentar e Nutricional - SISVAN/Ministério da Saúde, Secretaria de Atenção à Saúde, Departamento de Atenção Básica. Brasília: Ministério da Saúde, 2011:13-29.

Caruso L, Marucci MFN. Triagem nutricional/abordagem na prática clínica. In: Rossi L, Caruso L, Galante AP. Avaliação nutricional: novas perspectivas. 2. ed. Rio de Janeiro: Guanabara Koogan, 2015:11-20.

Chumlea WC et al. Stature prediction equations for elderly non-Hispanic white, non-Hispnic black, and Mexican American persons developed from NHANES III data. Journal of the American Dietetic Association, 1998; 98(2):137-42.

Domene SMA. Avaliação do consumo alimentar. In: Taddei JAAC, Lang RMF; Longo-Silva G, Toloni MHA. Nutrição em Saúde Pública. Rio de Janeiro: Editora Rubio, 2011:39-48.

Frangella VS. Avaliação do músculo adutor. In: Rossi L, Caruso L, Galante AP. Avaliação nutricional: novas perspectivas. 2. ed. Rio de Janeiro: Guanabara Koogan, 2015:358-60.

Freiberg CK, Rossi L, Caramico DCO. Antropometria e composição corporal. In: Rossi L, Caruso L, Galante AP. Avaliação nutricional: novas perspectivas. 2. ed. Rio de Janeiro: Guanabara Koogan, 2015:77-96.

Galante AP, Schwartzman F, Voci SM. Aplicações práticas da Ingestão Dietética de Referência. In: Rossi L, Caruso L, Galante AP. Avaliação nutricional: novas perspectivas. 2. ed. Rio de Janeiro: Guanabara Koogan, 2015:45-76.

Ganen AP, Lira AG, Blachiunas RE. Avaliação nutricional de adolescentes. In Tirapegui J, Melo CM, Ribeiro SM. Avaliação nutricional: teoria e prática. 2 ed. Rio de Janeiro: Guanabara Koogan, 2018:219-44.

Littchford MD. Avaliação bioquímica. In: Mahan LK, Escott-Stump S, Raymond JL. Krause: alimentos, nutrição e dietoterapia. [tradução Cláudia Canoa et al.]. Rio de Janeiro: Elsevier, 2012:191-208.

Mourão DM, Bressan J. Avaliação da ingestão alimentar e do comportamento alimentar. In: Mancini MC (org.). Tratado de obesidade. 2 ed. Rio de Janeiro: Editora Guanabara Koogan, 2015:160-71.

Passadore MD, Frangella VS, Fujimoto EH. Portadores de necessidade especiais. In: Rossi L, Caruso L, Galante AP. Avaliação nutricional: novas perspectivas. 2. ed. Rio de Janeiro: Guanabara Koogan, 2015:286-88.

Pfrimer K, Ferrioli E. Fatores que interferem no estado nutricional de idosos. In: Vitolo MR. Nutrição: da gestação ao envelhecimento. 2 ed. Rio de Janeiro: Rubio, 2015:410-3.

Ribeiro SML, Zukeran MS. Avaliação de idosos. Avaliação nutricional de adolescentes. In: Tirapegui J, Melo CM, Ribeiro SM. Avaliação nutricional: teoria e prática. 2 ed. Rio de Janeiro: Guanabara Koogan, 2018:259-72.

Rogero MM. Avaliação da imunocompetência. In: Rossi L, Caruso L, Galante AP. Avaliação nutricional: novas perspectivas. 2. ed. Rio de Janeiro: Guanabara Koogan, 2015:335-9.

Sampaio LR, Eickemberg M, Moreira PA, Oliveira CC. Bioimpedância elétrica. In: Sampaio LR. Avaliação nutricional. Salvador: EDUFBA, 2012:113-32.

Sampaio LR, Silva MCM, Oliveira NA, Souza CLS. Avaliação bioquímica do estado nutricional. In: Sampaio LR. Avaliação nutricional. Salvador: EDUFBA, 2012:49-72.

Sampaio LR, Silva MCM, Oliveira TM, Ramos CI. Antropometria. In: Sampaio LR. Avaliação nutricional. Salvador: EDUFBA, 2012:73-88.

Sampaio LR, Silva MCM, Oliveira TM, Ramos CI. Técnicas de medidas antropométricas. In: Sampaio LR. Avaliação nutricional. Salvador: EDUFBA, 2012:89-102.

Sampaio LR, Silva MCM, Roriz AKC, Leite VR. Inquérito alimentar. In: Sampaio LR. Avaliação nutricional. Salvador: EDUFBA, 2012:103-12.

Silva MCM, Sampaio LR. Avaliação nutricional: conceitos e importância para a formação do nutricionista. In: Sampaio LR. Avaliação nutricional. Salvador: EDUFBA, 2012:15-21.

Silveira EA, Lopes ACS, Caiaffa WT. Avaliação do estado nutricional de idosos. In: Kac G, Sichieri R, Gigante DP. Epidemiologia nutricional. Atheneu, 2007:105-26.

Sociedade Brasileira de Pediatria. Avaliação nutricional da criança e do adolescente – Manual de Orientação/Sociedade Brasileira de Pediatria. Departamento de Nutrologia. São Paulo: Sociedade Brasileira de Pediatria. Departamento de Nutrologia, 2009:21-54.

Tanner JM. Growth at adolescence. Oxford: Blackwell, 1962.

The Nutrition Screening Initiative. Incorporating nutrition screening and interventions into medical practice: a monograph for physicians. Washington DC. US: American Academy of Family Physicians, The American Dietetic Association, National Council on Aging Inc., 1994.

Vitolo MR. Avaliação nutricional da gestante. In: Vitolo MR. Nutrição: da gestação ao envelhecimento. 2 ed. Rio de Janeiro: Rubio, 2015:91-7.

Vitolo MR, Louzada ML. Avaliação nutricional de crianças. In: Vitolo MR. Nutrição: da gestação ao envelhecimento. 2 ed. Rio de Janeiro: Rubio, 2015:177-90.

Capítulo 9

Dietética em Diferentes Etapas da Vida (DI)

Fernanda Maria Machado Maia
Luiza Silva Leite

Questões

1. (DI) Considerando os conceitos de necessidades e recomendações nutricionais, assinale a alternativa FALSA.
   a) EER (*Estimated Energy Requirement* ou requerimento energético estimado) mais dois desvios-padrões é a quantidade de energia adequada que um indivíduo deve ingerir para manter o balanço energético, considerando peso normal em uma determinada idade, gênero, peso, altura e nível de atividade física compatível com a boa saúde.
   b) Uma dieta adequada e saudável deve satisfazer as necessidades humanas de energia e todos os nutrientes essenciais.
   c) Requerimento energético é a quantidade de energia de alimentos necessária para equilibrar o gasto de energia de modo a manter o tamanho corporal, a composição corporal e o nível de atividade física necessários e desejáveis, consistentes com a saúde em longo prazo.
   d) O balanço energético é alcançado quando a ingestão dietética é igual ao gasto de energia total mais o custo de energia do crescimento na infância e na gravidez ou a energia gasta para produzir leite durante a lactação.
   e) Quando o consumo de energia é inferior às necessidades, o corpo se adapta ao reduzir a atividade física voluntária, reduz a taxa de crescimento (em crianças) e mobiliza energia de reserva, principalmente do tecido adiposo, que, por sua vez, leva à perda de peso.
2. (DI) Considerando a *Dietary Reference Intakes* (DRI) ou ingestão dietética de referência para avaliar a dieta individual ou de grupos, assinale a opção FALSA.
   a) Para a maioria dos nutrientes, com *Estimated Average Requirement* (EAR) ou requerimento médio estimado, a prevalência do grupo com a ingestão usual abaixo da EAR é uma estimativa da prevalência de inadequação do grupo.

b) Ingestão do grupo acima da *Recommended Dietary Allowance* (RDA) ou ingestão diária recomendada RDA tem baixa probabilidade de inadequação.

c) Para a *Adequate Intake* (AI) ou ingestão adequada do indivíduo ou grupo, nenhuma avaliação pode ser feita se a ingestão média está abaixo da AI.

d) Ingestão habitual acima do *Tolerable Upper Intake Level* (UL) ou limite superior tolerável pode colocar um indivíduo em risco de efeitos adversos da ingestão excessiva.

e) Se a ingestão de um indivíduo está dentro da *Acceptable Macronutrient Distribution Ranges* (AMDR) ou limites aceitáveis da distribuição de macronutrientes, pode-se supor que sua dieta é consistente com a redução de risco para doenças crônicas e com a obtenção de níveis suficientes de nutrientes essenciais.

3. (DI) Com referência às recomendações nutricionais de macronutrientes, assinale a opção CORRETA.

a) A RDA de 0,8 g/dia de proteína para adultos representa a recomendação do percentual mínimo de proteínas de 10% da variação percentual aceitável da ingestão de macronutrientes (AMDR) em relação ao total de energia.

b) A AMDR foi estabelecida apenas para carboidratos, proteínas e gorduras totais que fornecem energia proveniente dos alimentos.

c) As recomendações de carboidratos de 130 g/dia são geralmente suficientes para manter todas as atividades do organismo de um adulto ativo.

d) A Food and Agriculture Organization (FAO) recomenda o *Digestible Indispensable Amino Acid Score* (DIAAS) para medir a qualidade proteica em substituição ao *Protein Digestibility Corrected Amino Acid Score* (PDCAAS).

e) A proteína padrão recomendada pela FAO é uma proteína teórica com 60% de aproveitamento.

4. (DI) Com relação ao metabolismo basal, é CORRETO afirmar que:

a) Dependendo da idade e do estilo de vida, a taxa de metabolismo basal (TMB) representa 30% do gasto energético total diário.

b) Os órgãos mais ativos para o metabolismo basal são o coração e os rins.

c) O metabolismo basal independe de fatores genéticos, da atividade do sistema simpático de massa corporal magra, da quantidade de tecido adiposo e da temperatura corporal.

d) A TMB é medida em condições padrões que incluem: estar acordado, decúbito dorsal, após 12 a 14 horas de jejum, em descanso físico e estar em um estado de relaxamento mental e em temperatura ambiente agradável.

e) A proporção de massa gorda é o principal parâmetro na determinação da TMB.

5. (DI) São fatores ou situações que diminuem o gasto energético de repouso:

a) Muito tecido adiposo e clima muito frio.

b) Menor idade e gestação.

c) Sexo feminino e muita massa livre de gordura.

d) Estado hormonal como hipotireoidismo e tecido adiposo.

e) Idade avançada e muito tecido muscular.

6. (DI) Sobre os métodos de gasto energético, assinale a opção CORRETA.

a) Nos processos oxidativos, a relação entre o oxigênio produzido e o gás carbônico consumido serve para determinar o gasto energético de uma pessoa.

b) Através da medição do consumo de oxigênio e da produção de gás carbônico durante determinado período, estima-se o gasto de energia pelo organismo em determinado espaço de tempo pelo método chamado de calorimetria indireta.

c) A calorimetria direta se refere à determinação do gasto energético através da água duplamente marcada.

d) A calorimetria direta corresponde à oxidação de glicídios, proteínas e lipídios medidos através do consumo de oxigênio.

e) O método da água duplamente marcada ($2H_2O$ e H_218O) tem por princípio o fato de que o hidrogênio marcado é eliminado pela urina e o oxigênio marcado, pelo pulmão e pela urina, sendo assim um método de calorimetria direta.

7. (DI) De acordo com as categorias de alimentos do novo guia alimentar brasileiro que são definidas pelo tipo de processamento empregado em sua produção, assinale a opção FALSA.

a) Alimentos in natura são aqueles obtidos diretamente de plantas ou de animais e adquiridos para consumo sem que tenham sofrido qualquer alteração após deixarem a natureza.

b) Exemplos de alimentos minimamente processados são bebidas adoçadas, cereais matinais, barras de cereal e bebidas energéticas.

c) Alimentos processados são fabricados pela indústria com a adição de sal ou açúcar ou outra substância de uso culinário a alimentos in natura para torná-los duráveis e mais agradáveis ao paladar.

d) O consumo de alimentos processados deve ser limitado.

e) Alimentos ultraprocessados correspondem a produtos cuja fabricação envolve diversas etapas e técnicas de processamento e vários ingredientes.

8. (DI) De acordo com o novo guia alimentar para a população brasileira, é CORRETO afirmar que:

a) Alimentos *in natura*, como grãos secos, farinhas, castanhas, leites, ovos e carnes, são a base ideal para uma alimentação nutricionalmente balanceada.

b) Alimentos ultraprocessados, como óleos, gorduras, sal e açúcar, devem ser evitados.

c) Adotar uma alimentação saudável é meramente questão de escolha individual.

d) O efeito de nutrientes individuais tem se mostrado progressivamente suficiente para explicar a relação entre alimentação e saúde.

e) Recomendações sobre alimentação devem levar em conta o impacto das formas de produção e distribuição dos alimentos sobre a justiça social e a integridade do ambiente.

9. (DI) São recomendações de alimentação saudável para população brasileira de acordo com o novo guia alimentar:

1. Faça de alimentos *in natura* ou minimamente processados a base de sua alimentação.
2. Alimentos *in natura* ou minimamente processados, em grande variedade e predominantemente de origem animal, são a base de uma alimentação nutricionalmente balanceada.
3. Utilize óleos, gorduras, sal e açúcar em pequenas quantidades ao temperar e cozinhar alimentos e criar preparações culinárias.
4. Evite o uso de alimentos processados, consumindo-os, em pequenas quantidades, como ingredientes de preparações culinárias ou como parte de refeições baseadas em alimentos *in natura* ou minimamente processados.
5. Alimentos ultraprocessados, como biscoitos recheados, "salgadinhos de pacote", refrigerantes e "macarrão instantâneo", são nutricionalmente desbalanceados.

Destas opções, estão CORRETAS:

a) Todas (1 a 5).

b) Somente 1, 2, 3 e 4.

c) Somente 2, 3 e 4.

d) Somente 1, 2 e 4.

e) Somente 1, 3 e 5.

10. (DI) De acordo com as diretrizes do guia alimentar para americanos 2015-2020, é FALSO afirmar que:

a) Seguir um padrão de alimentação saudável ao longo da vida útil. Todas as opções de alimentos e bebidas são importantes.

b) Concentrar-se na densidade de calorias e quantidade. Para atender às necessidades, escolher uma variedade de alimentos densos em calorias em todos os grupos de alimentos.

c) Limitar calorias de açúcares adicionados e gorduras saturadas e reduzir a ingestão de sódio. Consumir um padrão alimentar baixo em açúcares adicionados e gorduras.

d) Mudar para escolhas mais saudáveis de alimentos e bebidas. Considerar preferências culturais e pessoais para tornar essas mudanças mais fáceis.

e) Apoiar padrões saudáveis de alimentação para todos. Todo mundo tem um papel em ajudar a criar e apoiar padrões de alimentação saudáveis em várias configurações em todo o país.

11. (DI) São recomendações-chave do Guia Alimentar para Americanos de 2015-2020 para um padrão de alimentação saudável, EXCETO:
    a) Consumir uma variedade de vegetais, frutas e grãos, além de lácteos de baixa gordura, incluindo leite, iogurte, queijo e/ou bebidas à base de soja fortificadas.
    b) Consumir uma variedade de alimentos proteicos, incluindo frutos do mar, carnes magras e aves, ovos, leguminosas (feijão e ervilha), nozes, sementes e produtos de soja.
    c) Limitar o consumo de gorduras saturadas e gorduras trans, açúcares adicionados e sódio.
    d) Evitar consumir óleos.
    e) Consumir menos de 10% de calorias por dia a partir de açúcares adicionados, de gorduras saturadas e de menos de 2.300 mg por dia de sódio.

12. (DI) Com relação às gorduras alimentares:
    1. Todas as gorduras alimentares são compostas por uma mistura de ácidos graxos poli-insaturados, monoinsaturados e saturados, em proporções variadas.
    2. Os ácidos graxos ômega 6 (n-6) são um tipo de gorduras poli-insaturadas encontradas em frutos do mar, salmão, truta, arenque, atum e cavala, bem como em sementes de linho e nozes.
    3. Os ácidos graxos monoinsaturados são encontrados em maior quantidade em óleos de girassol, milho, soja e algodão, nozes, pinhões e gergelim.
    4. Os ácidos graxos saturados são encontrados em maior quantidade em óleos de coco e palmeira, gorduras da manteiga e carne e óleo de palma.

    Destas opções, estão CORRETAS:
    a) Todas (1 a 4).
    b) Somente 1 e 4.
    c) Somente 2 e 3.
    d) Somente 2, 3 e 4.
    e) Somente 3 e 4.

13. (DI) De acordo a Organização Mundial da Saúde, são estratégias dietéticas para a prevenção de doenças crônicas, EXCETO:
    a) Para adultos, consumir pelo menos 400 g de frutas, vegetais e raízes por dia.
    b) Uma dieta saudável contém frutas, vegetais, leguminosas, nozes e grãos integrais.

c) Uma pessoa que consome 2.000 calorias deve ingerir menos de 10% a partir de açúcares simples (equivalente a 50 g), mas idealmente menos de 5% do consumo total de energia.

d) A ingestão de energia (calorias) deve estar equilibrada com o gasto de energia. A gordura total não deve exceder 30% da ingestão total de energia para evitar ganho de peso indesejável.

e) Manter a ingestão de sal inferior a 5 g por dia.

14. (DI) São estratégias para uma dieta saudável de bebês e crianças pequenas:

1. A amamentação deve ser exclusiva durante os primeiros 6 meses de vida.
2. Os lactentes devem ser amamentados continuamente até 2 anos de idade.
3. A partir dos 6 meses de idade, o leite materno deve ser complementado com uma variedade de alimentos. Sal e açúcar podem ser adicionados em pequenas quantidades.
4. Crianças pequenas devem comer pelo menos 400 g de frutas e vegetais.

Destas opções, pode-se afirmar que são CORRETAS:

a) Todas (1 a 4).
b) Somente 1 e 2.
c) Somente 1, 2 e 4.
d) Somente 1, 2 e 3.
e) Somente 2, 3 e 4.

15. (DI) De acordo com as *Dietary Reference Intake* (DRI) para crianças de 0 a 36 meses:

1. A ingestão diária recomendada (RDA) de macronutrientes para crianças de 0 a 6 meses é baseada no leite materno de mães saudáveis e bem nutridas.
2. De 6 a 12 meses de vida, a velocidade do crescimento diminui e, portanto, as necessidades diárias de nutrientes com base no peso corporal podem ser inferiores às dos primeiros 6 meses de vida.
3. As DRI específicas para atender às necessidades de lactentes alimentados com fórmulas não foram propostas.
4. Os requerimentos energéticos estimados (EER) são obtidos por meio de equações que se utilizam do peso corporal mais uma taxa para deposição de energia.

Destas opções, são CORRETAS:

a) Todas (1 a 4).
b) Somente 1 e 2.
c) Somente 1, 2 e 4.
d) Somente 1, 2 e 3.
e) Somente 2, 3 e 4.

16. (DI) Com relação aos 10 passos para alimentação saudável do guia alimentar brasileiro para crianças menores de dois anos:

    1. Ao completar 6 meses, dar alimentos complementares (cereais, tubérculos, carnes, leguminosas, frutas e legumes) três vezes ao dia, se a criança estiver em aleitamento materno.
    2. A alimentação complementar deve ser oferecida de acordo com os horários das refeições da família, em intervalos regulares e de modo a respeitar o apetite da criança.
    3. A alimentação complementar deve ser líquida no início, depois de consistência pastosa (papas/purês), aumentando gradativamente a consistência até chegar à alimentação da família.
    4. Oferecer à criança diferentes alimentos ao dia. Uma alimentação variada é uma alimentação colorida.

    Destas opções, estão CORRETAS:

    a) Todas (1 a 4).
    b) Somente 1, 2 e 3.
    c) Somente 1, 2 e 4.
    d) Somente 1, 3 e 4.
    e) Somente 2 e 3.

17. (DI) Ainda com relação às orientações contidas no Guia Alimentar Brasileiro para crianças menores de 2 anos, analise as seguintes afirmativas:

    1. Estimular o consumo diário de frutas, verduras e legumes nas refeições.
    2. Evitar açúcar, café, enlatados, frituras, refrigerantes, balas, salgadinhos e outras guloseimas nos primeiros anos de vida. Não usar sal.
    3. Cuidar da higiene no preparo e manuseio dos alimentos.
    4. Estimular a criança doente e convalescente a se alimentar.

    Destas opções, estão CORRETAS:

    a) Todas (1 a 4).
    b) Somente 1, 2 e 3.
    c) Somente 1, 2 e 4.
    d) Somente 1, 3 e 4.
    e) Somente 2 e 3.

18. (DI) A distribuição aceitável de gorduras totais em relação ao valor calórico total para crianças de 1 a 3 anos de acordo com as DRI é:

    a) 20 a 40%.
    b) 25 a 45%.

c) 30 a 40%.
d) 30 a 45%.
e) 29 a 49%.

19. (DI) Sobre a alimentação complementar:
    1. Ao completar 4 meses, complementa-se a oferta de leite materno com alimentos saudáveis que são mais comuns à região e ao hábito alimentar da família.
    2. Ao completar 6 meses, os alimentos complementares devem ser oferecidos três vezes ao dia (papa de fruta, papa salgada e papa de fruta).
    3. Ao completar 7 meses, deve ser acrescentada ao esquema alimentar a segunda papa salgada.
    4. A partir do momento em que a criança começa a receber qualquer outro alimento, a absorção do ferro do leite materno reduz significativamente.

    Destas opções, estão CORRETAS:
    a) Todas (1 a 4).
    b) Somente 1, 2 e 3.
    c) Somente 2, 3 e 4.
    d) Somente 2 e 3.
    e) Somente 1 e 3.

20. (DI) Crianças em aleitamento materno necessitam de energia proveniente da alimentação complementar:
    1. De 6 a 8 meses, necessitam da adição de 100 kcal por dia.
    2. De 9 a 11 meses, necessitam da adição de 300 kcal por dia.
    3. De 12 a 15 meses, necessitam da adição de 400 kcal por dia.
    4. De 12 a 23 meses, necessitam da adição de 550 kcal por dia.

    Destas opções, estão CORRETAS:
    a) Todas (1 a 4).
    b) Somente 1, 2 e 3.
    c) Somente 2, 3 e 4.
    d) Somente 2 e 4.
    e) Somente 1 e 3.

21. (DI) Sobre as *Dietary Reference Intakes* (DRI) de cálcio e vitamina D para lactentes, é FALSO afirmar que:
    a) A ingestão adequada (AI) de cálcio é de 200 e 260 mg para lactentes de 0 a 6 e de 6 a 12 meses, respectivamente.

b) A AI de vitamina D é de 400 unidades internacionais (UI - 10 μg) para lactentes de 0 a 12 meses.

c) As recomendações são baseadas no conteúdo de cálcio e vitamina D do leite humano.

d) A ingestão superior tolerável (UL) de cálcio é de 1.000 e 1.500 mg para lactentes de 0 a 6 e de 6 a 12 meses, respectivamente.

e) A UL de vitamina D é de 1.000 UI (25 μg) e 1.500 UI (38 μg) para lactentes de 0 a 6 e de 6 a 12 meses, respectivamente.

22. (DI) Com relação às recomendações para evitar a anemia no lactente, é FALSO afirmar que:

a) Bebês com baixo peso ao nascer devem ser amamentados exclusivamente nos primeiros 6 meses de vida para alcançar o crescimento ideal, desenvolvimento e saúde.

b) Fontes vegetais de ferro são geralmente menos bem absorvidas, embora a inclusão de "potenciadores", como os ácidos orgânicos cítrico, málico ou ácido ascórbico, possa melhorar a absorção de ferro desses alimentos.

c) Para melhorar a biodisponibidade de vitamina A, um nutriente hematopoético, foi observado que o consumo de gordura melhora a absorção de carotenoides da dieta e o cozimento a vapor, por curto tempo, pode reduzir a oxidação e a perda de carotenoides nos alimentos.

d) Aumentar a ingestão de alimentos ricos em folato e vitamina B_{12}.

e) Evitar combinar inibidores da absorção de ferro, como os produtos lácteos, com refeições com alto teor de ferro.

23. (DI) São problemas causados pelo uso de leite de vaca em lactentes:

1. Hipercalcemia.
2. Deficiência de ferro e perda de sangue pelas fezes.
3. Risco aumentado de alergia.
4. Hiponatremia.

Destas opções, estão CORRETAS:

a) Todas (1 a 4).

b) Somente 2 e 3.

c) Somente 2, 3 e 4.

d) Somente 1, 2 e 3.

e) Somente 1, 2 e 4.

24. (DI) A introdução precoce da alimentação complementar pode levar a problemas como:

1. Maior número de episódios de diarreia.
2. Maior número de hospitalizações por doença respiratória.

3. Risco de desnutrição se os alimentos introduzidos forem nutricionalmente inferiores ao leite materno, como, por exemplo, quando os alimentos são muito diluídos.
4. Menor absorção de nutrientes importantes do leite materno, como o ferro e o zinco.

Destas opções, estão CORRETAS:

a) Todas (1 a 4).
b) Somente 2 e 3.
c) Somente 2, 3 e 4.
d) Somente 1, 2 e 3.
e) Somente 1, 2 e 4.

25. (DI) São sugestões que podem facilitar o ato de alimentar uma criança pequena com dificuldades de se alimentar:

1. Alimentar a criança tão logo ela demonstre fome.
2. Mesmo que a criança já coma sozinha, deve-se ajudá-la se necessário.
3. Não deixar a criança brincar durante as refeições.
4. Não forçar a criança a comer.

Destas opções, estão CORRETAS:

a) Todas (1 a 4).
b) Somente 1, 2 e 4.
c) Somente 1, 2 e 3.
d) Somente 1, 3 e 4.
e) Somente 2 e 3.

26. (DI) O grupo etário em que ocorre decréscimo relativo do ritmo de crescimento e consequentemente há diminuição das necessidades nutricionais e do apetite é:

a) Lactente.
b) Pré-escolar.
c) Escolar.
d) Adolescente.
e) Adulto.

27. (DI) Considerando os hábitos e o comportamento alimentar do pré-escolar, analise as seguintes afirmações:

1. Nessa fase, é comum a neofobia, comportamento em que a criança tem medo de experimentar novos alimentos e sabores desconhecidos, ocasionando a recusa alimentar.

2. Aos 3 anos, as crianças já têm a primeira dentição completa. Durante o aparecimento dos dentes, devem ser ofertados alimentos diversificados e em diferentes texturas, inclusive alimentos crus.
3. As crianças nessa fase ainda não sabem regular sua própria ingestão alimentar de acordo com a saciedade.
4. Nessa fase, o comportamento alimentar é estável, sendo os sabores aceitos e as preferências alimentares constantes.

Destas opções, estão CORRETAS:

a) Todas (1 a 4).
b) Somente 1 e 2.
c) Somente 2 e 3.
d) Somente 3 e 4.
e) Somente 1, 2 e 3.

28. (DI) Entre os micronutrientes essenciais na fase pré-escolar, assinale a opção CORRETA.

a) Vitaminas A, C, D e E e potássio.
b) Vitaminas A e C, ferro, potássio e magnésio.
c) Vitaminas A e D, cálcio, ferro e zinco.
d) Vitaminas C e D, potássio, magnésio e zinco.
e) Vitaminas C e E, cálcio, ferro e magnésio.

29. (DI) Com relação às características da fase escolar, é CORRETO afirmar que:

a) O ganho de peso é proporcional ao crescimento em estatura.
b) As atitudes familiares com relação aos alimentos não são mais imitadas como nas fases anteriores.
c) O aumento da obesidade nessa faixa etária está relacionado à redução no nível de atividade física em razão do uso excessivo de computadores e televisão.
d) Os hábitos alimentares não podem ser influenciados pela televisão, sendo a influência proveniente de colegas na escola.
e) Os dentes permanentes vão aparecer apenas no final dessa fase, sendo necessários, a partir desse momento, uma correta higienização da boca e cuidados com a dieta.

30. (DI) Entre as recomendações e diretrizes nutricionais para a alimentação do escolar, assinale a CORRETA.

a) O consumo de sucos artificiais e refrigerantes deve ser limitado às refeições e nos lanches devem ser substituídos por leite e bebidas à base de soja.
b) Não há necessidade de se preocupar com o tipo de carboidratos nessa faixa etária, podendo ser consumidos carboidratos simples à vontade por serem uma fonte energética rápida.

c) O consumo de carboidrato deve ser de 60 a 70% do valor energético total.

d) Nessa fase, ainda não é necessário fazer o controle da ingestão de sal, pois a prevalência de hipertensão arterial em crianças é muito baixa.

e) Nessa fase, a criança deve receber educação nutricional, especialmente na escola, para a escolha correta de alimentos e uma melhor qualidade de vida.

31. (DI) Considerando a importância dos minerais durante a adolescência, observe as seguintes proposições:

1. As necessidades de cálcio aumentam durante esse período, sendo iguais para ambos os sexos.
2. O ferro é essencial para a expansão da massa muscular e das células vermelhas, sendo a necessidade igual entre os sexos durante toda a adolescência.
3. O zinco é importante nessa fase para a maturação sexual.

Destas afirmativas, estão CORRETAS:

a) Todas (1 a 3).

b) Somente 2.

c) Somente 3.

d) Somente 1 e 3.

e) Somente 1 e 2.

32. (DI) Considerando as características da fase de adolescência, é CORRETO afirmar que:

a) Devido ao rápido crescimento, as necessidades de vitaminas serão sempre superiores às do adulto.

b) As necessidades de proteínas (g/dia) são baixas nessa fase e são iguais para ambos os sexos.

c) Em geral, as meninas se alimentam melhor que os meninos.

d) Nessa fase é comum o aumento do consumo de leites e derivados, sendo mais fácil atingir as necessidades elevadas de cálcio.

e) As necessidades energéticas estão aumentadas devido à puberdade e às mudanças corporais que ocorrem nessa fase.

33 (DI) São hábitos e características alimentares comumente encontrados na adolescência:

1. Omissão de refeição, principalmente o café da manhã.
2. Maior apetite.
3. Maior consumo de industrializados.
4. Preocupação com o corpo, principalmente por parte das meninas.

Destas opções, estão CORRETAS:

a) Todas (1 a 4).
b) Somente 1 e 4.
c) Somente 3 e 4.
d) Somente 1, 2 e 3.
e) Somente 2, 3 e 4.

34. (DI) Considerando as recomendações de ingestão proteica da Organização Mundial da Saúde, assinale a opção correta com a recomendação proteica para um adulto saudável.

a) 0,6 g de proteína/kg de peso/dia.
b) 0,83 g de proteína/kg de peso/dia.
c) 1,0 g de proteína/kg de peso/dia.
d) 1,2 g de proteína/kg de peso/dia.
e) 1,5 g de proteína/kg de peso/dia.

35. (DI) Com relação aos lipídios, em 2008 a Organização Mundial da Saúde lançou um documento sobre as recomendações dietéticas para gorduras totais e ácidos graxos. Assinale a opção com a recomendação CORRETA para adultos.

a) A ingestão de gorduras totais deve ser de 20 a 35% do valor energético total (VET), devendo um mínimo de 15% ser consumido para garantir o consumo adequado de energia, ácidos graxos essenciais e vitaminas lipossolúveis para a maioria dos indivíduos adultos.
b) Recomenda-se substituir as gorduras saturadas por monoinsaturadas, e a ingestão de saturadas não deve passar de 10% do VET.
c) A recomendação para ácidos graxos poli-insaturados é de 4 a 10% do VET.
d) A ingestão de ácidos graxos trans não deve ser superior a 3% do VET.
e) A recomendação de ácidos graxos monoinsaturados é de 10 a 15% do VET.

36. (DI) Nos últimos anos, têm-se intensificado o interesse e a atenção às pessoas de idade mais avançada (idosos). Assim, com relação às necessidades energéticas desse grupo etário, assinale a opção CORRETA.

a) Encontram-se iguais às necessidades dos adultos devido à manutenção da massa magra.
b) Encontram-se iguais às necessidades dos adultos jovens para compensar o catabolismo.
c) Encontram-se diminuídas devido à redução do metabolismo basal, por redução da massa magra e do nível de atividade física.

d) Encontram-se diminuídas devido à menor capacidade digestiva em indivíduos mais idosos.

e) Encontram-se aumentadas devido à maior captação de oxigênio.

37. (DI) Dentre as mudanças comuns que ocorrem no envelhecimento e que podem impactar o consumo alimentar, o aproveitamento dos nutrientes e o estado nutricional, pode(m) ser citado(s):

1. Dificuldades e alterações sensoriais, reduzindo o apetite.
2. Aumento das secreções digestórias.
3. Alterações musculares e na motilidade, comprometendo o trânsito intestinal.
4. Redução de massa corporal magra.

Dentre estas afirmativas, estão CORRETAS:

a) Todas (1 a 4).

b) Somente 1 e 3.

c) Somente 3 e 4.

d) Somente 1, 2 e 4.

e) Somente 1, 3 e 4.

38. (DI) Uma nutrição adequada é importante para limitar e tratar problemas relacionados ao envelhecimento. Considerando as recomendações recentes envolvendo proteínas para idosos, assinale a opção CORRETA.

a) A ingestão proteica para idosos saudáveis deve ser de 0,6 a 0,8 g/kg de peso/dia para evitar comprometimento renal futuro.

b) A dieta desse grupo etário deve ser hipoproteica devido à deficiência enzimática para a digestão.

c) Apenas uma ingestão proteica em nível adequado é ideal para a manutenção da função muscular.

d) Idosos saudáveis devem consumir pelo menos 1,0 a 1,2 g de proteína/kg de peso/dia.

e) Em geral, a recomendação proteica para idosos deve ser de cerca de 1,8 g/kg/dia para compensar o catabolismo proteico.

39. (DI) A gravidez é um fenômeno fisiológico que acarreta uma série de transformações com aumento das recomendações da maioria dos nutrientes. Dois desses nutrientes são o ferro e ácido fólico. Quanto a eles, é CORRETO afirmar que:

a) A suplementação de ferro é recomendada apenas para gestantes anêmicas, pois em gestantes não anêmicas pode ocorrer excesso de ferro, sendo tóxico para a mãe e o feto.

b) A suplementação de ácido fólico deve ser realizada apenas até o período de fechamento do tubo neural.

c) As necessidades de ácido fólico aumentam durante a gravidez devido à rápida divisão celular no feto e ao aumento de perdas urinárias.

d) No Brasil, o Programa Nacional de Suplementação de Ferro preconiza a dosagem de 20 mg de ferro elementar e 200 µg de ácido fólico diariamente para gestantes.

e) Após o parto, a suplementação de ferro e ácido fólico não é mais necessária, podendo ser descontinuada.

40. (DI) De acordo com o Institute of Medicine (IOM, 2005), as recomendações de energia para o período da gravidez são:

a) De 100 kcal, durante o 1º trimestre, sendo 50 kcal relativos ao adicional de energia gasta durante a gravidez e 50 kcal de energia de depósito.

b) De 340 kcal, no 2º trimestre, sendo 160 kcal relativos ao adicional de energia gasta durante a gravidez e 180 kcal de energia de depósito.

c) De 600 kcal, no 3º trimestre, sendo 420 kcal relativos ao adicional de energia gasta durante a gravidez e 180 kcal de energia de depósito.

d) Durante o 3º trimestre, não é necessário adicionar nenhum valor ao cálculo de energia, pois nessa fase não há muito ganho de peso e não há grande alteração nas necessidades energéticas.

e) Durante a gravidez, ocorrem modificações no gasto energético de maneira decrescente, sendo o início da gravidez o período com maior recomendação média de energia e o 3º trimestre o período em que há menor gasto energético.

41. (DI) Outros nutrientes muito importantes durante a gestação são o cálcio, a vitamina A e o ácido graxo essencial docosaexaenoico (DHA). Quanto a esses nutrientes, observe as seguintes afirmações:

1. A deficiência de cálcio pode comprometer o desenvolvimento e o crescimento fetal, promover menor densidade mineral óssea no recém-nascido e aumentar o risco de hipertensão na gestante.
2. A maior deposição de cálcio no esqueleto do feto ocorre, principalmente, no 2º trimestre, sendo a ingestão de cálcio primordial durante esse período.
3. A necessidade de vitamina A durante a gravidez não aumenta muito.
4. As gestantes devem ser orientadas a ingerir boas fontes nutricionais de DHA, como peixes de fontes seguras. Independentemente da dieta, é recomendada a suplementação diária de DHA.

Destas opções, estão CORRETAS:

a) Todas (1 a 4).

b) Somente 1, 3 e 4.

c) Somente 1 e 2.

d) Somente 1 e 4.

e) Somente 2 e 3.

42. (DI) O acréscimo de proteína recomendado pela Organização Mundial da Saúde, Food and Agriculture Organization e United Nations University para a gestação e a lactação é de:

a) 1 g/dia, 9 g/dia e 31 g/dia, para o 1º, 2º e 3º trimestres de gestação, respectivamente, e 19 g/dia e 12,5 g/dia para o 1º e 2º semestres de lactação, respectivamente.

b) 5 g/dia, 10 g/dia e 45 g/dia, para o 1º, 2º e 3º trimestres de gestação, respectivamente, e 20 g/dia e 15 g/dia para o 1º e 2º semestres de lactação, respectivamente.

c) 1 g/dia, 10 g/dia e 20 g/dia, para o 1º, 2º e 3º trimestres de gestação, respectivamente, e 25 g/dia e 15 g/dia para o 1º e 2º semestres de lactação, respectivamente.

d) 5 g/dia, 15 g/dia e 25 g/dia, para o 1º, 2º e 3º trimestres de gestação, respectivamente, e 10 g/dia e 5 g/dia para o 1º e 2º semestres de lactação, respectivamente.

e) 1 g/dia, 15 g/dia e 29 g/dia para o 1º, 2º e 3º trimestres de gestação, respectivamente, e 25 g/dia e 12,5 g/dia para o 1º e 2º semestres de lactação, respectivamente.

43. (DI) Quanto à estimativa das necessidades energéticas da mulher adulta durante a lactação, de acordo com a *Dietary Reference Intake* (DRI), assinale a opção CORRETA.

a) Considerando que a perda de peso deve ser de 2 kg/mês, deve ser subtraído do gasto energético um valor de 110 kcal durante o 1º semestre de lactação para promover a perda de peso em mulheres eutróficas.

b) Durante o 1º semestre de lactação, deve ser adicionado um valor de 400 kcal referente à produção láctea, e no 2º semestre de lactação esse valor é de 200 kcal.

c) Durante o 1º semestre de lactação, deve ser adicionado um valor de 500 kcal referente à produção láctea.

d) O adicional de energia para a lactação é de 300 kcal durante o 2º semestre, referente à produção de leite.

e) Durante o 2º semestre de lactação, o valor a ser subtraído do gasto energético é de 100 kcal, para promover a perda de peso.

44. (DI) Levando em consideração a dieta da mãe e a composição do leite materno, é CORRETO afirmar que:

a) A composição do leite não sofre influência da dieta da mãe.

b) A qualidade da gordura e a quantidade de carboidratos e vitaminas lipossolúveis não sofrem influência da dieta da mãe.

c) A quantidade de ácidos graxos, vitamina A e vitaminas do complexo B podem estar diminuídas no leite quando a mãe ingere pequenas quantidades desses nutrientes.

d) A qualidade pode sofrer influência da dieta materna, mas a quantidade não.

e) A quantidade pode ser influenciada pela dieta materna, mas a qualidade não.

45. (DI) Quanto às dietas vegetarianas, pode-se afirmar que:
    a) A necessidade de ingestão de ferro para indivíduos vegetarianos é a mesma de não vegetarianos.
    b) As necessidades proteicas podem ser maiores em vegetarianos que obtêm esse nutriente de fontes de baixa digestibilidade, como cereais e legumes.
    c) Grávidas e lactantes não devem seguir dietas vegetarianas, as quais podem ser deficientes em nutrientes importantes para essas fases da vida.
    d) A biodisponibilidade do cálcio de alimentos vegetais, como brócolis, couve, gergelim e amêndoas, é baixa; apesar de serem alimentos de fontes de cálcio, pode resultar em deficiência desse nutriente.
    e) Bebês vegetarianos podem ter o crescimento retardado, mesmo recebendo quantidades adequadas de leite materno, pelo fato de o leite de mães vegetarianas apresentar alterações na composição, não sendo nutricionalmente adequado.

46. (DI) Dietas vegetarianas bem planejadas podem fornecer a maioria dos nutrientes necessários para a saúde. indivíduos vegetarianos, porém, podem ser deficientes em nutrientes como:
    a) Ferro, magnésio, vitamina B_{12} e vitamina D.
    b) Ferro, fósforo, vitamina B_6 e vitamina A.
    c) Fósforo, zinco, vitamina B_6 e vitamina D.
    d) Cobre, potássio, magnésio e ômega 3.
    e) Zinco, cálcio, vitamina B_{12}, vitamina D e ômega 3.

47. (DI) A fonte energética primária para o músculo esquelético em exercícios de longa duração (períodos maiores do que 2 minutos) é:
    a) Sistema aeróbico.
    b) Sistema fosfágeno.
    c) Sistema glicogênio/ácido láctico.
    d) Sistema aeróbico e fosfágeno.
    e) Sistema fosfágeno e glicogênio/ácido láctico.

48. (DI) Dentre as recomendações dietéticas para o atleta, assinale a opção CORRETA.
    a) Dietas ricas em gordura e restritas em carboidratos são recomendadas para a melhora na *performance* de atletas competitivos.
    b) A suplementação rotineira de vitaminas e minerais, especialmente os que exercem função antioxidante, é uma das recomendações para um bom desempenho esportivo.
    c) A hidratação do atleta deve ocorrer nas 2 horas anteriores ao exercício, não devendo ser realizada durante a atividade para evitar desconfortos gastrointestinais e cãibras.

d) É recomendada a ingestão de 1 a 4 g de carboidratos/kg 1 a 4 horas antes de exercício que dure mais que 60 minutos.

e) Independentemente do tipo ou da duração do exercício, uma ingestão de carboidratos entre 30 a 60 g é recomendada para garantir uma boa *performance*.

49. (DI) Um dos nutrientes mais importantes envolvidos na atividade física é a proteína. Observe as recomendações abaixo:

1. A quantidade proteica necessária para um atleta geralmente varia de 1,2 a 2 g/kg/dia.
2. O consumo de energia adequado, especialmente proveniente de carboidratos, para atingir o gasto energético é importante para que os aminoácidos sejam utilizados para síntese proteica e não oxidados.
3. Em casos de restrição energética ou inatividade repentina, como ocorre durante períodos de injúria, a ingestão proteica deve ser reduzida para 0,8 a 1,2 g/kg/dia.
4. A síntese proteica muscular é otimizada em resposta ao exercício com o consumo de proteína de alto valor biológico, provendo aproximadamente 10 g de aminoácidos essenciais na fase inicial de recuperação (0 a 2 horas após o exercício).

Destas opções, estão CORRETAS:

a) Somente 1 e 3.
b) Somente 2 e 3.
c) Somente 2 e 4.
d) Somente 1, 2 e 3.
e) Somente 1, 2 e 4.

50. (DI) Quanto às recomendações sobre hidratação para atletas, é CORRETO afirmar que:

a) Os atletas devem manter-se hidratados antes da atividade física, consumindo um volume equivalente a 5 a 10 mL/kg de peso nas 2 a 4 horas anteriores ao exercício.

b) O volume de fluidos ingeridos deve ser controlado, pois o excesso pode estar relacionado a câibras.

c) Os atletas devem ingerir quantidade de fluidos suficiente para a reposição das perdas pelo suor, de modo que o déficit de fluidos corporais seja limitado a 5% do peso corporal.

d) A desidratação é comum em atletas recreacionais, os quais não sabem da importância da hidratação.

e) A reposição hídrica com sódio deve ser realizada sempre, independentemente da taxa de suor ou da duração do exercício.

Respostas

1 - A

Apesar de as equações de EER terem sido desenvolvidas com base em um indivíduo de acordo com gênero, idade, altura e nível de atividade física, existe considerável variabilidade associada à estimativa. Além disso, o desvio padrão das equações de predição para homens, por exemplo, é de cerca de 200 kcal/d, ou seja, 400 kcal/dia a mais ou a menos do requerimento individual. A ingestão crônica acima ou abaixo do requisitado pelo indivíduo causa efeitos adversos para a saúde (ganho ou perda de peso). Portanto, não é apropriado usar uma ingestão mais dois desvios padrões acima da EER para avaliar a provável adequação da ingestão de um indivíduo.

- REF.: Institute of Medicine (2005); Otten, Hellwig & Meyers (2006).

2 - B

No passado, a ingestão de nutrientes por grupos era frequentemente comparada com a RDA e, quando igual ou superior à RDA, era frequentemente considerada adequada. Em um grupo com ingestão abaixo da RDA se dizia que essa proporção era deficiente. No entanto, nenhuma dessas avaliações é considerada correta. No primeiro caso, pode haver uma proporção considerável do grupo com ingestão abaixo de suas necessidades. No segundo, embora o risco de inadequação aumente à medida que a ingestão cai abaixo da RDA, a maioria dos indivíduos do grupo tem requisitos abaixo da RDA e, portanto, não pode ser considerada deficiente se a ingestão está abaixo da RDA. Em síntese, a RDA não tem nenhum papel na avaliação das dietas de grupos populacionais.

- REF.: Barr (2006).

3 - D

Uma nova medida da qualidade da proteína, o *Digestible Indispensable Amino Acid Score* (DIAAS), é recomendada pela FAO para substituir o *Protein Digestibility Corrected Amino Acid Score* (PDCAAS). O PDCAAS estima a digestibilidade através do nitrogênio fecal, enquanto a DIAAS determina a digestibilidade do aminoácido no íleo (digestibilidade ileal). Ambas as abordagens podem ser sujeitas a limitações, mas a FAO conclui, com base no entendimento derivado de estudos experimentais em seres humanos ao longo de muitos anos, em conjunto com estudos experimentais em animais monogástricos, especialmente roedores e porcos, que uma pontuação de aminoácidos calculada pela digestibilidade ileal do aminoácido (DIAAS) é melhor preditora da qualidade da proteína dietética humana que a ajustada pelo nitrogênio fecal (PDCAAS).

- REF.: Food and Agriculture Organization (2013).

4 - D

A taxa metabólica basal (TMB) descreve a taxa de gasto energético que ocorre no estado pós-absortivo, após um jejum noturno de 12 a 14 horas, descansando confortavelmente, em decúbito dorsal, acordado e imóvel em temperatura agradável. Esse estado metabólico padronizado corresponde à situação em que o alimento e a atividade física têm mínima influência sobre o metabolismo e reflete a energia necessária para sustentar as atividades metabólicas das células e tecidos, além da energia necessária para manter a circulação sanguínea, a respiração e o processamento gastrointestinal e renal.

- REF.: Institute of Medicine (2005).

5 – D

O estado hormonal pode afetar a taxa metabólica. Pessoas com hipotireoidismo diminuem a taxa de metabolismo basal. Além disso, como a proporção de massa magra e tecido adiposo ocorre em função do sexo e idade e a mulher tem maior proporção de gordura que tecido muscular quando comparada ao homem, ela tem, portanto, uma taxa de metabolismo basal de 5 a 10% menor que o indivíduo do sexo masculino de mesmo peso e altura. Entre as pessoas com o mesmo peso, as baixas e gordas apresentam taxas metabólicas mais baixas que as pessoas altas e magras.

- REF.: Ireton-Jones (2012).

6 – B

Denomina-se calorimetria indireta o método utilizado para medir o gasto energético por meio de equipamentos que aferem a quantidade de oxigênio consumida e de gás carbônico produzida em determinado espaço de tempo. Desse modo, gerando o quociente respiratório (QR), e com o uso de uma equação e do QR, o consumo de oxigênio pode ser convertido em gasto energético.

- REF.: Ireton-Jones (2012).

7 – B

Alimentos minimamente processados correspondem a alimentos *in natura* que foram submetidos a processos de limpeza, remoção de partes não comestíveis ou indesejáveis, fracionamento, moagem, secagem, fermentação, pasteurização, refrigeração, congelamento e processos similares que não envolvam agregação de sal, açúcar, óleos, gorduras ou outras substâncias ao alimento original.

- REF.: Brasil (2014).

8 – E

A alimentação adequada e saudável deriva de sistema alimentar social e ambientalmente sustentável. Os aspectos que definem o impacto social do sistema alimentar incluem: tamanho e uso das propriedades rurais que produzem os alimentos; autonomia dos agricultores na escolha de sementes, fertilizantes e formas de controle de pragas e doenças; condições de trabalho e exposição a riscos ocupacionais; papel e número de intermediários entre agricultores e consumidores; capilaridade do sistema de comercialização; geração de oportunidades de trabalho e renda ao longo da cadeia alimentar; e partilha do lucro gerado pelo sistema entre capital e trabalho. Com relação ao impacto ambiental de diferentes formas de produção e distribuição dos alimentos, cabe considerar aspectos como: técnicas empregadas para conservação do solo; uso de fertilizantes orgânicos ou sintéticos; plantio de sementes convencionais ou transgênicas;

controle biológico ou químico de pragas e doenças; formas intensivas ou extensivas de criação de animais; uso de antibióticos; produção e tratamento de dejetos e resíduos; conservação de florestas e da biodiversidade; grau e natureza do processamento dos alimentos; distância entre produtores e consumidores; meios de transporte; e a água e a energia consumidas ao longo de toda a cadeia alimentar.

- REF.: Brasil (2014).

9 – E

As quatro recomendações e uma regra de ouro do novo guia são: faça de alimentos *in natura* ou minimamente processados a base de sua alimentação; alimentos *in natura* ou minimamente processados, em grande variedade e predominantemente de origem vegetal, são a base de uma alimentação nutricionalmente balanceada, saborosa, culturalmente apropriada e promotora de um sistema alimentar social e ambientalmente sustentável; utilize óleos, gorduras, sal e açúcar em pequenas quantidades ao temperar e cozinhar alimentos e criar preparações culinárias; limite o uso de alimentos processados, consumindo-os, em pequenas quantidades, como ingredientes de preparações culinárias ou como parte de refeições baseadas em alimentos *in natura* ou minimamente processados; evite alimentos ultraprocessados, pois, devido a seus ingredientes, são nutricionalmente desbalanceados; e a regra de ouro: prefira sempre alimentos *in natura* ou minimamente processados e preparações culinárias a alimentos ultraprocessados.

- REF.: Brasil (2014).

10 – B

A diretriz recomenda que as pessoas devem se concentrar na densidade nutricional, variedade e quantidade. Para atender às necessidades de nutrientes dentro dos limites de calorias, devem escolher uma variedade de alimentos ricos em nutrientes em todos os grupos de alimentos em quantidades recomendadas.

- REF.: U.S. Department of Health and Human Services and U.S. Department of Agriculture (2015).

11 – D

Os óleos fazem parte do padrão de alimentação saudável, mas, como são uma fonte concentrada de calorias, a quantidade consumida deve estar dentro das *Acceptable Macronutrient Distribution Ranges* (AMDR) para gorduras totais sem exceder os limites de calorias. Os óleos devem substituir as gorduras sólidas.

- REF.: U.S. Department of Health and Human Services and U.S. Department of Agriculture (2015).

12 –B

Todas as gorduras alimentares são compostas por uma mistura de ácidos graxos poli-insaturados, monoinsaturados e saturados em proporções variadas. Por exemplo, a maioria dos ácidos graxos na manteiga é saturada, mas também contém alguns ácidos graxos monoinsaturados e poli-insaturados. Os óleos são principalmente ácidos graxos não saturados, embora tenham pequenas quantidades de ácidos graxos saturados.

Os ácidos graxos poli-insaturados são encontrados em maior quantidade em óleos de girassol, milho, soja e algodão, nozes, pinhões, gergelim e girassol. Somente pequenas quantidades de gorduras poli-insaturadas são encontradas na maioria das gorduras animais. Os ácidos graxos ômega 3 (n-3) são um tipo de gorduras poli-insaturadas encontradas em frutos do mar, como salmão, truta, arenque, atum e cavala, e em sementes de linho e nozes.

Os ácidos graxos monoinsaturados são encontrados em maior quantidade em óleos de azeitona, canola, amendoim, girassol e açafrão e em abacates e manteiga de amendoim e nozes. As gorduras monoinsaturadas também fazem parte da maioria das gorduras animais, como gorduras de frango, porco, carne bovina e caça selvagem.

Os ácidos graxos saturados são encontrados em maior quantidade em óleos de coco e palmeira, gorduras de manteiga e da carne. Eles também são encontrados em outras gorduras animais, como de porco e de frango, e vegetais, como nozes.

- REF.: U.S. Department of Health and Human Services and U.S. Department of Agriculture (2015).

13 – A

A composição exata de uma dieta diversificada, equilibrada e saudável variará de acordo com as necessidades individuais (p. ex., idade, sexo, estilo de vida e grau de atividade física), contexto cultural, alimentos disponíveis localmente e costumes dietéticos. Para adultos, uma dieta saudável deverá conter pelo menos 400 g (cinco porções) de frutas e vegetais por dia. No entanto, raízes como batatas, batata doce, mandioca e outras raízes de amido não são classificadas como frutas ou vegetais.

- REF.: World Health Organization (2015).

14 – C

Nos primeiros 2 anos de vida, a nutrição ideal promove um crescimento saudável e melhora o desenvolvimento cognitivo da criança. Também reduz o risco de ficar com excesso de peso ou obesidade e desenvolver doenças crônicas não transmissíveis mais tarde na vida. Os lactentes devem ser amamentados exclusivamente durante os primeiros 6 meses de vida e devem ser amamentados continuamente até os 2 anos de idade e além. A partir dos 6 meses de idade, o leite materno deve ser complementado com uma variedade de alimentos complementares adequados, seguros e com nutrientes. O sal e os açúcares não devem ser adicionados aos alimentos complementares. Consumir pelo menos 400 g, ou cinco porções, de frutas e vegetais por dia, reduz o risco de doenças não transmissíveis e ajuda a garantir uma ingestão diária adequada de fibras alimentares.

- REF.: World Health Organization (2015).

15 – E

A ingestão média e exclusiva de leite materno de bebês nascidos a termo de mães saudáveis e bem nutridas serviu de base para a *Adequate Intake* (AI) ou ingestão adequada de macronutrientes para crianças de 0 a 6 meses. Portanto, a AI de macronutrientes, e não a RDA, é determinada a partir da composição média de um volume médio de leite consumido por essa faixa etária.

- REF.: Institute of Medicine (2005).

16 - C

No Passo 5, a alimentação complementar deve ser espessa desde o início e oferecida de colher; iniciar com a consistência pastosa (papas/purês) e gradativamente aumentar a consistência até chegar à alimentação da família.

- REF.: Brasil (2015).

17 - D

No Passo 8 do Guia Alimentar tem-se que açúcar, café, enlatados, frituras, refrigerantes, balas, salgadinhos e outras guloseimas devem ser evitados nos primeiros anos de vida, podendo ser usado sal com moderação.

- REF.: Brasil (2015).

18 - C

De acordo com as DRI para macronutrientes, os intervalos de distribuição aceitáveis de macronutrientes (AMDR) de gordura total para as crianças de 1 e 3 anos de idade representam 30 a 40% da ingestão total de energia. As AMDR representam consumos que minimizam o potencial de doenças crônicas em longo prazo, permitem que nutrientes essenciais sejam consumidos em níveis adequados e devem estar associados à ingestão adequada de energia e atividade física para manter o equilíbrio energético.

- REF.: Institute of Medicine (2005); Otten, Hellwig & Meyers (2006).

19 - C

Os alimentos complementares são constituídos pela maioria dos alimentos básicos que compõem a alimentação do brasileiro. Complementa-se a oferta de leite materno com alimentos saudáveis que são mais comuns à região e ao hábito alimentar da família. Ao completar 6 meses de idade, os alimentos complementares devem ser oferecidos três vezes ao dia (papa de fruta, papa salgada e papa de fruta), pois contribuem com o fornecimento de energia, proteína e micronutrientes, além de preparar a criança para a formação dos hábitos alimentares saudáveis no futuro. Ao completar 7 meses, deve ser acrescentada ao esquema alimentar a segunda papa salgada. A partir do momento em que a criança começa a receber qualquer outro alimento, a absorção do ferro do leite materno reduz significativamente; por esse motivo, é muito importante a introdução de carnes, vísceras e miúdos, mesmo que em pequena quantidade. A papa salgada deve conter um alimento do grupo dos cereais ou tubérculos, um do grupo de legumes e verduras, um do grupo dos alimentos de origem animal (frango, boi, peixe, miúdos, ovo) e um das leguminosas (feijão, soja, lentilha, grão de bico).

- REF.: Brasil (2015).

20 - D

Após 6 meses de idade, o leite materno não é suficiente para cobrir a demanda energética e de outros nutrientes. Desse modo, a energia necessária para complementar as demandas enegéticas são: cerca de 200 kcal por dia em lactentes de 6 a 8 meses, 300 kcal por dia em bebês de 9 a 11 meses e 550 kcal por dia em crianças de 12 a 23 meses.

- REF.: World Health Organization (2009).

21 - C

Para crianças, a AI foi estabelecida com base em evidências de que a manutenção de níveis séricos de 25-hidróxi-colecalciferol ou 25-hidróxi-vitamina D (25-OH-D) na faixa de 40 a 50 nmol/L (16 a 20 ng/mL) era desejável, juntamente com dados observacionais sugerindo 400 Unidades Internacionais (UI) (10 μg) por dia como quantidade adequada para manter este nível sanguíneo.

- REF.: Institute of Medicine (2011).

22 - A

Bebês com baixo peso ao nascer e prematuros terão estoques de ferro comprometidos ao nascimento devido a seu tamanho reduzido e/ou ao parto prematuro. Recomenda-se que essas crianças recebam uma fonte externa de ferro (p. ex., suplementos de ferro) antes dos 6 meses de idade, além do aleitamento materno.

- REF.: World Health Organization (2017).

23 - B

Os problemas causados pelo uso do leite de vaca, além do risco de desnutrição e infecção sempre associado ao aleitamento artificial, seja qual for o tipo de leite, também estão relacionados à deficiência de ferro e à perda de sangue pelas fezes, ao risco aumentado de alergia, à carga elevada de solutos, à hipocalcemia, à deficiência de ácido linoleico e a outras deficiências, como as de cobre, zinco e vitaminas.

- REF.: Trahms & Mckean (2012).

24 - A

A Organização Mundial da Saúde, endossada pelo Ministério da Saúde do Brasil, recomenda aleitamento materno por 2 anos ou mais, sendo exclusivo nos primeiros 6 meses. Não há vantagens em iniciar os alimentos complementares antes dos 6 meses, podendo, inclusive, haver prejuízos à saúde da criança, pois a introdução precoce de outros alimentos está associada a: maior número de episódios de diarreia; maior número de hospitalizações por doença respiratória; risco de desnutrição, se os alimentos introduzidos forem nutricionalmente inferiores ao leite materno, como, por exemplo, quando os alimentos são muito diluídos; e menor absorção de nutrientes importantes do leite materno, como o ferro e o zinco.

- REF.: Brasil (2015).

25 – B

De acordo com os 10 passos para a alimentação saudável do guia alimentar para crianças menores de 2 anos, são recomendações para as famílias de crianças pequenas com dificuldades de alimentar-se: separar a refeição em prato individual para ter certeza de o quanto a criança está realmente ingerindo; estar presente nas refeições mesmo que a criança já coma sozinha e ajudá-la se necessário; não apressar a criança. Ela pode comer um pouco, brincar e comer novamente; desse modo, deve-se permitir que a criança brinque. É necessário ter paciência e bom humor, e alimentar a criança tão logo ela demonstre fome. Se a criança esperar muito, ela pode perder o apetite. Não forçar a criança a comer, pois isso aumenta o estresse e diminui ainda mais o apetite. As refeições devem ser momentos tranquilos e felizes.

- REF.: Brasil (2015).

26 – B

A fase pré-escolar caracteriza-se como um período de transição entre o lactente e o escolar. Nessa fase, há menor ritmo de crescimento, inferior ao dos dois primeiros anos de vida, ocorrendo também diminuição das necessidades nutricionais e do apetite. A redução na ingestão alimentar frequente nessa fase é fisiológica.

- REF.: Pires *et al.* (2012); Philippi *et al.* (2015).

27 – B

Um dos comportamentos característicos na fase pré-escolar é a neofobia, em que é observada uma dificuldade em aceitar alimentos novos ou desconhecidos e que não façam parte das preferências alimentares. Esse comportamento é considerado normal nas crianças dessa faixa etária. Na idade de 3 anos, as crianças já estão com a primeira dentição completa, podendo aprender a ingerir alimentos diferentes e com várias texturas. A mastigação é importante para o desenvolvimento da musculatura do rosto, devendo ocorrer a substituição de alimentos amassados por alimentos inteiros, seguidos de alimentos crus, conforme os dentes nascem. As crianças na fase pré-escolar já dispõem de mecanismos internos para autorregulação da ingestão alimentar. Assim, o ideal é oferecer pequenas quantidades de alimento e perguntar se a criança está satisfeita ou deseja mais. A criança não deve ser forçada a comer a quantidade total do prato. Nessa fase, o comportamento alimentar também é variável e imprevisível. Alimentos preferidos podem já não ser mais aceitos em pouco tempo. É importante que os pais estejam conscientes disso, pois medidas severas podem contribuir para o desenvolvimento de distúrbios alimentares.

- REF.: Pires *et al.* (2012); Philippi *et al.* (2015).

28 – C

Os micronutrientes essenciais nessa fase da vida são cálcio, ferro, zinco e vitaminas A e D. Devem ser oferecidos às crianças alimentos ricos nesses nutrientes. O cálcio está relacionado à massa óssea e à saúde dentária. A deficiência de ferro pode afetar o desenvolvimento físico e mental e causar anemia. O zinco está envolvido nas funções cognitivas, no sistema imunológico e no crescimento adequado. A vitamina A contribui para diminuir o risco de algumas doenças e os transtornos da visão, e a vitamina D está relacionada à absorção de cálcio.

- REF.: Pires *et al.* (2012); Philippi *et al.* (2015).

29 - C

Na fase escolar, o aumento de peso é proporcionalmente maior que o crescimento em estatura. As crianças ficam mais fortes, rápidas e coordenadas. As atitudes alimentares da família ainda exercem influência sobre as práticas alimentares dos escolares. Além da família, as crianças também são influenciadas por outros meios, como os colegas da escola e a televisão. A fase escolar envolve a faixa etária de 7 a 10 anos, e por volta dos 6 anos de idade os dentes decíduos começam a ser substituídos pelos permanentes, geralmente em uma taxa de quatro dentes por ano, pelos próximos 5 anos. Assim, é na fase escolar que a maioria dos dentes permanentes aparece, o que torna ainda mais importante uma dieta adequada e uma correta higienização bucal. O uso prolongado de televisão e computadores pode levar à redução na atividade física, contribuindo para o sedentarismo e o aumento da obesidade.

- REF.: Benzecry, Mello & Escrivão (2012); Philippi *et al.* (2015).

30 - E

O consumo de sucos artificiais, bem como de refrigerantes e bebidas à base de soja, nas refeições e lanches, em vez de leites e derivados, pode prejudicar a ingestão de cálcio, não sendo por isso recomendado. Além disso, refrigerantes fosfatados (tipo cola) podem aumentar a excreção de cálcio pela urina. Deve-se priorizar o consumo de carboidratos complexos em lugar dos simples, devendo o consumo de carboidrato simples ser menor que 25% do valor energético total. O total da ingestão de carboidrato deve representar 50 a 55% do valor energético total. A ingestão de sal também deve ser controlada, para menos de 6 g/dia, para prevenção de hipertensão arterial. Deve ser diminuído o consumo tanto de sal quanto de alimentos enlatados, embutidos, salgadinhos e condimentos industrializados. Nessa fase, as crianças têm maior capacidade cognitiva e autonomia, podendo realizar mudanças nos hábitos alimentares. Portanto, é importante que na fase escolar a criança receba educação nutricional apropriada, especialmente na escola.

- REF.: Benzecry, Mello & Escrivão (2012).

31 - D

Alguns dos minerais particularmente importantes para o adolescente são o cálcio, o ferro e o zinco. Devido ao crescimento ósseo acelerado e ao grande depósito mineral, a necessidade de cálcio é aumentada durante essa fase da vida, sendo a RDA de 1.300 mg/dia para ambos os sexos. Em virtude do aumento do volume plasmático para disposição de mais eritrócitos e mioglobina, importante para o desenvolvimento da massa muscular, as necessidades de ferro também são maiores na adolescência. As necessidades das meninas aumentam após a menarca devido às perdas menstruais. O zinco é outro mineral importante nesse período da vida por poder estar envolvido na regeneração óssea e muscular, no desenvolvimento ponderal e na maturação sexual.

- REF.: Institute of Medicine (2011); Weffort *et al.* (2012).

32 – E

Na adolescência, há maior demanda de substâncias nutritivas em razão dos eventos da puberdade e do estirão de crescimento, aumentando as necessidades de nutrientes específicos. As necessidades de energia aumentam de acordo com a velocidade de crescimento e a atividade física. Nessa fase, geralmente, há redução no consumo de leites e derivados que, se não for de maneira balanceada, pode reduzir a ingestão de cálcio, fósforo e magnésio. Os adolescentes, sem distinção de sexo, fazem parte de uma faixa de risco muito vulnerável quanto ao estilo de vida e ao alto consumo de energia e gorduras. Essa fase da vida exige elevado aporte proteico. As recomendações para ambos os sexos de 9 a 13 anos são de 0,95 g/kg de peso/dia ou 34 g/dia. Para meninos de 14 a 18 anos, a RDA é de 0,85 g/kg de peso/dia ou 52 g/dia. Já para meninas entre 14 e 18 anos, a RDA é de 0,85 g/kg/dia ou 46 g/dia.

- REF.: Institute of Medicine (2005); Weffort *et al.* (2012).

33 – A

Alguns hábitos alimentares são comuns entre os adolescentes, como saltar uma refeição, principalmente o café da manhã, e substituir o almoço e/ou o jantar por lanches ou refeições rápidas. Além disso, nessa fase há aumento do apetite, coincidindo com o pico da velocidade de crescimento e da necessidade de energia. A preocupação com o corpo e o seguimento de dietas restritivas para emagrecer são frequentes entre as meninas. Nessa fase, também é maior o consumo de alimentos industrializados, "da moda" e menos nutritivos.

- REF.: Weffort *et al.* (2012); Juzwiak & Frutuoso (2015).

34 – B

De acordo com a Food and Agriculture Organization, a World Health Organization e a United Nations University (2007), a ingestão de 0,83 g de proteína/kg de peso/dia atinge as necessidades da maioria da população adulta saudável (97,5%), sendo considerado o valor aceitável de ingestão segura.

- REF.: FAO/WHO/UNU (2007).

35 – A

Segundo a Food and Agriculture Organization e a World Health Organization (2008), a ingestão de gorduras totais deve ser de 20 a 35% do VET, devendo um mínimo de 15% ser consumido para garantir a ingestão adequada de energia, ácidos graxos essenciais e vitaminas lipossolúveis para a maioria dos indivíduos adultos. Deve-se substituir o consumo de gorduras saturadas por poli-insaturadas, devendo o consumo de saturadas ser menor que 10% do valor energético total (VET). A recomendação para ácidos graxos poli-insaturados é de 6 a 11% do VET. A ingestão de ácidos graxos trans deve ser inferior a 1% do VET. A ingestão de monoinsaturados deve ser determinada pela diferença entre a ingestão total de gorduras e de gorduras saturadas, poli-insaturadas e trans. Assim, a ingestão de ácidos graxos monoinsaturados pode abranger um grande intervalo, dependendo da ingestão total de gorduras e o padrão de lipídios da dieta.

- REF.: FAO/WHO (2008).

36 – C

Durante o envelhecimento, ocorrem mudanças na taxa de metabolismo basal com sua redução devido à redução da massa muscular e do nível de atividade física. Assim, as necessidades energéticas totais em indivíduos idosos também são diminuídas.

- REF.: Aquino *et al.* (2015); World Health Organization (2018).

37 – E

Dentre as alterações comuns que ocorrem no processo de envelhecimento, podem ser citadas as alterações sensoriais, como no paladar, que afetam o apetite de idosos. Em geral, também ocorre redução nas secreções digestórias e de glândulas salivares, gástricas, biliares, pancreáticas e intestinais, o que altera a absorção e a biodisponibilidade de nutrientes. Redução de muco intestinal e alterações musculares e de motilidade podem influenciar o trânsito intestinal, levando ao quadro de constipação, tão comum nesse grupo etário. Ocorrem também mudanças na composição corporal com perda de massa muscular, água corporal total e massa óssea, caracterizando a redução de massa corporal magra.

- REF.: Aquino *et al.* (2015).

38 – D

As recomendações mais recentes mostram que dietas com maior aporte proteico são benéficas para idosos a fim de evitar problemas relacionados à redução de massa magra, força e habilidade funcional. A ingestão adequada de proteínas em combinação com atividade física diária é considerada ideal para a manutenção da função muscular.

Idosos saudáveis devem ingerir pelo menos de 1 a 1,2 g de proteína/kg de peso/dia. Para idosos com doenças agudas ou crônicas está indicado 1,2 a 1,5 g de proteínas/kg de peso/dia, podendo ser ingeridas quantidades ainda maiores nos casos de indivíduos com doenças graves. Para idosos com função renal preservada ou disfunção leve, a recomendação padrão de ingestão proteica é segura.

- REF.: Deutz *et al.* (2014).

39 – C

A suplementação de ferro é recomendada para todas as gestantes, inclusive não anêmicas, para evitar o desenvolvimento de anemia e melhorar os desfechos gestacionais. Apesar de o ácido fólico ser primordial para o fechamento do tubo neural até por volta do 28º dia de gestação, a suplementação deve continuar durante toda a gravidez, pois contribuirá para outros aspectos da saúde materna e fetal, como prevenção de anemia. No Brasil, o Programa Nacional de Suplementação de Ferro preconiza a suplementação profilática de sulfato ferroso na dosagem de 40 mg de ferro elementar e 400 μg de ácido fólico diariamente até o final da gestação. Mulheres no pós-parto e pós-aborto devem receber 40 mg de ferro elementar diariamente até o terceiro mês do pós-parto e pós-aborto. Todas as mulheres, mesmo que estejam impossibilitadas de amamentar, devem receber a suplementação de ferro para repor as reservas corporais maternas.

- REF.: Organização Mundial da Saúde (2013); Brasil (2013).

40 – B

O Institute of Medicine (IOM) recomenda como *Estimated Energy Requirements* (EER) durante a gestação: não há adicional de energia durante o 1º trimestre pelo fato de o total de energia despendida (*Total Energy Expenditure* - TEE) alterar pouco e o ganho de peso ser menor; no 2º trimestre, às EER de não grávidas devem ser adicionadas 160 kcal (adicional de energia gasta durante a gravidez) mais 180 kcal (energia de depósito); assim, no 2º trimestre a recomendação adicional de ingestão energética será de 340 kcal; já no 3º trimestre, às EER de não grávidas devem ser adicionadas 272 kcal (adicional de energia gasta durante a gravidez) mais 180 kcal (energia de depósito), com adicional total de 452 kcal.

- REF.: Institute of Medicine (2005).

41 – B

O cálcio é um mineral muito importante durante a gestação. Sua deficiência pode comprometer o desenvolvimento e o crescimento fetal, reduzir a densidade mineral óssea no recém-nascido e aumentar o risco de hipertensão na gestante, contrações e parto prematuro. A maior deposição de cálcio no esqueleto do feto ocorre, principalmente, no 3º trimestre. Ao redor do 5º mês de gestação, a absorção de cálcio pelo intestino aumenta cerca de duas vezes comparado ao início da gestação. Apesar de sua importância para o bom desenvolvimento fetal, o aumento das necessidades de vitamina A é pequeno durante a gestação. Porém, uma alimentação que proporcione uma ingestão adequada, sem excesso e sem deficiência, é a maneira de responder às necessidades durante a gestação e o período da amamentação. As gestantes devem ser orientadas a ingerir boas fontes nutricionais de DHA, como peixes ricos nesse nutriente e de fontes seguras. Independentemente da dieta, é recomendada a suplementação diária de DHA com 200 mg.

- REF.: Nogueira-de-Almeida *et al.* (2014); Goulart & Andrade (2015).

42 – A

A Food and Agriculture Organization e a World Health Organization recomendam para a gestação um acréscimo de 1 g/dia de proteínas para o 1º trimestre, 9 g/dia para o 2º trimestre e 31 g/dia para o 3º trimestre de gestação. Para a lactação, devem ser acrescentado 19 g de proteínas/dia durante os primeiros 6 meses e 12,5 g/dia para os 6 meses seguintes. Essas quantidades devem ser adicionadas às necessidades da mulher. Para o cálculo da oferta de proteínas, deve ser utilizado o peso pré-gestacional ou o peso desejável antes da gestação.

- REF.: FAO/WHO/UNU (2007).

43 – C

De acordo com o Institute of Medicine, as necessidades energéticas (EER) para a lactação devem ser estimadas da seguinte forma: durante o 1º semestre, às EER pré gestacionais devem ser adicionadas 500 kcal (energia para produção láctea) menos 170 kcal (energia para perda de peso); durante o 2º semestre, às EER pré gestacionais devem ser adicionadas 400 kcal (energia para produção láctea). No 1º semestre, é subtraído um valor de 170 kcal, considerando que a redução de peso em mulheres eutróficas deve ser de 0,8 kg de peso/mês. No 2º semestre, para estimativa das necessidades energéticas, não há redução de valor referente à perda de peso.

- REF.: Institute of Medicine (2005).

44 – C

A composição do leite pode ser influenciada pela dieta materna. A concentração de vitaminas no leite pode ser influenciada pelo consumo alimentar da mãe. A ingestão de vitaminas do complexo B deve ser aumentada pelo fato de as necessidades de proteínas serem maiores nessa fase. Já a concentração dos minerais no leite sofre menor influência da dieta materna. A quantidade de ácidos graxos também será determinada pela ingestão materna. É importante aporte hídrico adequado (em torno de 3 L/dia) para garantir a produção de leite em quantidade suficiente.

- REF.: Goulart & Andrade (2015).

45 – B

Como algumas fontes de proteínas para vegetarianos são de baixa digestibilidade, como as de cereais e leguminosas, quando comparadas às proteínas de origem animal, as necessidades proteicas podem ser maiores em pessoas que obtêm esse nutriente principalmente dessas fontes. Além disso, devido à baixa biodisponibilidade de ferro nas dietas vegetarianas, a recomendação de ingestão desse nutriente deve ser 1,8 vez maior que para não vegetarianos. Dietas vegetarianas bem planejadas são apropriadas para todas as fases da vida, inclusive durante o período de gravidez e lactação. O crescimento dos bebês vegetarianos é normal quando eles são amamentados adequadamente ou recebem fórmula infantil na quantidade necessária. O leite materno de mães vegetarianas é similar ao de não vegetarianas em sua composição, também sendo nutricionalmente adequado. A biodisponibilidade do cálcio de fonte vegetal é variável, sendo vegetais com baixos teores de oxalato, como brócolis e couve, boas fontes com alta biodisponibilidade desse micronutriente. Sementes de gergelim e amêndoas apresentam menor disponibilidade, de 21 a 27%.

- REF.: American Dietetic Association (2009).

46 – E

A Associação Dietética Americana (ADA) declara que as dietas vegetarianas bem planejadas geralmente apresentam altos teores de fibras, magnésio, potássio, vitaminas C e E, folato, carotenoides, flavonoides e outros fitoquímicos. Porém, veganos e vegetarianos podem apresentar baixa ingestão de vitamina B_{12}, cálcio, vitamina D, zinco e ômega 3.

- REF.: American Dietetic Association (2009).

47 – A

O corpo utiliza três sistemas de energia principais para a provisão de força muscular necessária para provas atléticas e nas atividades físicas diversas. Esses sistemas são: o sistema do fosfágeno, o sistema glicogênio/ácido láctico e o sistema aeróbico.

O sistema de fosfágeno armazena energia das ligações de alta energia do ATP e da fosfocreatina. Esse sistema promove surtos muito intensos de energia para a contração muscular (exercícios de grande intensidade) por períodos de aproximadamente 10 segundos (curta duração).

A via glicolítica anaeróbica (glicogênio/ácido láctico) metaboliza glicose e glicogênio muscular para exercícios de alta intensidade e duração de 10 a 180 segundos.

O sistema fosfágeno e o glicolítico não conseguem prover energia para a contração muscular para eventos mais longos, sendo o sistema oxidativo (aeróbico) o responsável por prover primariamente a energia para eventos que durem mais que 2 minutos.

- REF.: Thomas, Erdman & Burke (2016).

48 – D

Dietas ricas em gordura e restritas em carboidratos que beneficiem a *performance* de atletas competitivos não são apoiadas pela literatura atual, não sendo, assim, uma recomendação dietética para atletas. É recomendado que atletas consumam uma dieta bem planejada com alimentos ricos em antioxidantes. Suplementações de micronutrientes são geralmente apropriadas apenas para correção de questões clínicas preexistentes, como deficiências. Estratégias para a hidratação devem ser adotadas antes, durante e após os exercícios, a fim de preservar a homeostase, a função corporal, a *performance* e a sensação de bem-estar. Dependendo do tipo e da duração de exercício, há diferentes recomendações de ingestão de carboidratos durante a atividade física. Por exemplo, para exercícios breves, com duração menor que 45 minutos, não é necessária a ingestão durante a atividade. Já para exercícios de endurance, com duração entre 1 e 2,5 horas, são recomendados 30 a 60 g de carboidratos por hora. A ingestão de 1 a 4 g/kg de carboidratos antes do exercício é recomendada, devendo ser evitadas as opções ricas em gordura ou proteína ou fibras, pois essas representam risco de problemas gastrointestinais durante o evento.

- REF.: Thomas, Erdman & Burke (2016).

49 – E

Todas as afirmativas são verdadeiras, exceto o item 3. Em casos de restrição energética ou inatividade repentina, como ocorre durante períodos de injúria, a ingestão proteica elevada para 2 g/kg/dia ou mais pode ser vantajosa para prevenir a perda de massa magra.

- REF.: Thomas, Erdman & Burke (2016).

50 – A

Os atletas devem consumir previamente um volume equivalente a 5 a 10 mL/kg de peso, nas 2 a 4 horas anteriores ao exercício, para iniciarem a atividade física em bom estado de hidratação. O excesso de volume de fluidos está relacionado à hiponatremia com perda de consciência, entre outros. Cãibras musculares geralmente estão associadas à fadiga, porém podem estar associadas à desidratação e ao desequilíbrio de eletrólitos. Os atletas devem ingerir quantidade de fluidos suficiente para reposição das perdas pelo suor, de modo que o déficit de fluidos corporais seja limitado a 2% do peso corporal. Hidratação excessiva é comum em atletas recreacionais porque as taxas de suor são menores que as de atletas competitivos e porque eles acreditam ser necessária uma maior hidratação. Além disso, suas oportunidades para ingerir líquidos também costumam ser maiores. O sódio deve ser ingerido durante exercícios em que há grande perda pelo suor (maior que 1,2 L/h) ou exercícios prolongados (mais de 2 horas).

- REF.: Sawka *et al.* (2007); Goulet (2012); Thomas, Erdman & Burke (2016).

Referências

American Dietetic Association. Position of the American Dietetic Association: Vegetarian Diets. J Am Diet Assoc, 2009 Jul; 109:1266-82.

Aquino RCA, Ribeiro SML, Perucha VR, Goulart RMM. Planejamento dietético no envelhecimento. In: Philippi ST, Aquino RCA. Dietética: princípios para o planejamento de uma alimentação saudável. Barueri: Manole, 2015.

Barr SI. Applications of Dietary Reference Intakes in dietary assessment and planning. Appl Physiol Nutr Metab, 2006; 31(1):66-73.

Benzecry SG, Mello ED, Escrivão MAMS. Alimentação do escolar. In: Sociedade Brasileira de Pediatria. Manual de orientação para a alimentação do lactente, do pré-escolar, do escolar, do adolescente e na escola. 3. ed. Rio de Janeiro: SBP, 2012.

Brasil. Ministério da Saúde. Dez passos para uma alimentação saudável: guia alimentar para crianças menores de dois anos. Um guia para o profissional da saúde na atenção básica. Brasília: Ministério da Saúde, 2015.

Brasil. Ministério da Saúde. Guia alimentar para a população brasileira. 2. ed. Brasília: Ministério da Saúde, 2014.

Brasil. Ministério da Saúde. Programa Nacional de Suplementação de Ferro: manual de condutas gerais. Brasília: Ministério da Saúde, 2013.

Brasil. Ministério da Saúde. Saúde da criança: aleitamento materno e alimentação complementar. 2. ed. Brasília: Ministério da Saúde, 2015.

Deutz NEP, Bauer JM, Barazzoni R, Biolo G, Boirie Y, Bosy-Westphal A et al. Protein intake and exercise for optimal muscle function with aging: recommendations from the ESPEN Expert Group. Clin Nutr, 2014; 33:929-36.

Food and Agriculture Organization/World Health Organization. Interim summary of conclusions and dietary recommendations on total fat & fatty acids. The Joint FAO/WHO Expert Consultation on Fats and Fatty Acids in Human Nutrition, 2008.

Food and Agriculture Organization. Food and Nutrition paper 92. Dietary protein quality evaluation in human nutrition. Report of an FAO Expert Consultation. Rome: FAO, 2013.

Food and Agriculture Organization/World Health Organization/United Nations University. Protein and amino acid requirements in human nutrition: report of a joint FAO/WHO/UNU expert consultation. Technical Report Series, 935. Geneva: WHO, 2007.

Goulart RMM, Andrade KC. Planejamento dietético na gestação e na amamentação. In: Philippi ST, Aquino RCA. Dietética: princípios para o planejamento de uma alimentação saudável. Barueri: Manole, 2015.

Goulet EDB. Dehydration and endurance performance in competitive athletes. Nutr Rev, 2012; 70(2): S132-S136.

Institute of Medicine. Dietary Reference Intakes for calcium and vitamin D. Washington: National Academy Press, 2011.

Institute of Medicine. Dietary Reference Intakes for energy, carbohydrate, fiber, fat, fatty acids, cholesterol, protein, and amino acids (macronutrients). Washington: National Academy Press, 2005.

Ireton-Jones CS. Ingestão: Energia. In.: Mahan LK, Escott-Stump S, Raymond JL. Krause, Alimentos, Nutrição e Dietoterapia. 13. ed. Rio de Janeiro: Elsevier, 2012.

Juzwiak CR, Frutuoso MF. Planejamento dietético na adolescência. In: Philippi ST, Aquino RCA. Dietética: princípios para o planejamento de uma alimentação saudável. Barueri: Manole, 2015.

Nogueira-de-Almeida CA, Ribas Filho D, Mello ED, Bertolucci PHF, Falcão MC. I Consenso da Associação Brasileira de Nutrologia sobre recomendações de DHA durante gestação, lactação e infância. Int J Nutrol, 2014 Set; 7(3):1-10.

Organização Mundial da Saúde. Diretriz: Suplementação intermitente de ferro e ácido fólico em gestantes não anêmicas. Genebra: Organização Mundial da Saúde, 2013.

Otten JJ, Hellwig JP, Meyers LD. Dietary reference intakes: the essential guide to nutrient requirements [Internet]. Dietary Reference Intakes, 2006. 543 p. Available from: www.iom.edu.

Philippi ST, Toassa EC, Koritar P, Martinez MF, Llanos MFE. Planejamento dietético na infância. In: Philippi ST, Aquino RCA. Dietética: princípios para o planejamento de uma alimentação saudável. Barueri: Manole, 2015.

Pires MMS, Obelar MS, Wayhs MLC, Brasil ALS. Alimentação do pré-escolar. In: Sociedade Brasileira de Pediatria. Manual de orientação para a alimentação do lactente, do pré-escolar, do escolar, do adolescente e na escola. 3. ed. Rio de Janeiro: SBP, 2012.

Sawka MN, Burke LM, Eichner ER, Maughan RJ, Montain SJ, Stachenfeld NS. American College of Sports Medicine position stand. Exercise and Fluid Replacement. Med Sci Sports Exerc, 2007; 39(2):377-90.

Thomas DT, Erdman KA, Burke LM. Position of the Academy of Nutrition and Dietetics, Dietitians of Canada, and the American College of Sports Medicine: Nutrition and Athletic Performance. J Acad Nutr Diet, 2016; 116(3):501-28.

Trahms CM, Mckean KN. Nutrição no estágio inicial da infância. In.: Mahan LK, Escott-Stump S, Raymond JL. Krause: alimentos, nutrição e dietoterapia. 13. ed. Rio de Janeiro: Elsevier, 2012.

U.S. Department of Health and Human Services and U.S. Department of Agriculture. 2015-2020 Dietary Guidelines for Americans. 8th ed. Dec 2015.

Weffort VRS, Fisberg M, Pires MMS, Wayhs MLC, Obelar MS, Brasil ALD et al. Alimentação do adolescente. In: Sociedade Brasileira de Pediatria. Manual de orientação para a alimentação do lactente, do pré-escolar, do escolar, do adolescente e na escola. 3. ed. Rio de Janeiro: SBP, 2012.

World Health Organization. Healthy diet. Fact sheet nº 394. 2015. Disponível em: http://www.who.int/mediacentre/factsheets/fs394/en/.

World Health Organization. Infant and young child feeding: model chapter for textbooks for medical students and allied health professionals. Geneva: WHO Press, 2009.

World Health Organization. Nutrition. Nutrition for older persons 2018 [Internet]. Disponível em: http://www.who.int/nutrition/topics/ageing/en/index1.html.

World Health Organization. Nutritional anaemias: tools for effective prevention and control. Geneva: WHO Press, 2017.

Capítulo 10

Nutrição Materno-Infantil (MI)

Daniela Vasconcelos de Azevedo

Questões

1. (MI) Dois dos itens abaixo NÃO são objetivos gerais da Política Nacional de Atenção Integral à Saúde da Mulher (PAISM). Quais são?

   1. Promover a melhoria das condições de vida e saúde das mulheres brasileiras mediante a garantia de direitos legalmente constituídos e a ampliação de acesso aos meios e serviços de promoção, prevenção, assistência e recuperação da saúde em todo o território brasileiro.
   2. Promover o empoderamento e a capacidade para a tomada de decisão e a autonomia de sujeitos e de coletividades, por meio do desenvolvimento de habilidades pessoais e de competências em promoção e defesa da saúde e da vida.
   3. Contribuir para a redução da morbidade e mortalidade feminina no Brasil, especialmente por causas evitáveis, em todos os ciclos de vida e nos diversos grupos populacionais, sem discriminação de qualquer espécie.
   4. Estimular a promoção da saúde como parte da integralidade do cuidado na Rede de Atenção à Saúde, articulada às demais redes de proteção social.
   5. Ampliar, qualificar e humanizar a atenção integral à saúde da mulher no Sistema Único de Saúde.

   a) Itens 1 e 2.

   b) Itens 2 e 4.

   c) Itens 2 e 5.

   d) Itens 3 e 4.

   e) Itens 4 e 5.

2. (MI) Sobre a Rede Cegonha, é CORRETO afirmar que:
   a) Instituída no âmbito do Sistema Único de Saúde, consiste em uma rede de cuidados somente para a mulher e que visa assegurar-lhe o direito ao planejamento reprodutivo e à atenção humanizada à gravidez, ao parto e ao puerpério.
   b) Tem por objetivos: fomentar a implementação de novo modelo de atenção à saúde da mulher e com foco unicamente na atenção ao parto; organizar a Rede de Atenção à Saúde Materna para que esta garanta acesso, acolhimento e resolutividade, e reduzir a mortalidade materna.
   c) A Rede Cegonha organiza-se a partir de quatro componentes, quais sejam: I – Pré-Natal; II – Parto e Nascimento; III – Puerpério e Atenção Integral à Saúde da Criança e IV – Sistema Logístico: Transporte Sanitário e Regulação.
   d) A estratégia Rede Cegonha foi um grande avanço no que diz respeito à saúde da mulher gestante; no entanto, precisaria ser modificada para incluir também a saúde da criança.
   e) A Rede Cegonha ainda está em fase de avaliação de sua estrutura organizacional; por isso, sua implantação se deu somente como projeto piloto no Sudeste do Brasil.

3. (MI) Sobre a placenta, é correto afirmar que:
   a) É uma camada fina de células que tem duas funções: proteger o produto da concepção e permitir a passagem de substâncias para este.
   b) A membrana plasmática não consegue separar os fluxos sanguíneos materno e fetal; por isso, durante as trocas metabólicas, há mistura de parte do sangue materno com parte do sangue fetal.
   c) A placenta não sintetiza nutrientes, servindo apenas de reservatório dos nutrientes da gestante que poderão ser utilizados pelo feto.
   d) Para a realização de transferência de nutrientes e substâncias, a placenta necessita de energia, uma vez que o único mecanismo utilizado é o transporte ativo.
   e) A placenta produz grande quantidade de estrogênio e progesterona, que são responsáveis pelos ajustes fisiológicos nas fases iniciais da gestação.

4. (MI) O organismo materno sofre alterações anatomofuncionais ao longo da gravidez para a perfeita adaptação do novo ser que está sendo gerado. Diante de tal afirmativa, assinale a opção correta.
   a) O rendimento cardíaco da gestante começa a aumentar já no primeiro trimestre e por volta da 10ª à 12ª semana de gestação ele cresce cerca de 30 a 40% em relação ao rendimento inicial por conta do aumento do volume sistólico.
   b) A pressão arterial da gestante se eleva em decorrência do aumento das prostaglandinas e da queda da resistência vascular periférica.
   c) O volume sanguíneo da gestante aumenta em torno de 45 a 50% no início do 3º trimestre, sendo esse aumento igual para o volume plasmático e para o volume globular.

d) Na segunda metade da gestação ocorre hipertonia do intestino delgado, o que leva à redução do tempo de contato entre os nutrientes e a mucosa absortiva. Essa modificação diminui a absorção de nutrientes e de água.

e) Durante a gestação, há certa proteção contra as infecções urinárias, pois o fluxo urinário corre mais rápido devido à vasoconstrição das veias ovarianas.

5. (MI) Dentre as mudanças emocionais que acometem as mulheres durante a gestação, assinale a opção FALSA.

a) No 1º trimestre, a gestante experimenta um sentimento de ambivalência, encontrando-se entre querer e não querer a gravidez.

b) No início da gestação, estão presentes ansiedades e dúvidas sobre estar ou não grávida, uma vez que o feto não é concretamente sentido e as alterações corporais ainda são discretas.

c) O 2º trimestre é considerado o mais estável da gravidez, e a presença do filho concretamente sentida ajuda a proporcionar a sensação de maior tranquilidade para a gestante.

d) O medo de abortar surge e se intensifica a partir da 2ª metade da gestação.

e) No último trimestre da gravidez, as ansiedades se intensificam com a proximidade do parto e da mudança da rotina de vida após a chegada do bebê.

6. (MI) Com relação às recomendações do Ministério da Saúde do Brasil para a assistência pré-natal, é CORRETO afirmar que:

a) A periodicidade das consultas no pré-natal de baixo risco deve ser mensal do início ao final da gravidez.

b) O momento da assistência pré-natal é aproveitado para o diagnóstico e a prevenção do câncer de colo de útero e de mama.

c) Não há recomendação para imunização durante a gestação em razão dos riscos reais de contrair a doença por conta das alterações fisiológicas e imunológicas próprias desse período.

d) As unidades de saúde não têm vinculação com um hospital, maternidade ou casa de parto que garanta à gestante seu local de parto quando a hora chegar.

e) O atendimento à puérpera e ao recém-nascido na 1ª semana pós-parto e no puerpério é recomendado apenas quando se tratar de gravidez e/ou parto de alto risco.

7. (MI) Qual dos exames abaixo é recomendado na primeira consulta de pré-natal para todas as gestantes, ainda no 1º trimestre?

a) Coombs indireto.

b) Dosagem de micronutrientes.

c) Proteína C reativa.

d) Glicemia de jejum.

e) Eletroforese de hemoglobina.

8. (MI) Sobre gestação de alto risco, é CORRETO afirmar que:
   a) Toda gestação que apresentar algum fator de risco deverá ser encaminhada para realização do pré-natal em serviço especializado no nível secundário ou terciário de assistência.
   b) Características individuais e condições sociodemográficas desfavoráveis não são consideradas fatores de risco gestacionais por não terem influência direta na gravidez.
   c) Cirurgia uterina anterior, esterilidade/infertilidade, nuliparidade e grande multiparidade são considerados fatores de risco na categoria "história reprodutiva anterior".
   d) Na gravidez de alto risco, a cesariana será sempre a opção para o parto.
   e) A gestante de alto risco não deve perder o vínculo com o local onde iniciou o pré-natal. A equipe da atenção básica deve ser mantida informada a respeito da evolução da gravidez e dos tratamentos por meio de contrarreferência e de busca ativa das gestantes.

9. (MI) O provável diagnóstico para uma gestante que apresente os seguintes sintomas: pressão sistólica > 110 mmHg, proteinúria de 24 horas ≥ 2,0 g, após a 20ª semana de gestação é:
   a) Pré-eclâmpsia grave.
   b) Eclâmpsia com convulsões.
   c) Hipertensão crônica.
   d) Pré-eclâmpsia leve.
   e) Hipertensão transitória.

10. (MI) Sobre as síndromes hipertensivas na gestação, marque a alternativa FALSA.
    a) As síndromes hipertensivas na gestação são classificadas em: hipertensão crônica, hipertensão gestacional (sem proteinúria), pré-eclâmpsia/eclâmpsia, pré-eclâmpsia sobreposta à hipertensão crônica.
    b) Hematócrito e hemoglobina, contagem de plaquetas, níveis séricos de albumina, transaminases e ácido úrico são alguns dos exames realizados em gestantes que apresentam hipertensão após a 2ª metade da gravidez ou que apresentam agravamento de hipertensão prévia, como diferencial no diagnóstico de pré-eclâmpsia e avaliação de sua gravidade.
    c) As gestantes com diagnóstico de pré-eclâmpsia grave deverão ser internadas e solicitados os exames de rotina para avaliação das condições maternas e fetais. A conduta nesses casos é sempre conservadora e se espera o trabalho de parto normal.
    d) A síndrome HELLP (hemólise, elevação de enzimas hepáticas e plaquetopenia), embora possa acompanhar outras doenças, em obstetrícia é considerada como agravamento do quadro de pré-eclâmpsia.

e) A restrição de sal e a suplementação de vitaminas C, D e E na gestação com o objetivo de prevenir o desenvolvimento de pré-eclâmpsia não são recomendadas pela Organização Mundial da Saúde (OMS).

11. (MI) Sobre as questões referentes à programação fetal, marque a opção CORRETA.

1. A teoria da origem fetal das doenças (teoria de Barker) diz que a nutrição deficiente durante a gestação e a infância precoce originaria uma espécie de adaptação metabólica e/ou estrutural permanente que aumentaria o risco de desenvolvimento de doença coronariana e outras doenças associadas, como hipertensão, diabetes e acidente vascular cerebral, na vida adulta.
2. No início, os estudos epidemiológicos que apontaram para uma possível importância da programação fetal relacionada à doença coronariana basearam-se em estudos geográficos a partir de registros de homens e mulheres na idade adulta que tinham as medidas corporais ao nascimento.
3. A desnutrição e o excesso de peso da mãe ou do pai podem afetar a expressão do genoma fetal, o que pode ter consequências ao longo da vida.
4. A teoria de Barker se utiliza do conceito de plasticidade do desenvolvimento, que é a capacidade de um genótipo poder originar diferentes estados morfológicos ou fisiológicos em resposta a exposições diferentes durante o desenvolvimento.

a) 1 e 4 estão corretas.

b) 1, 2, 3 e 4 estão corretas.

c) 1, 2 e 4 estão corretas.

d) 1, 2 e 3 estão corretas.

e) 2 e 3 estão corretas.

12. (MI) Alguns sintomas são frequentes durante a gestação e ocorrem de maneira ocasional e transitória, não refletindo patologias graves. Escolha a opção CORRETA quanto ao sintoma e a seu tratamento.

a) No caso de náuseas e vômitos, a alimentação deve ser menos fracionada, com três grandes refeições ao dia, para dar repouso ao estômago.

b) No caso de sialorreia intensa, a gestante deve alimentar-se em intervalos menos frequentes e deve desprezar o excesso de saliva.

c) Em se tratando de azia, podem ser oferecidos preparados antiácidos às mulheres com sintomas incômodos que não possam ser aliviados pela mudança de estilo de vida.

d) A constipação durante a gravidez é um problema de cunho hormonal; portanto, as medidas já conhecidas para aliviá-la não dão resultado nesse período.

e) Exercícios regulares não são recomendados para o caso de dores lombares e pélvicas.

13. (MI) Sobre a avaliação nutricional na gestação, é CORRETO afirmar que:

a) A avaliação nutricional durante a gestação utiliza como parâmetros unicamente a avaliação antropométrica e a alimentar.

b) A avaliação do consumo alimentar é o meio mais acessível, não invasivo, rápido e recomendado para a análise do consumo alimentar durante a gestação.

c) Os parâmetros laboratoriais não têm muita utilidade na gravidez, pois eles praticamente não se alteram em relação aos parâmetros de não grávidas.

d) Durante a gravidez, dentre as técnicas de inquérito alimentar disponíveis, a única recomendada é o inquérito recordatório de 24 horas, por ter fidedignidade comprovada por estudos.

e) A avaliação nutricional durante a gestação tem sua importância reforçada pela associação já bem estabelecida do estado nutricional materno e do ganho de peso gestacional com a prevalência de diabetes, anemia, distúrbios hipertensivos e infecções.

14. (MI) Sobre o ganho de peso durante a gestação, segundo as recomendações do Ministério da Saúde, marque a opção CORRETA.

a) A avaliação do estado nutricional pré-gestacional deve ser realizada utilizando-se o índice de massa corporal (IMC), com peso anterior à gestação. Para o acompanhamento durante a gestação, recomenda-se utilizar o nomograma de Rosso (altura, peso e percentual de peso ideal/altura).

b) A recomendação de ganho de peso para gestantes que iniciarem a gravidez com baixo peso é de 12,5 a 18 kg, com média de 500 g por semana, no 2º e 3º trimestres.

c) O ganho de peso para mulheres que iniciam a gravidez eutróficas deve ser de 400 g por semana durante os três trimestres gestacionais.

d) O ganho de peso para gestantes que iniciam a gravidez com sobrepeso e obesidade é de 7 a 11,5 kg, com ganho semanal de 300 g.

e) Não há recomendação de ganho de peso previsto para o 1º trimestre devido às baixas necessidades energéticas e proteicas nessa fase.

15. (MI) Com relação ao problema da mortalidade materna, é CORRETO afirmar que:

a) Mais de 90% das mortes maternas acontecem por causas evitáveis e a grande maioria ocorre nos países em desenvolvimento.

b) Por definição, morte materna é a morte de uma mulher durante a gestação ou até 42 dias após seu término, independentemente da duração ou da localização da gravidez, incluindo a que é provocada por fatores acidentais ou incidentais.

c) O Brasil conseguiu reduzir a taxa de mortalidade materna, atingindo o patamar ideal preconizado pela OMS.

d) Os comitês de mortalidade materna, por congregarem apenas instituições governamentais cuja área de atuação é a Saúde da Mulher, não conseguem exercer o importante papel de controle social.

e) O fato de a taxa de mortalidade materna ser baixa nos países desenvolvidos faz com que a subinformação e o sub-registro sejam mais elevados nesses países, quando comparados com países da América Latina, com o Brasil como exemplo.

16. (MI) Sobre a ocorrência de anemia na gravidez, marque a opção CORRETA:

    a) Segundo a OMS, a anemia gestacional deve ser diagnosticada quando o nível de hemoglobina (Hb) estiver abaixo de 13 g/dL, sendo considerada leve em caso de Hb entre 11 e 12,9 g/dL, moderada se Hb entre 10 e 11,9 g/dL e grave quando abaixo de 10 g/dL.
    b) A deficiência de ferro é a principal causa de anemia na gestação, que se apresenta com redução nos depósitos de ferro devido à maior demanda para suprir o aumento da hemoglobina circulante e o desenvolvimento fetal.
    c) A suplementação de ferro durante a gestação, segundo recomendação da OMS e do Ministério da Saúde, somente deve ocorrer na presença de anemia confirmada por teste laboratorial.
    d) A investigação da anemia na gestação deve acontecer a partir da 2ª metade da gestação, pois somente após a 20ª semana é possível confirmar o diagnóstico.
    e) A conduta diante da anemia por deficiência de ferro deve focar exclusivamente a suplementação medicamentosa com ferro.

17. (MI) Sobre diabetes gestacional (DG), é CORRETO afirmar que:

    a) O DG, quando não houver tratamento adequado, pode levar ao aumento de casos de macrossomia fetal, morbimortalidade perinatal e oligoidrâmnio.
    b) Dentre os fatores de risco associados ao DG, podem ser citados: idade igual ou superior a 50 anos, antecedentes familiares de *diabetes mellitus*, ganho excessivo de peso, IMC pré-gestacional superior a 25 kg/m^2.
    c) O hiperinsulinismo associado a relativa insensibilidade tecidual à insulina caracteriza o estado diabetogênico provocado pela gestação.
    d) Na evolução do DG na primeira metade da gestação, é maior a necessidade de insulina; na segunda metade da gestação o DG é conhecido por um estado diabetogênico devido à crescente produção de hormônios contrainsulínicos.
    e) A presença dos hormônios cortisol, insulina, progesterona e gonadotrofina coriônica humana na gravidez induz a hiperglicemia (efeito diabetogênico).

18. (MI) Qual complicação da gestação pode ser definida como "vômitos persistentes que levam a uma perda de peso maior que 5% do peso pré-gravídico associada a desequilíbrio hidroeletrolítico e cetonúria e que ocorre em cerca de 1% das gestações"?

    a) Pré-eclâmpsia.
    b) Crise tireotóxica gestacional.
    c) Hiperêmese gravídica.
    d) Polidrâmnio.
    e) Oligoidrâmnio.

19. (MI) Sobre a gestação na adolescência, é FALSO afirmar que:
    a) A OMS recomenda que todas as gestantes adolescentes sejam consideradas de alto risco, em especial as com idade ginecológica abaixo de 2 anos, as primíparas e as com baixo peso ou baixa estatura.
    b) A gravidez no início da vida reprodutiva é considerada de alto risco obstétrico com base no suposto estado de imaturidade biológico da jovem mãe para completar as 40 semanas de gestação.
    c) Síndrome hipertensiva da gravidez, anemia, placenta prévia e aumento da incidência de cesariana são complicações maternas da gravidez na adolescência.
    d) Morbidade perinatal e baixo peso ao nascer são complicações para o concepto nos casos de gravidez na adolescência.
    e) A deficiência de vitamina A é reconhecida como a deficiência nutricional específica de maior prevalência entre as gestantes adolescentes.

20. (MI) A necessidade energética da nutriz é baseada no gasto energético total adicionado à quantidade de energia necessária para a produção do leite. No primeiro semestre de lactação, uma nutriz que acumulou uma quantidade de gordura corporal adequada durante a gravidez deve ter, por dia, um aumento no aporte energético em calorias de:
    a) 300 kcal.
    b) 350 kcal.
    c) 400 kcal.
    d) 450 kcal.
    e) 500 kcal.

21. (MI) Sobre a Política de Atenção Integral à Saúde da Criança (PAISC), assinale a opção que NÃO corresponde a um de seus eixos estratégicos.
    a) Promoção e acompanhamento do crescimento e do desenvolvimento integral.
    b) Atenção humanizada e qualificada à gestação, ao parto, ao nascimento e ao recém-nascido.
    c) Atenção à saúde de crianças com deficiência ou em situações específicas e de vulnerabilidade.
    d) Implantação do modelo "Vaga Sempre" com a elaboração e a implementação do plano de vinculação da gestante ao local de ocorrência do parto.
    e) Vigilância e prevenção do óbito infantil, fetal e materno.

22. (MI) Em se tratando da mortalidade infantil, é CORRETO afirmar que:
    a) Cerca de 25% das mortes infantis no Brasil acontecem próximo ao final do 1º ano de vida.

b) Tanto a prematuridade como o baixo peso ao nascer tem influência na situação de saúde do recém-nascido ao longo da vida, não apresentando importância na análise da mortalidade infantil.

c) O componente neonatal da mortalidade infantil é aquele estreitamente vinculado aos cuidados com a criança após o 1º mês de vida.

d) O cuidado com a saúde do recém-nascido, embora seja importante, tem pouca influência nas taxas de mortalidade infantil.

e) A mortalidade neonatal é responsável por quase 70% das mortes no 1º ano de vida.

23. (MI) Sobre o sistema de alojamento conjunto praticado em maternidades, é CORRETO afirmar que:

a) O alojamento conjunto, que consiste em colocar mãe e recém-nascido juntos 24 horas por dia até a alta hospitalar, deve ser iniciado de 8 a 10 horas após o parto, ou seja, após a estabilização do recém-nascido.

b) O Estatuto da Criança e do Adolescente estabelece que "os hospitais e estabelecimentos de atenção à saúde de gestantes, públicos e particulares, são obrigados a manter alojamento conjunto, possibilitando ao neonato a permanência junto à mãe".

c) O maior risco de infecção do recém-nascido em alojamento conjunto é um dos inconvenientes dessa prática.

d) Para permanecer no alojamento conjunto, o recém-nascido tem de apresentar todas as seguintes condições: peso ao nascimento maior que 2,5 kg, Apgar maior que 7 e ter nascido com mais de 37 semanas.

e) Recomenda-se que o binômio mãe-filho permaneça no alojamento conjunto por no máximo 24 horas com o intuito de diminuir as chances de infecção de ambos.

24. (MI) Com relação à produção de leite pelas glândulas mamárias, é CORRETO afirmar que:

a) O hormônio prolactina está relacionado com a "descida" ou ejeção do leite produzido pelas glândulas mamárias.

b) A produção do leite, logo após o nascimento da criança, é controlada principalmente por hormônios, e a "descida do leite", que costuma acontecer até o 3º ou 4º dia após o parto, ocorre mesmo se a criança não sugar o seio.

c) Durante a gravidez, os hormônios preparam a glândula mamária para a produção de leite; no entanto, após o parto, não há ação hormonal envolvida na lactação.

d) O hormônio ocitocina é também conhecido como o hormônio secretor de leite, pois age impulsionando as células da glândula mamária a produzirem leite.

e) Estímulos condicionados, como visão, cheiro e choro da criança, e fatores de ordem emocional, como motivação, autoconfiança e tranquilidade, não influenciam a produção do leite.

25. (MI) A composição do leite materno demonstra o quanto tal alimento é essencial para os recém-nascidos e as crianças nos primeiros anos de vida. Assim, pode-se afirmar que:

    a) A composição do leite humano varia substancialmente de acordo com a alimentação da mulher, o que demonstra que a mulher deve ter uma dieta saudável para poder produzir leite.

    b) O leite materno contém menor quantidade de lactoalbumina e maior quantidade de caseína, quando comparado ao leite de vaca, e isso lhe confere excelente digestibilidade.

    c) Os anticorpos IgA no leite humano são um reflexo dos antígenos entéricos e respiratórios da mãe, o que significa que ela produz anticorpos contra agentes infecciosos com os quais já teve contato, e isso proporciona proteção à criança contra os germes prevalentes no meio em que a mãe vive.

    d) A concentração de gordura no leite tende a diminuir no decorrer de uma mamada. Assim, o leite do final da mamada (chamado leite posterior) é mais rico em proteínas e sacia melhor a criança; daí a importância de a criança alternar as duas mamas na mesma mamada para receber todo o teor proteico em cada uma delas.

    e) O teor elevado de vitamina D no leite materno favorece o aparecimento de uma flora bacteriana intestinal protetora constituída principalmente pelos *Lactobacillus bifidus*.

26. (MI) Com relação à técnica de amamentação, assinale a opção CORRETA.

    a) Recomenda-se esperar as primeiras 3 a 4 horas após o parto para colocar o recém-nascido para mamar, pois tanto a mãe como seu filho já descansaram do trabalho de parto.

    b) O próprio recém-nascido, por instinto, faz a pega correta da mama, não havendo necessidade de maior preocupação por parte da mãe, bastando colocar o bebê ao peito.

    c) A mãe deve amamentar sentada, em cadeira com encosto. Amamentar deitada é contraindicado.

    d) Segundo a OMS, existem quatro pontos-chave para a pega correta da mama: mais aréola visível acima da boca do bebê; boca bem aberta; lábio inferior virado para fora; e queixo tocando a mama.

    e) A mãe deve assegurar que a mama seja levada até o bebê e não o contrário, pois o recém-nascido ainda não tem condições de procurar a mama nas primeiras semanas dias de vida.

27. (MI) A alimentação complementar faz parte de uma etapa importante da vida da criança e sobre ela é CORRETO afirmar que:

    a) Em geral, as crianças tendem a rejeitar alimentos que não lhes são familiares, e esse tipo de comportamento se manifesta precocemente. Portanto, se a criança rejeita um alimento uma vez, esse alimento deve ser retirado da dieta diária.

b) A partir do 1º trimestre de vida, o grau de tolerância gastrointestinal e a capacidade de absorção de nutrientes atingem o maior nível de satisfação e a criança já tem condições de aceitar uma alimentação variada quanto à consistência e à textura.

c) Dos 6 aos 12 meses, o esquema adotado deve ser: leite materno à demanda + fruta amassada + sopa no almoço e no jantar + fruta amassada no lanche da tarde + leite à noite.

d) O consumo excessivo de sucos de frutas (mais de 240 mL/dia) deve ser evitado, pois pode interferir no consumo de outros alimentos.

e) Embora o consumo de miúdos, como o fígado de boi, seja importante para prevenção de anemia, esses alimentos só devem fazer parte da alimentação quando a criança completar 1 ano.

28. (MI) Sobre os passos da alimentação complementar, marque a opção FALSA.

a) Dar somente leite materno até os 6 meses, sem oferecer água, chás ou qualquer outro alimento. Exceção feita para locais de clima extremamente quente.

b) Ao completar 6 meses, introduzir lenta e gradualmente outros alimentos, mantendo o leite materno até os 2 anos de idade ou mais.

c) A alimentação complementar deve ser oferecida de acordo com os horários de refeição da família, em intervalos regulares e de modo a respeitar o apetite da criança.

d) Oferecer à criança diferentes alimentos ao dia. Uma alimentação variada é uma alimentação colorida.

e) Estimular a criança doente e convalescente a se alimentar, oferecendo a alimentação habitual e seus alimentos preferidos, respeitando sua aceitação.

29. (MI) Marque a opção CORRETA sobre o nascimento de recém-nascido pré-termo (RNPT).

a) Segundo definição da OMS, a prematuridade pode ser dividida em três subcategorias: extremamente prematuro (< 28 semanas), muito prematuro (28 a < 32 semanas), prematuro moderado a tardio (32 a < 37 semanas)

b) Estima-se que cerca de 15 milhões de bebês nasçam prematuros a cada ano em todo o mundo, mas as causas desse nascimento antes do tempo não são conhecidas.

c) O nascimento de crianças prematuras é um problema global que não tem relação com a situação social nem econômica. A suspeita recai mais sobre questões genéticas.

d) Mais de 60% dos nascimentos prematuros ocorrem em países do Leste europeu.

e) Os Estados Unidos estão entre os países com a menor taxa de prematuridade.

30. (MI) No que diz respeito à alimentação do RNPT, assinale a opção FALSA.

a) Crianças prematuras apresentam reservas nutricionais para poucos dias, diretamente proporcionais a seu tamanho; assim, pode-se dizer que são horas e não dias que os prematuros podem supostamente passar sem suporte nutricional.

b) É pouco provável que bebês prematuros submetidos à restrição nutritiva grave não apresentem alterações no sistema nervoso central.

c) A imaturidade do trato gastrointestinal pode dificultar a oferta de nutrientes por via enteral, tornando necessária a alimentação parenteral durante algum período.

d) As necessidades nutricionais dos RNPT possivelmente são menores que as de um feto com a mesma idade gestacional, justamente por seu tamanho menor.

e) Recomenda-se acompanhamento da evolução do peso do prematuro objetivando ganho de 14 a 16 g/kg/dia após a recuperação do peso de nascimento.

31. (MI) Sobre a Norma Brasileira para Comercialização de Alimentos para Lactente (NBCAL), é CORRETO afirmar que:

a) A NBCAL é um instrumento que não tem força legal no Brasil, sendo portanto uma forma de alertar e não de regular a promoção comercial e o uso apropriado dos produtos abrangidos nesse regulamento.

b) A norma brasileira, diferentemente da internacional, tem abrangência apenas para alimentos, como fórmulas infantis para lactentes e fórmulas infantis de seguimento para lactentes, fórmulas infantis de seguimento para crianças de primeira infância e alimentos de transição e alimentos à base de cereais indicados para lactentes e/ou crianças de primeira infância.

c) É vedado nas embalagens e/ou rótulos de fórmula infantil para lactentes e fórmula infantil de seguimento para lactente a utilização de fotos, desenhos e outras representações gráficas, mesmo que o desenho faça parte da logomarca do produto.

d) Os rótulos de fórmula infantil para lactentes e fórmula infantil de seguimento para lactente devem exibir no painel principal ou demais painéis, em moldura, de modo legível, a seguinte advertência: "O Ministério da Saúde adverte: Este produto só deve ser usado na alimentação de crianças menores de 1 ano com indicação expressa de médico ou nutricionista. O aleitamento materno evita infecções e alergias e fortalece o vínculo mãe e filho."

e) No caso de embalagens e/ou rótulos de fórmula de nutrientes para recém-nascido de alto risco, por se tratar de casos especiais, a NBCAL libera o uso de desenhos ou fotos.

32. (MI) Sobre as diarreias agudas na infância, assinale a opção CORRETA.

a) A maioria das diarreias agudas na infância estão relacionadas com aspectos imunológicos ligados à mucosa intestinal e não à contaminação alimentar.

b) As principais consequências desse tipo de diarreia são as deficiências de sódio e potássio e de vitaminas hidrossolúveis.

c) A terapia de reidratação oral (TRO) está indicada para crianças com desidratação severa que necessitam repor água e eletrólitos rapidamente e está no Plano C do tratamento preconizado pelo Ministério da Saúde.

d) O uso de agentes probióticos está contraindicado na diarreia aguda.

e) A manutenção da alimentação é essencial durante o tratamento das diarreias agudas na infância, pois os estímulos provocados pelos alimentos auxiliam a manutenção e a renovação dos enterócitos.

33. (MI) Assinale a opção FALSA no que diz respeito à desnutrição infantil.

a) Baixo peso ao nascer, dietas com baixa densidade energética, desigualdade social e inadequada disponibilidade de alimentos e infecções são fatores relacionados à desnutrição na infância.

b) A desnutrição infantil tem início logo após o nascimento da criança, a qual se encontra preservada em sua vida intrauterina.

c) No Brasil, a desnutrição representada pelo déficit de estatura para idade, que reflete a deficiência crônica de nutrientes e impacta o crescimento linear das crianças, ainda pode ser considerada elevada.

d) Algumas alterações causadas pela desnutrição e presentes no sistema gastrointestinal são: diminuição da produção ácida, redução da motilidade intestinal, atrofia da mucosa intestinal com atraso na renovação celular e atrofia do pâncreas com secreção reduzida de enzimas digestivas.

e) No Brasil, as orientações do Ministério da Saúde para a criança severamente desnutrida são o internamento hospitalar e o cumprimento dos 10 passos para recuperação nutricional da criança com desnutrição grave.

34. (MI) Sobre o crescimento e o desenvolvimento infantil, é CORRETO afirmar que:

a) O processo de crescimento sofre influência apenas do ambiente genético.

b) Para avaliação do crescimento de crianças de zero a 10 anos de idade, a Caderneta de Saúde da Criança utiliza os seguintes parâmetros: peso para a idade, comprimento/estatura para a idade e IMC para a idade somente a partir dos 5 anos.

c) O baixo peso ao nascer e a prematuridade são eventos que aumentam o risco de a criança apresentar alterações globais em seu desenvolvimento. As maiores taxas de deficiência ocorrem nas menores faixas de peso e idade gestacional, tendo correlação com a incidência de complicações no período neonatal.

d) O conceito de desenvolvimento é amplo e se refere a uma transformação complexa, contínua, dinâmica e progressiva que diz respeito diretamente ao crescimento intrauterino.

e) Os distúrbios do desenvolvimento de predomínio relacional se caracterizam por distúrbios na interação social e na comunicação. Uma parte dessas crianças apresenta deficiências cognitivas, sendo a síndrome de Down a doença mais grave desse amplo espectro de entidades.

35. (MI) Sobre o Método Canguru (MC), marque a opção FALSA.

a) O contato pele a pele, no MC, começa com o toque, evoluindo até a posição canguru. Inicia-se de modo precoce e crescente, por livre escolha da família, pelo tempo que ambos entenderem ser prazeroso e suficiente.

b) O MC se transformou em substitutivo das unidades de terapia intensiva neonatal e da utilização de incubadoras, já que é indicado para crianças prematuras e de baixo peso ao nascimento.

c) Dentre as vantagens desse método, podem ser citadas: aumento do vínculo mãe-filho, diminuição do risco de infecção hospitalar, estímulo ao aleitamento materno e favorecimento da estimulação sensorial adequada do recém-nascido.

d) A primeira etapa do MC se inicia ainda no pré-natal da gestação de alto risco, seguido da internação do recém-nascido na unidade neonatal.

e) Na segunda etapa, o bebê permanece de maneira continua com sua mãe e a posição canguru será realizada pelo maior tempo possível. Esse período funcionara como um "estágio" para a hospitalar.

Respostas

1 - B

Em 2004, o Ministério da Saúde elaborou a Política Nacional de Atenção Integral à Saúde da Mulher (PAISM), em parceria com diversos setores da sociedade, em especial com o movimento de mulheres e com os gestores do Sistema Único de Saúde (SUS). Tal política tem como objetivos gerais:

- Promover a melhoria das condições de vida e saúde das mulheres brasileiras mediante a garantia de direitos legalmente constituídos e a ampliação do acesso aos meios e serviços de promoção, prevenção, assistência e recuperação da saúde em todo o território brasileiro.
- Contribuir para a redução da morbidade e mortalidade feminina no Brasil, especialmente por causas evitáveis, em todos os ciclos de vida e nos diversos grupos populacionais, sem discriminação de qualquer espécie.
- Ampliar, qualificar e humanizar a atenção integral à saúde da mulher no SUS.

Dessa maneira, os itens 2 e 4 da questão são objetivos da Política Nacional de Promoção da Saúde (PNPN) e não da PAISM.

- REF.: Brasil (2011, 2015).

2 - C

A Rede Cegonha, instituída no âmbito do SUS, consiste em uma rede de cuidados que visa assegurar à mulher o direito ao planejamento reprodutivo e à atenção humanizada à gravidez, ao parto e ao puerpério, bem como à criança o direito ao nascimento seguro e ao crescimento e ao desenvolvimento saudáveis. Ou seja, a Rede Cegonha assegura cuidados em saúde não somente para a gestante, como também à criança, desde o parto até os 2 anos de idade. Essa estratégia foi lançada em 2011 em todo o território nacional e não somente na região Sudeste.

- REF.: Brasil (2011).

3 - E

A placenta é um anexo fetal que exerce funções essenciais na gestação, como metabólica (síntese de glicogênio, colesterol, ácidos graxos), endócrina (produção de hormônios como estrógeno e progesterona), trocas de substâncias (O_2, CO_2, glicose e vitaminas, entre outros) e proteção do concepto. Os mecanismos utilizados para transferência de nutrientes são os mesmos usados na absorção no trato gastrointestinal: difusão simples e facilitada, transporte ativo, pinocitose e ultrafiltração. Os fluxos sanguíneos materno e fetal são independentes e não se misturam.

- REF.: Saunders (2009).

4 - A

Durante a gestação, observa-se discreta queda na pressão arterial por volta do 2º trimestre, retornando aos níveis pré-gravídicos no semestre seguinte. O volume sanguíneo (plasma) aumenta em torno de 45 a 50% acima dos valores anteriores à gestação, mas o volume globular tem aumento menor, na ordem de 25%, o que reduz as taxas de hematócrito e hemoglobina. Esse fenômeno é denominado "anemia fisiológica". No intestino delgado ocorre hipotonia, que ocasiona maior tempo de contato da mucosa absortiva do intestino com os nutrientes, levando à maior absorção desses nutrientes. Com relação ao sistema urinário, observa-se retardo no fluxo urinário, aumentando as chances de desenvolvimento de infecções urinárias.

- REF.: Saunders (2009).

5 – D

No 1º trimestre da gestação, a criança ainda não é concretamente sentida e percebida, e as mudanças corporais também ainda não aconteceram de maneira muito intensa. Nesse aspecto, é mais comum as gestantes apresentarem sentimentos de ambivalência, querendo a gravidez em um momento e em outro não. No 1º trimestre, também é comum o medo de abortar. O 2º semestre é o mais estável emocionalmente, pois a gravidez é mais evidente. Já no 3º trimestre, é comum o medo do parto, de morrer e da responsabilidade pela a criança que está por vir.

- REF.: Brasil (2012).

6 – B

A assistência pré-natal pressupõe atendimento contínuo, sendo mensal até a 28ª semana, quinzenal entre a 28ª e a 36ª e semanal daí até o parto. Segundo a determinação do Ministério da Saúde, devem ser garantidos a toda gestante, entre outros, os direitos a:

- Imunização contra tétano e hepatite B, caso ela não tenha sido imunizada antes da gravidez.
- Vinculação das Unidades Básicas de Saúde (UBS) aos hospitais, às maternidades, às casas de parto, às residências de parto domiciliar (feito por parteira) de referência e aos serviços diagnósticos, conforme definição do gestor local, além do registro no Cartão da Gestante do nome do hospital, da maternidade, da casa de parto ou das residências de parto domiciliar.
- Atenção à puérpera e ao recém-nascido na primeira semana após o parto e na consulta puerperal (até o 42º dia após o parto).

- REF.: Brasil (2012).

7 – D

Os seguintes exames bioquímicos fazem parte das recomendações do Ministério da Saúde a serem realizados na primeira consulta ou pelo menos no 1º trimestre: hemograma; tipagem sanguínea e fator Rh; Coombs indireto (se for Rh negativo); glicemia em jejum; teste rápido de triagem para sífilis e/ou VDRL/RPR; teste rápido diagnóstico anti-HIV; anti-HIV; toxoplasmose IgM e IgG; sorologia para hepatite B (HbsAg); exame de urina e urinocultura; ultrassonografia obstétrica (não é obrigatório); citopatológico de colo de útero (se for necessário); exame da secreção vaginal (se houver indicação clínica); parasitológico de fezes (se houver indicação clínica); eletroforese de hemoglobina (se a gestante for negra, tiver antecedentes familiares de anemia falciforme ou apresentar história de anemia crônica).

Atentar para o fato de que nem todos os exames são recomendados para todas as gestantes, como é o caso do Coombs indireto, que só deverá ser feito para gestantes com fator sanguíneo Rh negativo, e a eletroforese de hemoglobina, que tem indicação específica. No caso da proteína C reativa e dosagem de micronutrientes, não há indicação na rotina do pré-natal de baixo risco.

- REF.: Brasil (2012).

8 – E

Na maioria dos casos, a presença de um ou mais fatores de risco não significa a necessidade imediata de atendimento no nível secundário ou terciário, com tecnologia mais avançada que os comumente oferecidos na assistência pré-natal de baixo risco. Pode significar maior atenção, maior frequência de consultas e visitas domiciliares, sendo o intervalo definido de acordo com o fator de risco identificado e a condição da gestante no momento.

São considerados marcadores e fatores de risco gestacionais: características individuais e condições sociodemográficas desfavoráveis, história reprodutiva anterior, condições clínicas preexistentes, exposição indevida ou acidental a fatores teratogênicos, doença obstétrica na gravidez atual e intercorrências clínicas.

Cirurgia uterina anterior, esterilidade/infertilidade, nuliparidade e grande multiparidade são considerados fatores de risco na categoria "história reprodutiva anterior".

A determinação da via de parto e do momento ideal para esse evento nas gestações de alto risco deve ser estabelecida de acordo com cada caso, e é fundamental o esclarecimento da gestante e de sua família. Gravidez de alto risco não é sinônimo de cesariana.

- REF.: Brasil (2012).

9 – A

Segundo a classificação das síndromes hipertensivas na gestação:

- Hipertensão crônica – aquela observada antes da gravidez, ou antes de 20 semanas de gestação, ou diagnosticada pela primeira vez durante a gravidez e não se resolve até 12 semanas após o parto.
- Pré-eclâmpsia/eclâmpsia – hipertensão que ocorre após 20 semanas de gestação (ou antes, em casos de doença trofoblástica gestacional ou hidropisia fetal), acompanhada de proteinúria, com desaparecimento até 12 semanas pós-parto.
- Pré-eclâmpsia sobreposta à hipertensão crônica – consiste no surgimento de pré-eclâmpsia em mulheres com hipertensão crônica ou doença renal. Nessas gestantes, essa condição se agrava e a proteinúria surge ou piora após a 20ª semana de gravidez. Pode surgir trombocitopenia (plaquetas < 100.000/mm^3) e ocorrer aumento nas enzimas hepáticas.
- Hipertensão gestacional sem proteinúria – como a proteinúria pode aparecer tardiamente, o diagnóstico será retrospectivo, sendo necessário afastar pré-eclâmpsia. Devem ser seguidas as condutas clínicas e obstétricas recomendadas para a pré-eclâmpsia.

- Eclâmpsia – a ocorrência de convulsões em mulheres com pré-eclâmpsia caracteriza o quadro de eclâmpsia. A conduta clínica visa ao tratamento das convulsões, da hipertensão e dos distúrbios metabólicos, além de cuidados e controles gerais.

Além dessas classificações, a hipertensão gestacional sem proteinúria pode ser transitória, quando a pressão retorna ao normal em até 12 semanas após o parto (diagnóstico retrospectivo), ou crônica, quando a elevação da pressão arterial persiste além de 12 semanas após o parto.

A pré-eclâmpsia grave é diagnosticada quando estão presentes um ou mais dos seguintes fatores: pressão arterial diastólica ≥ 110 mmHg, proteinúria ≥ 2 g em 24 horas ou 2+ em fita urinária, oligúria (< 500 ml/dia ou 25 mL/hora), níveis séricos de creatinina > 1,2 mg/dL, sinais de encefalopatia hipertensiva (cefaleia e distúrbios visuais), dor epigástrica ou no hipocôndrio direito, evidência clínica e/ou laboratorial de coagulopatia, plaquetopenia (< 100.000/mm^3), aumento de enzimas hepáticas (AST ou TGO, ALT ou TGP, DHL) e de bilirrubinas e presença de esquizócitos em esfregaço de sangue periférico.

- REF.: Brasil (2012).

10 – C

As gestantes com diagnóstico de pré-eclâmpsia grave e idade gestacional maior ou igual a 34 semanas de gestação devem ser preparadas para a interrupção da gestação. A conduta conservadora pode ser adotada em mulheres com pré-eclâmpsia grave com idade gestacional entre 24 e 34 semanas mediante monitoração materno-fetal rigorosa, uso de sulfato de magnésio e agentes anti-hipertensivos. Elas devem ser internadas e observadas por 24 horas para determinação da elegibilidade para a conduta do parto.

- REF.: WHO (2011); Brasil (2012).

11 – B

A programação fetal determina que alterações na nutrição fetal (desnutrição e obesidade) podem resultar em adaptações no desenvolvimento que alterarão permanentemente a estrutura, a fisiologia e o metabolismo dos descendentes, predispondo assim os indivíduos a doenças metabólicas, endócrinas e cardiovasculares na vida adulta.

A partir dos estudos geográficos realizados por Barker na primeira metade dos anos 1990, na Grã-Bretanha, pode-se chegar ao conhecimento de que existem associações entre má nutrição durante a gravidez e desenvolvimento de doenças que surgirão na vida adulta, como doença coronariana, hipertensão, diabetes tipo 2 e as dislipidemias.

- REF.: Barker (2007, 2009); Seco & Matias (2009); Wang *et al* (2012).

12 – C

Nos casos em que a gestante apresenta náuseas e vômitos, é aconselhável consumir uma dieta fracionada (seis refeições leves ao dia); evitar frituras, gorduras e alimentos com cheiros fortes ou desagradáveis; evitar líquidos durante as refeições, dando preferência à ingestão nos intervalos; ingerir alimentos sólidos e antes de se levantar pela manhã, como bolacha de água e sal. Alimentos em temperatura gelada são mais tolerados. Além disso, a OMS recomenda o uso de gengibre, camomila, vitamina B_6 e/ou acupuntura.

A sialorreia (salivação excessiva) também é um sintoma comum na gravidez, e a orientação dietética é semelhante à indicada para náusea e vômitos. Além disso, é aconselhável orientar a gestante para que degluta a saliva e tome líquidos em abundância (especialmente em locais muito quentes).

No caso de pirose (azia), deve ser orientado o consumo de dieta fracionada, evitando frituras, café, chá-preto, mates, doces, álcool e fumo, além da prescrição de antiácidos quando essas medidas não resolverem.

Dieta rica em líquidos e em resíduos, como frutas cítricas, verduras, mamão, ameixas e cereais integrais, é indicada para constipação na gravidez.

Exercícios regulares são recomendados para o caso de dores lombares, além de acupuntura, fisioterapia e cintas de suporte.

- REF.: Brasil (2012); OMS (2016).

13 - E

A anamnese nutricional da gestante inclui avaliação antropométrica, alimentar, bioquímica e clínica. A avaliação antropométrica é o meio mais acessível por não ser invasiva e ser recomendada para análise do estado nutricional durante a gestação. Os parâmetros laboratoriais normais para a gestante diferem dos adotados nas mulheres adultas não grávidas devido às inúmeras modificações fisiológicas que ocorrem no organismo materno por conta da gravidez.

- REF.: Vitolo (2008).

14 - B

A avaliação do estado nutricional da gestante consiste na tomada da medida do peso e da altura e no cálculo da semana gestacional, o que possibilita a classificação do IMC por semana gestacional.

Em função do estado nutricional pré-gestacional ou no início do pré-natal (até a 13ª semana gestacional), é possível determinar o ganho de peso ideal para cada situação encontrada em relação ao estado nutricional pré-gestacional (eutrofia, baixo peso, sobrepeso ou obesidade). O Ministério da Saúde adotou a avaliação do estado nutricional da gestante segundo o IMC por semana gestacional para acompanhamento ao longo da gravidez.

De acordo com o estado nutricional no início da gestação, a recomendação de ganho de peso gestacional é a seguinte: gestante eutrófica, de 11,5 a 16 kg, com média de ganho semanal de 400 g no 2º e 3º trimestres; gestante com baixo peso, de 12,5 a 18 kg, com média de 500 g no 2º e 3ºs trimestre; gestante com sobrepeso, de 7 a 11,5 kg, com média de 300 g no 2º e 3º trimestres; e gestante obesa, de 5 a 9 kg, com média de 200 g no 2º e 3º trimestres. No 1º trimestre, é aceitável um ganho entre 0,5 e 2 kg, orientado de maneira individualizada.

- REF.: Brasil (2012).

15 – A

As taxas elevadas de mortalidade materna no Brasil demonstram que esse é um problema de saúde pública que se configura como uma grave violação dos direitos humanos de mulheres e crianças, demonstrando ainda mais a desigualdade social em nosso país, uma vez que essas taxas são mais elevadas nas regiões mais pobres.

A morte materna é definida como a morte de uma mulher durante a gestação ou até 42 dias após seu término, independentemente da duração ou da localização da gravidez; no entanto, se fatores acidentais ou incidentais venham a causar a morte de uma gestante ou puérpera até 42 dias após a gestação, não pode ser considerada morte materna.

Os comitês de mortalidade materna são um importante instrumento de controle social, uma vez que são formados por instituições governamentais e da sociedade civil organizada.

Tanto a subinformação (preenchimento incorreto das declarações de óbito) como o sub-registro (omissão do registro do óbito em cartório) são elevados em países em desenvolvimento. No Brasil, tanto um quanto o outro são os principais fatores que dificultam o real monitoramento do nível e da tendência da mortalidade materna.

- REF.: Brasil (2009); Morse *et al.* (2011).

16 – B

O rastreamento da anemia deve ser oferecido a toda gestante durante o pré-natal. O exame deve ser solicitado o mais precocemente possível e, também, com 28 semanas de gestação.

Anemia na gestação, de acordo com a OMS, é definida como nível de hemoglobina abaixo de 11 g/dL. Ela é classificada como leve (Hb entre 10 e 10,9 g/dL), moderada (Hb entre 8 e 9,9 g/dL) e grave (Hb abaixo de 8 g/dL).

Mesmo na ausência de anemia, o Ministério da Saúde recomenda manter a suplementação de 40 mg/dia de ferro elementar e 400 µg de ácido fólico a partir da 20ª semana devido à maior intolerância no início da gravidez. No caso da anemia ferropriva instalada, várias ações devem ser implementadas, como mudanças nos hábitos alimentares, diagnóstico e tratamento das causas de perda sanguínea, controle de infecções que contribuam para anemia, fortificação de alimentos e suplementação medicamentosa com ferro.

- REF.: Brasil (2012).

17 – C

Diabetes gestacional, sem tratamento adequado, pode acarretar o aumento do risco de macrossomia fetal, morbimortalidade perinatal e malformações. Dentre os fatores de risco associados ao DG estão idade ≥ 35 anos, antecedentes familiares de *diabetes mellitus*, ganho excessivo de peso e IMC > 25 kg/m^2.

A evolução do diabetes na gestação se inicia na primeira metade da gestação, quando ocorre menor necessidade de insulina, pois são frequentes os sintomas digestivos, como náuseas e vômitos, associados à menor ingestão alimentar, além da transferência aumentada de glicose para o feto, sendo as necessidades de insulina diminuídas. A segunda metade da gestação é conhecida por um estado diabetogênico decorrente da crescente produção de hormônios contrainsulínicos, como o hrmônio lactogênio placentário (HPL), estrógeno, progesterona e cortisol, associada ao aumento da secreção.

A presença ou o aumento da produção de determinados hormônios na gravidez induz a hiperglicemia, causando o chamado efeito diabetogênico. São eles: cortisol, insulina, progesterona e HPL (hormônio placentário que ajuda na transferência de aminoácidos e glicose para o feto, aumentado no 3º trimestre da gestação; apresenta ação anabólica e promove a glicogenólise hepática materna).

- REF.: Saunders & Padilha (2009).

18 – C

A pré-eclâmpsia é um distúrbio da gravidez caracterizada pelo aparecimento de pressão arterial alta (> 140/90 mmHg) e quantidade significativa de proteína na urina (300 mg/24h). Essa patologia surge após a 20ª semana de gravidez e desaparece até 12 semanas pós-parto.

A crise tireotóxica ocorre em 10% das gestantes com hipertireoidismo e está associada a alto risco de falência cardíaca materna. O diagnóstico deve ser suspeitado quando a gestante apresenta uma combinação de sintomas, como febre, confusão mental, tonteiras, náuseas, diarreia e arritmias cardíacas

Durante a gravidez, algumas alterações podem surgir relacionadas com o líquido amniótico, como o polidrâmnio, que é decorrente da grande quantidade de líquido amniótico e deve ser tratado para evitar complicações na gravidez, e o oligoidrâmnio, que se caracteriza pela acentuada redução do volume de líquido amniótico, ou seja, o volume de líquido amniótico é muito baixo em relação ao volume normal, o que afeta significativamente o desenvolvimento fetal e a saúde do concepto.

No caso da hiperêmese gravídica, frequente em primigestas, sua patogênese não é bem conhecida e sua etiologia é provavelmente multifatorial. As adaptações hormonais próprias do início da gestação são apontadas como os principais fatores etiológicos, pois a êmese gravídica costuma ser mais intensa na gravidez múltipla e na doença trofoblástica, na qual são mais altos os níveis de gonadotrofina coriônica. Os aspectos emocionais também podem influir.

- REF.: Brasil (2012).

19 – E

A adolescência é considerada especialmente vulnerável em termos nutricionais por várias razões, dentre elas a demanda aumentada de nutrientes relacionada ao aumento do crescimento e desenvolvimento físico, e a mudança no estilo de vida e nos hábitos alimentares da adolescente, que afetam a ingestão de alimentos e as necessidades nutricionais.

A anemia por deficiência de ferro é reconhecida como a deficiência nutricional específica de maior prevalência entre as gestantes, podendo chegar a 50% em países em desenvolvimento. Tanto a gestante adulta como a adolescente são consideradas segmentos de alto risco para o desenvolvimento de anemia em razão da alta demanda de ferro materno-fetal.

- REF.: Saunders *et al.* (2009).

20 – E

As recomendações nutricionais da nutriz foram determinadas pelas recomendações de ingestão dietética (DRI – IOM, 2005). Assim, para a produção de um litro de leite são gastos 900 kcal, sendo um terço disponibilizado dos depósitos maternos. Considerando que a média de produção de leite diária é de aproximadamente 850 mL, estimou-se que a ingestão energética adicional para a mulher que amamenta seria de 500 kcal. Assim, o aumento energético deve ser acompanhado de uma alimentação equilibrada, pois a nutriz apresenta maior necessidade de proteínas, vitaminas e minerais para garantir que seus depósitos não sejam utilizados em benefício do leite materno.

- REF.: Vitolo (2008).

21 – D

A Política de Atenção Integral à Saúde da Criança (PAISC), instituída por meio da Portaria 1.130, de 5 de agosto de 2015, tem por objetivos: promover e proteger a saúde da criança e o aleitamento materno, mediante a atenção e os cuidados integrais e integrados da gestação aos 9 anos de vida, com especial atenção à primeira infância e às populações mais vulneráveis, visando à redução da morbimortalidade e propiciando um ambiente facilitador à vida com condições dignas de existência e pleno desenvolvimento.

A opção que especifica a implantação do modelo "Vaga Sempre", relacionada à vinculação da gestante ao local de parto, faz parte do componente sistema logístico (transporte sanitário e regulação) da Estratégia Rede Cegonha.

A PAISC se organiza em torno de sete eixos, expostos a seguir:

I. atenção humanizada e qualificada à gestação, ao parto, ao nascimento e ao recém-nascido;

II. aleitamento materno e alimentação complementar saudável;

III. promoção e acompanhamento do crescimento e do desenvolvimento integral;

IV. atenção integral a crianças com agravos prevalentes na infância e com doenças crônicas;

V. atenção integral à criança em situação de violências, prevenção de acidentes e promoção da cultura de paz;

VI. atenção à saúde de crianças com deficiência ou em situações específicas e de vulnerabilidade;

VII. vigilância e prevenção do óbito infantil, fetal e materno.

- REF.: Brasil (2015).

22 – E

A redução da mortalidade neonatal foi um compromisso assumido pelo Brasil para a redução das desigualdades regionais no país desde 2009. A mortalidade neonatal é responsável por quase 70% das mortes no 1º ano de vida, e o cuidado adequado ao recém-nascido tem sido um dos desafios para reduzir os índices de mortalidade infantil em nosso país. Cerca de 25% das mortes infantis se concentram na 1ª semana de vida e mais especificamente no 1º dia de vida. Dois fatores têm grande influência nas taxas de mortalidade infantil: a prematuridade e o baixo peso ao nascer, sendo este último considerado isoladamente o fator mais importante para a mortalidade infantil.

- REF.: Brasil (2011).

23 – B

Na 1ª hora após o parto, o estado de consciência da mãe e do bebê favorece a interação entre eles. Assim, após a finalização dos procedimentos de sala de parto, a mãe e o recém-nascido devem permanecer juntos 24 horas por dia até a alta hospitalar. Esse período deve durar, no mínimo, 48 horas, por se tratar de oportunidade ímpar de aprendizagem para as mães e de detecção de complicações pós-parto.

Dentre as inúmeras vantagens dessa prática estão: convivência contínua entre mãe e bebê, maior envolvimento dos pais e da família no cuidado com o recém-nascido, promoção do aleitamento materno e diminuição do risco de infecção hospitalar.

Segundo as Normas Básicas para Alojamento Conjunto aprovadas pelo Ministério da Saúde, são condições de elegibilidade para a prática do alojamento conjunto: mães livres de condições que impossibilitem ou contraindiquem o contato com os recém-nascidos e recém-nascidos com boa vitalidade, capacidade de sucção e controle térmico. Em geral, esses recém-nascidos têm mais de 2.000 g, mais de 35 semanas de gestação e índice de Apgar maior que 6 no quinto minuto.

- REF.: Brasil (2011).

24 – B

A mama na gravidez é preparada para a amamentação (lactogênese fase I) sob a ação de diferentes hormônios, como estrógeno, responsável pela ramificação dos ductos lactíferos, e progesterona, responsável pela formação dos lóbulos. Com o nascimento da criança e a expulsão da placenta há uma queda acentuada de progesterona nos níveis sanguíneos maternos, com consequente liberação de prolactina pela hipófise anterior, iniciando a lactogênese fase II e a secreção do leite. Há também a liberação de ocitocina durante a sucção, hormônio produzido pela hipófise posterior e que tem a capacidade de contrair as células mioepiteliais que envolvem os alvéolos, expulsando o leite neles contido.

A ocitocina também é disponibilizada em resposta a estímulos condicionados, como visão, cheiro e choro da criança, e a fatores de ordem emocional, como motivação, autoconfiança e tranquilidade. Por outro lado, a dor, o desconforto, o estresse, a ansiedade, o medo, a insegurança e a falta de autoconfiança podem inibir a liberação da ocitocina, prejudicando a saída do leite da mama.

- REF.: Brasil (2010, 2015).

25 – C

Apesar de a alimentação variar enormemente entre as pessoas, o leite materno, surpreendentemente, apresenta composição semelhante em todas as mulheres que amamentam no mundo. Apenas as com desnutrição grave podem ter seu leite afetado em qualidade e quantidade.

A principal proteína do leite materno é a lactoalbumina, ao passo que a do leite de vaca é a caseína, de difícil digestão para a espécie humana.

A concentração de gordura no leite aumenta no decorrer de uma mamada. Assim, o leite do final da mamada (chamado leite posterior) é mais rico em energia (calorias) e sacia melhor a criança; daí a importância de a criança esvaziar bem a mama em cada mamada.

O leite humano contém uma variedade bem mais ampla de açúcares que outros leites de mamíferos: até 8% de seu valor calórico são fornecidos na forma de oligossacarídeos presentes no leite humano (HMO) indigeríveis, que funcionam como prebióticos que auxiliam o crescimento de bactérias específicas. Eles não podem ser utilizados pela maioria dos organismos entéricos, mas auxiliam o crescimento do *Bifidobacterium longum biovar* infantis.

- REF.: Brasil (2015); Victora *et al.* (2016).

26 – D

Amamentar não é apenas um ato instintivo, mas exige aprendizagem. A criança deve começar a mamar imediatamente após o nascimento.

A técnica de amamentação, ou seja, a maneira como a dupla mãe/bebê se posiciona para amamentar/mamar e a pega/sucção do bebê são muito importantes para que o bebê consiga retirar, de maneira eficiente, o leite da mama e não machucar os mamilos.

A mãe é quem deve escolher a posição para amamentar. Ela deve estar confortavelmente posicionada, relaxada, bem apoiada, não curvada para trás nem para a frente. É sempre útil lembrar à mãe que é o bebê que vai à mama e não a mama que vai ao bebê. Para isso, a mãe pode, com um rápido movimento, levar o bebê ao peito quando ambos estiverem prontos.

- REF.: Cury (2009); Brasil (2015).

27 – D

Em geral, as crianças tendem a rejeitar alimentos que não lhe são familiares, e esse tipo de comportamento se manifesta precocemente. No entanto, com exposições frequentes, os alimentos novos passam a ser aceitos, podendo ser incorporados à dieta da criança. Em média, são necessárias de oito a dez exposições a um novo alimento para que ele seja aceito pela criança.

Por volta dos 6 meses de vida, o grau de tolerância gastrointestinal e a capacidade de absorção de nutrientes atingem um nível satisfatório, o que ajuda na diversificação da alimentação, tornando-a variada, colorida e mais atrativa para a criança.

O esquema alimentar a partir dos 6 meses até completar 1 ano não deve incluir sopas por levar a uma densidade calórica muito baixa devido à diluição da preparação da sopa. A consistência dos alimentos deve ser a de papa ou purê. Aos 6 meses, devem ser oferecidos leite materno em livre demanda, fruta amassada (duas vezes) e uma papa de vegetais (duas vezes), e os alimentos devem ser amassados com garfo. A partir do sétimo mês, passa-se à transição do amassado para a oferta em pequenos pedaços, sendo oferecido leite materno em livre demanda, fruta em pedaços bem pequenos (duas vezes), almoço (pedaços pequenos/amassados) e jantar (idem almoço). A partir dos 12 meses até a criança completar 2 anos de idade, o esquema continua com a oferta de leite materno, fruta, cereal ou tubérculo, fruta em pedaços (duas vezes), almoço (refeição da família) e jantar (refeição da família). Enquanto a criança estiver recebendo leite materno, não há a necessidade de introduzir leite artificial puro e muito menos na forma de mingau.

Desde o início da introdução da alimentação complementar, deve ser estimulada a utilização de miúdos uma vez por semana, especialmente fígado de boi, pois são fontes importantes de ferro.

- REF.: Cury (2009); Brasil (2015).

28 – A

O leite materno contém tudo o que o bebê necessita até o 6º mês de vida, inclusive água. Assim, a oferta de chás, sucos e água é desnecessária e pode prejudicar a sucção do bebê, fazendo que ele mame menos leite materno, pois o volume desses líquidos irá substituí-lo.

Água, chá e suco representam um meio de contaminação que pode aumentar o risco de doenças. A oferta desses líquidos em chuquinhas ou mamadeiras leva o bebê a engulir mais ar (aerofagia), propiciando desconforto abdominal pela formação de gases e, consequentemente, cólicas no bebê.

Além disso, pode-se instalar a confusão de bicos, dificultando a pega correta da mama e aumentando os riscos de problemas ortodônticos e fonoaudiólogos.

- REF.: Brasil (2010).

29 – A

Ações urgentes são necessárias para lidar com aproximadamente 15 milhões de bebês nascidos prematuramente, em especial porque essas taxas estão aumentando a cada ano.

A maioria dos nascimentos pré-termo acontece espontaneamente, porém as causas mais comuns incluem gravidez múltipla, infecções e condições crônicas, como diabetes e hipertensão. Muitas vezes, no entanto, as causas não são identificadas, e há também uma causa genética implicada na prematuridade.

Em termos de prevalência, cerca de 60% dos nascimentos prematuros ocorrem na África e no sul da Ásia. Entre os dez países com número maior de nascimentos prematuros estão o Brasil, os Estados Unidos, a Índia e a Nigéria, o que demonstra o quanto a prematuridade é um problema global.

- REF.: World Health Organization (2012).

30 – D

O nascimento de uma criança pré-termo representa uma urgência do ponto de vista nutricional. São fortes as evidências de que a desnutrição provoca sérias consequências, possivelmente por toda a vida. A subnutrição durante os períodos iniciais e mais vulneráveis da vida acarreta efeitos adversos e permanentes no desenvolvimento do sistema nervoso central, na cognição, no comportamento e no crescimento somático.

Assim, as necessidades nutricionais dos prematuros possivelmente são iguais ou mesmo superiores às de um feto com a mesma idade gestacional.

Recomenda-se o fornecimento de nutrientes suficientes para que eles alcancem a velocidade de crescimento fetal fora do útero. O problema é que ainda hoje existem poucos conhecimentos sobre a qualidade e a quantidade de nutrientes que os fetos humanos recebem em cada idade gestacional.

- REF.: Brasil (2012).

31 – D

Com base no Código Internacional, o Brasil aprovou em 1988 as Normas para Comercialização de Alimentos para Lactentes, as quais foram revisadas e aprovadas como Norma Brasileira de Comercialização de Alimentos para Lactentes em 1992. Nos anos de 2000 e 2001, a norma sofreu novo processo de revisão, sendo publicada como Portaria GM 2.051, de novembro de 2001, e Resoluções RDC ANVISA n°s 221 e 222, de 2002.

O conjunto dessa Portaria e das duas Resoluções RDC citadas constitui, portanto, a Norma Brasileira de Comercialização de Alimentos para Lactentes, Crianças de 1ª Infância, Bicos, Chupetas e Mamadeiras, marco importante na história do aleitamento materno no país. Essa Norma é, portanto, o instrumento legal, no Brasil, que regula a promoção comercial e o uso apropriado dos produtos abrangidos nesse regulamento. É uma norma marcadamente protecional, que contém princípios reguladores de conduta, os quais, quando violados, implicam consequentemente a sanção correspondente à lei desrespeitada.

Essa norma se aplica à promoção comercial e às orientações de uso dos seguintes produtos fabricados no país ou importados: fórmulas infantis para lactentes e fórmulas infantis de seguimento para lactentes; fórmulas infantis de seguimento para crianças de 1ª infância; leites fluidos, leites em pó, leites em pó modificados, leites de diversas espécies animais e os produtos de origem vegetal com a mesma finalidade; alimentos de transição e alimentos à base de cereais indicados para lactentes e/ou crianças de 1ª infância, bem como outros alimentos ou bebidas à base de leite ou não, quando comercializados ou de outra forma apresentados como apropriados para a alimentação de lactentes e de crianças de 1ª infância; fórmula de nutrientes apresentada e/ou indicada para recém-nascido de alto risco; mamadeiras, bicos, chupetas e protetores de mamilo.

No tocante a alguns dos itens dessa norma, é vedado nas embalagens e/ou rótulos de fórmula infantil para lactentes e fórmula infantil de seguimento para lactente, bem como em fórmula de nutrientes para recém-nascido de alto risco, a utilização de fotos, desenhos ou outras representações gráficas que não sejam aquelas necessárias para ilustrar métodos de preparação ou uso do produto; entretanto, é permitido o uso de marca do produto/logomarca, desde que não utilize imagem de lactente, criança pequena ou outras figuras humanizadas.

- REF.: Presidência da República (2015); Brasil (2018).

32 - E

As doenças diarreicas agudas infecciosas apresentam etiologias diversas e podem ser causadas por bactérias, vírus e parasitas. Cerca de 70% dos casos estão relacionados com contaminação alimentar.

As principais complicações da diarreia são a desidratação em curto prazo e a desnutrição em longo prazo.

A terapia de reidratação oral (TRO) é indicada para crianças com diarreia e desidratação, sendo a primeira fase de reidratação e a segunda de manutenção. Caso a criança esteja com desidratação grave, deve ser encaminhada com urgência para um hospital, pois, na maioria das vezes, a reposição hidroeletrolítica será realizada por via endovenosa.

No tratamento alimentar, além da manutenção da alimentação normal da criança, também podem ser utilizados alguns alimentos funcionais, como os probióticos, sendo os *Lactobacillus* bem aceitos e seguros na forma de iogurtes sem açúcar, por exemplo.

- REF.: Lacerda & Accioly (2009).

33 - B

A desnutrição pode iniciar-se ainda na vida intrauterina, levando ao baixo peso ao nascer. Na infância, a desnutrição ocorre frequentemente por conta da interrupção do aleitamento materno exclusivo e da alimentação complementar inadequada nos primeiros 2 anos de vida, associada, na maioria das vezes, à contaminação ambiental e à privação alimentar ao longo da vida.

- REF.: Lacerda & Faria (2009).

34 - C

O crescimento é um processo dinâmico e contínuo expresso pelo aumento do tamanho corporal. Constitui um dos indicadores de saúde da criança. O processo de crescimento é influenciado por fatores intrínsecos (genéticos) e extrínsecos (ambientais), entre os quais se destacam a alimentação, a saúde, a higiene, a habitação e os cuidados gerais com a criança, que atuam acelerando ou restringindo tal processo.

O índice de massa corporal (IMC) é utilizado como parâmetro para avaliação do crescimento de crianças de zero a 2 anos, de 2 a 5 anos e de 5 a 10 anos.

O conceito de desenvolvimento é amplo e se refere a uma transformação complexa, contínua, dinâmica e progressiva que inclui, além do crescimento, maturação, aprendizagem e aspectos psíquicos e sociais.

O autismo é a doença mais grave do amplo espectro de entidades que caracterizam os distúrbios do desenvolvimento de predomínio relacional.

- REF.: Brasil (2014).

35 – B

Os avanços tecnológicos para o diagnóstico e a abordagem de recém-nascidos enfermos, notadamente os de baixo peso, aumentaram de modo impressionante as chances de vida desse grupo etário. Sabe-se, ainda, que o adequado desenvolvimento dessas crianças é determinado por um equilíbrio quanto ao suporte das necessidades biológicas, ambientais e familiares.

O método descrito não é um substitutivo das unidades de terapia intensiva neonatal nem da utilização de incubadoras, já que essas situações têm suas indicações bem estabelecidas.

- REF.: Brasil (2013).

Referências

Barker DJ. Fetal origins of coronary heart disease. Acta Obstet Ginecol Port, 2009; 3(3):158-68.

Barker DJ. The origins of the developmental origins theory. Journal of Internal Medicine, 2007; 261:412-7.

Brasil. Ministério da Saúde. Norma Brasileira de Comercialização de Alimentos para Lactentes e Crianças de Primeira Infância, Bicos, Chupetas e Mamadeiras. Disponível em: http://www.aleitamento.com/upload%5Carquivos%5Carquivo1_203. pdf. Acesso em: 02/04/2018.

Brasil. Ministério da Saúde. Portaria nº 1.130, de 5 de agosto de 2015. Institui a Política Nacional de Atenção Integral à Saúde da Criança (PNAISC) no âmbito do Sistema Único de Saúde (SUS).

Brasil. Ministério da Saúde. Secretaria de Atenção à Saúde. Departamento de Ações Programáticas Estratégicas. Política Nacional de Atenção Integral à Saúde da Mulher – Princípios e Diretrizes. Brasília. 2011.

Brasil. Ministério da Saúde. Secretaria de Atenção à Saúde. Departamento de Ações Programáticas Estratégicas. Atenção humanizada ao recém-nascido de baixo peso – Método Canguru: manual técnico. 2. ed. Brasília: Editora do Ministério da Saúde, 2013:19-23.

Brasil. Ministério da Saúde. Secretaria de Atenção à Saúde. Departamento de Atenção Básica. Saúde da criança: crescimento e desenvolvimento. 1. ed. Brasília: Ministério da Saúde, 2014. 272 p.: il. (Cadernos de Atenção Básica, nº 33).

Brasil. Ministério da Saúde. Secretaria de Atenção à Saúde. Departamento de Ações Programáticas e Estratégicas. Atenção à saúde do recém-nascido: guia para os profissionais de saúde. Cuidados com o recém-nascido pré-termo. 2. ed. Brasília: Ministério da Saúde, 2012; 4:43-68.

Brasil. Ministério da Saúde. Secretaria de Atenção à Saúde. Departamento de Atenção Básica. Dez passos para uma alimentação saudável: guia alimentar para crianças menores de dois anos: um guia para o profissional da saúde na atenção básica. 2. ed. Brasília: Ministério da Saúde, 2010. 72 p.: il. – (Série A. Normas e Manuais Técnicos).

Brasil. Ministério da Saúde. Secretaria de Atenção à Saúde. Departamento de Atenção Básica. Saúde da criança: aleitamento materno e alimentação complementar. 2. ed. Brasília: Ministério da Saúde, 2015. 184 p.: il. (Cadernos de Atenção Básica; n. 23).

Brasil. Ministério da Saúde. Secretaria de Atenção à Saúde. Departamento de Atenção Básica. Dez passos para uma alimentação saudável: guia alimentar para crianças menores de dois anos: um guia para o profissional da saúde na atenção básica. 2. ed. Brasília: Ministério da Saúde, 2010. 72 p.: il. (Série A. Normas e Manuais Técnicos).

Brasil. Ministério da Saúde. Secretaria de Atenção à Saúde. Departamento de Ações Programáticas e Estratégicas. Atenção à saúde do recém-nascido: guia para os profissionais de saúde. Brasília: Ministério da Saúde, 2011. 4 v. (Série A. Normas e Manuais Técnicas).

Brasil. Ministério da Saúde. Secretaria de Atenção à Saúde. Departamento de Ações Programáticas Estratégicas. Gestação de alto risco: manual técnico. 5. ed. Brasília: Editora do Ministério da Saúde, 2012. (Série A. Normas e Manuais Técnicos).

Brasil. Ministério da Saúde. Secretaria de Atenção à Saúde. Departamento de Atenção Básica. Atenção ao pré-natal de baixo risco. Brasília: Editora do Ministério da Saúde, 2012. 318 p.: il. – (Série A. Normas e Manuais Técnicos – Cadernos de Atenção Básica, nº 32).

Brasil. Ministério da Saúde. Secretaria de Atenção à Saúde. Departamento de Ações Programáticas Estratégicas. Manual dos comitês de mortalidade materna. 3. ed. Brasília: Editora do Ministério da Saúde, 2009. (Série A. Normas e Manuais Técnicos).

Brasil. Ministério da Saúde. Secretaria de Vigilância em Saúde. Secretaria de Atenção à Saúde. Política Nacional de Promoção da Saúde: PNPS. Brasília: Ministério da Saúde, 2015. 36 p.

Brasil. Portaria nº 1.459, de 24 de junho de 2011. Institui, no âmbito do Sistema Único de Saúde – SUS, a Rede Cegonha. Brasil, 2011.

Victora CG, Barros AJD, França GVA, Bahl R, Rollins NC, Horton S, Krasevec J, Murch S, Sankar MJ, Walker N. Breastfeeding in the 21st century: epidemiology, mechanisms, and lifelong effect. The Lancet, 2016 Jan 30; 387.

Cury MT. Aleitamento materno. In: Accioly E, Saunders C, Lacerda EMA. Nutrição em obstetrícia e pediatria. 2. ed. Rio de Janeiro: Cultura Médica, 2009:310-11.

Lacerda EMA, Accioly E. Nutrição nas diarreias agudas na infância. In: Accioly E, Saunders C, Lacerda EMA. Nutrição em obstetrícia e pediatria. 2. ed. Rio de Janeiro: Cultura Médica, 2009:428-34.

Lacerda EMA, Faria IG. Desnutrição na infância. In: Accioly E, Saunders C, Lacerda EMA. Nutrição em obstetrícia e pediatria. 2. ed. Rio de Janeiro: Cultura Médica, 2009:358-67.

Morse ML, Fonseca SC, Barbosa MD, Calil MB, Eyer FPC. Mortalidade materna no Brasil: o que mostra a produção científica nos últimos 30 anos? Cad. Saúde Pública, Rio de Janeiro, abr 2011; 27(4):623-38.

Organização Mundial da Saúde (OMS) – Human Reproduction Programme (HRP). Recomendações da OMS sobre cuidados pré-natais para uma experiência positiva na gravidez. OMS, 2016.

Presidência da República. Decreto nº 8.552, de 3 de novembro de 2015. Regulamenta a Lei nº 11.265, de 3 de novembro de 2006, que dispõe sobre a comercialização de alimentos para lactentes e crianças na primeira infância e de produtos de puericultura correlatos. Disponível em: http://www2.camara. leg. br/legin/fed/decret/2015/decreto-8552-3-novembro-2015-781851-publicacao original-148568-pe.html. Acesso em: 02/04/2018.

Saunders C. Ajustes fisiológicos da gestação In: Accioly E, Saunders C, Lacerda MCA. Nutrição em obstetrícia e pediatria. 2. ed. Rio de Janeiro: Cultura Médica, 2009:95-6.

Saunders C, Accioly E, Costa RSS, Lacerda EMA, Santos MMAS. Gestante adolescente. In: Accioly E, Saunders C, Lacerda EMA. Nutrição em obstetrícia e pediatria. 2. ed. Rio de Janeiro: Cultura Médica, 2009:151-62.

Saunders C, Padilha PC. Diabetes melito na gestação. In: Accioly E, Saunders C, Lacerda EMA. Nutrição em obstetrícia e pediatria. 2. ed. Rio de Janeiro: Cultura Médica, 2009:167.

Seco S, Matias A. Origem fetal das doenças do adulto: revisitando a teoria de Barker. Acta Obstet Ginecol Port 2009;3(3):158-68.

Vitolo MR. Avaliação nutricional da gestante. In: Nutrição da gestação ao envelhecimento. Rio de Janeiro: Rubio, 2008:57-64.

Vitolo MR. Recomendações para a nutriz. In: Nutrição da gestação ao envelhecimento. Rio de Janeiro: Rubio, 2008:143.

Wang J, Wu Z, Li D, Li N, Dindot SV, Satterfield MC, Bazer FW, Wu G. Nutrition, epigenetics, and metabolic syndrome. Antioxidants & Redox Signaling, 2012; 17(2):283-301.

World Health Organization – WHO. Born too soon: The global action report on preterm birth, 2012.

World Health Organization. WHO recommendations for prevention and treatment of pre-eclampsia and eclampsia. WHO Library Cataloguing-in-Publication Data, 2011. 48p.

Capítulo 11

Nutrição Clínica (NC)

Maria Luisa Pereira de Melo
Helena Alves de Carvalho Sampaio

Questões

1. (NC) De acordo com a Organização Mundial da Saúde (OMS), as doenças cardiovasculares (DCV) estão entre as principais causas de morte no mundo. Com relação ao metabolismo de lipídios e sua importância no desenvolvimento de DCV, é CORRETO afirmar que:
   a) Para o tratamento da hipercolesterolemia, recomenda-se que no máximo 10% das calorias sejam ácidos graxos saturados.
   b) A substituição de ácidos graxos saturados na alimentação por ácidos graxos poli-insaturados está associada a menor risco cardiovascular.
   c) As gorduras monoinsaturadas, como azeite de oliva e frutas oleaginosas, podem estar associadas ao aumento dos triacilgliceróis.
   d) Os ácidos graxos trans podem ser incluídos em até 5% das calorias da dieta por aumentarem a concentração plasmática de LDL-c.
   e) Existe relação inversa entre o consumo habitual de fitoesteróis e alimentos ricos em colesterol nos níveis séricos de LDL-c.

2. (NC) Dentre as alterações dietéticas de maior impacto sobre a hipertrigliceridemia, pode-se destacar:
   a) Redução de peso, da ingestão de bebidas alcoólicas e de carboidratos simples.
   b) Redução de peso, da ingestão de gorduras saturadas e de ácidos graxos poli-insaturados ômega 3.
   c) Redução de peso, da ingestão de gorduras saturadas e de ácidos graxos poli-insaturados ômega 6.
   d) Redução de peso, da ingestão de gorduras saturadas e de colesterol.
   e) Manutenção de peso, aumento da ingestão de gorduras saturadas e de ácidos graxos poli-insaturados ômega 3.

3. (NC) O último *Guideline* da Sociedade Americana de Cardiologia (2017) recomenda para o tratamento não farmacológico da hipertensão arterial o consumo da dieta DASH (*Dietary Approaches to Stop Hypertension*), a restrição do sódio e o aumento da ingestão de potássio. Sobre a dieta DASH, podemos destacar que ela enfatiza o consumo de alimentos ricos em:
   a) Proteínas, fibras, potássio, magnésio e cálcio e limita alimentos ricos em gordura poli-insaturada e carboidratos.
   b) Proteínas e limita alimentos ricos em fibras, potássio, magnésio e cálcio.
   c) Ricos em gorduras, fibras, potássio, magnésio e cálcio e limita alimentos ricos em açúcar.
   d) Proteínas, fibras, potássio, magnésio e cálcio e limita alimentos ricos em gordura saturada e açúcar.
   e) Sódio e potássio, proteínas, fibras, magnésio e cálcio e limita o consumo de vitaminas hidrossolúveis.

4. (NC) O cuidado nutricional tem importância fundamental no tratamento de pacientes com insuficiência cardíaca (IC), contribuindo para a melhora da capacidade funcional e da qualidade de vida. Nesses casos, as orientações dietéticas devem incluir, em pacientes:
   a) Com edema, dieta normocalórica, hipoproteica e hipossódica.
   b) Graves, dieta normoproteica e hipossódica associada à restrição de potássio e de líquidos de acordo com a dose de diuréticos.
   c) Desnutridos, dieta hiperproteica associada ao aumento da ingestão de líquidos para evitar hipovolemia.
   d) Desnutridos, dieta com 30 a 45 kcal/kg de peso/dia, normoproteica e hipocalêmica.
   e) Com estado nutricional adequado, 28 kcal/kg de peso/dia e nos depletados, 32 kcal/kg de peso/dia, dieta normo ou hiperproteica associada à restrição de sódio e de líquidos de acordo com a dose de diuréticos e o estágio da doença.

5. (NC) Os fármacos anticoagulantes antagonistas da vitamina K são utilizados no tratamento das doenças coronárias. Devido à interação entre esses agentes e os nutrientes, recomenda-se uma dieta:
   a) Com controle na ingestão de vitamina K, visto que alimentos ricos em vitamina K diminuem a ação desses medicamentos.
   b) Rica em vitamina K, para evitar seus efeitos colaterais.
   c) Rica em vitamina K, para melhorar a ação desses medicamentos.
   d) Pobre em vitamina K, para evitar seus efeitos colaterais.
   e) Não há necessidade de se preocupar com o consumo da vitamina K, pois sua ingestão não altera o mecanismo de ação da medicação.

6. (NC) São aspectos considerados na realimentação do paciente logo após infarto agudo do miocárdio (IAM):
   a) Manter repouso alimentar por até 36 horas após o diagnóstico mesmo que o paciente esteja hemodinamicamente estável.
   b) Iniciar alimentação de consistência branda entre 6 e 8 horas após o diagnóstico.
   c) Manter repouso alimentar em geral por até 12 horas após o diagnóstico e, caso o paciente esteja hemodinamicamente estável, iniciar dieta oral ou enteral, se necessário.
   d) Iniciar sempre dieta enteral assim que o paciente estiver hemodinamicamente estável.
   e) Fornecer dieta hipocalórica em caso de excesso de peso.

7. (NC) Entre as medidas não farmacológicas para o tratamento do *diabetes mellitus* tipo 2, marque a opção ERRADA.
   a) Manter a ingestão calórica dos indivíduos, ainda que na presença de sobrepeso e obesidade.
   b) Manter as proporções de carboidratos em relação às da população em geral, ou seja, 45 a 60% do valor calórico total da dieta.
   c) Reduzir a ingestão de fibras solúveis na dieta para que aumente o consumo das fibras insolúveis, as quais apresentam efeitos benéficos sobre a glicemia e a saciedade.
   d) Limitar a ingestão de sacarose para 5% do valor energético total.
   e) Limitar o consumo de ácidos graxos saturados em até 6% do total de calorias da dieta, já que esses indivíduos apresentam maior risco cardiovascular.

8. (NC) Para alcançar a meta do tratamento em crianças e adolescentes com diabetes tipo 1, vem sendo cada vez mais utilizado o esquema de insulina basal-*bolus* juntamente com a contagem de carboidratos, que possibilita:
   a) Ajuste das doses de insulina rápida ou ultrarrápida a serem aplicadas antes das refeições com base na quantidade consumida de carboidratos.
   b) Ajuste das doses de insulina lenta a serem aplicadas antes das refeições com base na quantidade consumida de carboidratos.
   c) Cálculo da dose de insulina rápida e ultrarrápida a ser administrada. Em geral, 25 g de carboidratos equivalem a 1 unidade de insulina.
   d) Bom controle metabólico de pacientes com diabetes tipo 2 que não fazem uso de insulina, pois permite maior flexibilidade nas escolhas dos alimentos para manter a glicemia.
   e) Não pode ser utilizada em pacientes que utilizam bomba de insulina.

9. (NC) No paciente com doença renal crônica (DRC) em tratamento de hemodiálise, a dieta deverá seguir as recomendações diárias de energia, proteína, sódio e potássio, respectivamente:

a) 40 a 45 kcal/kg de peso; 1,2 a 1,3 g/kg de peso; 2.000 a 2.300 mg; 50 a 100 mEq.
b) 30 kcal/kg de peso; 1,6 g/kg de peso; 2.000 a 2.300 mg; 70 a 100 mEq.
c) 25 a 30 kcal/kg de peso; 1,1 a 1,2 g/kg de peso; 3.000 a 4.000 mg; 50 a 70 mEq.
d) 40 kcal/kg de peso; 1,2 a 1,3 g/kg/dia; até 1.000 mg; 50 a 100 mEq.
e) 30 a 35 kcal/kg de peso; 1,1 a 1,2 g/kg; 1.000 a 2.300 mg; 50 a 70 mEq.

10. (NC) O paciente com DRC na fase pré-dialítica pode apresentar alterações importantes no estado nutricional, particularmente nas fases mais avançadas (estágios 4 e 5). Nessa fase, recomenda-se dieta:
   a) Hiperproteica específica, de acordo com o estágio da doença, para diminuir a carga sobre os néfrons remanescentes.
   b) Hiperproteica específica, de acordo com o estágio da doença, que deverá ter 1 a 1,2 g de proteínas/kg de peso/dia.
   c) Hipoproteica específica, de acordo com o estágio da doença, que deverá ter entre 0,6 e 0,75 g de proteínas/kg de peso/dia.
   d) Hipoproteica específica, com 0,3 a 0,4 g de proteína/kg de peso/dia, para melhorar o estado nutricional de modo a dar início à terapia substitutiva.
   e) Não existem razões para recomendar qualquer alteração na ingestão proteica nesses pacientes.

11. (NC) O transplante tem promovido melhora da qualidade de vida de pacientes renais crônicos. No entanto, esses pacientes precisarão de acompanhamento nutricional, de modo a controlar as alterações metabólicas decorrentes do uso de agentes imunossupressores e da liberdade alimentar restabelecida. Assim, 1 ano após transplante renal bem-sucedido é importante que a dieta tenha um aporte:
   a) Calórico controlado (20 kcal/kg de peso/dia), visto que todos os pacientes desenvolvem obesidade.
   b) Proteico de 1 g/kg de peso/dia para os receptores com função renal próxima ao normal e uma ingestão energética controlada (20 a 25 kcal/kg de peso/dia) para os com sobrepeso ou obesidade.
   c) Proteico controlado (0,6 g/kg de peso/dia) e uma oferta generosa de calorias (35 a 40 kcal/kg peso/dia) porque esses pacientes necessitam permanecer com o índice de massa corporal (IMC) acima de 30 kg/m^2.
   d) Proteico elevado (1,5 a 2,0 g/kg de peso/dia) e uma ingestão energética normal (25 a 30 kcal/kg peso/dia), a fim de promover balanço nitrogenado positivo.
   e) Proteico normal (0,8 a 1 g/kg de peso/dia), bem como fornecimento energético normal (25 a 30 kcal/kg peso/dia), pois o organismo ainda se encontra em catabolismo nessa fase.

12. (NC) A terapia nutricional é fundamental nos cuidados dispensados ao paciente crítico, interferindo em sua evolução clínica e, portanto, contribuindo para o menor tempo

de internação em unidades de terapia intensiva. Entre as recomendações que devem ser observadas nesses pacientes, pode-se citar:

a) Iniciar nutrição enteral (NE) nas primeiras 24 a 48 horas nos pacientes hemodinamicamente instáveis e impedidos de usar a via oral (VO).
b) Em todos os pacientes, a NE deverá ter a posição da sonda pós-pilórica para melhor absorção da dieta.
c) Em pacientes ventilados, as fórmulas devem ser sempre hiperlipídicas, já que eles apresentam alto coeficiente respiratório.
d) O uso de agentes imunomoduladores (arginina, ácido eicosapentaenoico – EPA, ácido docosaexaenoico – DHA, glutamina e nucleotídeos) para todos os pacientes.
e) Quando a NE não é possível nos pacientes com risco nutricional menor, deve-se aguardar 7 dias para o início da nutrição parenteral (NP); nos que apresentam risco nutricional maior, deve-se iniciar NP imediatamente.

13. (NC) A sepse, em sua forma mais grave, é caracterizada por anormalidades severas no metabolismo circulatório, celular e metabólico. O gasto energético basal pode estar aumentado, levando ao intenso catabolismo, podendo ocorrer quadro de hiperglicemia, perda progressiva de massa corporal magra e lipólise. Portanto, a terapia nutricional é fundamental no cuidado dispensado para esses pacientes, interferindo em sua evolução clínica. Recomenda-se, diariamente, aporte calórico e proteico, respectivamente, de:

a) 25 a 30 kcal/kg de peso/dia e 1,2 a 2,0 g/kg de peso/dia, porém o cálculo do gasto energético deve ser reavaliado, visando otimizar as necessidades energéticas e proteicas.
b) 25 a 30 kcal/kg de peso/dia e 1,2 a 2,0 g/kg de peso/dia, porém com acréscimo de 20 g de glutamina.
c) Até 20 kcal/kg de peso/dia e 1,0 a 1,2 g/kg de peso/dia, associados a megadoses de zinco e selênio.
d) 35 a 40 kcal/kg/dia de energia e 1,2 a 2,0 g/kg de peso/dia, juntamente com o uso de arginina, para proteger o indivíduo da resposta catabólica aguda.
e) 35 a 40 kcal/kg/dia de energia e 2,0 a 2,5 g/kg de peso/dia, juntamente com o uso de imunonutrientes para todos que estejam graves.

14. (NC) Muitos pacientes com sepse evoluem para lesão renal aguda (LRA), síndrome caracterizada pela perda abrupta da função renal. Nesses pacientes, as necessidades calóricas e proteicas deverão prever:

a) Apenas gravidade da doença básica, não importando o tipo de intervenção para o controle da LRA.
b) Apenas as alterações da função renal e o tipo de tratamento dialítico, quando este for necessário, apesar do estado hipercatabólico desses doentes.
c) O tipo e a gravidade da doença de base, o estado nutricional prévio e atual, bem como o tratamento de reposição renal (tipo, frequência, duração).

d) Exclusivamente o estado nutricional prévio do paciente e o tipo da terapia de reposição renal.

e) Altas concentrações proteicas na dieta, juntamente com formulações enriquecidas com glutamina e arginina, para reverter a proteólise e recuperar a função renal.

15. (NC) Apesar de a calorimetria indireta ser considerada o padrão ouro para avaliação do gasto energético dos pacientes queimados, esse método ainda não é um procedimento de fácil acesso em muitos hospitais brasileiros por limitações técnicas e financeiras. Assim, os métodos mais comuns para determinação das necessidades energéticas nesses pacientes são as equações preditivas devido à facilidade de execução. A mais aplicada nos dias atuais em adultos é a equação de:

a) Schoffield, que considera o gasto energético estimado por Harris-Benedict e a localização da queimadura.

b) Toronto, que considera o gasto energético estimado por Harris-Benedict, a superfície corporal queimada, a ingestão calórica do dia anterior, o fator atividade e o fator injúria.

c) Curreri, que considera a superfície corporal queimada e a altura do paciente.

d) Ireton-Jones, que considera aqueles pacientes críticos em ventilação mecânica assistida.

e) Harris-Benedict, que considera peso e altura.

16. (NC) No grande queimado, a terapia nutricional deve ser iniciada em até 12 horas após injúria. Nesses pacientes, os requerimentos proteicos para adultos e crianças deverá ser, respectivamente, de:

a) 1,2 a 1,5 g/kg de peso/dia e 1,5 a 3,0 g/kg de peso/dia, associados à suplementação extra de arginina e glutamina para ambos.

b) 1,5 a 2,0 g/kg de peso/dia e 1,5 a 2,0 g/kg de peso/dia, associados à suplementação extra de glutamina somente para adultos.

c) 1,5 a 2,0 g/kg de peso/dia e 1,5 g/kg de peso/dia, associados à suplementação extra de arginina para ambos.

d) 1,5 a 2,0 g/kg de peso/dia e 1,5 a 3,0 g/kg de peso/dia, associados à suplementação extra de glutamina para ambos.

e) 1,2 a 1,5, g/kg de peso/dia e 1,5 a 2,0 g/kg de peso/dia, sem suplementação de agentes imunomoduladores.

17. (NC) Sabe-se que o estado nutricional é um dos fatores independentes que mais influenciam o desenvolvimento de complicações pós-cirúrgicas. Com base nesta afirmativa, recomenda-se que seja implementada terapia nutricional (TN) pré-operatória por:

a) 7 a 14 dias em pacientes com risco nutricional grave que serão submetidos a cirurgias eletivas de médio e grande porte.

b) 25 dias em pacientes desnutridos que serão submetidos a cirurgias para tratamento oncológico e que apresentem tubo digestório apto para receber nutrientes.

c) 5 a 7 dias com suplementos contendo imunonutrientes em pacientes oncológicos que serão submetidos à ressecção parcial de estômago, intestino delgado ou grosso.

d) 30 dias antes de cirurgia oncológica de grande porte em pacientes com risco nutricional grave, mesmo se a cirurgia tenha de ser atrasada.

e) no mínimo 3 dias em pacientes gravemente desnutridos com aporte rápido e agressivo de calorias e proteínas, visando à reposição do estado nutricional.

18. (NC) Em pessoas vivendo com HIV/AIDS, o uso de potentes esquemas antirretrovirais resultou em redução significativa na letalidade e na morbidade, bem como em aumento da expectativa de vida. A administração desses fármacos associa-se a:

a) Aparecimento da lipodistrofia, uma condição caracterizada por atrofia de todo o tecido adiposo, alterando a composição corporal desses pacientes.

b) Redução dos níveis de colesterol total e LDL-c, sendo um agente coadjuvante na prevenção de doenças cardiovasculares.

c) Alterações metabólicas, como depleção da massa corporal, lipodistrofia e acúmulo de gordura em áreas centrais.

d) Prevenção de problemas gastrointestinais, comuns nesses pacientes.

e) Prevenção da osteoporose e da sarcopenia, achados comuns nesses pacientes.

19. (NC) O aporte proteico em pessoas vivendo com HIV/AIDS (PVHS) deve ser:

a) Normal (até 0,8 g/kg de peso/dia), para evitar ureagênese.

b) Rico em proteínas (1,0 a 1,4 g/kg/dia), mesmo quando o objetivo é a manutenção do estado nutricional.

c) Normal em proteínas (0,8 g/kg de peso/dia), havendo preocupação em aumentar o consumo dos aminoácidos de cadeia aromática.

d) Elevado em proteínas (1,5 a 2,0 g/kg de peso/dia) para todos os pacientes como estratégia de reduzir a atividade da doença.

e) Baixo em proteínas (< 0,7 g/kg de peso/dia), a fim de melhorar a atividade farmacológica dos agentes antirretrovirais.

20. (NC) A esclerose múltipla (EM) é uma das principais doenças do sistema nervoso central em adultos jovens. Postula-se a existência de uma complexa interação dos fatores ambientais no contexto de vulnerabilidade genética em sua patogênese. Qual(is) nutriente(s) é(são) considerado(s) agente(s) protetor(es) no desenvolvimento e na evolução da doença?

a) Ácido fólico.

b) Vitaminas hidrossolúveis, particularmente a vitamina C.

c) Ferro e selênio.

d) Zinco e cobre.

e) Vitamina D.

21. (NC) Várias doenças neurológicas apresentam grande impacto sobre o estado nutricional dos pacientes afetados. Entre os diversos fatores associados à doença, a disfagia orofaríngea é um dos que exercem maior alteração no consumo alimentar. Em suas fases mais precoces, a disfagia pode ser contornada por meio de alterações na alimentação por via oral (VO). Entre as estratégias utilizadas para possibilitar a ingestão VO, pode-se destacar:

    a) Oferecer dieta de consistência líquida, o mais fluida possível, com a finalidade de evitar os engasgos.

    b) Oferecer dieta de consistência pastosa sempre com água, para facilitar a deglutição e evitar os engasgos.

    c) Não alterar a consistência dos alimentos, pois a dieta estimula a deglutição e reverte o quadro, evitando aspiração e sufocação.

    d) Administrar alimentos e preparações de acordo com a consistência tolerada, evitando-se o uso de alimentos com alta densidade calórica para manter o estado nutricional.

    e) Oferecer alimentos e preparações de acordo com a consistência tolerada e, caso necessário, incluir agentes espessantes e homogeneizar a dieta.

22. (NC) A levodopa é o fármaco mais eficaz no tratamento da doença de Parkinson; no entanto, sua estrutura química apresenta interação com alimentos. Considerando esse aspecto, é CORRETO afirmar que a dieta nesses pacientes deverá levar em conta:

    a) O consumo de alimentos com proteínas 30 minutos após a administração medicamentosa para evitar alteração no efeito farmacológico da levodopa, já que ela compete com os aminoácidos da dieta no processo de absorção.

    b) A redução de aminoácidos na dieta e o aumento de fibras dietéticas com o objetivo de melhorar a absorção da levodopa e, portanto, sua eficácia no tratamento do mal de Parkinson.

    c) Uma elevada ingestão proteica, o que favorece a eficácia da levodopa, priorizando-se a oferta de proteínas entre 1,0 e 1,5 g/kg de peso/dia para indivíduos eutróficos.

    d) No raro uso de levodopa como monoterapia, restringir alimentos ricos em vitamina B_6, como leite desnatado em pó, feijão, inhame, batata-doce e atum.

    e) O consumo de dietas cetogênicas, já que baixas quantidades de carboidrato melhoram a absorção da levodopa.

23. (NC) Segundo a última diretriz da *Global Initiative for Chronic Obstructive Lung Disease* (GOLD, 2018), o índice de massa corporal (IMC) < 25 kg/m^2 é um fator de risco para comorbidades em pacientes com doença pulmonar obstrutiva crônica (DPOC). Considerando a

importância do estado nutricional, e portanto, do cuidado nutricional no tratamento de pacientes com DPOC, pode-se afirmar que:

a) Nos pacientes com DPOC, o gasto energético parece ter aumento de até 100% em relação aos valores normais, talvez em virtude do aumento da necessidade de oxigênio na respiração.

b) As calorias da dieta devem ser adequadas à demanda metabólica, já que o excesso energético se associa ao aumento do coeficiente respiratório devido ao aumento da produção de CO_2, o que comprometerá o funcionamento respiratório.

c) Nos indivíduos com quadro de falência respiratória aguda, ventilados mecanicamente, deve-se controlar a ingestão de calorias para evitar a produção excessiva de CO_2, sendo recomendada uma dieta com até 20 kcal/kg de peso/dia.

d) A dieta deverá ter, no máximo, 1 g de proteínas/kg de peso/dia, para evitar o excesso de ureia nesses pacientes.

e) Todos os pacientes se beneficiam com uma dieta com alto teor de proteínas associado a um menor conteúdo lipídico pelo fato de produzir menos CO_2 por O_2 consumido que os carboidratos.

24. (NC) No que diz respeito aos cuidados nutricionais necessários à pessoa com síndrome de Down, é CORRETO afirmar que:

a) Trata-se de um dos poucos problemas de saúde em que o aleitamento materno exclusivo está contraindicado, porque a criança não consegue sugar quantidades satisfatórias do alimento.

b) Crianças e adolescentes devem ter seu crescimento físico acompanhado por meio de curvas de crescimento, as quais são as mesmas adotadas para pessoas sem síndrome de Down.

c) Idosos com síndrome de Down devem excluir, preventivamente, o açúcar de sua alimentação, pois evoluem com *diabetes mellitus* tipo 2.

d) A obesidade é a principal causa de apneia do sono nas pessoas com síndrome de Down, devendo ser tratada de modo a evitar problemas associados à obesidade e à apneia do sono.

e) A alimentação da pessoa com síndrome de Down deve ser controlada, havendo muitas restrições alimentares, como tipo de lipídios, proteínas e carboidratos, sendo necessário um cuidado adicional para garantir a qualidade nutricional.

25. (NC) Quanto ao tratamento dietético da obesidade, assinale a opção que contenha a distribuição calórica diária adequada de macronutrientes recomendada nas Diretrizes de Obesidade da Associação Brasileira para o Estudo da Obesidade e da Síndrome Metabólica:

a) 20 a 30% de gorduras, 55 a 60% de carboidratos e 15 a 20% de proteínas.

b) 25 a 33% de gorduras, 45 a 50% de carboidratos e 25 a 30% de proteínas.

c) 35 a 40% de gorduras, 35 a 40% de carboidratos e 25 a 30% de proteínas.

d) 15 a 20% de gorduras, 60% de carboidratos e 20 a 25% de proteínas.

e) 45% de gorduras, 25% de carboidratos e 30% de proteínas.

26. (NC) Considerando os pacientes submetidos à cirurgia bariátrica, analise as seguintes afirmativas:

I. A progressão da dieta alimentar depende do tipo de cirurgia que foi realizada, mas, como regra geral, o paciente deve fazer pequenas refeições balanceadas, diversas vezes ao dia, sem a ingestão concomitante de líquidos, havendo um cuidado especial com o aporte proteico, que deve chegar a 60 a 120 g/dia.

II. O uso diário de suplementos de vitaminas e minerais é fundamental para os pacientes submetidos à cirurgia bariátrica, devendo ser incluídos pelo menos ferro, cálcio, vitamina D, zinco e complexo B.

III. O aporte de líquidos é importante, devendo atingir no mínimo 2,5 L/dia, evitando a ingestão de líquido por pelo menos 60 minutos após as refeições.

Estão CORRETAS:

a) Todas (I, II e III).

b) Apenas I e II.

c) Apenas I e III.

d) Apenas II e III.

e) Nenhuma.

27. (NC) Considerando a interação drogas/nutrientes, é importante conhecer alguns conceitos no âmbito da farmacologia. Analise as seguintes afirmativas:

I. A farmacocinética é o estudo da passagem do medicamento através do organismo, englobando absorção, distribuição e biotransformação.

II. A farmacodinâmica é o estudo dos efeitos bioquímicos e fisiológicos dos fármacos, bem como de seu mecanismo de ação no organismo.

III. A reação adversa a medicamento corresponde a qualquer resposta nociva ou indesejável a fármacos e ocorre ao se utilizar dose acima do recomendado; daí a importância da prescrição adequada de medicamentos, respeitando idade e, muitas vezes, o peso do paciente.

IV. As vias mais importantes de excreção de fármacos e seus metabólitos são a renal, a pulmonar, a digestiva e a glandular.

Estão CORRETAS:

a) Apenas I e II.

b) Apenas I e III.

c) Apenas II e III.

d) Apenas II e IV.

e) Apenas III e IV.

28. (NC) Quanto à interação entre alimentos e fármacos analgésicos e anti-inflamatórios, assinale a opção ERRADA.

    a) Quando estiver sendo utilizado ácido acetilsalicílico, uma dieta hiperlipídica pode reduzir a biodisponibilidade desse fármaco.
    b) Alimentos assados na brasa e dieta hiperproteica podem reduzir a meia-vida da antipirina.
    c) Frutas cítricas, leite e derivados e vegetais podem aumentar a excreção renal de morfina.
    d) O alcaçuz reduz a biotransformação do corticosteroide, aumentando sua toxicidade.
    e) Chá-verde tem efeito sinérgico aos efeitos hepatotóxicos do paracetamol.

29. (NC) Com relação às alergias alimentares, analise as opções abaixo:

    I. Não há evidências consistentes de benefícios quanto à modificação da dieta de gestantes e nutrizes visando à prevenção da alergia alimentar do bebê e, portanto, as mulheres nesse ciclo da vida devem ter uma alimentação balanceada e equilibrada.
    II. Segundo a Organização Mundial de Alergia (World Allergy Organization, 2015), o uso de probióticos pela gestante, nutriz e lactente com alto risco de desenvolvimento de alergias futuras, principalmente de dermatite atópica, pode ser útil, mas a instituição ressalta que se trata de recomendação baseada em evidência de baixa qualidade.
    III. Alimentos responsáveis pela alergia devem ser excluídos da dieta com substituição apropriada. Em geral, ao longo do tempo, ocorre remissão na alergia a leite, soja, ovo e trigo (e alimentos e preparações elaborados com esses alimentos). Já a alergia a amendoim, nozes e castanhas, peixe e frutos do mar é considerada persistente, sendo considerada sua exclusão definitiva, principalmente se a alergia ocorre em adultos.

    Estão CORRETAS:

    a) Todas (I, II e III).
    b) Apenas I e II.
    c) Apenas I e III.
    d) Apenas II e III.
    e) Nenhuma.

30. (NC) Quanto às doenças inflamatórias intestinais, pode-se afirmar que:

    a) Os probióticos constituem valioso recurso para tratamento da doença de Crohn ativa tanto na abordagem clínica como no pós-operatório.
    b) Para prevenir o risco de desenvolvimento de retocolite ulcerativa ou doença de Crohn, a dieta deve ser pobre em ácidos graxos ômega 3 e ômega 6 e rica em frutas e hortaliças.

c) Os pacientes com doença inflamatória intestinal são hipermetabólicos, devendo ser planejada uma dieta com acréscimo de 30% de calorias em relação à dieta de uma pessoa sem essa doença.

d) Os pacientes com doença inflamatória intestinal em remissão necessitam de uma dieta normoproteica (1 g/kg de peso/dia), enquanto aqueles com a doença em atividade devem receber 1,2 a 1,5 g/kg de peso/dia.

e) Os pacientes com doença inflamatória intestinal e que estejam desnutridos devem ter a cirurgia adiada, se possível, por 30 a 45 dias, a fim de permitir a implantação de medidas de hiperalimentação por meio de suplementos orais e/ou nutrição enteral.

31. (NC) Quanto aos transtornos alimentares, é CORRETO afirmar que:

a) A prescrição calórica inicial para pessoas com anorexia nervosa é de 50 a 60 cal/kg de peso/dia, uma vez que em geral há a presença de grave desnutrição.

b) Pessoas com bulimia nervosa e com evidência de hipometabolismo devem receber inicialmente 1.500 a 1.600 cal/dia.

c) Tanto para bulimia nervosa como para anorexia nervosa, os benefícios são maiores quando a dieta é planejada para oferecer 35% de contribuição calórica de carboidratos e 45% de contribuição calórica de lipídios.

d) Os suplementos vitamínicos e minerais estão contraindicados devido aos efeitos colaterais possíveis, devendo a dieta ser programada para propiciar o atendimento individualizado às recomendações nutricionais.

e) A terapia cognitivo-comportamental é uma estratégia valiosa na abordagem nutricional de pacientes com transtorno do comportamento alimentar, principalmente em razão da rápida resolutividade, em geral programando-se a intervenção para ter a duração de 6 semanas.

32. (NC) Quanto à via de alimentação a ser utilizada no paciente adulto em tratamento quimioterápico ou radioterápico, analise as afirmativas a seguir:

I. Quando a ingestão oral estiver abaixo de 80% das necessidades nutricionais diárias nos últimos 3 dias, devem ser indicados suplementos nutricionais via oral.

II. Quando a ingestão oral estiver abaixo de 50% das necessidades nutricionais diárias nos últimos 7 dias, deve-se indicar terapia nutricional enteral.

III. Devido ao risco de complicações, a nutrição parenteral não deve ser utilizada em pacientes em tratamento quimioterápico ou radioterápico.

Estão CORRETAS:

a) Todas (I, II e III).

b) Apenas I e II.

c) Apenas I e III.

d) Apenas II e III.

e) Nenhuma.

33. (NC) Segundo o Consenso Nacional de Nutrição Oncológica, qual a recomendação proteica para crianças de 2 a 11 anos que tenham câncer e estejam em tratamento com quimioterapia ou radioterapia?

a) 1,0 g/kg de peso/dia.
b) 1,5 g/kg de peso/dia.
c) 2,0 g/kg de peso/dia.
d) 2,5 g/kg de peso/dia.
e) 3,0 g/kg de peso/dia.

34. (NC) Em seu terceiro relatório, o World Cancer Research Fund (WCRF) e o American Institute for Cancer Research (AICR) colocaram a adiposidade corporal, determinada pelo índice de massa corporal (IMC), circunferência da cintura (CC) e relação cintura-quadril (RCQ), como responsável, entre outros fatores, pelo surgimento do câncer em geral. Essas instituições estabeleceram os seguintes pontos de corte para mulheres:

a) IMC $\geq$ 25 kg/m^2; CC $\geq$ 80 cm; RCQ $\geq$ 0,85.
b) IMC $\geq$ 25 kg/m^2; CC $\geq$ 85 cm; RCQ $\geq$ 0,80.
c) IMC $\geq$ 25 kg/m^2; CC $\geq$ 88 cm; RCQ $\geq$ 0,85.
d) IMC $\geq$ 25 kg/m^2; CC $\geq$ 85 cm; RCQ $\geq$ 0,85.

35. (NC) Quanto à síndrome do intestino irritável (SII), analise as afirmativas abaixo:

I. Uma dieta rica em fibras insolúveis, combinada com ingestão suficiente de líquidos, alivia os sintomas da SII.
II. Dietas com baixo teor de oligo-di-monossacarídeos e polióis (cuja sigla em inglês é FODMAP) reduzem a dor abdominal e o inchaço e melhoram o padrão das fezes, mas não foram demonstrados resultados em longo prazo nem a segurança dessas dietas.
III. As recomendações mais atuais preconizam, de rotina, a retirada de glúten da dieta de pessoas com SII.
IV. Alguns probióticos melhoram o inchaço e a flatulência, mas ainda há dúvidas sobre as melhores cepas, doses, formulações e forma.

Estão CORRETAS:

a) Apenas I e II.
b) Apenas I e III.
c) Apenas II e III.
d) Apenas II e IV.
e) Apenas III e IV.

Respostas

1 – B

Para o tratamento da hipercolesterolemia, recomendam-se no máximo 7% das calorias na forma de ácidos graxos saturados. Por outro lado, a substituição por gorduras monoinsaturadas, como azeite de oliva e frutas oleaginosas, pode estar associada à redução do risco cardiovascular. Os ácidos graxos trans devem ser excluídos da dieta por aumentarem a concentração plasmática de LDL-c e induzirem intensa lesão aterosclerótica. Por outro lado, existe relação inversa entre o consumo habitual de fitoesteróis na dieta e os níveis séricos de LDL-c.

- REF.: Sociedade Brasileira de Cardiologia (2017).

2 – A

Com relação ao impacto da modificação de hábitos alimentares e estilo de vida na trigliceridemia, há evidência de que a estratégia de maior magnitude é a redução de peso, da ingestão de bebidas e de açúcares simples. São consideradas estratégias de magnitude intermediária: redução da ingestão de carboidratos, substituição parcial de ácidos graxos saturados por mono e poli-insaturados e aumento da atividade física.

- REF.: Sociedade Brasileira de Cardiologia (2017).

3 – D

A dieta DASH é caracterizada pela adoção de um hábito alimentar com quantidades elevadas de proteínas, fibras, potássio, magnésio e cálcio e reduzidas de gorduras saturadas e açúcar. Desse modo, é enfatizado o aumento da ingestão de frutas, vegetais, laticínios desnatados e grãos e recomendado que não se adicione sal aos alimentos, evitando também o consumo de molhos, caldos prontos e produtos industrializados. Preconiza também diminuir ou evitar o consumo de doces e bebidas com açúcar. Em uma dieta de 2.000 kcal são consumidas diariamente 7 a 8 porções de alimentos integrais, 4 a 5 porções de vegetais e frutas, 2 a 3 porções de leite e derivados desnatados, até 2 porções de carnes, peixes e derivados magros e 2 a 3 porções de óleos e gorduras. Semanalmente, recomenda o consumo de 4 a 5 porções de oleaginosas e sementes e até 5 porções de açúcar e doces.

- REF.: U.S. Department of Health and Human Services (2003); Sociedade Brasileira de Cardiologia (2016).

4 – E

A orientação nutricional tem importância fundamental no tratamento de pacientes com IC. O excesso de substratos energéticos com a utilização de dietas hipercalóricas ou nutricionalmente desequilibradas pode contribuir para o desenvolvimento e a progressão da doença. Desse modo, recomendam-se 28 kcal/kg de peso/dia para pacientes com estado nutricional adequado e 32 kcal/kg de peso/dia para pacientes nutricionalmente depletados, considerando-se o peso do paciente sem edemas.

Quanto à composição em macronutrientes, são recomendados:

- carboidratos – entre 50 e 55% da ingestão energética, priorizando os carboidratos integrais com baixa carga glicêmica e evitando os refinados, por agravar a resistência à insulina;
- lipídios – entre 30 e 35%, com maior percentual no consumo de gorduras mono e poli-insaturadas, em especial os ácidos graxos poli-insaturados ômega 3, e menor percentual de gorduras saturadas e trans;
- proteínas – entre 15 e 20% do valor calórico total da dieta, priorizando as proteínas de alto valor biológico;
- sódio – entre 2 e 3 g/dia, principalmente nos estágios mais avançados da doença e na ausência de hiponatremia;
- líquidos – a restrição deve ser de acordo com a condição clínica do paciente e com a dose de diuréticos.

Em média, a ingestão de líquidos sugerida varia de 1.000 a 1.500 mL em pacientes sintomáticos com risco de hipervolemia; quanto ao álcool, é recomendada a abstinência completa, principalmente por pacientes com miocardiopatia alcoólica, por causar depressão miocárdica e precipitar arritmias.

- REF.: Sociedade Brasileira de Cardiologia (2009).

5 – A

Alimentos ricos em vitamina K, como vegetais verdes, chá-verde e fígado, diminuem a ação dos anticoagulantes antagonistas da vitamina K, como a varfarina. Portanto, para indivíduos que usam essa medicação é indicada uma ingestão constante e controlada dos alimentos que sejam fontes da vitamina K, para que não ocorra redução do efeito do medicamento.

- REF.: Sociedade Brasileira de Cardiologia (2013).

6 – C

Após o diagnóstico do IAM, sugere-se que o paciente seja mantido em jejum por até 12 horas. Inicia-se a alimentação em pacientes hemodinamicamente estáveis após avaliação de suas condições para alimentação por via oral. Nos pacientes não sedados e em condições de se alimentar por via oral, as primeiras dietas devem levar em consideração a presença de náuseas e vômitos e a condição clínica do paciente. Em geral, as primeiras refeições têm consistência líquida e/ou pastosa, para evitar broncoaspiração. De acordo com a evolução clínica, a alimentação pode apresentar consistência normal após o 4º ou 5º dia pós-IAM. Recomendam-se ainda pequenos volumes e maior fracionamento e evitar alimentos gasoformadores que possam causar desconforto digestivo. Nos pacientes que não estejam em condições de se alimentar por via oral, inicia-se a terapia nutricional enteral com controle na velocidade na infusão e com fórmulas adequadas ao quadro clínico.

- REF.: Costa *et al.* (2016).

7 – C

Alterações na dieta e atividade física regular constituem medidas não farmacológicas importantes para o tratamento do *diabetes mellitus* tipo 2. Esses pacientes devem ser orientados em relação:

- À importância do controle de peso corporal para melhora dos níveis glicêmicos e lipídicos, fatores que interferem na evolução clínica desses pacientes. Assim, deverá ser enfatizada a redução da ingestão calórica nos indivíduos com sobrepeso e obesidade.
- Às proporções de carboidratos, que devem ser as mesmas definidas para a população geral, ou seja, 45 a 60% do valor calórico total (VCT). A sacarose pode ser consumida em até 5% do VCT da dieta.
- Ao consumo de fibra alimentar, recomendando-se o mínimo de 14 g/1.000 kcal ou 30 a 50 g/dia. As fibras consumidas atuam de maneira diversa no controle do diabetes: as solúveis apresentam efeitos benéficos na glicemia e no metabolismo dos lipídios, enquanto as insolúveis agem contribuindo para a saciedade e para o controle de peso.
- À ingestão de proteínas, que deve ser entre 1 e 1,5 g/kg de peso/dia ou 15 a 20% do VCT para aqueles indivíduos com diabetes que tenham a função renal preservada. A ingestão em gramas por kg/dia deve ser mantida ou aumentada em dietas de baixo consumo energético.
- À gordura total, que deve ser ingerida entre 20 e 35% do VCT, sendo indicado que os ácidos graxos saturados representem < 6% do VCT, os ácidos graxos monoinsaturados entre 5 e 15% do VCT, ácidos graxos poli-insaturados completam de modo individualizado e que o consumo de colesterol seja < 300 mg/dia.
- Às recomendações de vitaminas e minerais, que são as mesmas da população sem diabetes. No entanto, o sódio tem consumo recomendado de 2.000 mg/dia.

- REF.: Oliveira, Montenegro Júnior & Vencio (2017).

8 – A

A contagem de carboidratos é uma importante ferramenta no tratamento do paciente com diabetes tipo 1, pois permite maior flexibilidade nas escolhas dos alimentos, sendo extremamente necessária aos usuários de bomba de insulina. Os programas intensivos envolvendo insulinoterapia e contagem de carboidratos melhoram o controle glicêmico. Como regra geral, administra-se 1 unidade de insulina para 15 gramas de carboidratos

- REF.: Oliveira, Montenegro Júnior & Vencio (2017).

9 – E

As recomendações diárias de nutrientes para indivíduos com DRC em tratamento de hemodiálise estão apresentadas no Quadro 11.1. Para atendimento energético e da quantidade de proteínas, deverá ser considerado o peso ideal, ajustado ou seco do paciente. Destaca-se que, nesses pacientes, o IMC deve permanecer < 25 kg/m^2. Pacientes com maior atividade física necessitarão do consumo de maior quantidade de calorias.

Quadro 11.1. Recomendações diárias de nutrientes para indivíduos com doença renal crônica em tratamento de hemodiálise

	Hemodiálise
Calorias (kcal/kg/dia)	30 a 35
Proteínas (g/kg/dia)	1,1 a 1,2 g/kg/dia, sendo 50% de alto valor biológico
Sódio (mg/dia)	2.000 a 2.300
Potássio (mEq/dia)	50 a 70
Fósforo (mg/dia)	800 a 1.000
Cálcio (mg/dia)	< 1.000
Líquidos (mL/dia)	500 a 750 + diurese ou 750 a 1.000, se anúria

REF.: Martins, Sato & Riella (2013); Nerbass & Cuppari (2013).

10 – C

No estágio pré-dialítico, a dieta visa retardar a progressão da disfunção renal, prevenir complicações e preparar os pacientes para o ingresso na terapia substitutiva ou transplante renal. Um dos aspectos importantes nessa fase é a redução da ingestão proteica de acordo com o estágio da doença, conforme apresentado no Quadro 11.2. Destaca-se que, independentemente da quantidade, pelo menos 50% do total de proteínas da dieta devem apresentar alto valor biológico.

Quadro 11.2. Recomendação proteica diária para indivíduos com insuficiência renal crônica em tratamento pré-dialítico segundo os diferentes estágios da doença.

Estágio	**Proteínas**
Estágios 1 e 2 (TFG ≥ 60 mL/min)	0,8 a 1,0 g/kg/dia
Estágio 3 (TFG = 59 a 30 mL/min)	0,6 a 0,75 g/kg/dia
Estágio 4 (TFG = 29 a 15 mL/min)	0,6 a 0,75 g/kg/dia ou 0,3 g/kg/dia, suplementada com AA essenciais e cetoácidos
Estágio 5 (TFG < 15 mL/min)	0,6 a 0,75 g/kg/dia ou 0,3 g/kg/dia, suplementada com AA essenciais e cetoácidos

TFG: taxa de filtração glomerular; *AA:* aminoácidos.

- REF.: Cuppari (2013).

11 – B

A terapia nutricional do paciente submetido ao transplante renal é dividida em duas fases: a imediata e a tardia. Na fase imediata (4 a 6 semanas após o transplante) são utilizadas altas doses de agentes imunossupressores para evitar rejeição aguda. Nessa fase, a dieta deve ser rica em proteínas (1,5 a 2,0 g/kg de peso/dia) e com aporte energético de 30 a 35 kcal/kg peso/dia, a fim de promover balanço nitrogenado positivo. Já na fase tardia, esses pacientes apresentam risco aumentado de sobrepeso, obesidade, hipertensão arterial, dislipidemias e intolerância à glicose ou diabetes e osteopenia. Cabe ressaltar que alguns pacientes podem evoluir para desnutrição proteico-energética, principalmente os que apresentam rejeição crônica. Assim, a dieta deverá corrigir esses agravos.

Com relação ao consumo de proteínas, para os pacientes com função renal próxima ao normal é preconizado 1 g/kg de peso/dia, e para os que apresentam nefropatia crônica do enxerto, 0,6 g/kg de peso/dia. Nessa fase, recomendam-se 25 a 30 kcal/kg de peso/dia para manutenção de peso e 20 a 25 kcal/kg/dia para controle de peso.

- REF.: Pereira (2013).

12 - E

Segundo o Guidelines da American Society of Enteral and Parenteral Nutrition (ASPEN), nos pacientes críticos:

- Deve-se iniciar nutrição enteral (NE) dentro das primeiras 24 a 48 horas em pacientes impedidos de usar a via oral (VO) e que estão hemodinamicamente estáveis.
- Não existe vantagem da posição pós-pilórica em relação à gástrica para a oferta de nutrientes ao paciente grave. Contudo, pacientes em risco de broncoaspiração ou intolerância gástrica (distensão, refluxo, gastroparesia) poderiam beneficiar-se da via pós-pilórica e da infusão contínua controlada com bomba de infusão.
- Em pacientes com insuficiência respiratória aguda, não se deve utilizar rotineiramente dieta específica com alta quantidade de gorduras e baixa de carboidratos, destinada a modular o coeficiente respiratório e reduzir a produção de CO_2. Tampouco recomenda-se o uso rotineiro de uma formulação caracterizada por um perfil lipídico anti-inflamatório (ácidos graxos poli-insaturados ômega 3, óleo de borragem) e antioxidantes em pacientes com ALI (*acute lung injury*) ou ARDS (*acute respiratory distress syndrome*).
- As formulações imunomoduladoras (arginina com outros agentes, incluindo ácido eicosapentaenoico – EPA, ácido docosaexaenoico – DHA, glutamina e nucleotídeos) não devem ser usadas rotineiramente nos pacientes clínicos. Essas formulações devem ser reservadas aos pacientes com traumatismo cranioencefálico (TCE) e cirúrgicos. Destaca-se que os benefícios observados em decorrência do uso dessas dietas foram vistos apenas em pacientes menos graves (escore Apache II: 10 a 15), o que limita sua aplicação mais ampla em todos os pacientes com sepse.
- Deve-se evitar o uso rotineiro de fórmulas específicas, sendo recomendada a utilização de fórmula polimérica padrão para a maioria.
- Quando a NE não for possível, em pacientes com risco nutricional menor, deve-se aguardar 7 dias para iniciar NP, e nos que apresentam risco nutricional maior, deve-se iniciar NP imediatamente. Quando a NE for insuficiente (< 60% do VCT), independentemente do risco nutricional, deve-se esperar de 7 a 10 dias para iniciar a NP. Nos pacientes em NP, deve-se tentar NE para manter o trato gastrointestinal funcionante (10 a 30 kcal/h).

- REF.: Stephen *et al.* (2016).

13 - A

A terapia nutricional é fundamental nos cuidados dispensados ao paciente com sepse devido às evidências científicas que comprovam que o estado nutricional interfere diretamente em sua evolução clínica, na redução da morbimortalidade, na diminuição da resposta catabólica, no incremento do sistema imune e na manutenção da integridade funcional do trato gastrointestinal. Para esses pacientes, recomendam-se:

- O cálculo das necessidades energéticas pela calorimetria indireta ou, em sua ausência, considerando a "fórmula de bolso" com base no peso atual (25 a 30 kcal/kg de peso/dia), exceto em pacientes obesos. Destaca-se que a calorimetria indireta ainda não é uma realidade concreta na maior parte dos hospitais brasileiros.
- Independentemente da oferta calórica, costumam ser recomendados entre 1,2 e 2 g de proteína/kg de peso atual/dia.
- Usar preferencialmente formulação polimérica e, em caso de intolerância (diarreia, má absorção), considerar a utilização de formulação oligomérica.
- A suplementação de glutamina não deve ser rotineira.
- Não há evidências de benefício com a suplementação de zinco, selênio e outros antioxidantes.
- Não está recomendado o uso de imunonutrientes.

- REF.: Stephen *et al.* (2016).

14 – C

O tipo e a gravidade da doença de base, o estado nutricional prévio e atual, bem como o tratamento de reposição renal (o tipo, a frequência e a duração), determinam as recomendações de nutrientes, já que nesses pacientes são observadas alterações decorrentes da perda da função renal juntamente com as alterações associadas às condições metabólicas da doença de base. As recomendações calóricas e proteicas propostas podem ser observadas no Quadro 11.3:

Quadro 11.3. Recomendações calóricas e proteicas para indivíduos em sepse

Recomendações calóricas e proteicas	
Energia (kcal/kg de peso atual ou ideal)	Estresse leve: 30 a 35 Estresse moderado: 25 a 30 Estresse grave: 20 a 25
Proteínas (g/kg de peso atual ou ideal)	Estresse leve: 0,6 a 1,0 Estresse moderado: 1,0 a 1,5 Estresse grave: 1,3 a 1,8

REF: Martins *et al.* (2011).

15 – B

As queimaduras estão entre os traumas mais graves que podem atingir o ser humano, provocando uma resposta metabólica intensa que repercute em quase todos os órgãos e sistemas. Essa resposta é caracterizada por aumento da temperatura corporal, do consumo de glicose e oxigênio e da formação de CO_2, glicogenólise, lipólise e proteólise. A calorimetria indireta é um método não invasivo que mede o calor liberado durante o processo oxidativo por meio dos valores do consumo de oxigênio e da produção de gás carbônico. Embora seja considerado atualmente o padrão ouro de avaliação do gasto energético nesses pacientes, ainda não é uma realidade na maioria dos hospitais do Brasil. Desse modo, os métodos mais comuns para determinação das necessidades energéticas são as equações preditivas em virtude da facilidade de execução e do baixo custo. Segundo a ESPEN (*European Society for Clinical Nutrition and Metabolism*), a mais aplicada nos dias atuais é a fórmula de Toronto, conforme segue:

$$\text{Equação de Toronto} = -4.343 + (10,5 \times \%SCQ) + (0,23 \times IC) + (0,84 \times GERE) + (114 \times T°C) - (4,5 \times \text{dias pós-trauma})$$

Onde:
SCQ = área de superfície corporal queimada.
IC = ingestão calórica do dia anterior.
T°C – temperatura em °C.
GERE = gasto energético estimado por Harris-Benedict
GERE = GEB × fator atividade × fator injúria

Homem GEB = 66,47 + (13,7 × P atual) + (5 × A) – (6,755 × I)
Mulher GEB = 655 + (9,6 × P atual) + (1,85 × A) – (4,676 × I)
P = peso em kg; A = altura em cm; I = idade em anos;

Fator atividade: paciente confinado ao leito = 1,2; paciente fora do leito = 1,3;

Fator injúria para queimaduras graves = 1,4 a 1,8.

- REF.: Rousseau *et al.* (2013).

16 – D

Os requerimentos proteicos para o paciente classificado como grande queimado são estabelecidos em 1,5 a 2,0 g/kg de peso/dia para adultos e 1,5 a 3,0 g/kg de peso/dia para crianças. Nesses pacientes, indica-se a suplementação apenas de glutamina para imunomodulação, não devendo ser computada no cálculo do total de proteínas da dieta.

- REF.: Rousseau *et al.* (2013).

17 – A

A terapia nutricional (TN) pré-operatória é indicada em pacientes desnutridos e/ou que apresentem risco nutricional grave. Entende-se risco nutricional grave quando existe, pelo menos, um dos seguintes itens: perda de peso > 10% em 6 meses; IMC < 18,5 kg/m^2; avaliação global subjetiva = C; ou albumina sérica < 3 mg/dL (sem evidência de disfunção hepática e renal). São recomendados os seguintes protocolos:

- A TN pré-operatória está indicada pelo período de 7 a 14 dias no paciente com risco nutricional grave candidato a operações eletivas de médio e grande porte.
- Em pacientes desnutridos que serão submetidos a cirurgias para tratamento de câncer do aparelho digestório e de cabeça e pescoço, recomenda-se a TN pré-operatória com imunonutrientes por 7 a 14 dias, devendo a TN ser continuada no pós-operatório por mais 5 a 7 dias.
- Em cirurgias de grande porte para ressecção de câncer, mesmo não havendo desnutrição grave, a TN pré-operatória com suplementos contendo imunonutrientes é

recomendada por 5 a 7 dias e deverá ser continuada no pós-operatório em pacientes sem complicações cirúrgicas.

- Recomenda-se a ingestão pré ou perioperatória enriquecida com substratos imunomoduladores (arginina, ácidos graxos ômega 3 e nucleotídeos) durante 5 a 7 dias em cirurgias abdominais em pacientes oncológicos. Essa conduta reduz a morbidade pós-operatória e, consequentemente, o tempo de permanência hospitalar.
- Pacientes com risco nutricional grave deverão receber TN antes da cirurgia oncológica de grande porte, mesmo que a cirurgia tenha de ser atrasada. Um período de 7 e 14 dias pode ser apropriado.
- Recomenda-se nutrição enteral pré-operatória ou uso de suplementos nutricionais orais, preferencialmente antes da internação hospitalar, para reduzir o tempo de hospitalização e diminuir o risco de infecções.

- REF.: Weimann *et al.* (2017).

18 – C

A terapia antirretroviral está associada com depleção da massa corporal magra, lipodistrofia (perda de gordura em áreas periféricas, como face, braços e pernas), deposição de gorduras em áreas centrais do corpo (principalmente abdome e pescoço), osteoporose, problemas gastrointestinais, desenvolvimento de dislipidemias e resistência à insulina.

- REF.: Willig, Wright & Galvin (2018).

19 – B

A literatura destaca que a progressão da doença induz risco maior de desnutrição e perda de peso involuntária associadas à redução da massa e da força muscular. Entretanto, não existe consenso em relação às necessidades proteicas em PVHS. Parece prudente orientar a ingestão de proteínas de acordo com a condição clínica e nutricional do paciente. Assim, na fase estável da doença e/ou quando se necessita apenas manutenção do estado nutricional, recomenda-se a ingestão de 1,0 a 1,4 g de proteínas/kg de peso/dia. Já na fase aguda e/ou em pacientes com necessidade de repleção nutricional, as recomendações são de 1,5 a 2 g/kg de peso/dia.

- REF.: Willig, Wright & Galvin (2018).

20 – E

A vitamina D tem sido alvo de muitas pesquisas que estudam a etiologia e a progressão da esclerose múltipla (EM). Estudos epidemiológicos mostram que é alta a incidência de EM nos locais de baixa exposição solar, sugerindo a participação da vitamina D na gênese e evolução da doença. Alguns trabalhos evidenciaram que o risco de desenvolver EM é maior nos indivíduos com níveis baixos de colecalciferol. Para explicar o papel da vitamina D na EM, alguns trabalhos têm mostrado que o colecalciferol e o calcitriol têm papel importante na regulação da resposta imunológica e na diferenciação de linfócitos, macrófagos e citocinas. No entanto, o uso terapêutico de altas doses de vitamina D para o tratamento da EM tem sido um assunto polêmico, havendo inclusive adeptos ao tratamento da doença apenas com doses maciças dessa vitamina. Em 2014, o

Departamento Científico da Academia Brasileira de Neurologia publicou um consenso sobre o assunto em que defende que não foram encontradas evidências científicas que justifiquem o uso da vitamina D em monoterapia no tratamento da EM. Também não existe consenso a respeito de sua utilização medicamentosa, pois ainda não está clara a dosagem ideal para induzir os efeitos desejáveis sem risco de toxicidade.

- REF.: Brum *et al.* (2014); Burgos *et al.* (2018).

21 - E

Dietas modificadas por textura e líquidos espessados devem ser prescritas somente após uma avaliação da função de deglutição e do risco de aspiração de acordo com protocolo padronizado por profissionais treinados. A dieta terá consistência modificada de acordo com o grau de disfagia. Na disfagia grau 4, recomenda-se dieta de consistência normal, que pode ser planejada utilizando todos os alimentos e texturas, de acordo com a aceitação do paciente. Na disfagia grau 3, preconiza-se dieta branda, caracterizada por apresentar alimentos macios que exigem certa habilidade de mastigação, como carnes cozidas e úmidas, verduras e legumes cozidos, pães e frutas macias, e exclui alimentos de difícil mastigação ou que tendem a se dispersar na cavidade oral, como os secos (p. ex.: farofa), as verduras e os legumes crus, os grãos, bem como a mistura de consistências (p. ex.: canja de galinha). Em pacientes com disfagia grau 2, recomendam-se dieta pastosa, alimentos bem cozidos, em pedaços ou não, que exigem pouca habilidade de mastigação, como arroz pastoso, carnes e legumes bem cozidos e picados, pães macios e sopas cremosas e/ou com pedaços de legumes bem cozidos. Em quadro mais grave, disfagia grau 1, é necessário oferecer dieta líquida, composta de alimentos cozidos e batidos, coados e peneirados, quando necessário, formando uma preparação homogênea e espessa. De maneira geral, convém evitar misturas de consistência na mesma preparação (p. ex.: canjas, sopas com pedaços e com caldo em líquido fino etc.), e só devem ser oferecidos ao paciente líquidos em geral (p. ex.: leite, chás, sucos, água etc.) com espessantes. Nessa fase, poderá ser necessário aumentar a densidade calórica da dieta para que sejam atingidas às necessidades nutricionais.

A consistência do líquido oferecido deve também ser recomendada conforme o grau de disfagia. A literatura classifica os líquidos em quatro consistências: rala (p. ex.: água, gelatina, chás, sucos); néctar – o líquido escorre da colher, formando um fio (p. ex.: suco de manga, iogurte de beber); mel – o líquido escorre da colher formando um V (p. ex.: mel); creme ou mousse – o líquido se solta da colher, caindo em bloco (p. ex.: creme de abacate, iogurte cremoso). Algumas estratégias são realizadas para alcançar a consistência desejada, como o uso de espessante natural (engrossar preparações com alimentos, massas) ou industrializado (p. ex.: Espessa Mais®, Thicken Up Clean®, Nutilis®, Thick e Easy®).

- REF.: Sociedade Brasileira de Geriatria e Gerontologia (2011).

22 - A

A estrutura química da levodopa compete com aminoácidos na absorção intestinal e no transporte através da barreira hematoencefálica. Portanto, aconselha-se administrar o medicamento cerca de 30 minutos antes das refeições, para evitar alteração na biodisponibilidade e, consequentemente, menor atividade farmacológica. Em pacientes que necessitam fracionar a administração da levodopa e reduzir os intervalos entre as doses, em função da meia-vida curta da droga, sugere-se uma redistribuição da dieta proteica, priorizando esses nutrientes para o final do dia. Destaca-se que, independentemente do protocolo instituído e da quantidade de proteína consumida, recomenda-se a ingestão de pelo menos 50% do total de proteínas com alto valor biológico.

- REF.: Tosta *et al.* (2010); Burgos *et al.* (2018).

23 – B

Nos pacientes com DPOC, o gasto energético parece ter aumento de 15 a 20% em relação aos valores normais, talvez em razão do aumento da necessidade de oxigênio na respiração. Os programas de reabilitação pulmonar não parecem promover aumento significativo na demanda energética desses pacientes. As calorias da dieta devem ser adequadas à demanda metabólica, já que o excesso energético se associa ao aumento do coeficiente respiratório devido ao incremento da produção de CO_2, o que comprometerá o funcionamento respiratório. Nos indivíduos em ventilação mecânica, isto pode implicar a dificuldade de desmame.

O conteúdo calórico da dieta pode ser ajustado às necessidades do paciente individualmente. Deverá ser verificada a necessidade de normalização do peso, caso o indivíduo seja obeso ou magro. Nos indivíduos eutróficos, a dieta deve ser adequada para a manutenção do peso. Em caso de desnutrição podem ser aumentadas 500 a 1.000 kcal para ganho de peso e em caso de obesidade é possível reduzir o valor energético total em 500 kcal. Nos indivíduos com quadro de falência respiratória aguda, ventilados mecanicamente, deve-se controlar a ingestão de calorias para evitar produção excessiva de CO_2, sendo recomendada uma dieta com 25 a 35 kcal/kg de peso/dia.

Quanto às proteínas, a ingestão excessiva pode aumentar o impulso respiratório, levando à dispneia e à fadiga muscular, o que prejudicaria os pacientes com reserva alveolar limitada. O consenso brasileiro recomenda o aporte proteico em 1 a 2 g/kg de peso/dia ou aproximadamente 20% do valor energético total.

Com relação ao teor lipídico e de carboidratos, a literatura ainda não definiu o teor ideal desses nutrientes. Alguns trabalhos têm recomendado uma dieta com alto teor de lipídios associado a menor conteúdo glicídico pelo fato de os lipídios produzirem menos CO_2 por O_2 consumido que os carboidratos. Para ser excretada a maior produção de CO_2 é necessária maior frequência respiratória, o que muitas vezes é impossível na presença de insuficiência respiratória. No paciente em uso de respirador, esse aspecto irá dificultar seu desmame do aparelho. Destaca-se que a literatura é controversa quanto ao emprego de dietas com quantidades alteradas de lipídios e carboidratos. No entanto, pode-se observar que atualmente existe uma tendência para o uso de proporções adequadas desses nutrientes nos pacientes estáveis. A última diretriz internacional não especifica claramente o teor de lipídios preconizado para este paciente. Entretanto, o último consenso brasileiro considera para o tratamento de pacientes com exacerbação aguda da doença, especialmente nos que estão em ventilação mecânica invasiva, a redução de carboidratos na dieta sem especificar exatamente a quantidade desse nutriente que deveria ser instituída.

- REF.: Melo (2013); NHLBI/WHO (2018).

24 – D

A obesidade é frequente em pessoas com síndrome de Down, provavelmente em razão do metabolismo basal reduzido, e é a grande responsável pela apneia do sono. Além dos problemas acarretados pela obesidade, a falta de sono está associada à mudança de humor, à alteração da concentração e à diminuição da aprendizagem. A pessoa com síndrome de Down não necessita de uma dieta especial, basta que siga uma alimentação saudável, mas cuidados dietéticos devem ser adotados para prevenir ou controlar a obesidade, seguindo as diretrizes gerais de combate à obesidade.

- REF.: Brasil (2013); Saghazadeh *et al.* (2017).

25 – A

Embora a discussão sobre o percentual de macronutrientes em uma dieta possa parecer trivial, trata-se de uma questão importante para o delineamento da terapia dietética a ser instituída, pois vai nortear o tipo de alimento que pode ou não ser incluído no plano terapêutico. Há várias correntes de tratamento na atualidade, com algumas defendendo dietas balanceadas em macronutrientes, a exemplo de uma dieta saudável do dia a dia, outras preconizando a redução de lipídios e outras ainda definindo a restrição de carboidratos. A Associação Brasileira para o Estudo da Obesidade e da Síndrome Metabólica (ABESO) defende uma distribuição normal de macronutrientes, destacando a recomendação de 20 a 30% de gorduras, 55 a 60% de carboidratos e 15 a 20% de proteínas, o que na verdade se torna, em contribuição percentual, levemente hiperproteica. Ajusta-se a dieta com percentuais contidos nas faixas citadas para se atingir 100% da contribuição calórica. A ABESO faz recomendações baseadas em evidências científicas e, embora reconheça que dietas com aporte limitado de gorduras ou carboidratos possam promover benefícios sobre a saúde em geral, em situações específicas considera que não há evidência científica suficiente para recomendá-las no tratamento da obesidade.

- REF.: ABESO (2016).

26 – B

O pós-operatório de pessoas submetidas à cirurgia bariátrica é individualizado por depender do tipo de procedimento cirúrgico utilizado e da reação de cada paciente. Mesmo assim, há algumas regras básicas, como iniciar com uma dieta líquida e ir evoluindo lentamente de acordo com a tolerância, mas garantindo refeições frequentes, a fim de permitir que sejam balanceadas. Há o cuidado de assegurar 60 a 120g de proteínas por dia. Suplementos vitamínicos e minerais são importantes, uma vez que apenas a dieta não cobre a demanda desses nutrientes. Essa suplementação também depende do procedimento tanto em micronutrientes incluídos como em suas respectivas quantidades, mas, no mínimo, devem ser suplementados ferro, cálcio, vitamina D, zinco e complexo B. A ingestão mínima de líquidos é de 1,5 L/dia, os quais devem ser consumidos lentamente e com o intervalo de pelo menos 30 minutos após as refeições.

- REF.: ABESO (2016).

27 – D

A farmacocinética é o estudo da passagem do medicamento através do organismo, englobando absorção, distribuição, biotransformação e excreção. A farmacodinâmica é o estudo dos efeitos bioquímicos e fisiológicos dos fármacos, bem como de seu mecanismo de ação no organismo. A reação adversa a medicamento corresponde a qualquer resposta a fármacos que seja nociva ou indesejável e ocorre nas doses habitualmente utilizadas para prevenção, tratamento ou diagnóstico, ou mesmo para alterar algum efeito fisiológico. As vias mais importantes de excreção de fármacos e seus metabólitos são a renal, a pulmonar, a digestiva e a glandular. Assim, na afirmativa I faltou englobar a excreção e na alternativa III afirmou-se que a reação adversa ocorre quando a dose utilizada foi inadequada.

- REF.: Salvi & Magnus (2014).

28 – C

Medicamentos, principalmente de uso crônico, têm risco maior de apresentar interações indesejadas com nutrientes. É importante conhecer o tipo de interação para evitá-la ou minimizá-la, quando possível. Em revisão de Magnus, Alfama & Schneier (2014), é citado que uma dieta hiperlipídica reduz a biodisponibilidade do ácido acetilsalicílico, agindo, portanto, na farmacocinética e diminuindo a absorção do fármaco. A antipirina sofre efeito de alimentos assados na brasa e dieta hiperproteica, que também interferem na farmacocinética, na etapa de biotransformação, pois reduzem a meia-vida do fármaco. Também na etapa de biotransformação age o alcaçuz, reduzindo a biotransformação do corticosteroide e aumentando a toxicidade deste, podendo levar ao surgimento de edema, hipertensão e hipocalemia. O chá-verde apresenta efeito sinérgico ao paracetamol, aumentando os efeitos hepatotóxicos deste. Finalmente, frutas cítricas, leite e derivados e vegetais podem reduzir a excreção renal de morfina. Portanto, a opção C está errada ao afirmar que estes alimentos aumentam a excreção de morfina.

- REF.: Magnus, Alfama & Schneier (2014).

29 – A

A alergia alimentar consiste em uma resposta imunológica anômala que ocorre após a ingestão e/ou o contato com determinado(s) alimento(s). Embora mais de 170 alimentos tenham sido reconhecidos como potencialmente alergênicos, apenas um pequeno número responde pela maioria das reações ocorridas. Na infância, os mais implicados são leite de vaca, ovo, trigo e soja. Entre os adultos, prevalece a alergia a amendoim, castanhas, peixe e frutos do mar.

O papel da dieta da gestante e nutriz no desenvolvimento de alergia alimentar é controverso. No entanto, a maioria das sociedades científicas internacionais recomenda dietas normais, balanceadas e equilibradas, sem restrições durante a gestação e a lactação. Considerando as restrições mais adotadas sem respaldo consensual em evidência científica, podem ser citados peixes, frutas cítricas, leite e derivados, ovo e amendoim.

Algumas pesquisas sugerem que a alimentação precoce com probióticos poderia reduzir o desenvolvimento de doenças alérgicas, particularmente dermatite atópica, mas há controvérsia. Várias organizações internacionais de especialistas não recomendam o uso de probióticos e prebióticos para a prevenção primária de doenças alérgicas. No entanto, a Organização Mundial de Alergia (World Allergy Organization, 2015) considera que o uso de probióticos pela gestante, nutriz e lactente com alto risco de desenvolvimento de alergias futuras, principalmente de dermatite atópica, pode ser útil, embora seja uma recomendação com base em evidência de baixa qualidade. Lactente com alto risco de desenvolvimento de alergia é aquele com pais biológicos ou irmãos com história de rinite alérgica, asma, eczema ou alergia alimentar.

A única estratégia eficaz para o tratamento dietético da alergia alimentar consiste na exclusão do alimento identificado como responsável. Em geral, ao longo do tempo ocorre remissão na alergia a alimentos como leite, soja, ovo e trigo (e preparações elaboradas com esses alimentos), sendo persistente a alergia a amendoim, nozes e castanhas, peixe e frutos do mar, o que exige a exclusão definitiva desses alimentos. No entanto, alguns estudos indicam tolerância após vários anos se a alergia a esses últimos alimentos ocorre em crianças. Um aspecto importante consiste em ensinar os pacientes e/ou seus familiares a composição de alimentos e a correta leitura dos rótulos alimentícios.

- REF.: Fiocchi *et al.* (2015); Solé *et al.* (2018).

30 – D

No campo da nutrição, uma das diretrizes mais utilizadas para a abordagem do paciente com doença inflamatória intestinal (DII) é a da ESPEN (*European Society for Clinical Nutrition and Metabolism*) para abordagem nutricional das doenças inflamatórias. No Brasil, existe o Consenso sobre Tratamento da Doença Inflamatória Intestinal, elaborado pelo Grupo de Estudos da Doença Inflamatória Intestinal do Brasil (GEDIIB), mas cuja abordagem à conduta nutricional se limita à utilização de probióticos. Nas duas publicações, destaca-se que o uso de probióticos não está indicado na doença de Crohn, mas na retocolite ulcerativa como terapia de manutenção. Sabe-se hoje que algumas condutas dietéticas ajudam a prevenir o desenvolvimento de doença inflamatória intestinal (DII). Entre elas se destaca uma dieta rica em hortaliças, frutas e rica em ácidos graxos ômega 3 e pobre em ácidos graxos ômega 6. Na presença da DII, a demanda energética desses pacientes não é elevada em relação à população geral, devendo ser ofertada uma dieta com valor calórico normal, exceto na presença de desnutrição. Se o paciente precisar ser operado, a cirurgia, quando possível, deve ser adiada por 7 a 14 dias a fim de permitir a reabilitação nutricional.

Já o aporte proteico necessita de avaliação, pois pacientes com DII desenvolvem redução da massa magra e aumento da adiposidade, o que pode ser decorrente da ingestão dietética inadequada, aumento do *turnover* proteico, perda intestinal de nutrientes durante a fase de atividade da doença ou efeito do tratamento. Na fase de remissão, a dieta pode ser normoproteica, 1 g/kg de peso/dia, mas na doença ativa deve-se ofertar 1,2 a 1,5 g/kg de peso/dia.

- REF.: Brazilian Study Group of Inflammatory Bowel Diseases (2010); Forbes *et al.* (2017).

31 – B

O sucesso na abordagem dos transtornos alimentares depende de uma equipe multidisciplinar que atue efetivamente de maneira conjunta e coesa. Embora no âmbito do cuidado nutricional existam recomendações dietéticas a serem colocadas em prática, a forma e o momento de sua implantação vão depender da avaliação da equipe, aí se inserindo a pessoa com transtorno alimentar. Os conflitos psicopatológicos e psicológicos devem ser resolvidos na medida em que também se promove a educação nutricional, quando o paciente começa a entender seus comportamentos e atitudes relacionados ao transtorno alimentar e vai se tornando membro ativo em sua reabilitação nutricional. Assim, a prescrição calórica inicial para pessoas com anorexia nervosa é de 30 a 40 cal/kg de peso/dia, embora alguns preconizem uma carga inicial mais elevada. Uma preocupação com esses pacientes é evitar a síndrome da realimentação. Já no caso da bulimia nervosa, é necessário avaliar a presença de metabolismo normal ou hipometabolismo. Na presença desse, a oferta calórica inicial é de 1.500 a 1.600 calorias por dia. Os pacientes com transtorno alimentar necessitam de suplementos vitamínicos e minerais para cobrir sua demanda. A terapia cognitivo-comportamental é uma estratégia valiosa na abordagem nutricional de pacientes com transtorno do comportamento alimentar, em geral programando-se a intervenção para ter a duração de 20 semanas.

- REF.: Schebendach & Roth (2017).

32 – E

Segundo o Consenso Nacional de Nutrição Oncológica, os seguintes critérios devem ser obedecidos para a seleção da via de alimentação do paciente adulto em tratamento anti-neoplásico:

- Quando a ingestão oral estiver abaixo de 70% das necessidades nutricionais diárias nos últimos 3 dias, devem ser indicados suplementos nutricionais via oral.
- Quando a ingestão oral estiver abaixo de 60% das necessidades nutricionais diárias nos últimos 3 dias ou quando está contraindicada a alimentação por via oral, deve-se indicar terapia nutricional enteral.
- Quando há impossibilidade total ou parcial de uso do trato gastrointestinal ou como complemento da terapia nutricional enteral (TNE), nos casos em que esta for incapaz de fornecer as necessidades nutricionais dentro dos primeiros 3 dias.

- REF.: INCA (2015).

33 – C

A recomendação proteica para crianças de 2 a 11 anos que estejam em tratamento clínico, quimioterapia ou radioterapia é de 2,0 g/kg de peso/dia. As alterações metabólicas acarretadas pelo tratamento colocam a criança em risco nutricional. Dentre elas está o aumento do *turnover* proteico. No consenso referido, ainda é destacado que, em caso de perda de peso e desnutrição, deve-se instituir aumento de 15 a 50% das recomendações de proteínas.

- REF.: INCA (2015).

34 – A

Segundo o WCRF/AICR (2018), o excesso de adiposidade corporal está associado ao surgimento de câncer nos seguintes sítios anatômicos: boca, faringe e laringe; esôfago (adenocarcinoma); estômago; fígado; vesícula biliar; pâncreas; cólon-reto; rim; ovário; endométrio; mama (pós-menopausa) e próstata (avançado), na categoria de forte evidência científica. Como pontos de corte para evidenciar excesso de adiposidade corporal em mulheres são estabelecidos IMC $\geq$ 25 kg/m^2; CC $\geq$ 80 cm; RCQ $\geq$ 0,85. Para homens, são estabelecidos IMC $\geq$ 25 kg/m^2; CC $\geq$ 94 cm; RCQ $\geq$ 0,90. O documento refere que mantém o uso da RCQ, embora atualmente seja menos recomendado como marcador de adiposidade abdominal, pois a CC é melhor indicador. O documento ainda ressalta que alguns grupos étnicos terão pontos de corte diferentes, como os asiáticos.

- REF.: WCRF/AICR (2018).

35 – D

FODMAP é uma sigla em inglês, que significa *Fermentable Oligo-Di-Monosaccharides and Polyols*. No Brasil, essa sigla também tem sido utilizada para se referir a esses carboidratos de cadeia curta, considerados de baixa absorção no intestino delgado. Realmente, a dieta baixa em FODMAP pode reduzir a dor abdominal e o inchaço e melhorar o padrão das fezes, mas ainda não foram demonstrados resultados em longo prazo nem a segurança dessas dietas. Por outro lado, alguns autores (Cresci & Escuro, 2017) recomendam a exclusão dos alimentos ricos em FODMAP por 6 a 8 semanas seguida de reintrodução lenta e gradual a fim de identificar se há alimentos que desencadeiam os sintomas. Esses autores não recomendam a permanência dessa exclusão durante muito tempo devido ao risco de deficiências de vitaminas folato, B_1, B_6 e D e do mineral cálcio.

Dentre os alimentos com alta quantidade de FODMAP, podem ser citados (Cresci & Escuro, 2017):

- Frutose livre: maçã, pera, manga, melancia, cereja, figo, algumas *berries*, como amora; aspargo, alcachofra, ervilha; mel, xarope com alto teor de frutose, néctar de agave, frutose, sucos de fruta concentrados.
- Lactose: leite (vaca, cabra, ovelha); sorvetes; queijos macios (ricota, *cottage*, *cream cheese*, mascarpone).
- Oligossacarídeos: nectarina, melancia, pêssego, caqui; alcachofra, alho, alho-poró, cebola, cebolinha (parte branca); trigo, cevada, centeio; feijões, grão-de-bico, lentilhas; pistache, castanha de caju.
- Polióis: maçã, damasco, pera, nectarina, pêssego, ameixa, ameixa seca, melancia, amora; couve-flor, cogumelo, ervilha; adoçantes à base de sorbitol, manitol, xilitol, polidextrose e isomaltose.

Quanto aos probióticos, alguns melhoram o inchaço e a flatulência, mas ainda há dúvidas sobre as melhores cepas, doses, formulações e forma (p. ex., pós ou líquidos).

As fibras, combinadas com a ingestão suficiente de líquidos, podem aliviar os sintomas da SII, mas deve ser destacado que as fibras insolúveis podem provocar eventos adversos, como inchaço, distensão, flatulência e cãibras, e as fibras solúveis podem aliviar os sintomas. A inclusão de fibras deve ser gradativa, e as reações devem ser avaliadas para melhor combinação dos tipos de fibras. A combinação de fibras apresenta melhores resultados na SII com predominância de constipação.

Quanto à utilização de dietas sem glúten na SII, ainda não foi demonstrada sua segurança, embora elas sejam extensamente utilizadas, principalmente na América do Norte e na Europa.

Aliás, há pouca evidência para a restrição de alimentos como regra geral, o que deve ser feito de acordo com relatos de intolerância durante a anamnese alimentar. Comumente, grandes quantidades de alguns alimentos não são bem toleradas devido aos seguintes componentes: gorduras, cafeína, lactose, frutose, sorbitol e álcool, principalmente na SII com predominância de diarreia ou mista.

- REF.: World Gastroenterology Organisation Practice Guidelines (2015); Cresci & Escuro (2017).

Referências

Associação Brasileira para o Estudo da Obesidade e da Síndrome Metabólica (ABESO). Diretrizes brasileiras de obesidade 2016. 4. ed. São Paulo: ABESO, 2016. 188p.

Brasil. Ministério da Saúde. Secretaria de Atenção à Saúde. Departamento de Ações Programáticas Estratégicas. Diretrizes de atenção à pessoa com Síndrome de Down. 1.ed (reimpressão). Brasília: Ministério da Saúde, 2013. 62p.

Brazilian Study Group of Inflammatory Bowel Diseases. Consensus guidelines for the management of inflammatory bowel disease. Arq Gastroenterol, 2010; 47(3):313-25.

Brum DG, Comini-Frota ER, Vasconcelos CCF, Tosta ED. Suplementação e uso terapêutico de vitamina D nos pacientes com esclerose múltipla: Consenso do Departamento Científico de Neuroimunologia da Academia Brasileira de Neurologia. Arq Neuropsiquiatr, 2014; 72(2):3-7.

Burgos R, Breton I, Cereda E, Desport JC, Rainer Dziewas R, Laurence Genton L, Gomes F, Jesus P, Leischker A, Muscaritoli M, Poulia K-A, Preiser JC, Marjolein Van der Marck MVM, Rainer Wirth R, Pierre Singer P, Stephan C. Bischoff SC. ESPEN Guideline Clinical Nutrition in Neurology. Clin Nutr, 2018; 37:354-96.

Costa RP, Graça CM, Zanadi ANVS, Hasegawa RE, Dalpicolo F. Terapia Nutricional nas doenças cardiovasculares. In: Silva SMCS, Mura JDP. Tratado de alimentação, nutrição e dietoterapia. 3. ed. São Paulo: Payá Eireli, 2016:829-47.

Cresci G, Escuro A. Medical nutrition therapy for lower gastrointestinal tract disorders. In: Mahan LK, Raymond JL. (eds.). Krause's food & the nutrition care process. 14th ed. St. Louis, Missouri: Elsevier, 2017:525-59.

Cuppari L. Fase não dialítica. In: Cuppari L, Avesani CM, Kamimura MA. Nutrição na doença renal crônica. São Paulo: Manole, 2013:217-46.

Fiocchi A, Pawankar R, Cuello-Garcia C, Ahn K, Al-Hammadi S, Agarwal A et al. World Allergy Organization – McMaster University. Guidelines for allergic disease prevention (GLAD-P): probiotics. World Allergy Organ J, 2015; 8:1-13. DOI: 10.1186/s40413-015-0055-2. Disponível em https://www.ncbi.nlm.nih.gov/pmc/articles/ PMC4307749/pdf/40413_2015_Article_55.pdf Acessado em 28/08/2018.

Forbes A, Escher J, Hébuterne X, Klek S, Krznaric Z, Schneider S et al. ESPEN guideline: clinical nutrition in inflammatory bowel disease. Clinical Nutrition, 2017; 36:321-47.

Instituto Nacional de Câncer José Alencar Gomes da Silva (INCA). Coordenação Geral de Gestão Assistencial. Hospital do Câncer. Consenso Nacional de Nutrição Oncológica. 2. ed. Rio de Janeiro: INCA, 2015. 182p.

Magnus K, Alfama ERG, Schneier RA. Fármacos para dor e inflamação. In: Salvi RM, Magnus K. (org). Interação fármaco-nutriente: limitação à terapêutica racional – Desafio atual da farmacovigilância. Porto Alegre: EdiPUCRS, 2014:33-40.

Martins C, Cuppari L, Avesani C, Gusmão MH. Sociedade Brasileira de Nutrição Parenteral e Enteral, Sociedade Brasileira de Clínica Médica, Associação Brasileira de Nutrologia. Terapia nutricional no paciente com injúria renal aguda. Projeto Diretrizes, 2011. 11p.

Martins C, Sato MMN, Riella MC. Nutrição e hemodiálise. In: Riella MC, Martins C. Nutrição e o rim. 2. ed. Rio de Janeiro: Guanabara Koogn, 2013:149-73.

Melo MLP. Nutrição e doença pulmonar obstrutiva crônica. In: Sabry MOS, Sampaio HAC. Nutrição em doenças crônicas – Prevenção e controle. 2. ed. São Paulo: Atheneu, 2013. 344p.

Nerbass FB, Cuppari L. Hemodiálise. In: Cuppari L, Avesani CM, Kamimura MA. Nutrição na doença renal crônica. São Paulo: Manole, 2013:247-69.

NHLBI/WHO Global Initiative for Chronic Obstructive Lung Disease (GOLD). 2018 Report. Global strategy for the diagnosis, management, and prevention on chronic obstructive pulmonary disease. 123p. Disponível em: http://goldcopd.org/wp-content/.../11/GOLD-2018-v6.0-FINAL-revised-20-Nov_WMS.pdf. Acesso em: 12 de abril de 2018.

Oliveira JE, Montenegro Júnior RM, Vencio S. Diretrizes da Sociedade Brasileira de Diabetes, 2017-2018. São Paulo: Editora Clannad, 2017. 383p.

Pereira AML. Transplante renal. In: Cuppari L, Avesani CM, Kamimura MA. Nutrição na doença renal crônica. São Paulo: Manole, 2013:379-400.

Rousseau A-F, Losser, Ichai C, Berger MM. ESPEN endorsed recommendations: nutritional therapy in major burns. Clin Nutr, 2013; 32:497-502.

Saghazadeh A, Mahmoudi M, Ashkezari AD, Rezaie NO, Rez N. Systematic review and meta-analysis shows a specific micronutrient profile in people with Down Syndrome: Lower blood calcium, selenium and zinc, higher red blood cell copper and zinc, and higher salivary calcium and sodium. PlosOne, 2017; 12(4):e0175437. DOI: https://doi.org/10.1371/journal.pone.0175437.

Salvi RM, Magnus K. Farmacologia geral. In: Salvi RM, Magnus K (org). Interação fármaco-nutriente: limitação à terapêutica racional - Desafio atual da farmacovigilância. Porto Alegre: EdiPUCRS, 2014:17-22.

Schebendach JE, Roth J. Nutrition in eating disorders. In: Mahan LK, Raymond JL. (eds.). Krause's food & the nutrition care process. 14th ed. St. Louis, Missouri: Elsevier, 2017:407-25.

Sociedade Brasileira de Cardiologia, Atualização da Diretriz Brasileira de Dislipidemias e Prevenção da Aterosclerose. Arq Bras Cardiol, 2017; 109(2 supl. 1):1-75.

Sociedade Brasileira de Cardiologia, VII Diretriz Brasileira de Hipertensão Arterial. Arq Bras Cardiol, 2016; 107(3 supl. 3):1-83.

Sociedade Brasileira de Cardiologia. Diretrizes Brasileiras de Antiagregantes Plaquetários e Anticoagulantes em Cardiologia. Arq Bras Cardiol, 2013; 101(3 supl 3):1-93.

Sociedade Brasileira de Cardiologia. III Diretriz Brasileira de Insuficiência Cardíaca Crônica. Arq Bras Cardiol, 2009; 93(supl. 1):1-71.

Sociedade Brasileira de Geriatria e Gerontologia. I Consenso Brasileiro de Nutrição e Disfagia em Idosos Hospitalizados. São Paulo: Manole, 2011. 106p.

Solé D, Silva LR, Cocco RR, Ferreira CT, Sarni RO, Oliveira LC et al. Consenso Brasileiro sobre Alergia Alimentar: 2018 – Parte 1 – Etiopatogenia, clínica e diagnóstico. Documento conjunto elaborado pela Sociedade Brasileira de Pediatria e Brasileira de Alergia e Imunologia. Arq Asma Alerg Imunol, 2018; 2(1):7-38.

Solé D, Silva LR, Cocco RR, Ferreira CT, Sarni RO, Oliveira LC et al. Consenso Brasileiro sobre Alergia Alimentar: 2018 – Parte 2 – Diagnóstico, tratamento e prevenção. Documento conjunto elaborado pela Sociedade Brasileira de Pediatria e Brasileira de Alergia e Imunologia. Arq Asma Alerg Imunol, 2018; 2(1):39-82.

Stephen A, McClave SA, Taylor BE, Martindale RG, Warren MM, Johnson DR et al. Guidelines for the provision and assessment of nutrition support therapy in the adult critically ill patient: Society of Critical Care Medicine (SCCM) and American Society for Parenteral and Enteral Nutrition (A.S.P.E.N.). JPEN, 2016; 40(2):159-211.

Tosta ED, Rieder CRM, Borges V, Correa Neto Y. Academia Brasileira de Neurologia. Doença de Parkinson: recomendações. São Paulo: Omnifarma, 2010. 142p.

U.S. Department of Health and Human Services, National Institutes of Health, National Heart, Lung, and Blood Institute. Your guide blood to pressure lowering. NIH Publication, 2003; 03-5232:1-19.

Weimann A, Braga M, Carli F, Higashiguchi T, Hübner M, Klek S, Laviano A, Ljungqvist O, Lobo DN, Martindale R, Waitzberg DL, Bischoff SC, Singer P. ESPEN guideline: Clinical nutrition in surgery. Clin Nutr, 2017; 36:623-50.

Willig A, Wright L, Galvin TA. Practice paper of the Academy of Nutrition and Dietetics: Nutrition intervention and human immunodeficiency virus infection. J Acad Nutr Diet, 2018; 118(3):486-98.

World Cancer Research Fund (WCRF)/American Institute for Cancer Research (AICR). Continuous Update Project Expert Report 2018. Body fatness and weight gain and the risk of cancer. Disponível em: www.dietandcancerreport.org. Acessado em 26/08/2018.

World Gastroenterology Organisation Practice Guidelines. Síndrome do intestino irritável: uma perspectiva mundial. 2015. 28p. (versão em português). Disponível em: http://www.worldgastroenterology.org/UserFiles/WGO_2015_IrritablebowelsyndromeIBS_Portuguese_Final.pdf. Acessado em 22/08/2018.

Capítulo 12

Administração em Serviços de Alimentação (ASA)

Carolinne Reinaldo Pontes
Lia Silveira Adriano

Questões

1. (ASA) O organograma representa as relações formais que ocorrem dentro da empresa ou setor e torna clara a divisão das unidades administrativas e a delegação de autoridade entre essas unidades, constituindo, portanto, um poderoso instrumento de comunicação.

   Avalie o organograma a seguir:

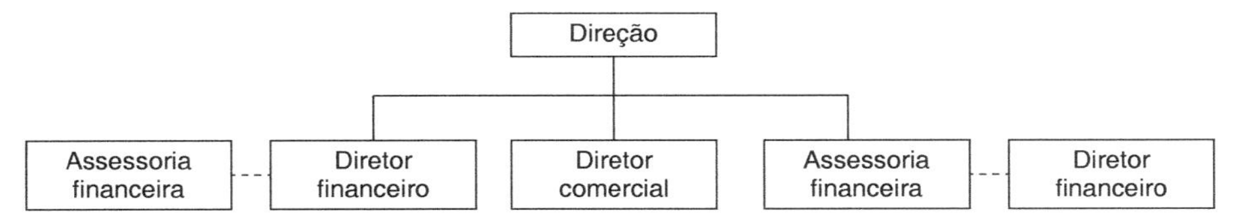

Fonte: elaborado pelos autores.

   Considerando o organograma acima, assinale a opção verdadeira.

   a) A estrutura organizacional representada é ideal para empresas de pequeno porte.
   b) O organograma representa uma estrutura organizacional linear, pois a autoridade emana de um único chefe.
   c) De acordo com a representação, o diretor financeiro é hierarquicamente superior ao diretor comercial e ao diretor de produção.
   d) O organograma representa uma estrutura organizacional comissional, pois mantém a hierarquia sem abrir mão da especialização.
   e) A assessoria financeira consiste em órgão assessor independente ao diretor financeiro; por isso, a representação da interligação entre eles está tracejada.

2. (ASA) Os gestores de um *shopping* irão construir uma Unidade de Alimentação e Nutrição (UAN), fornecer esse espaço para a produção de refeições, disponibilizar os equipamentos e se responsabilizar pela sua manutenção. A gestão dessa UAN será realizada por

uma empresa contratada que será responsável pela contratação e gestão dos funcionários, aquisição de matérias-primas, recepção, estocagem, preparo e distribuição das refeições. O grupo gestor do *shopping* irá contratar uma nutricionista para fiscalizar o contrato com a prestadora de serviço, e a empresa contratada também terá uma nutricionista gestora.

Quanto à modalidade de serviço dessa situação, assinale a opção CORRETA.

a) A modalidade de serviço será autogestão, pois a estrutura física e os equipamentos serão de responsabilidade do grupo gestor do *shopping*.
b) A modalidade de serviço será autogestão, pois o grupo gestor do *shopping* irá contratar nutricionista para fiscalizar a produção das refeições.
c) A modalidade de serviço será terceirizada transportada, pois as matérias-primas serão recebidas de forma transportada.
d) A modalidade de serviço será terceirizada comodato, pois o contratante irá ceder espaço e equipamentos e a empresa contratada será responsável por toda a gestão da unidade, incluindo gestão de funcionários e do processo produtivo.
e) A modalidade de serviço descrita não é permitida por lei, pois a empresa contratada teria de realizar a produção de refeições em seu próprio espaço físico.

3. (ASA) A partir dos dispositivos da Resolução CFN nº 600/2018, que dispõe sobre a definição das áreas de atuação do nutricionista e suas atribuições, destacam-se as seguintes atividades obrigatórias no segmento UAN institucional (pública e privada):
   a) Promover a redução das sobras, restos e desperdícios.
   b) Participar das atividades de gestão de custos de produção.
   c) Participar do planejamento e da supervisão da implantação ou adequação de instalações físicas, equipamentos e utensílios da UAN.
   d) Participar da definição do perfil, dimensionamento, recrutamento, seleção e avaliação de desempenho dos colaboradores.
   e) Realizar e divulgar estudos e pesquisas relacionados à sua área de atuação, promovendo o intercâmbio técnico-científico.

4. (ASA) A iluminação adequada em Unidades de Alimentação e Nutrição evita doenças visuais, aumenta a eficiência do trabalho e diminui o número de acidentes. Já a ventilação adequada tem grande importância para assegurar conforto térmico aos colaboradores, evitando irritação, dor de cabeça, tontura e mal-estar. Sobre iluminação e ventilação em UAN, avalie os itens a seguir:
   I. O setor de cocção e o setor de estoque têm a mesma recomendação de iluminância (lux/m^2).
   II. Cores com alto índice de reflexão tornam possível obter até o dobro de iluminação, mas podem provocar sensação de ofuscamento.
   III. Pé direito elevado é uma recomendação para áreas de UAN, pois possibilita maior circulação de ar.
   IV. A ventilação natural não é permitida pela legislação, pois pode favorecer contaminação por partículas do ambiente externo.

É CORRETO apenas o que se afirma em:

a) I e III.
b) II e III.
c) II e IV.
d) I, II e IV.
e) I, III e IV.

5. (ASA) Ruídos excessivos em UAN causam efeitos psicológicos no trabalho, como desconforto, baixo rendimento, acidentes, nervosismo e deficiência de concentração. Sobre a sonorização em UAN, avalie os itens a seguir:

I. A recomendação é de que o nível de ruído na UAN seja mantido em 115 dB.

II. São recomendadas formas circulares, pois essas evitam a concentração e a condução do som.

III. É recomendado que setores de higienização de utensílios tenham paredes integrais e portas.

IV. Realizar manutenção preventiva de equipamentos é uma importante ação para prevenir ruídos de motores de equipamentos.

É CORRETO apenas o que se afirma em:

a) I.
b) II.
c) I e III.
d) II e IV.
e) III e IV.

6. (ASA) "Fluxograma de preparo é uma representação sequencial das etapas de preparo do alimento ou de um grupo de produtos. Todo fluxo é ligado por setas – caso contrário, o desenho seria um organograma e não um fluxograma." (Assis, 2014)

O objetivo do fluxograma é facilitar o entendimento do processo produtivo. Avalie qual das opções abaixo representa um fluxo adequado para a produção de uma sopa infantil congelada:

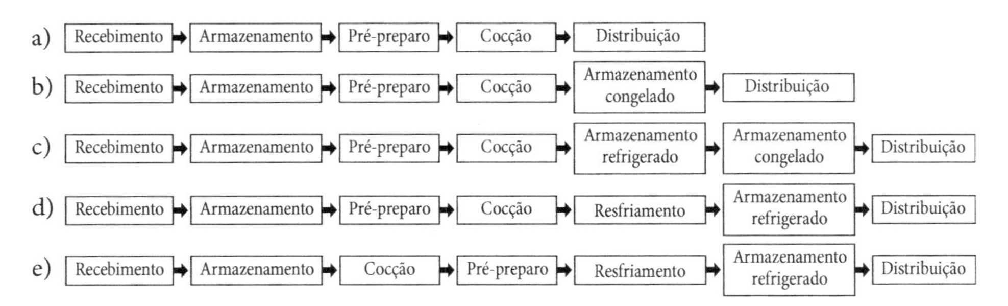

7. (ASA) Uma grande indústria de eletrodomésticos está sendo construída. Ao optar pela modalidade de autogestão, a UAN irá se localizar nas instalações da própria indústria e está em fase de planejamento. Terá uma produção de 2.000 refeições no almoço e 500 no jantar, com cardápio popular e abastecimento semanal do estoque (35 a 40%).

   O nutricionista foi contratado para participar do processo, juntamente com o engenheiro e o arquiteto, e, após decidir quais setores farão parte da composição da UAN, deverá calcular o dimensionamento de cada setor. Quais os dimensionamentos da área de armazenagem seca (índice 0,04 a 0,06 m^2) e da área de pré-preparo de grãos (índice 0,008 a 0,010 m^2), respectivamente? Utilize a recomendação de Sant'Ana & Campos (2012).

   a) 35 m^2 e 16 m^2.
   b) 35 m^2 e 20 m^2.
   c) 80 m^2 e 16 m^2.
   d) 100 m^2 e 20 m^2.
   e) 100 m^2 e 16 m^2.

8. (ASA) O dimensionamento de UAN hospitalares, muitas vezes, baseia-se no número de leitos do hospital. É importante ter cuidado nesse caso, já que a maior parte das unidades hospitalares, além de produzir refeições para os pacientes, produz também as refeições destinadas a acompanhantes, funcionários do hospital e visitantes. Desse modo, corre-se o risco de subestimar a área necessária à produção de refeições.

   A área de distribuição de uma UAN de um hospital com 200 leitos e distribuição centralizada, segundo Mezomo (2015), deve ser de:

   a) 130 m^2.
   b) 140 m^2.
   c) 150 m^2.
   d) 200 m^2.
   e) 400 m^2.

9. (ASA) Em uma UAN, o planejamento dos equipamentos é algo fundamental para um bom funcionamento. Nesse sentido, qual a capacidade aproximada do caldeirão para cocção de 80 g *per capita* de arroz, cujo fator de cocção é 2,5 e o número de comensais é 950. Considere a densidade do arroz de 680 kg/m^3.

   a) 190 litros.
   b) 209 litros.
   c) 249 litros.

d) 307 litros.

e) 409 litros.

10. (ASA) Leia o trecho da legislação a seguir:
RDC 216, de 15 de setembro de 2004

> "Os equipamentos, móveis e utensílios que entram em contato com alimentos devem ser de materiais que não transmitam substâncias tóxicas, odores, nem sabores aos mesmos, conforme estabelecido em legislação específica. Devem ser mantidos em adequado estado de conservação e ser resistentes à corrosão e a repetidas operações de limpeza e desinfecção."

Com base no texto acima e em seu conhecimento sobre equipamentos em UAN, analise os itens a seguir:

I. A manutenção dos equipamentos deve ser realizada apenas de maneira corretiva, ou seja, feita quando o problema aparece, trazendo transtornos ao processo produtivo.

II. A manutenção preventiva de equipamentos representa um custo desnecessário para a UAN, de modo que não deve ser implantada, exceto para equipamentos com mais de 5 anos de uso.

III. A manutenção preventiva de equipamentos é essencial em UAN, já que pode contribuir para o aumento da vida útil do equipamento e a maior segurança em sua operacionalização.

IV. Superfícies de aço inoxidável são ideais para os equipamentos de UAN, pois são lisas, impermeáveis, laváveis e resistentes, o que possibilita uma grande vida útil do equipamento.

É CORRETO apenas o que se afirma em:

a) I e II.

b) I e III.

c) II e III.

d) III e IV

e) I e IV.

11. (ASA) Uma UAN que fornece diariamente 3.000 refeições conta com cinco fornos convencionais, revestimento externo em inox, aquecidos a gás, com acabamento interno esmaltado a fogo e duas câmaras (capacidade total para quatro tabuleiros). Calcule o número de operações (etapas) necessárias para o preparo de 3.000 porções de frango assado (coxa e sobrecoxa), considerando que um tabuleiro comporta 25 porções/etapa de 60 minutos, utilizando os cinco fornos convencionais.

a) Cinco etapas.

b) Duas etapas.

c) Sete etapas.

d) Seis etapas.

e) Oito etapas.

12. (ASA) A palavra ergonomia surgiu das palavras gregas *ergon* (trabalho) e *nomos* (leis, preceitos). Ela tem como meta adequar as condições de trabalho ao ser humano (Corrêa & Boletti, 2015).

A ergonomia aplicada em UAN poderá contribuir para a melhoria da produtividade e segurança do trabalhador. Sobre este tema, marque a opção CORRETA.

a) Com relação ao levantamento de peso ocasional, as mulheres podem levantar uma carga igual a seu peso (kg).

b) A Norma Regulamentadora nº 17 (Ministério do Trabalho e Emprego) visa estabelecer parâmetros que possibilitam a adaptação das condições de trabalho às características psicofisiológicas dos trabalhadores.

c) As mesas utilizadas nos postos de trabalho devem ter altura fixa, independentemente da estatura do trabalhador e da natureza da função exercida.

d) Como orientação geral para o levantamento de pesos, os trabalhadores devem levantar a carga o mais distante possível do corpo, com as costas retas e os joelhos dobrados.

e) A posição em pé por longos períodos, observada durante o corte de alguns vegetais em UAN, apresenta vantagem em relação à posição sentada.

13. (ASA) A gestão de pessoas é fundamental em UAN, pois é através de seu quadro de pessoal que se procura atender às expectativas dos consumidores nos aspectos sensoriais, sanitários e nutritivos. O nutricionista gestor da UAN pode se envolver nos processos de contratação e gestão da equipe (Abreu *et al.*, 2013).

São exemplos de processos de recrutamento, seleção e admissão, respectivamente:

a) Entrevista, indicação de pessoas, contrato de trabalho.

b) Análise de currículos, teste psicológico, contrato de trabalho.

c) Divulgação em *sites*, entrevista, assinatura da carteira de trabalho.

d) Análise de currículos, entrevista, assinatura da carteira de trabalho.

e) Divulgação na internet, divulgação na própria empresa, assinatura da carteira de trabalho.

14. (ASA) A definição da quantidade, das qualificações e dos requisitos dos recursos humanos de uma UAN deve ser feita após estudo extenso e aprofundado de suas necessidades, considerando algumas variáveis que podem diferir de uma unidade para outra. Após analisar as funções e a escala de trabalho de uma UAN de coletividade sadia, a nutricionista verificou que o dimensionamento de funcionários estava aquém das necessidades do setor, pois, com a jornada de trabalho na escala de 6/1 com 44 horas semanais e um quantitativo de refeições produzidas em torno de 1.400, a equipe estava se sentindo sobrecarregada com tantas atividades.

INFORMAÇÃO IMPORTANTE!
$$IPF = \frac{N^{\underline{o}} \text{ refeições servidas} \times n^{\underline{o}} \text{ minutos}}{\text{Jornada média diária}}$$

INFORMAÇÃO IMPORTANTE!
IPD (6 × 1) = 3,06 IPD (12 × 36) = 0,84

INFORMAÇÃO IMPORTANTE!
$$ISD = \frac{\text{indicador de pessoal fixo (IPF)}}{\text{indicador de período de descanso (IPD)}}$$

INFORMAÇÃO IMPORTANTE!			
Nº de refeições		**Nº minutos**	
300	500	15	14
500	700	14	13
700	1.000	13	10
1.000	1.300	10	9
1.300	2.500	9	8
2.500 e mais		7	

Fonte: Gandra & Gambardella (1986)

Com base nessas informações, quantos funcionários fixos, substitutos e no total a UAN deveria ter? Considere IPD 3,06.

a) Considerando o tipo de UAN, a equipe deverá ser composta por 58 funcionários, sendo 44 fixos e 14 substitutos e folguistas.

b) Considerando o tipo de UAN, a equipe deverá ser composta por 233 funcionários, sendo 175 fixos e 58 substitutos e folguistas.

c) Considerando o tipo de UAN, a equipe deverá ser composta por 64 funcionários, sendo 48 fixos e 16 substitutos e folguistas.

d) Considerando as especificidades da UAN, a equipe deverá ser composta por 58 funcionários, sendo 14 fixos e 44 substitutos e folguistas.

e) Considerando as especificidades da UAN, a equipe deverá ser composta por 64 funcionários, sendo 16 fixos e 48 substitutos e folguistas.

15. (ASA) A taxa de absenteísmo é um indicador utilizado para avaliar o desempenho da empresa, pois reflete a qualidade de administração do pessoal. Em geral, em locais de trabalho bem administrados, a motivação da equipe gera baixo absenteísmo. A taxa de rotatividade ou turnover também é um importante indicador que pode estar associado à motivação dos funcionários (Teixeira *et al.*, 2010).

    Considere a UAN descrita abaixo:

    Número de funcionários em 01/08/17: 90

    AGOSTO/2017
    Média de funcionários ausentes por dia: 3
    Número de desligamentos: 5
    Número de admissões: 5

    SETEMBRO/2017
    Média de funcionários ausentes por dia: 6
    Número de desligamentos: 7
    Número de admissões: 5

    A taxa de absenteísmo no mês de agosto e a taxa de rotatividade no mês setembro são, respectivamente:

    a) 6,66% e 7,86%.
    b) 3,33% e 7,86%.
    c) 7,86% e 3,33%.
    d) 3,33% e 7,77%.
    e) 7,77% e 3,33%.

16. (ASA) Uma empresa de confecção conta com uma UAN na modalidade de autogestão e oferece aproximadamente 1.200 refeições/dia, incluindo desjejum, almoço, jantar e ceia, com sistema de distribuição do tipo *self-service* (autosserviço) para todos os itens do cardápio. A empresa participa do Programa de Alimentação ao Trabalhador (PAT), cujo objetivo principal é melhorar as condições nutricionais dos trabalhadores com repercussões positivas na qualidade de vida, na redução de acidentes de trabalho e no aumento da produtividade. Nesse contexto, considerando a Portaria Interministerial nº 66, de 25 de agosto de 2006, conclui-se que:

    a) O percentual proteico-calórico (NdPCal) das refeições deve ser de, no máximo, 12%.
    b) Os índices de NdPCal e os percentuais de macro e micronutrientes poderão deixar de obedecer aos parâmetros determinados nessa portaria, com exceção do sódio e das gorduras saturadas.

c) É recomendada a oferta mínima de duas porções de frutas e três porções de legumes ou verduras nas refeições principais (almoço, jantar e ceia) e pelo menos uma porção de frutas nas refeições menores (desjejum e lanche).

d) O responsável técnico do PAT, que pode ser o proprietário do estabelecimento ou o nutricionista, deve ter o compromisso da correta execução das atividades nutricionais do programa.

e) A empresa optou pela modalidade de autogestão da UAN, devendo assegurar a qualidade e a quantidade da alimentação fornecida aos trabalhadores e fiscalizar o que a normatização do programa exige; caso a empresa tivesse optado pela prestação de serviços terceirizada, ela se isentaria dessas responsabilidades.

17. (ASA) O Programa de Alimentação do Trabalhador (PAT) foi criado em 1976 como parte do Programa Nacional de Alimentação e Nutrição (PRONAN), visando facilitar a alimentação dos trabalhadores e preocupando-se essencialmente em melhorar o aporte energético e proteico de suas dietas. Sobre o PAT, avalie as opções a seguir:

I. O PAT não é considerado um programa de sucesso, pois traz muitos benefícios para a empresa, porém não promove benefícios para o trabalhador e para o governo.

II. Para a empresa, o PAT traz benefícios, como o aumento da produtividade, maior integração com os trabalhadores, redução de absenteísmo e rotatividade.

III. Para o governo, os benefícios são crescimento da atividade econômica, bem-estar social e redução de despesas e investimentos na área da saúde.

IV. O PAT teria maior adesão das empresas se proporcionasse incentivo fiscal e isenção de encargos sociais sobre o valor da alimentação fornecida.

É CORRETO apenas o que se afirma em:

a) I e III.

b) II e III.

c) II e IV.

d) I, II e IV.

e) I, III e IV.

18. (ASA) O Programa Nacional de Alimentação Escolar (PNAE) tem por objetivo contribuir para o crescimento e o desenvolvimento biopsicossocial, a aprendizagem, o rendimento escolar e a formação de práticas alimentares saudáveis dos alunos por meio de ações de educação alimentar e nutricional e da oferta de refeições que cubram suas necessidades nutricionais durante o período letivo. Segundo as diretrizes desse programa, avalie as afirmações a seguir:

I. Os cardápios deverão conter informações nutricionais de energia, macronutrientes, micronutrientes prioritários (vitaminas A e C, magnésio, ferro, zinco e cálcio) e fibras.

II. Os cardápios deverão oferecer, no mínimo, cinco porções de frutas e hortaliças por semana (200 g/aluno/semana) nas refeições ofertadas.

III. A oferta de doces e/ou preparações doces fica limitada a duas porções por semana, equivalente a 110 kcal/porção.

IV. Para aplicação do teste de aceitabilidade, deverão ser utilizadas as metodologias resto-ingestão ou escala hedônica. O índice de aceitabilidade deve ser de, no mínimo, 80% para resto-ingestão e de 85% para escala hedônica.

É correto apenas o que se afirma em:

a) II.
b) III.
c) I e III.
d) I e IV.
e) II e IV.

19. (ASA) A previsão de compras é uma das mais atividades mais importantes em uma UAN, pois avalia a quantidade de cada gênero a ser adquirido em função dos cardápios estabelecidos. Em caso de erros nessa previsão, pode haver desperdício ou a falta de algum gênero, influenciando os custos. De acordo com seus conhecimentos, calcule a previsão de compras de gêneros alimentícios para 500 comensais e um período de 30 dias e marque a opção CORRETA:

Gênero	*Per capita*		Previsão diária comensais	Frequência no cardápio	Saldo estoque	Estoque mínimo	Total
	PL	FC					
Acelga	20 g	1,4		5	11 kg	21 kg	
Tomate	60 g	1,2		10	20 kg	40 kg	
Mamão	25 g	1,6		10	–	33 kg	
Batata	45 g	1,3		6	25 kg	22 kg	

PL = peso líquido; FC = fator de correção.
Fonte: elaborado pelos autores.

a) Acelga – 70 kg; tomate – 360 kg; mamão – 120 kg; batata – 117 kg.
b) Acelga – 102 kg; tomate – 440 kg; mamão – 186 kg; batata – 161 kg.
c) Acelga – 38 kg; tomate – 300 kg; mamão – 87 kg; batata – 70 kg.
d) Acelga – 430 kg; tomate – 1.100 kg; mamão – 633 kg; batata – 874,5 kg.
e) Acelga – 80 kg; tomate – 380 kg; mamão – 153 kg; batata – 114 kg.

20. (ASA) Uma UAN institucional que serve 5.000 refeições no almoço teve, em um total de 2.650 kg de alimentos produzidos, 245 kg de sobra, 65 kg de cascas e 220 kg de resto comestível. Qual o percentual de resto-ingestão e o resto *per capita*?

a) 6,4%, 49 g.
b) 8,3%, 49 g.

c) 9,1%, 57 g.

d) 9,1%, 44 g.

e) 9,4%, 44 g.

21. (ASA) Um hotel em São Paulo recebeu fiscalização da Vigilância Sanitária devido a uma denúncia anônima de um hóspede que alegou ter consumido suco de manga estragado no café da manhã, o que ocasionou uma doença transmitida por alimento (DTA), resultando em grande mal-estar e hospitalização. O fiscal solicitou à gerência do estabelecimento amostra do suco para análise laboratorial e posterior julgamento da denúncia. De acordo com a Centro de Vigilância Sanitária (CVS) 5 (2013), a amostra de suco de manga deveria estar armazenada sob:

a) Congelamento (< –18ºC) por 96 horas.

b) Congelamento (< –18ºC) por 72 horas.

c) Congelamento (< –18ºC) por 48 horas.

d) Refrigeração (< 4ºC) por 72 horas.

e) Refrigeração (< 10ºC) por 72 horas.

22. (ASA) A base de toda gestão econômica é o conhecimento total dos custos das refeições, que são todos os gastos que fazem parte da produção de bens ou serviços e podem ser classificados, em relação ao aspecto contábil, em diretos e indiretos.

Considere os seguintes valores *per capita* de uma UAN:

Alimentos	R$ 4,50
Energia elétrica	R$ 0,25
Aluguel	R$ 0,45
Mão de obra	R$ 0,95
Água	R$ 0,06
Descartáveis	R$ 0,20
Material de limpeza	R$ 0,50
Equipamentos de proteção individual	R$ 0,18

Fonte: elaborado pelos autores.

Nesse caso, o valor dos custos diretos é:

a) 0,94.

b) 5,45.

c) 6,15.

d) 6,33.

e) 7,09.

23. (ASA) O controle dos níveis de estoque é fundamental para minimizar os custos em UAN. Para esse controle, é necessário que o nutricionista domine conceitos como estoque mínimo e estoque máximo (Abreu *et al.*, 2013).

    Considere uma UAN com consumo médio diário de 30 kg de feijão, cujo pedido é realizado a cada 7 dias e, em caso de emergência, com o prazo de entrega do fornecedor de três dias. Os estoques mínimo e máximo de feijão dessa unidade devem ser, respectivamente:

    a) 30 kg, 210 kg.
    b) 30 kg, 300 kg.
    c) 90 kg, 210 kg.
    d) 90 kg, 300 kg.
    e) 300 kg, 90 kg.

24. (ASA) O tratamento térmico elimina formas vegetativas de bactérias, mas não esporos bacterianos. Logo, o resfriamento deve garantir que esporos resistentes e presentes no alimento não consigam germinar e que aqueles que germinem não consigam se multiplicar a ponto de representar risco (Assis, 2014).

    Sobre o resfriamento de alimentos, considere as afirmativas a seguir:

    I. Se os alimentos forem resfriados de 60 a 10ºC em até 6 horas, o processo está adequado.
    II. Alimentos mais densos levam mais tempo para serem resfriados, devendo ser colocados em ambientes refrigerados o mais rápido possível.
    III. Alimentos são resfriados mais rapidamente em recipientes fundos do que em recipientes rasos.
    IV. Caso o estabelecimento não disponha de ultracongeladores, o processo de resfriamento pode ser acelerado com utilização de *freezer*, câmara congelada ou imersão em gelo.

    Estão CORRETAS somente as afirmativas:

    a) I e II.
    b) I e III.
    c) II e IV.
    d) I, III e IV.
    e) II, III e IV.

25. (ASA) Os serviços de alimentação devem implementar Procedimentos Operacionais Padronizados (POP) relacionados aos seguintes itens:

    a) Higienização de instalações, equipamentos e móveis; controle integrado de vetores e pragas urbanas; higienização do reservatório; manejo dos resíduos.
    b) Higienização de instalações, equipamentos e móveis; controle integrado de vetores e pragas urbanas; higienização do reservatório; higiene e saúde dos manipuladores.
    c) Controle integrado de vetores e pragas urbanas; higienização do reservatório; higiene e saúde dos manipuladores; seleção das matérias-primas, ingredientes e embalagens.

d) Higienização do reservatório; higiene e saúde dos manipuladores; seleção das matérias-primas, ingredientes e embalagens; higiene do reservatório.

e) Higienização do reservatório; manejo dos resíduos; seleção das matérias-primas, ingredientes e embalagens; controle integrado de vetores e pragas urbanas.

26. (ASA) O APPCC (Análise de Perigo e Pontos Críticos de Controle) é um sistema de controle de qualidade que visa à segurança do alimento por meio da análise e controle de perigos físicos, químicos e biológicos desde a produção da matéria-prima, suprimento e manuseio até a fabricação, a distribuição e o consumo do produto acabado. O sistema é baseado em sete princípios (Santos Junior, 2014).

Leia a definição de dois princípios abaixo:

- PRINCÍPIO X: sequência planejada de observações e mensurações para avaliar se um determinado PCC está sob controle, caracterizando "o quê", "como", "quando" e "quem" e mantendo registro.
- PRINCÍPIO Y: permite identificar se as ações planejadas estão sendo executadas, utilizando procedimentos para evidenciar se o sistema APPCC está funcionando adequadamente.

Quais são os princípios X e Y, respectivamente?

a) Monitoramento e verificação.

b) Verificação e monitoramento.

c) Registro e monitoramento.

d) Monitoramento e registro.

e) Verificação e registro.

27. (ASA) Ao identificar uma situação indesejável, é necessário medir a extensão do problema e compará-la com um referencial. Conhecida a diferença entre a extensão do problema e o referencial, são traçadas as metas desejadas e elaborado um plano de ação. As ferramentas clássicas da qualidade total são utilizadas durante todo esse processo de resolução de problemas (Shilling, 1995).

Analise a figura a seguir:

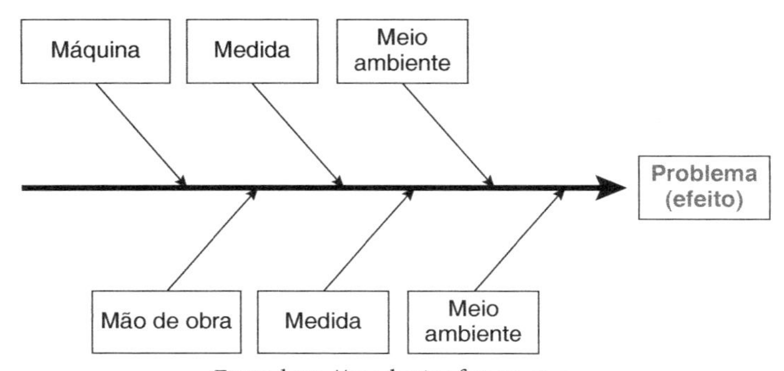

Fonte: http://marketingfuturo.com.

Que ferramenta da qualidade está representada na figura acima?

a) Carta de tendência.
b) Fluxograma.
c) Gráfico de pareto.
d) Diagrama de causa e efeito.
e) Estratificação.

28. (ASA) Manual de boas práticas é um documento que descreve as atividades e os procedimentos que as empresas que produzem, manipulam, transportam, armazenam e/ou comercializam alimentos adotam para garantir a seus consumidores que os alimentos produzidos tenham segurança e qualidade sanitária. Segundo a RDC nº 216/2004, quais os requisitos mínimos que devem estar incluídos?

a) Requisitos higiênico-sanitários dos edifícios, manutenção e higienização das instalações, dos equipamentos e dos utensílios, controle da água de abastecimento, controle integrado de vetores e pragas urbanas, capacitação profissional, controle da higiene e saúde dos manipuladores, manejo de resíduos e controle e garantia de qualidade do alimento preparado.
b) Requisitos higiênico-sanitários dos edifícios, manutenção e higienização das instalações, dos equipamentos e dos utensílios, controle da água de abastecimento, controle integrado de vetores e pragas urbanas, controle da higiene e saúde dos manipuladores, manejo de resíduos e controle e garantia de qualidade do alimento preparado.
c) Requisitos higiênico-sanitários dos edifícios, manutenção e higienização das instalações, dos equipamentos e dos utensílios, controle da água de abastecimento, controle integrado de vetores e pragas urbanas, manutenção preventiva e calibração de equipamentos, controle da higiene e saúde dos manipuladores, manejo de resíduos e controle e garantia de qualidade do alimento preparado.
d) Requisitos higiênico-sanitários dos edifícios, manutenção e higienização das instalações, dos equipamentos e dos utensílios, controle da água de abastecimento, controle integrado de vetores e pragas urbanas, capacitação profissional, controle da higiene e saúde dos manipuladores, seleção das matérias-primas, ingredientes e embalagens e controle e garantia de qualidade do alimento preparado.
e) Requisitos higiênico-sanitários dos edifícios, manutenção e higienização das instalações, dos equipamentos e dos utensílios, controle da água de abastecimento, controle integrado de vetores e pragas urbanas, capacitação profissional, controle da higiene e saúde dos manipuladores, manejo de resíduos, manutenção preventiva e calibração de equipamentos, programa de recolhimento de alimentos e controle e garantia de qualidade do alimento preparado.

29. (ASA) O manipulador de alimentos é uma variável importante da cadeia produtiva que necessita de controle, podendo interferir diretamente na qualidade sanitária do

produto final, pois pode ser portador de vários micro-organismos. Assim, a higiene pessoal, bem como os comportamentos assumidos durante a manipulação dos alimentos, deve ser frequentemente supervisionada e abordada em capacitações para manipuladores de alimentos. Considerando os procedimentos relacionados à higiene pessoal, analise as afirmações a seguir:

I. O uso de luvas descartáveis é essencial para evitar a contaminação dos alimentos, sendo seu uso imprescindível no manuseio de fornos e fogões.

II. A luva de malha de aço é indicada para manipulação de carnes cruas. Entretanto, não são indicadas para hortifrutículas já prontas para o consumo.

III. O uso de máscaras é recomendado para manipuladores de alimentos, principalmente para os que trabalham na ilha de cocção.

IV. As luvas de borracha nitrílica são indicadas para proteção do manipulador em atividades como lavagem de panelas e utensílios, coleta e transporte de lixo e manipulação de produtos químicos.

É CORRETO apenas o que se afirma em:

a) I e II.
b) I e III.
c) II e IV.
d) I, III e IV.
e) II, III e IV.

30. (ASA) Com relação aos procedimentos de higiene ambiental realizados nos serviços de alimentação, avalie as afirmações a seguir:

I. Os funcionários responsáveis pela higienização das instalações sanitárias devem utilizar uniformes diferenciados daqueles utilizados por manipuladores de alimentos.

II. No processo de higienização de utensílios, a ação de lavar com solução detergente, esfregando bem, é uma etapa de desinfecção.

III. O processo de desinfecção de utensílios só pode ser realizado através de métodos químicos. A desinfecção por métodos físicos não é permitida.

IV. É permitido varrer a seco o piso das áreas de manipulação, desde que o cabo da vassoura não seja de madeira.

É CORRETO o que se afirma em:

a) I.
b) II.
c) I e III.
d) II e IV.
e) III e IV.

Respostas

1 – E

A estrutura organizacional representada no organograma é uma estrutura mista ou linha *staff*. Esse tipo de organização combina a estrutura linear e a funcional, pois mantém o princípio da hierarquia mesmo tendo a especialização. A presença de órgãos de aconselhamento facilita as decisões dos chefes e limita suas responsabilidades. Esse tipo de estrutura é aconselhado para empresas de médio e grande porte. O *staff*, por ser um assessor independente, é representado no organograma por linhas horizontais que vão de um retângulo a outro.

- REF.: Oliveira (2010).

2 – D

A gestão de Unidades de Alimentação e Nutrição (UAN) pode ser realizada por auto-gestão, quando o serviço de alimentação é gerido pela própria empresa, ou por terceirização, quando gerido por empresa especializada. A terceirização pode ocorrer por concessão ou comodato quando a empresa contratante cede seu espaço físico para outra empresa administrar a unidade, incluindo a gestão de funcionários e o processo produtivo do alimento, conforme descrito na situação apresentada na questão. A terceirização pode ocorrer ainda na modalidade transportada, quando a contratante só precisa dispor de espaço para receber e distribuir os alimentos produzidos em uma UAN da empresa terceirizada, e na modalidade convênio, quando a empresa credencia restaurantes comerciais para os funcionários fazerem suas refeições mediante apresentação de *tickets*.

- REF.: Teixeira (2010).

3 – E

A Resolução CFN nº 600/2005 dispõe sobre a definição das áreas de atuação do nutricionista e suas atribuições e apresenta as atividades divididas em obrigatórias e complementares. Dentre as ações citadas, a de "Promover a redução das sobras, restos e desperdícios" é a única que aborda uma atividade obrigatória do nutricionista da área de alimentação, pois as demais citam atividades complementares.

- REF.: CFN (2018).

4 – B

I. (F) A recomendação de iluminância varia com o setor da UAN. No estoque, a recomendação é que a iluminância seja de 200 lux/m^2, e no setor de cocção, de 400 lux/m^2.

II. (V) As cores mais claras, como o branco, têm maior capacidade de refletir a luz; logo, possibilitam que até o dobro de iluminação seja obtida sem aumentar a potência das lâmpadas. Entretanto, não são indicadas para todas as situações, pois podem causar maior cansaço visual ao longo do dia e dos anos de atividade, além da sensação de ofuscamento.

III. (V) A recomendação é que o pé direito tenha de 4 a 5 m com o mínimo de 3,5 m.

IV. (F) A ventilação da UAN deve ser preferencialmente natural, o que deve acontecer por meio de aberturas nas paredes e na cobertura. As aberturas devem ter dimensões de 10 a 15% da área do setor. Todas as aberturas devem ser protegidas com telas milimétricas removíveis.

- REF.: Sant'Ana & Lucia (2012).

5 – E

I. (F) É recomendado que o nível de ruído da UAN seja mantido, sempre que possível, em torno de 45 a 55 dB.

II. (F) As formas circulares não são recomendadas, pois essa configuração acarreta maior concentração de ruídos.

III. (V) O setor de higienização de utensílios é um dos mais ruidosos da unidade; portanto, é recomendado seu isolamento acústico para evitar a saída de ruídos do recinto. O isolamento pode ocorrer por meio de paredes integrais e portas que sejam mantidas fechadas.

IV. (V) A instalação adequada e a manutenção preventiva de equipamentos são recomendações para controle do nível de ruídos.

- REF.: Sant'Ana & Lucia (2012).

6 – D

Na etapa de recebimento, os ingredientes da sopa serão recebidos na plataforma de descarga e inspecionados no setor de higiene e inspeção. No armazenamento, os ingredientes não perecíveis serão acondicionados no estoque seco e os ingredientes perecíveis sob refrigeração ou congelamento. Em seguida, ocorrerão as etapas de pré-preparo e cocção da sopa. Como a sopa será distribuída congelada, é necessária a etapa de resfriamento, na qual a temperatura da sopa deve reduzir de 60 a 10°C em, no máximo, 2 horas. Posteriormente, o alimento deve ser armazenado congelado até ser distribuído.

- REF.: Assis (2014).

7 – A

De acordo com Sant'Ana & Campos (2012), para o cálculo do dimensionamento da área de armazenagem seca deve-se utilizar o total de refeições (TR) que, nesse exemplo, é de 2.500 (TR = 2.500 refeições). Já para o cálculo da área de pré-preparo de grãos, deve ser utilizada a capacidade máxima de atendimento que, nessa situação, é de 2.000 (CMA = 2.000). O dimensionamento de cada área é calculado multiplicando-se o índice pelo TR ou pela CMA. Os índices utilizados nas estimativas das áreas são apresentados em faixa. O menor valor da faixa deve ser utilizado quando o cardápio é popular, o maior valor quando o cardápio é de luxo, e o valor intermediário quando o cardápio é médio. Considerando que nesse problema o cardápio é popular, deve ser utilizado o índice de 0,04 para armazenagem seca e o índice de 0,008 para pré-preparo de grãos.

- Área armazenagem seca = 0,04 × 2.500 = 100 m^2 (área caso o abastecimento fosse mensal). Como o abastecimento é semanal, a área deve ser de 35 a 40% do valor. Logo, a área poderia variar entre 35 e 40 m^2.
- Área pré-preparo de grãos = 0,008 × 2.000 = 16 m^2.

- REF.: Sant'Ana & Campos (2012).

8 – B

De acordo com Mezomo (2015), para o cálculo do dimensionamento físico do serviço de alimentação (SA) devem ser considerado 2 m^2 por leito para um hospital com distribuição de até 200 leitos, cabendo aproximadamente 35% à distribuição e às demais dependências. Nesse exemplo, como o hospital conta com 200 leitos, a área total do SA é de 400 m^2. A área de distribuição representa 35% dessa área total, ficando em 140 m^2.

- REF.: Sant'Ana (2012); Mezomo (2015).

9 – D

De acordo com Rego & Teixeira (2010), para o dimensionamento da capacidade do caldeirão são necessárias as seguintes informações: *per capita* líquido (cru) da preparação, fator de cocção da preparação e número de refeições. Deve-se considerar um aumento de 10% para a formação de camada de ar. Nesse exemplo, a quantidade de arroz seria:

Quantidade de arroz: *per capita* × fator de cocção × nº de refeições =
80 × 2,5 × 950 = 190 kg + 10% (câmara de ar) = 209 kg.

Para achar o volume em litros, deve ser considerada a densidade, ou seja, a massa dividida pelo volume. Nesse caso, a densidade do arroz é de 680 kg/m^3.

$$\text{Densidade} = m \div V \Rightarrow 680 = 209 \div V$$
$$\text{Volume} = 0{,}307\ m^3 = 307\ dm^3 = 307\ L.$$

- REF.: Rego & Teixeira (2010).

10 – D

I. (F) – De acordo com a RDC nº 216/2004, a manutenção de equipamentos deve ser programada e periódica. Logo, não deve ser apenas corretiva.
II. (F) – De acordo com a RDC nº 216/2004, a manutenção de equipamentos deve ser programada e periódica. Logo, não é um custo desnecessário.
III. (V) – Além da exigência legal, a manutenção preventiva pode aumentar a vida útil do equipamento e dar maior segurança em sua operacionalização.
IV. (V) – O aço inoxidável é um material de grande durabilidade e que permite procedimentos seguros e eficazes de higienização, sendo ideais para balcões, superfícies e equipamentos.

- REF.: Brasil (2004); Sant'Ana, Cardose & Oliveira (2012).

11 – D

De acordo com Rego & Teixeira (2010), para o dimensionamento dos fornos é utilizado o tempo de cocção da preparação de maior *per capita* e estimada a quantidade de preparação que vai ser assada por câmara. Nesse exemplo:

Para determinar a capacidade para produção de um forno/etapa (60 minutos):

- 1 tabuleiro – 25 porções/etapa;
- 4 tabuleiros – 100 porções/etapa.

Na quantidade de cinco fornos, podem ser preparadas 500 porções por etapa em 60 minutos. Como se pretende preparar 3.000 porções:

- 1 etapa (com os cinco fornos) em 60 minutos – 500 porções;
- 3.000 ÷ 500 = 6.

Seriam necessárias, então, seis etapas.

- REF.: Rego & Teixeira (2010).

12 – B

a) (F) A Norma Regulamentadora (NR) nº 17 fixa limites máximos de 60 kg para homes e 40 kg para mulheres.

b) (V) A NR nº 17 (Ministério do Trabalho e Emprego) visa estabelecer parâmetros que permitam a adaptação das condições de trabalho às características psicofisiológicas dos trabalhadores.

c) (F) O trabalho manual sentado ou em pé deve ser realizado em bancadas e mesas que propiciem condições de boa postura, visualização e operação com altura e características da superfície de trabalho compatíveis com o tipo de atividade e a distância requerida dos olhos ao campo de lavor, além de apresentar características dimensionais que possibilitem posicionamento e movimentação adequados dos segmentos corporais.

d) (F) As melhores condições para levantamento manual de carga são: estar próxima ao corpo e ser elevada, estando a 75 cm do chão com pega simétrica.

e) (F) A posição sentada por longos períodos apresenta vantagens sobre permanecer em pé, uma vez que assim o corpo fica apoiado em diferentes superfícies, exigindo atividade muscular do dorso e do ventre para manter essa posição.

- REF.: Contri, Japur & Vieira (2012); Fonseca & Ramos (2012).

13 – C

O processo de recrutamento consiste em atrair os candidatos certos para os cargos disponíveis na unidade. O recrutamento pode ser interno, quando ocorre por meio de promoções dentro da própria empresa, ou externo, quando a divulgação da vaga ocorre por meio de cartazes de divulgação, agências de emprego, pelos próprios empregados, sedes de entidades de classe, escolas profissionais ou pelas diversas mídias disponíveis. Já no processo de seleção podem ser realizadas as estratégias de análise de currículo, entrevista, testes de aptidões, testes psicométricos e testes práticos. O processo de admissão consiste na efetivação do contrato de trabalho e no vínculo empregatício estabelecido a partir da assinatura da carteira de trabalho.

- REF.: Biscontini & Oliveira (2010).

14 – C

O método para cálculo de pessoal para UAN deve ser baseado no gasto, em minutos, para produzir, higienizar e distribuir uma refeição segundo o número de refeições servidas por dia. Para o cálculo do número de pessoal fixo (IPF), o número de refeições deve ser multiplicado pelo tempo médio para preparar uma refeição dividido pela jornada diária de trabalho em minutos.

- Jornada de trabalho diária = 44 horas semanais ÷ 6 = 7,33 horas × 60 minutos = 439,8 minutos.
- IPF = 1.400 × 15 minutos (unidades hospitalares) ÷ 7,33 horas = 21.000 ÷ 439,8 minutos = 47,7 ≅ 48 pessoas.
- Indicador de Substituição de Descanso (ISD) = IPF ÷ IPD = 48 ÷ 3,06 = 15,7 ≅ 16 pessoas.
- Número de pessoal total = 48 + 16 = 64 pessoas.

- REF.: Gandra & Gambardella (1986).

15 – B

A taxa de absenteísmo corresponde à taxa de ausência diária e é calculada pela relação percentual entre a média de faltas diárias em determinado período e o número de empregados no período considerado. No mês de agosto/2017 houve, em média, três funcionários ausentes por dia. Logo, a taxa de absenteísmo é de (3 ÷ 90) × 100 = 3,33%. Já a taxa de rotatividade é calculada pela relação percentual entre os desligamentos ocorridos no período avaliado e o número médio do quadro de pessoal. No mês de setembro/2017 houve sete desligamentos. O número de funcionários no início de setembro era de 90 e no final, 88 (90 – 7 desligamentos + 5 admissões = 88 funcionários). Logo, o número médio do quadro de pessoal é (90 + 88) ÷ 2 = 89, e a taxa de rotatividade é de (7 ÷ 89) × 100 = 7,86%.

- REF.: Biscontini & Oliveira (2010).

16 – B

a) (F) O percentual proteico-calórico (NdPCal) das refeições deve ser de, no máximo, 10%.

b) (V) Os índices de NdPCal e os percentuais de macro e micronutrientes poderão deixar de obedecer aos parâmetros determinados nessa portaria, com exceção do sódio e das gorduras saturadas.

c) (F) Os cardápios deverão oferecer pelo menos uma porção de frutas e uma de legumes ou verduras nas refeições principais (almoço, jantar e ceia) e pelo menos uma porção de frutas nas refeições menores (desjejum e lanche).

d) (F) O responsável técnico do PAT é o profissional legalmente habilitado em Nutrição que tem por compromisso a correta execução das atividades nutricionais do programa, visando à promoção da alimentação saudável ao trabalhador.

e) (F) As pessoas jurídicas participantes do PAT, mediante prestação de serviços próprios ou de terceiros, deverão assegurar a qualidade e a quantidade da alimentação fornecida aos trabalhadores de acordo com essa Portaria, cabendo-lhes a responsabilidade da fiscalização.

- REF.: Brasil (2006).

17 - B

I. (F) O PAT é considerado um programa de sucesso, sendo um dos mais antigos do país. A forma como o programa se estrutura consegue oferecer benefícios para a empresa, o empregado e o governo.

II. (V) Para a empresa, o PAT traz benefícios como o aumento da produtividade, maior integração com os trabalhadores, redução de absenteísmo e rotatividade.

III. (V) Para o governo, os benefícios são crescimento da atividade econômica, bem-estar social e redução de despesas e investimentos na área da saúde.

IV. (F) O PAT proporciona incentivo fiscal e isenção de encargos sociais sobre o valor da alimentação fornecida às empresas vinculadas.

- REF.: Souza, Bezerra & Rosa (2014).

18 - C

I. (V) Os cardápios deverão conter informações nutricionais a respeito de energia, macronutrientes, micronutrientes prioritários (vitaminas A e C, magnésio, ferro, zinco e cálcio) e fibras.

II. (F) Os cardápios deverão oferecer, no mínimo, três porções de frutas e hortaliças por semana (200 g/aluno/semana) nas refeições ofertadas.

III. (V) A oferta de doces e/ou preparações doces fica limitada a duas porções por semana, equivalente a 110 kcal/porção.

IV. (F) Para aplicação do teste de aceitabilidade, deverão ser utilizadas as metodologias resto-ingestão ou escala hedônica. O índice de aceitabilidade deve ser de, no mínimo, 90% para resto-ingestão e de 85% para escala hedônica.

- REF.: Brasil (2013); FNDE (2013).

19 - E

De acordo Abreu & Spinelli (2013), a previsão de compras deve ser calculada de acordo com a seguinte fórmula:

Previsão de compras = per capita líquido × fator de correção ×
número de refeições × frequência de utilização
– quantidade eventual de estoque + estoque mínimo.

Neste caso:

- Acelga: $(20 \times 1{,}4 \times 500 \times 5) - 11 + 21 = 80$ kg.
- Tomate: $(60 \times 1{,}2 \times 500 \times 10) - 20 + 40 = 380$ kg.
- Mamão: $(25 \times 1{,}6 \times 500 \times 6) - 0 + 33 = 153$ kg.
- Batata: $(45 \times 1{,}3 \times 500 \times 4) - 25 + 22 = 114$ kg.

- REF.: Abreu & Spinelli (2013).

20 – E

Percentual de resto-ingestão: (peso do resto × 100) ÷ peso da refeição distribuída.

Peso da refeição distribuída é o peso de todas as preparações depois de prontas, devendo ser reduzido o peso da sobra, dos ossos e das cascas, separados na devolução dos pratos.

Resto *per capita* = divide-se o peso do resto pelo número de refeições servidas.

Então,

Percentual de resto-ingestão = 220 × 100 ÷ (2.650 – 245 – 65) = 9,4%;
Resto *per capita* = 220 ÷ 5.000 = 0,044 kg ou 44 g.

- REF.: Vaz (2011).

21 – D

De acordo com a portaria CVS 5, de 9 de abril de 2013, seção VI, que trata da guarda de amostras em cozinhas industriais e serviços de alimentação:

> "Art. 52
> ...
> VI - temperatura e tempo de guarda dos alimentos:
> a) alimentos que foram distribuídos sob refrigeração devem ser guardados no máximo a quatro graus Celsius, por setenta e duas horas, sendo que alimentos líquidos devem ser guardados somente nesta condição;"

- REF.: Brasil (2013).

22 – C

Os custos podem ser classificados, quanto ao aspecto contábil, em diretos e indiretos. Os custos diretos, também conhecidos como custo controlável, são despesas ou gastos que conseguem ser identificados e relacionados diretamente aos itens produzidos e aos serviços prestados. Exemplos: produtos alimentícios, material de limpeza, produtos descartáveis e mão de obra. Nesse caso, devem ser somados os valores de:

Alimentos (R$ 4,50) + mão de obra (0,95)
+ descartáveis (0,20) + material de limpeza (0,50) = R$ 6,15.

- REF.: Abreu & Spinelli (2013).

23 – D

O estoque mínimo ou estoque de segurança é a menor quantidade de material que deve existir no estoque para prevenir eventualidades e situações de emergência. Deve ser calculado da seguinte forma:

Estoque mínimo = prazo de reposição de emergência × consumo médio.

Logo, nesta questão:

Estoque mínimo = 3 dias × 30 kg = 90 kg.

Já o estoque máximo é a maior quantidade de estoque que deve existir na unidade de modo a garantir o consumo até o tempo de recebimento do próximo lote de reposição. Ele deve ser calculado da seguinte forma:

Estoque máximo = consumo médio + estoque mínimo.

Logo, nesta questão:

Estoque máximo = (30 kg × 7 dias) + 90 kg = 300 kg.

- REF.: Abreu & Spinelli (2013).

24 – C

I. (F) Segundo a RDC nº 216/2004, os alimentos devem ser resfriados de 60 a 10ºC em, no máximo, 2 horas.
II. (V) Uma feijoada, por exemplo, levaria mais tempo que uma sopa de legumes para ser resfriada.
III. (F) A afirmativa é falsa, pois quanto menor o volume do alimento, mais rápido o resfriamento.
IV. (V) Esse procedimento pode ser realizado, desde que atinja os critérios de tempo e temperatura recomendados: alimentos devem ser resfriados de 60 a 10ºC em, no máximo, 2 horas.

- REF.: Brasil (2004); Assis (2014).

25 – B

Segundo a RDC nº 216/2004, os serviços de alimentação devem implementar Procedimentos Operacionais Padronizados (POP) relacionados aos seguintes itens: higienização de instalações, equipamentos e móveis; controle integrado de vetores e pragas urbanas; higienização do reservatório; higiene e saúde dos manipuladores.

- REF.: Brasil (2004).

26 – A

O princípio "X" é o de monitoramento, que estabelece a necessidade de definição das metodologias para monitoração da ocorrência dos perigos nos pontos críticos de controle (PCC).

O princípio "Y" é o de verificação, que diz respeito à necessidade de definição dos métodos de verificação da eficácia, do cumprimento dos procedimentos definidos, da eficiência dos controles adotados e dos resultados obtidos com a monitoração dos perigos nos PCC.

- REF.: Santos Júnior (2014).

27 – D

O diagrama de causa e efeito também é chamado de diagrama de Ishikawa ou espinha de peixe. Através da ferramenta, busca-se o que está acarretando o problema (situação indesejável confrontando com a situação ideal onde o produto final está adequado). As não conformidades podem ser categorizadas nos 6M: materiais, métodos, mão de obra, máquinas, medição e meio ambiente.

- REF.: Shilling (1995).

28 – A

Segundo a RDC nº 216, no item de definições:

> "Manual de Boas Práticas: documento que descreve as operações realizadas pelo estabelecimento, incluindo, no mínimo, os requisitos higiênico-sanitários dos edifícios, a manutenção e higienização das instalações, dos equipamentos e dos utensílios, o controle da água de abastecimento, o controle integrado de vetores e pragas urbanas, a capacitação profissional, o controle da higiene e saúde dos manipuladores, o manejo de resíduos e o controle e garantia de qualidade do alimento preparado."

- REF.: Brasil (2004).

29 – C

I. (F) O uso de luvas descartáveis é essencial para evitar a contaminação dos alimentos, devendo ser dispensado quando implicar risco de acidente de trabalho, como manuseio de fornos e fogões.

II. (V) A luva de malha de aço é indicada para manipulação de carnes cruas, mas não para hortifrutículas já prontas para o consumo devido à dificuldade de higienização.

III. (F) A utilização de máscaras na manipulação de alimentos não é recomendada como mecanismo de prevenção da contaminação, pois, após 15 minutos de uso, a máscara fica úmida, tornando-se um ambiente propício para micro-organismos.

IV. (V) As luvas de borracha nitrílica são indicadas para proteção do manipulador em atividades como lavagem de panelas e utensílios, coleta e transporte de lixo e manipulação de produtos químicos, devendo ser distintas para cada atividade.

- REF.: ABERC (2015).

30 – A

I. (V) Os funcionários responsáveis pela higienização das instalações sanitárias devem utilizar uniformes diferenciados daqueles usados por manipuladores de alimentos.

II. (F) No processo de higienização de utensílios, a ação de lavar com solução detergente, esfregando bem, é uma etapa de limpeza e não de desinfecção.

III. (F) O processo de desinfecção de utensílios pode ser realizado por meio de métodos químicos e físicos, como aplicação de calor.

IV. (F) É proibido varrer a seco o piso das áreas de manipulação.

- REF.: ABERC (2015).

Referências

ABERC – Associação Brasileira das Empresas de Refeições Coletivas. Manual ABERC de práticas de elaboração e serviço de refeições para coletividades. 11. ed. São Paulo: ABERC, 2015. 256p.

Abreu ES, Spinelli MGN. Custo. In: Abreu ES, Spinelli MGN, Pinto AMS. Gestão de unidades de alimentação e nutrição: um modo de fazer. São Paulo: Editora Metha, 2013:151-53.

Abreu ES, Spinelli MGN. Logística e suprimentos. In: Abreu ES, Spinelli MGN. Pinto AMS. Gestão de unidades de alimentação e nutrição: um modo de fazer. São Paulo: Editora Metha, 2013:127-46.

Assis L. Alimentos seguros: ferramentas para gestão e controle da produção e distribuição. São Paulo: SENAC, 2014.

Biscontini TMB, Oliveira ZMC. Recursos humanos para unidades de alimentação e nutrição. In: Teixeira SMFG, Oliveira ZMC, Rego JC, Biscontini TMB. Administração aplicada unidades de alimentação e nutrição. São Paulo: Atheneu, 2010:117-64.

Brasil. Agência Nacional de Vigilância Sanitária - ANVISA. Resolução RDC nº 216, de 15 de Setembro de 2004. Estabelece procedimentos de boas práticas para serviço de alimentação, garantindo as condições higiênico-sanitárias do alimento preparado. Diário Oficial da União, Brasília, DF, 17 setembro de 2004.

Brasil. Ministério da Educação. Fundo Nacional de Desenvolvimento da Educação. Resolução FNDE nº 26, de 17 de junho de 2013. Ministério da Educação, FNDE, Brasília, 2013.

Brasil. Ministério da Saúde. Portaria CVS 5, de 09 de abril de 2013. Aprova o regulamento técnico sobre boas práticas para serviços de alimentação, e o roteiro de inspeção. Diário Oficial da União, Brasília, DF, 19 de abril de 2013.

Brasil. Ministérios de Estado do Trabalho e Emprego, da Fazenda, da Saúde, da Previdência Social e do Desenvolvimento Social e Combate à Fome. Portaria Interministerial nº 66, de 25 de agosto de 2006. Altera os parâmetros nutricionais do Programa de Alimentação do Trabalhador - PAT.

CFN - Conselho Federal de Nutricionistas. Resolução CFN nº 600, de 25 de fevereiro de 2018. Dispõe sobre a definição das áreas de atuação do nutricionista e suas atribuições, indica parâmetros numéricos mínimos de referência, por área de atuação, para a efetividade dos serviços prestados à sociedade e dá outras providências. Brasília, DF: CFN, 2018.

Contri PV, Japur CC, Vieira MNCM. Saúde do trabalhador. In: Vieira MNCM, Japur CC. Gestão de qualidade na produção de refeições. Rio de janeiro: Guanabara Koogan, 2012:48-64.

Fonseca MCR, Ramos BG. Ergonomia aplicada às unidades de alimentação e nutrição. In: Vieira MNCM, Japur CC. Gestão de qualidade na produção de refeições. Rio de janeiro: Guanabara Koogan, 2012:65-72.

Fundo Nacional de Desenvolvimento da Educação (FNDE). Resolução nº 26, de 17 de junho de 2013. Dispõe sobre o atendimento da alimentação escolar aos alunos da educação básica no âmbito do Programa Nacional de Alimentação Escolar – PNAE. [Brasília].

Gandra YR, Gambardella AMD. Avaliação de serviços de nutrição e alimentação. São Paulo: Editora Sarvier, 1986.

Mezomo IB. O serviço de alimentação. In: Os serviços de alimentação: planejamento e administração. Barueri, SP: Manole, 2015:71-132.

Oliveira ZMC. A unidades de alimentação e nutrição na empresa. In: Teixeira SMFG, Oliveira ZMC, Rego JC, Biscontini TMB. Administração aplicada unidades de alimentação e nutrição. São Paulo: Atheneu, 2010:13-77.

Rego JC, Teixeira SMFG. Aspectos físicos das unidades de alimentação e nutrição. In: Teixeira SMFG, Oliveira ZMC, Rego JC, Biscontini TMB. Administração aplicada unidades de alimentação e nutrição. São Paulo: Atheneu, 2010:81-115.

Sant'Ana HMP. Planejamento físico-funcional de unidades de alimentação e nutrição. Rio de Janeiro: Editora Rubio, 2012.

Sant'Ana HMP, Campos FM. Dimensionamento dos setores na unidade de alimentação e nutrição. In: Sant'Ana HMP. Planejamento físico-funcional de unidades de alimentação e nutrição. Rio de Janeiro: Editora Rubio, 2012:85-110.

Sant'Ana HMP, Cardose LM, Oliveira HAB. Montagem dos setores da UAN: seleção, especificação e dimensionamento de equipamentos, móveis e utensílios. In: Sant'Ana HMP. Planejamento físico-funcional de unidades de alimentação e nutrição. Rio de Janeiro: Editora Rubio, 2012:169-212.

Sant'Ana HMP, Lucia CMD. Planejamento da ambiência em unidades de alimentação e nutrição. In: Sant'Ana HMP. Planejamento físico-funcional de unidades de alimentação e nutrição. Rio de Janeiro: Editora Rubio, 2012:53-84.

Santos Júnior CJ. Plano APPCC em estabelecimentos alimentícios: guia técnico para elaboração. Rio de Janeiro: Rubio, 2014.

Shilling M. Administração e nutrição aplicadas à produção de refeições coletivas. In: Qualidade em nutrição. Parte 2. São Paulo: Livraria Varela, 1995:69-122.

Souza IB, Bezerra VM, Rosa CO. Gestão do programa de alimentação do trabalhador nas unidades produtoras de refeições. In: Rosa CO, Monteiro MRP. Unidades produtoras de refeições: uma visão prática. Rio de Janeiro: Rubio, 2014:109-18.

Teixeira SMFG. Fundamentos necessários à administração de unidades de alimentação e nutrição. In: Teixeira SMFG, Oliveira ZMC, Rego JC, Biscontini TMB. Administração aplicada unidades de alimentação e nutrição. São Paulo: Atheneu, 2010:2-12.

Vaz CS. Restaurantes: controlando custos e aumentando lucros. Brasília: sem editora, 2011. 196p.

Capítulo 13

Educação Alimentar e Nutricional (EAN)

Cláudia Machado Coelho Souza de Vasconcelos

Questões

1. (EAN) Quanto ao conceito de Educação Alimentar e Nutricional (EAN) proposto no Marco de Referência de EAN para as políticas públicas do Governo Federal, é CORRETO afirmar que:
   a) É uma estratégia de ação adotada estritamente em saúde pública para conter o avanço da prevalência das doenças crônicas e que deve alcancar de modo eficaz todos os estratos econômicos da população.
   b) É um campo de conhecimento cujas ações abrangem prioritariamente os aspectos relacionados aos aspectos científicos da nutrição.
   c) É um campo de conhecimento cujas ações incorporam o conhecimento científico ao indivíduo a fim de modificar seus hábitos alimentares, sendo um campo disciplinar e setorial restrito à Nutrição.
   d) É um campo de conhecimento e de prática contínua e permanente que visa promover hábitos alimentares saudáveis, de maneira autônoma e voluntária, sendo um campo setorial.
   e) Consiste em ações que considerem as múltiplas dimensões da alimentação e do alimento e os diferentes campos de saberes e práticas, conformando estratégias que integrem o conhecimento científico ao popular.

2. (EAN) A educação em saúde é um conceito que se modifica de acordo com o contexto histórico do Brasil. Desse modo, o conceito mais atual, iniciado entre o final do século XX e o início do XXI e que deve ser utilizado, segundo instrutivo do Governo Federal para ações de alimentação e nutrição na atenção básica, para o desenvolvimento de ações educativas de promoção de saúde, entre elas as de educação alimentar e nutricional, é:
   a) Regras e normas para um "viver higiênico".
   b) Regras para o bem-estar físico, mental e social – as pessoas não têm informações ou têm dificuldade de compreensão.

c) Participação e contextualização social – Reforma Sanitária e a metodologia de Paulo Freire.

d) Interação de saberes – visão multidimensional dos sujeitos – autonomia de decisão – controle social.

e) Regras para o bem-estar físico por meio da prevenção de doenças.

3. (EAN) No Sistema Único de Saúde (SUS), desde 2013, com a instituição da Política Nacional de Educação Popular em Saúde (PNEPS-SUS), é proposta uma prática político-pedagógica orientada pelos seguintes princípios, que deverão ser considerados nas ações de educação alimentar e nutricional, EXCETO:

a) Amorosidade.

b) Emancipação.

c) Diálogo.

d) Problematização.

e) Construção do conhecimento pelo educador.

4. (EAN) A comunicação é compreendida como um conjunto de processos mediadores da EAN. Embora a EAN supere os processos de comunicação e informação, o modo como a comunicação é implementada é importante e influencia, de maneira marcante, os resultados. Assim, para ser efetiva, a comunicação no contexto da EAN deve ser guiada pelo(a), EXCETO:

a) Escuta ativa.

b) Formação de vínculo entre os diferentes sujeitos que integram o processo.

c) Monitoramento permanente dos resultados.

d) Relações verticais.

e) Reconhecimento das diferentes formas de saberes e práticas.

5. (EAN) A comunicação em saúde envolve um conjunto de técnicas para tornar a comunicação mais efetiva. Dentre elas, o *teach-back* consiste em:

a) Solicitar que o paciente anote todas as suas dúvidas e traga em uma nova consulta ou atividade educativa.

b) Repetir uma informação com novas palavras do educador/profissional de saúde quando incialmente não ocorreu a compreensão adequada, a fim de facilitar a assimilação pelo público.

c) Confirmar a compreensão do paciente em ações educativas, pedindo que ele resuma ou reformule pontos importantes usando suas próprias palavras.

d) Solicitar que outra pessoa com escolaridade parecida com a do paciente explique, com suas palavras, o que disse o profissional de saúde.

e) Pedir ao paciente que faça perguntas durante a consulta.

6. (EAN) A EAN é uma estratégia que pode ocorrer em diversos setores e está inserida em diversas políticas públicas. Em qual das políticas públicas citadas a seguir a EAN está presente, de maneira transversal, em todas as diretrizes?
   a) Política Nacional de Promoção da Saúde.
   b) Política Nacional de Segurança Alimentar e Nutricional.
   c) Política Nacional de Alimentação e Nutrição.
   d) Plano de ações estratégicas para o enfrentamento das doenças crônicas não transmissíveis.
   e) Programa Nacional de Alimentação Escolar.

7. (EAN) Em práticas de EAN, segundo o Marco de Referência de EAN para as políticas públicas do Governo Federal, deve-se fazer uso de abordagens e recursos educacionais:
   a) Tradicionais que favoreçam o diálogo junto a indivíduos e grupos populacionais.
   b) Tradicionais que favoreçam a transmissão de conhecimento do educador para o aluno.
   c) Problematizadores que favoreçam a transmissão de conhecimento do educador para o aluno.
   d) Problematizadores e ativos que favoreçam o diálogo junto a indivíduos e grupos populacionais.
   e) Tecnicistas que favoreçam a repetição de comportamentos que levem à aprendizagem significativa.

8. (EAN) Entre os resultados potenciais da EAN, enquanto campo de ação da Segurança Alimentar e Nutricional e da Promoção da Saúde, podem ser citados, EXCETO:
   a) O fortalecimento dos hábitos regionais.
   b) A redução do desperdício de alimentos.
   c) A promoção do consumo sustentável e da alimentação saudável.
   d) A valorização da globalização e da padronização da cultura alimentar entre os povos.
   e) A contribuição na prevenção e controle das doenças crônicas não transmissíveis e deficiências nutricionais.

9. (EAN) Em práticas de EAN, é importante considerar que os indivíduos e os grupos escolhem os alimentos influenciados por vários fatores provenientes de duas grandes dimensões, que são as individuais e as coletivas. Alguns determinantes coletivos compreendem:
   a) Aspectos subjetivos.
   b) Aspectos biológicos.
   c) Fatores econômicos e culturais.
   d) As percepções sobre alimentação saudável.
   e) O conhecimento sobre alimentação e nutrição.

10. (EAN) Existem diferentes formas de aprendizagem, consideradas em ações de EAN, entre elas o condicionamento instrumental, que é uma forma de aprendizagem:
    a) Baseada na mera simultaneidade e contiguidade de estímulos.
    b) Na qual o indivíduo recebe alguma recompensa pelo seu comportamento.
    c) Por ensaio e erro, em que ocorrem tentativas variadas, aleatórias, para atingir determinado fim.
    d) Na qual se repete o comportamento de outra pessoa para atingir os mesmos resultados finais.
    e) Baseada em uma compreensão profunda das causas e consequências dos fatos, bem como na formulação e verificação de hipótese.

11. (EAN) Várias são as concepções de práticas educativas que podem permear a EAN. Essas concepções são norteadas pelas tendências pedagógicas. Em qual das seguintes tendências a ação de ensino é centrada no professor e cuja repercussão social consiste na manutenção das classes sociais, no individualismo e na adoção indiscriminada de modelos de pensamento elaborados em outras regiões?
    a) Crítica.
    b) Libertadora.
    c) Pedagógica por condicionamento.
    d) Pedagogia renovada.
    e) Tradicional.

12. (EAN) O comportamento alimentar do indivíduo é constituído pelos componentes cognitivo, afetivo e situacional. Para intervir nesse comportamento, seja em ações de educação alimentar e nutricional, seja de aconselhamento nutricional, faz-se necessária a compreensão deles. Com relação aos componentes do comportamento alimentar, avalie as afirmações a seguir:
    I. O conhecimento do indivíduo sobre alimentação e nutrição corresponde ao componente cognitivo de seu comportamento alimentar e envolve tanto o conhecimento popular como o científico.
    II. As normas sociais, os padrões culturais, a coerção social e os apoios estruturais correspondem ao componente situacional do comportamento alimentar.
    III. O componente situacional do comportamento alimentar corresponde à satisfação de outras necessidades por meio da alimentação, como de segurança e aprovação social.

    É CORRETO o que se afirma em:
    a) I, somente.
    b) III, somente.
    c) II e III.

d) I e II.

e) I, II e III.

13. (EAN) Considere a seguinte situação-problema:

Uma mulher foi à primeira consulta com nutricionista e deseja ter o hábito de consumir frutas diariamente. Relatou considerar as frutas saudáveis e saborosas. Gostaria de comer mais frutas porque em seu grupo de amigos todos comem. Informou também que sua família aprecia frutas, sabe selecionar frutas saborosas e prepará-las bem, além de incentivar seu consumo.

Considerando o caso acima e a importância da avaliação do comportamento alimentar para as ações de educação alimentar e nutricional e de aconselhamento, avalie as afirmações a seguir:

I. O fato de a família da paciente saber selecionar e preparar frutas é um exemplo de apoio estrutural que faz parte do componente situacional do comportamento alimentar.

II. Pode-se dizer que a paciente apresenta necessidade de aprovação social pelo fato de desejar comer frutas devido ao hábito do grupo de amigos e esse é um componente situacional do comportamento alimentar.

III. O incentivo da família para o consumo de frutas é um tipo de coerção social que corresponde ao componente afetivo de seu comportamento alimentar.

É CORRETO o que se afirma em:

a) I, somente.

b) II, somente.

c) I e III.

d) II e III.

e) I, II e III.

14. (EAN) Quanto à elaboração de objetivos específicos de projetos de educação alimentar e nutricional, afirma-se que:

a) Os objetivos específicos são complexos, alcançáveis em longo prazo e permitem visualizar a meta final do projeto.

b) Os objetivos específicos indicam o propósito da atividade instrucional de maneira bem ampla, sendo utilizados verbos abertos em sua formulação.

c) Os objetivos específicos indicam o propósito da atividade instrucional de maneira mais precisa possível, sendo utilizados verbos abertos em sua formulação.

d) Os objetivos específicos são redigidos em termos de quem pretende a mudança e não em termos da população-alvo e permitem visualizar a meta final do projeto.

e) Os objetivos específicos são redigidos de modo a indicar claramente o comportamento esperado do indivíduo e deve incluir sempre um comportamento expresso por um verbo preciso.

15. (EAN) Com relação à etapa de elaboração de objetivos específicos de projetos de EAN, pode-se afirmar que:
    a) É a primeira etapa de um projeto, pois é a partir dela que se faz o diagnóstico situacional do público-alvo.
    b) Não existem objetivos específicos em projetos de educação alimentar e nutricional, somente objetivo geral.
    c) É uma etapa que deve ocorrer logo após o diagnóstico situacional do público-alvo e a partir dela são delineadas as demais etapas.
    d) É a última etapa de um projeto, pois permite verificar se houve êxito na mudança de conhecimento do público-alvo.
    e) É uma etapa posterior à definição do conteúdo programático e dos métodos de ensino de um projeto, pois a partir daí são traçados os objetivos.

16. (EAN) O Marco de EAN do Governo Federal, publicado em 2012, é um documento direcionado aos nutricionistas, que têm como uma de suas atribuições nos diferentes campos de prática a implementação de práticas educativas. Assim, foram definidos nove princípios, sendo parte da definição do princípio de sustentabilidade social, ambiental e econômica a seguinte característica:
    a) A promoção da alimentação saudável não deve implicar sacrifício dos recursos naturais renováveis e não renováveis e envolver relações econômicas e sociais pautadas nos parâmetros da ética, justiça, equidade e soberania.
    b) É a realização de ações dirigidas a si e ao ambiente, a fim de regular o próprio funcionamento de acordo com seus interesses na vida, o que favorece a adesão das pessoas às mudanças necessárias a seu modo de vida.
    c) As pessoas não se alimentam de nutrientes, mas de alimentos e preparações culinárias. Os valores culturais, sociais, afetivos e sensoriais se manifestam na alimentação.
    d) Compreende-se sistema alimentar como o processo que abrange desde o acesso à terra, à água e aos meios de produção, as formas de processamento, abastecimento, comercialização e distribuição, a escolha e o consumo dos alimentos, incluindo as práticas alimentares individuais e coletivas, até a geração e a destinação de resíduos. As ações de EAN devem abranger temas e estratégias relacionadas a essas dimensões, contribuindo para escolhas conscientes.
    e) As abordagens educativas e pedagógicas adotadas em EAN devem privilegiar os processos ativos que incorporem os conhecimentos e práticas populares.

17. (EAN) "É a realização de ações dirigidas a si e ao ambiente, a fim de regular o próprio funcionamento de acordo com seus interesses na vida, o que favorece a adesão das pessoas às mudanças necessárias a seu modo de vida." Essa definição se refere a qual princípio do Marco de EAN do Governo Federal:
    a) A comida e o alimento como referências.
    b) Intersetorialidade.

c) A promoção do autocuidado e da autonomia.
d) Abordagem do sistema alimentar em sua integralidade.
e) A diversidade nos cenários de prática.

18. (EAN) Os profissionais da saúde necessitam comunicar informação de saúde, em diferentes contextos, de maneira clara, a fim de ser compreendida corretamente. Nesse contexto, nos últimos anos, tem se trabalhado com o conceito de letramento em saúde que, segundo a Organização Mundial da Saúde (OMS), consiste em:
   a) Aquisição do código escrito, ou seja, das habilidades para leitura e escrita.
   b) Desenvolvimento das habilidades de leitura e escrita e sua incorporação no âmbito da vida social.
   c) Compreensão de significados através do código escrito.
   d) Capacidade de ler, escrever e falar, computar e resolver problemas em um nível funcional no emprego e na sociedade e alcançar os objetivos pessoais.
   e) Competências cognitivas e sociais que determinam a motivação e a capacidade dos indivíduos para obter acesso, compreender e utilizar a informação em meios que promovem e mantêm uma boa saúde.

19. (EAN) É preciso considerar o grau de letramento nutricional da população e sua potencial influência nos resultados do processo de educação nutricional. Esse conceito é recente e pouco discutido no Brasil e corresponde ao:
   a) Desenvolvimento técnico das linguagens e ferramentas usadas em ciência para o conhecimento científico. Exige-se não só domínio vocabular, mas compreensão da definição conceitual.
   b) Conjunto de habilidades cognitivas e sociais que determinam a motivação e a prática dos indivíduos para ter acesso, entender e usar as informações para a promoção e a manutenção da saúde.
   c) Conhecimento das pessoas sobre nutrição, alimentação e saúde.
   d) Grau em que o indivíduo pode obter, processar e entender informações e serviços básicos em nutrição, necessários para tomar decisões apropriadas em nutrição.
   e) Grau em que os indivíduos podem obter, processar, entender e comunicar informações relacionadas à saúde necessárias para tomar decisões em saúde.

20. (EAN) A habilidade para acessar, usar, interpretar e comunicar informações e ideias matemáticas, para participar e administrar demandas matemáticas em uma série de situações da vida adulta corresponde ao conceito de:
   a) Letramento funcional em saúde.
   b) Letramento nutricional.
   c) Leiturabilidade.

d) Alfabetização.
e) Numeramento.

21. (EAN) É o que faz um texto ser mais fácil de ler do que outros; é o total de todos os elementos presentes em determinado material educativo impresso que influenciam a compreensão, a velocidade de leitura e o interesse do leitor. Tal definição se refere a(o):
    a) Letramento funcional em saúde.
    b) Letramento nutricional.
    c) Leiturabilidade.
    d) Alfabetização.
    e) Numeramento.

22. (EAN) Há diretrizes propostas na literatura para elaboração de materiais educativos na área da saúde. No tocante a essas diretrizes, considere as afirmações a seguir:
    I. Evitam-se apelos e recomendações tendentes a criar demandas que eventualmente não possam ser atendidas.
    II. Usam-se setenças curtas (no máximo 15 palavras).
    III. As ilustrações devem servir para explicar o texto e não devem ser usadas para "enfeitar" o material.
    IV. O tamanho da fonte deve ser de pelo menos 12.
    V. Os conceitos/ideias centrais do material devem ser culturalmente semelhantes em sua lógica, linguagem e experiência do público-alvo.

    É CORRETO o que se afirma em:
    a) I e III.
    b) II e IV.
    c) IV e V.
    d) I, II, III e V.
    e) I, II, III, IV e V.

23. (EAN) A avaliação de um projeto de EAN verifica se o público-alvo adquiriu conhecimento e habilidades necessários para a mudança de comportamento. No tocante aos tipos de avaliação nesses projetos, a avaliação em curso ou formativa:
    a) É feita no início do projeto e determina a situação-problema e os componentes do comportamento alimentar.
    b) É a análise da validade, eficiência e efetividade das atividades e resultados, sendo realizada durante a implantação do projeto.
    c) Realiza-se no término ou um pouco antes do encerramento do projeto e analisa atividades e resultados.

d) É realizada algum tempo depois de concluído o projeto, quando se espera observar o desenvolvimento global dos benefícios que se pretendia alcançar.

e) É a análise da validade e efetividade das atividades e resultados, sendo realizada ao término do projeto.

24. (EAN) O diagnóstico das práticas e comportamentos alimentares exige o uso de múltiplas metodologias, tendo em vista que aspectos psicológicos, fisiológicos e socioculturais estão interligados nas práticas alimentares. Essa é uma etapa extremamente necessária para o desenvolvimento de projetos de EAN.

Com relação à natureza dos dados para o estudo das práticas e comportamentos alimentares, avalie as afirmações a seguir:

I. As práticas observadas e as práticas deduzidas de informações econômicas são exemplos de dados de origem objetiva.

II. A atitude corresponde à expressão verbal espontânea e consciente, positiva ou negativa, associada a uma prática, a um alimento ou a um comportamento alimentar que geralmente emite uma posição relacionada a um juízo de valor.

III. Os símbolos são exemplos de dados de origem mais subjetiva e são conjuntos de significações estruturadas e organizadas em sistemas de representações.

É CORRETO o que se afirma em:

a) I, somente.

b) II, somente.

c) II e III.

d) I e III.

e) I, II e III.

25. (EAN) No diagnóstico de projetos de EAN, é preconizado(a):

a) A identificação do problema e de suas possíveis causas, além da formulação de hipóteses.

b) O levantamento dos dados pelo educador sem a participação da população-alvo.

c) A metodologia para o levantamento dos dados varia conforme o público-alvo, se indivíduo ou grupo, sendo recomendada a anamnese alimentar para os grupos.

d) A coleta de dados do meio ambiente, como história médica e parâmetros bioquímicos.

e) A coleta de dados comportamentais, como preferências e disponibilidade de alimentos.

26. (EAN) A avaliação terminal ou somativa de projetos de EAN é realizada:

a) Na conclusão ou um pouco antes do encerramento do projeto, em que se analisam as atividades e os resultados.

b) No início do projeto, a fim de fornecer dados para sua elaboração.
c) Durante a implantação do projeto e em intervalos previamente determinados.
d) Algum tempo depois de concluído o projeto, quando se espera observar os benefícios totais do que se pretendia atingir.
e) Na conclusão do projeto, a fim de fornecer dados para sua elaboração.

27. (EAN) A seleção dos conteúdos dos projetos de EAN deve ser realizada em função do(s):

I. Tipo de avaliação que será realizada.
II. Nível de conhecimento do público-alvo.
III. Interesses e necessidades da população-alvo.
IV. Temas abordados (funcional e/ou informativo).

É CORRETO o que se afirma em:

a) I e IV.
b) I e III.
c) II e III.
d) I, II e IV.
e) II, III e IV.

28. (EAN) Trata-se de uma técnica na qual as pessoas representam problemas baseados em alguma situação da vida real e dá a oportunidade de participação ativa, podendo ser utilizada em projetos de EAN:

a) Dramatização.
b) Phillips 66.
c) Díade.
d) Projetos de descoberta.
e) Grupo de verbalização e grupo de observação.

29. (EAN) Trata-se de uma técnica que gira em torno da solução de algum problema originado pelo educando/paciente. Baseia-se na dialogização entre educador e educando, que é livre para investigar da maneira que achar melhor, podendo ser utilizada em projetos de EA|N:

a) Grupo de verbalização e grupo de observação.
b) Projetos de descoberta.
c) Dramatização.
d) Phillips 66.
e) Díade.

30. (EAN) Na elaboração de projetos de EAN é imprescindível conhecer quando e onde se inicia o processo de aquisição do conhecimento do público-alvo, adequando as atividades às características biopsicossociais dos educandos. Assim, para a elaboração de atividades educativas destinadas às crianças entre 2 e 5 anos, os nutricionistas devem:

   a) Compreender que nessa fase existe a necessidade de competição.
   b) Utilizar brincadeiras que diferem do jogo de regras por apresentarem normas simples ou também conhecidas como jogo simbólico.
   c) Considerar que a criança nessa faixa etária ainda não consegue relacionar a cor ao objeto.
   d) Conhecer que os primeiros rabiscos e garatujas vão surgindo, mas ainda não é comunicação.
   e) Utilizar jogos de regras mais elaboradas, como xadrez e outros.

31. (EAN) São características da faixa etária de 6 a 12 anos que orientam a elaboração de ações de EAN nessa idade:

   a) Tem condições de resolver problematizações que poderão ser apresentadas com jogos; além disso, meninos e meninas tendem a brincar mais juntos.
   b) Os desejos e as vontades estão relacionados com o mundo real e, assim, trabalham somente com o real.
   c) Nessa fase, as crianças são ávidas por atividades de recortar, colar e pintar.
   d) Tem necessidade de estar em contato com o mundo externo.
   e) A simbolização começa a emergir.

32. (EAN) Em 2016, o Governo Federal divulgou um instrutivo a fim de orientar a metodologia do trabalho de alimentação e nutrição na atenção básica, no qual sugere o método da oficina para abordagem coletiva da promoção da alimentação saudável e adequada. No que tange a esse método, analise as afirmações a seguir:

   I. A oficina restringe-se a uma reflexão racional sobre a temática do encontro que se baseia no conhecimento científico disponível e atualizado.
   II. O método da oficina promove uma reflexão sobre um tema central, posto em um contexto social, agrupando informações e reflexões e associando-as com vivências e significados afetivos. Desse modo, promove-se a construção de conhecimento.
   III. A metodologia da oficina propõe um número aproximado de 20 participantes, de modo que todos participem do desenvolvimento de uma determinada tarefa.
   IV. O facilitador da oficina é fundamental, pois ele deve, desde o primeiro contato, passar conhecimento sobre o tema do encontro.

   É CORRETO o que se afirma em

   a) I e II.
   b) II e III.

c) III e IV.

d) I e IV.

e) I, II, III e IV.

33. (EAN) As ações de EAN são permeadas de especificidades de acordo com a faixa etária; entre elas, para o idoso, estão:

a) As ações devem levar à dependência dos idosos em suas atividades diárias.

b) A abordagem deve ocorrer em um ambiente em que eles possam ficar de frente para o instrutor.

c) Devem ser evitadas ações horizontais, devendo ser propostas estratégias mais amplas, sem hierarquia.

d) Não é recomendada uma abordagem sem discussão, pois, quando não é estimulado, o idoso tende a dispersar sua atenção.

e) O instrutor deverá dar soluções para os problemas alimentares do idoso.

Respostas

1 – E

O conceito de EAN deve considerar as múltiplas dimensões da alimentação e do alimento e os diferentes campos de saberes e práticas, conformando uma ação que integre o conhecimento científico ao popular. Além disso, adota-se a expressão educação alimentar e nutricional em razão da compreensão que as ações devem abranger, desde os aspectos relacionados ao alimento e à alimentação, perpassando os processos de produção, abastecimento, transformação e, finalmente, os aspectos nutricionais. Portanto, é possível afirmar que se trata de um campo de conhecimento e de prática contínua e permanente, transdisciplinar, intersetorial e multiprofissional que visa promover a prática autônoma e voluntária de hábitos alimentares saudáveis. Além disso, não consiste em uma estratégia setorial restrita à saúde pública, mas devendo ocorrer em diversos setores, como educação e assistência social. Ademais, é impossível atingir todos os estratos sociais de maneira eficaz, uma vez que baixa renda é fator limitante.

- REF.: Brasil (2012).

2 – D

Segundo o conceito mais atual de educação em saúde, originado entre o final do século XX e o início do XXI, as práticas educativas promovem a interação de saberes em uma visão multidimensional dos sujeitos, que têm autonomia de decisão e exercem o controle social.

- REF.: Brasil (2016).

3 – E

Os princípios para as práticas político-pedagógicas da PNEPS-SUS são: diálogo, amorosidade, problematização, construção compartilhada do conhecimento, emancipação e compromisso com a construção do projeto democrático e popular. Portanto, não é uma construção de conhecimento pelo educador, mas um processo compartilhado de construção de conhecimento, a partir do diálogo entre a diversidade de saberes, valorizando os saberes populares, a ancestralidade e o incentivo à produção individual e coletiva de conhecimentos.

- REF.: Brasil (2013).

4 – D

Várias são as premissas que devem ser seguidas para uma comunicação efetiva no contexto da EAN, como: escuta ativa e próxima; reconhecimento de diferentes saberes e práticas; construção compartilhada de saberes, práticas e soluções; valorização do conhecimento, da cultura e do patrimônio alimentar; comunicação realizada para atender às necessidades dos indivíduos e grupos; formação de vínculo entre os diferentes sujeitos que integram o processo; busca de soluções contextualizadas; monitoramento permanente dos resultados; formação de rede para profissionais e para setores envolvidos, visando a trocas de experiências e discussões e, finalmente, as relações horizontais e não verticais, pois estas últimas tendem a não ser coerentes e adequadas às necessidades da população.

- REF.: Brasil (2012).

5 - C

O *teach-back* é amplamente recomendado como técnica de comunicação para confirmar a compreensão do paciente, na qual se pede ao cliente para resumir ou reformular os pontos importantes em uma consulta ou outra atividade educativa, usando suas próprias palavras. Assim, ajuda os profissionais de saúde a avaliarem se a aprendizagem ocorreu, sendo defendida por ser uma intervenção importante e confiável.

- REF.: Osborne (2013); Morony *et al.* (2017).

6 - C

A EAN está presente, de maneira transversal, em todas as diretrizes na Política Nacional de Alimentação e Nutrição (PNAN) e em outras políticas e documentos normativos da saúde, como a Política Nacional de Promoção da Saúde, a Política Nacional de Segurança Alimentar e Nutricional, o Plano de ações estratégicas para o enfrentamento das doenças crônicas não transmissíveis e o Programa Nacional de Alimentação Escolar.

- REF.: Brasil (2012).

7 - D

Segundo o Marco de Referência de Educação Alimentar e Nutricional do Governo Federal, a prática de EAN deve fazer uso de abordagens e recursos educacionais problematizadores e ativos que favoreçam o diálogo junto a indivíduos e grupos populacionais. Assim, valorizam-se todos os saberes, incluindo o científico e o popular, favorecendo a construção do conhecimento de modo horizontalizado entre educador e educando.

- REF.: Brasil (2012).

8 - D

A prática de EAN deve valorizar diferentes expressões da cultura alimentar e não a valorização da globalização e da padronização da cultura alimentar entre os povos. Além do fortalecimento dos hábitos regionais, a redução do desperdício, o consumo sustentável e a contribuição na prevenção e controle dos problemas nutricionais do brasileiro.

- REF.: Brasil (2012).

9 - C

Fatores como idade, gênero e aspectos socioculturais influenciam as escolhas alimentares de indivíduos e coletividades. Esses são considerados os determinantes das escolhas e podem ser divididos em individuais e coletivos. Os aspectos subjetivos, o conhecimento sobre alimentação e nutrição e as percepções sobre alimentação saudável são considerados dimensões individuais, e os fatores econômicos, sociais e culturais, as dimensões coletivas.

- REF.: Brasil (2012).

10 – B

Existem diferentes formas de aprendizagem do comportamento alimentar, como condicionamento simples, condicionamento operante, imitação etc. No condicionamento instrumental, o indivíduo recebe alguma recompensa por seu comportamento. Por exemplo: a criança chora e a mãe lhe dá água com açúcar. Ela aprende que seu choro é reforçado por um alimento doce. A forma de aprendizagem que se baseia na mera simultaneidade e contiguidade de estímulos é o condicionamento simples. Por sua vez, a aprendizagem por ensaio e erro consiste em tentativas variadas, aleatórias, para atingir determinado fim. Repetir o comportamento de outra pessoa para atingir os mesmos resultados finais é a forma de aprendizagem por imitação. A aprendizagem por raciocínio envolve uma compreensão profunda das causas e consequências dos fatos, bem como a formulação e a verificação de hipótese.

- REF.: Da Motta & Boog (1988).

11 – E

A tendência pedagógica consiste na forma pelo qual é compreendido o processo de aprendizagem. Há algumas tendências predominantes no sistema educacional do Brasil, como aquelas marcadas por preocupações sociais e políticas, centralizadas na renovada, tradicional e tecnicista. A tradicional tem na figura do professor e na exposição de seu conhecimento o centro das ações de ensino. Todas as correntes pedagógicas têm repercussões nos níveis individual e social. Na tradicional, observa-se como principal repercussão social a inadequação na adoção de informações científicass e tecnológica de outros países, bem como a adoção indiscriminada de modelos de pensamento desses países e/ou regiões; observam-se também individualismo e falta de participação e colaboração, falta de conhecimento da própria realidade, submissão à dominação e manutenção da divisão das classes sociais.

- REF.: Pereira (2003).

12 – C

O componente cognitivo se refere ao conhecimento sobre alimentação e nutrição do indivíduo e que, em maior ou menor grau, influencia seu comportamento alimentar. Envolve tanto o conhecimento popular como o científico. O componente afetivo corresponde ao que sentimos sobre os alimentos e às outras necessidades que suprimos por meio dos alimentos, como segurança, afeto, autoestima, aprovação social e autorrealização. As normas sociais, os padrões culturais, a coerção social e os apoios estruturais representam o componente situacional do comportamento alimentar.

- REF.: Motta & Boog (1988); Galisa (2014).

13 – D

O componente situacional corresponde ao apoio estrutural, além das normas sociais, dos padrões culturais e da coerção social. O fato de a família da paciente saber selecionar e preparar frutas é um exemplo de apoio estrutural que faz parte do componente situacional do comportamento alimentar. O componente afetivo corresponde à satisfação de outras necessidades, além das nutricionais, por meio dos alimentos, como afeto, autoestima e aprovação social. Pode-se dizer que a paciente apresenta a necessidade de aprovação social pelo fato de desejar comer frutas devido ao hábito do grupo de amigos, e esse é um componente afetivo do comportamento alimentar. O incentivo da família para o consumo de frutas por parte da paciente é um tipo de coerção social, que corresponde ao componente situacional de seu comportamento alimentar e não afetivo.

- REF.: Motta & Boog (1988); Galisa (2014).

14 - E

Os objetivos específicos de projetos de EAN indicam o propósito da atividade instrucional da maneira mais precisa possível, devendo ser usados verbos precisos. Por sua vez, os objetivos gerais são complexos, alcançáveis em longo prazo, tornam possível visualizar a meta final do projeto e devem ser usados verbos abertos em sua formulação.

- REF.: Fagiolli & Nasser (2006).

15 - C

As etapas de elaboração de projetos de EAN, em ordem, são as seguintes: diagnóstico educativo, determinação dos objetivos, conteúdo programático, métodos de ensino e avaliação. Antes do início dos projetos de EAN, é preciso definir claramente os objetivos, e para isso é imprescindível ter uma ideia dos problemas e de suas causas. A partir deles, são estabelecidos os conteúdos e métodos e, posteriormente, as formas de avaliação de seu alcance. Portanto, uma etapa depende da anterior, de modo que qualquer alteração nesta ordem implica projetos inadequados às necessidades do público-alvo.

- REF.: Fagiolli & Nasser (2006); Cervato-Mancuso (2017).

16 - A

No marco, o conceito de sustentabilidade é aquele proposto originalmente pela Organização das Nações Unidas (ONU, 1987) e no conceito de ecologia integral (Boff, 1999; Dellors, 1999). Assim, quando promove a alimentação adequada e saudável, refere-se à satisfação das necessidades alimentares dos indivíduos e das populações, desde que não implique o sacrifício de recursos naturais e que envolva relações econômicas e sociais estabelecidas a partir da ética, da justiça, da equidade e da soberania.

- REF.: Brasil (2012).

17 - C

O exercício do princípio da promoção da autonomia e do autocuidado pode favorecer a adesão às mudanças nos modos de viver, uma vez que o autocuidado e a mudança de comportamento centrado na pessoa, em sua disponibilidade e necessidades são um dos principais caminhos para garantir o envolvimento do indivíduo nas ações de EAN.

- REF.: Brasil (2012).

18 – E

O letramento em saúde é um conceito relativamente novo, em processo de desenvolvimento. Sua definição ainda não é consensual na literatura. Assim, segundo a OMS, letramento em saúde caracteriza as "competências cognitivas e sociais que determinam a motivação e a capacidade dos indivíduos para obter acesso, compreender e utilizar a informação em meios que promovem e mantêm uma boa saúde". Os conceitos dos demais itens se referem à alfabetização e ao letramento. A alfabetização corresponde à aquisição do código escrito, ou seja, às habilidades para leitura e escrita, bem como a compreensão de significados por meio do código escrito. O desenvolvimento e a incorporação das práticas de leitura e escrita na vida social são denominados letramento.

- REF.: WHO (1998); Passamai *et al.* (2011).

19 – D

O letramento nutricional consiste no grau em que o indivíduo pode obter, processar e entender informações e serviços básicos em nutrição necessários para tomar decisões apropriadas em nutrição. As demais definições correspondem aos conceitos de letramento e letramento em saúde.

- REF.: Sampaio *et al.* (2013).

20 – E

O vocábulo em inglês *numeracy* foi cunhado em 1959 no Reino Unido, refletindo a ideia de um constructo que atualmente é conhecido como alfabetização/letramento científico. Pode ser entendido tanto como um complemento para o conjunto de habilidades englobadas pelo letramento como um componente do próprio letramento. Dentre as diversas definições de numeramento, a elaborada para o *Programme for the International Assessment of Adult Competencies* (PIAAC) é a habilidade para acessar, usar, interpretar e comunicar informações e ideias matemáticas, para participar e administrar demandas matemáticas em uma série de situações da vida adulta.

- REF.: Passamai, Sampaio & Lima (2013).

21 – C

Várias pesquisas sobre leiturabilidade foram desenvolvidas, principalmente, na língua inglesa, originando diferentes metodologias e definições. Um dos principais pesquisadores do tema, DuBay (2004), afirma que leiturabilidade é o que faz um texto ser mais fácil de ler que outros. O autor ainda apresenta definições de leiturabilidade de outros autores, destacando-se a definição de Edgar Dale e Jeanne Chall (1949), que defendem leiturabilidade de uma maneira mais ampla, como o total de todos os elementos presentes em determinado material impresso que influenciem a compreensão, a velocidade de leitura e o interesse do leitor.

- REF.: Dubay (2004).

22 – E

Existem diretrizes na literatura para elaboração de materiais educativos na área da saúde. Tais diretrizes se baseiam nos pressupostos do letramento em saúde e têm por objetivo construir materiais, como *folders* e cartilhas, que sejam acessíveis e compreensíveis à maioria da população. Dentre as diretrizes, podem ser citadas as seguintes: é importante não criar demandas que não possam ser atendidas pelo sistema de saúde (p. ex.: orientar o uso de hipoclorito de sódio para tratamento da água de consumo se o produto não está disponível no sistema de saúde); as sentenças devem ser curtas, de 7 a 11 ou, no máximo, 15 palavras com um total de 20 a 60 caracteres; as ilustrações devem ser utilizadas somente para ajudar na explicação de alguma mensagem, evitando-se aquelas que só "enfeitam" o material, distraindo o leitor; o tamanho da letra deve ser, no mínimo, 12 para o público em geral; e, finalmente, as informações devem respeitar aspectos da cultura dos leitores (p. ex.: uma instrução nutricional é vista como um hábito cultural inferior se for dito aos leitores que comam aspargos, embora esses vegetais raramente sejam consumidos por pessoas dessa cultura e não sejam vendidos nos mercados dos leitores do bairro).

- REF.: Vasconcelos, Sampaio & Vergara (2018).

23 – B

Os principais tipos de avaliação existentes são: avaliação diagnóstica, em curso ou formativa, terminal ou somativa e *posteriori*. A avaliação que é feita no início do projeto e determina a situação-problema e os componentes do comportamento alimentar é a diagnóstica. A avaliação formativa é aquela que analisa a validade, a eficiência e a efetividade das atividades e resultados, sendo realizada durante a implantação e não ao término do projeto. Esta última é a avaliação terminal, que se realiza no término ou um pouco antes do encerramento do projeto e analisa atividades e resultados. Finalmente, a avaliação *posteriori* é realizada algum tempo depois de concluído o projeto, quando se espera observar o desenvolvimento global dos benefícios que se pretendia alcançar.

- REF.: Fagioli (2006).

24 – C

As práticas observadas e as práticas deduzidas de informações econômicas são exemplos de dados de origem mais objetiva e não subjetiva. As opiniões e os valores correspondem à expressão verbal espontânea e consciente, positiva ou negativa, associada a uma prática, a um alimento ou a um comportamento alimentar que emite, geralmente, uma posição relacionada a um juízo de valor, e não às atitudes, as quais correspondem a um conjunto de predisposições individuais em relação a um objeto ou a uma prática. Os símbolos são exemplos de dados de origem mais subjetiva e são conjuntos de significações estruturadas e organizadas em sistemas de representações.

- REF.: Diez-Garcia & Cervato-Mancuso (2017).

25 – A

A etapa do diagnóstico é a fase inicial do planejamento de um projeto de educação alimentar e nutricional e seu objetivo é a identificação do problema e de suas possíveis causas, além da formulação de hipóteses. O levantamento dos dados pelo educador deve contemplar a participação da população-alvo. A metodologia para o levantamento dos dados varia conforme o público-alvo, se indivíduo ou grupo, sendo recomendada a anamnese alimentar para indivíduos. A coleta de dados do meio ambiente inclui fatores da vida pessoal e do estilo de vida do cliente (família, emprego, educação). Já a história médica e os parâmetros bioquímicos são dados biológicos. Os dados comportamentais incluem os componentes cognitivos, afetivos e situacionais do comportamento alimentar.

- REF.: Fagioli (2006).

26 – A

Os principais tipos de avaliação de projetos de educação alimentar e nutricional são: diagnóstica, em curso ou formativa, terminal ou somativa e *posteriori*. A avaliação diagnóstica é feita no início do projeto e fornece dados para sua construção; a avaliação em curso ou formativa analisa a validade, a eficiência e a efetividade das atividades e resultados e se realiza durante a implantação do projeto, em intervalos determinados previamente; a avaliação terminal ou somativa é realizada no encerramento ou um pouco antes da conclusão do projeto e analisa atividades e resultados; por fim, a *posteriori* ocorre algum tempo depois de finalizado o projeto, quando se espera observar os benefícios totais que se almejavam.

- REF.: Fagioli (2006).

27 – E

Em projetos de EAN, a seleção de conteúdos deve ser realizada em função dos objetivos propostos, do nível de conhecimentos da população-alvo, dos interesses e necessidades da população-alvo, dos temas abordados (funcional, motivacional e informativo) e do conhecimento do educador. O tipo de avaliação que será realizada, última etapa do projeto, não interfere nessa seleção.

- REF.: Fagioli (2006).

28 – A

Várias técnicas de ensino podem ser utilizadas nos projetos de educação alimentar e nutricional. Entre elas, a dramatização pode ser individualizada e/ou em grupo, em que o participante não só ouve o problema/situação ou fala acerca dele, como também o vive por meio dele. Trata-se de uma das melhores técnicas para fixação de conteúdos ensinados.

- REF.: Linden (2005).

29 – B

Dentre as técnicas possíveis em projetos de educação alimentar e nutricional, a técnica de projeto de descoberta gira em torno da solução de algum problema que é originado pelo educando/paciente. Em geral, nem o educador conhece a solução. Então, o educando investiga, assim como os cientistas, até encontrar uma solução. A técnica se caracteriza-pelo dialogismo entre educador e educando.

- REF.: Linden (2005).

30 – B

Para a faixa etária de 2 a 5 anos é proposta a utilização de brincadeiras, que diferem do jogo de regras por apresentarem normas simples (jogo simbólico), como jogo da memória e quebra-cabeça, além de estimular o processo de nomeação dos alimentos e o brincar em grupo. O desenho é comunicação nessa fase, em que também se observa a adequação das atividades de recortar, colar e pintar. Algumas características se aplicam à faixa etária de 6 a 12 anos, como a necessidade de competição e o uso de jogo de regras mais elaborados (xadrez e outros). Outras características são relativas à fase de 0 a 2 anos, quando a criança ainda não consegue relacionar a cor ao objeto; os primeiros rabiscos e garatujas vão surgindo, mas ainda não é comunicação.

- REF.: Galisa (2014).

31 – A

Na faixa etária de 6 a 12 anos, a criança tem condições de resolver problemas que poderão ser apresentados com jogos; além disso, meninos e meninas tendem a brincar mais juntos. São características da faixa etária de 2 a 5 anos: desejos e vontades relacionados com o mundo real e, assim, trabalham somente com o real, ávidas por atividades de recortar, colar e pintar e necessidade de estar em contato com o mundo externo. A simbolização começa a surgir na faixa etária de 0 a 2 anos.

- REF.: Galisa (2014).

32 – B

No Instrutivo do Governo Federal para a abordagem coletiva de promoção da alimentação adequada e saudável **é** sugerido o método de oficinas, o qual tem por objetivo promover a construção de conhecimento por meio da reflexão sobre um tema central, inserido em um contexto social, congregando informações e reflexões e relacionando-as com significados afetivos e vivências. Na elaboração de uma oficina, não se deve restringir a uma reflexão racional, mas sim envolver as pessoas integralmente, bem como suas formas de pensar, sentir e agir. Em cada encontro, sugere-se uma média de 20 participantes, sendo importante garantir que todos se manifestem e se sintam assistidos e que a comunicação visual e auditiva dos participantes não seja colocada em risco.

- REF.: Brasil (2016).

33 – D

As ações de educação nutricional para idosos devem levar em consideração algumas especificidades, como: as ações devem visar à manutenção da autonomia e a uma maior independência; a abordagem deve ocorrer em ambiente em que eles possam ficar lado a lado em uma roda, juntamente com o instrutor, que iniciará a discussão a partir da proposição de um tema, levando a um diálogo; devem ser evitadas ações verticais, devendo ser propostas estratégias mais amplas, sem hierarquia; não é recomendada uma abordagem sem discussão, pois, quando não é estimulado, o idoso tende a dispersar sua atenção; e o instrutor deverá auxiliar o indivíduo a falar sobre os conflitos que perpassam seus problemas alimentares para buscar soluções para os problemas alimentares mediante a criação de estratégias de enfrentamento.

- REF.: Magalhães (2016).

Referências

Brasil. Ministério da Saúde. Ministério do Desenvolvimento Social e Combate à Fome (MDS). Marco de referência de educação alimentar e nutricional para as políticas públicas. Brasília: MDS, Secretaria Nacional de Segurança Alimentar e Nutricional, 2012.

Brasil. Ministério da Saúde. Portaria nº 2.761, de 19 de novembro de 2013. Institui a Política Nacional de Educação Popular em Saúde no âmbito do Sistema Único de Saúde (PNEPS-SUS). Diário Oficial da União. Brasília, DF: Ministério da Saúde, 2013.

Brasil. Ministério da Saúde. Universidade Federal de Minas Gerais. Instrutivo: metodologia de trabalho em grupos para ações de alimentação e nutrição na atenção básica. Brasília: Ministério da Saúde, 2016.

Cervato-Mancuso AM. Elaboração de programas educativos em alimentação e nutrição. In: Diez-Garcia RW, Cervato-Mancuso AM (coord.). Mudanças alimentares e educação nutricional. Rio de Janeiro: Guanabara Koogan, 2017.

Da Motta DG, Boog MCF. Fundamentos do comportamento alimentar. In: Da Motta DG, Boog MCF. Educação nutricional. 2. ed rev e amp. São Paulo: Instituto Brasileiro de Difusão Cultural (IBRASA), 1988.

Dubay WH. The principles of readability, 2004. Disponível em: http://www.impact-information.com/impactinfo/readability02.pdf. [Acesso: 05 ago 2018].

Esperança LMB, Galisa MS. Programa de Comunicação e Reeducação Alimentar (PCRA). In: Fagioli D, Nasser LA. Educação nutricional na infância e na adolescência: planejamento, intervenção, avaliação e dinâmica. São Paulo: RCN Editora, 2008:100-11.

Linden S. Elementos e/ou componentes didáticos do processo de ensino. In: Linden S. Educação nutricional: algumas ferramentas de ensino. São Paulo: Varela, 2005.

Magalhães MAZ. Educação nutricional para idosos. In: Sonia T (org.). Guia prático de educação nutricional. Barueri, SP: Manole, 2016.

Maluf PP. Comportamento alimentar e seus componentes. In: Galisa MS. Educação alimentar e nutricional: da teoria à prática. São Paulo: Roca, 2014:42-51.

Morony S, Weir K, Duncan G, Biggs J, Nutbean D, McCaffery K. Experiences of teach-back in a telephone health service. Health Literacy Research and Practice, 2017; 1(4):e173-e181.

Osborne H. Health literacy from A to Z: practical ways to communicate your health message. 2 ed. Burlington, MA: Jones & Bartlett Learning, 2013.

Passamai MPB et al. Letramento funcional em saúde e nutrição. Fortaleza: EdUECE, 2011.

Passamai MPB, Sampaio HAC, Lima JWO. Letramento funcional em saúde de adultos no contexto do Sistema Único de Saúde. Fortaleza: EdUECE, 2013.

Pereira ALF. As tendências pedagógicas e a prática educativa nas ciências da saúde. Cadernos de Saúde Pública, 2003; 19:1527-34.

Pereira SMSR. Teorias pedagógicas. In: Galisa M.S. Educação alimentar e nutricional: da teoria à prática. São Paulo: Roca, 2014.

Poulain JP, Proença RPC, Diez-Garcia RW. Abordagem metodológica para o diagnóstico de comportamento e práticas alimentares. In: Diez-Garcia RW, Cervato-Mancuso AM (coord.). Mudanças alimentares e educação nutricional. Rio de Janeiro: Guanabara Koogan, 2017.

Sampaio HAC, Silva DMA, Sabry MOD, Carioca AAF, Chayb APV. Nutrition literacy: performance of two Brazilian population groups. Nutrire: Rev Soc Bras Alim Nutr - J Brazilian Soc Food Nutr, 2013; 38(2):144-55.

Vasconcelos CMCS, Sampaio HAC, Vergara CMAC. Diretrizes propostas para avaliação de material educativo no Brasil com foco no letramento em saúde. In: Vasconcelos CMCS, Sampaio HAC, Vergara CMAC. Materiais educativos para prevenção e controle de doenças crônicas: uma avaliação à luz dos pressupostos do letramento em saúde. Curitiba: CRV, 2018.

Capítulo 14

Comportamento Alimentar (CA)

Marle dos Santos Alvarenga
Soraia Pinheiro Machado Arruda

Questões

1. (CA) Comportamento alimentar pode ser definido de maneira mais clara e correta como:
   a) Tudo aquilo que envolve o ato de comer, do consumo aos sentimentos para com a alimentação.
   b) O que se come, como, onde e com quem, englobando, portanto, consumo, escolha e ações.
   c) As ações envolvidas no ato de comer (como, com quem, com o que, onde e a seleção) que são regidas pelos afetos ou sentimentos e, também, crenças e conhecimentos com relação à comida.
   d) O modo como as pessoas se relacionam com a comida em diferentes esferas de cultura e hábitos.
   e) Todas as opções estão corretas.

2. (CA) O quadro abaixo apresenta definições de termos utilizados na Nutrição, envolvendo a área do comportamento alimentar. Associe as duas colunas e assinale a opção que traz a sequência CORRETA:

1. Estrutura alimentar	( ) Como e de que forma se come; ações em relação ao ato de se alimentar.
2. Comportamento alimentar	( ) Crenças, pensamentos, sentimentos, comportamentos e relacionamentos com os alimentos.
3. Atitude alimentar	( ) Forma com que os indivíduos se relacionam com a alimentação em diferentes esferas.
4. Hábito alimentar	( ) Horários, tipo e regularidade das refeições.
5. Prática alimentar	( ) Costumes e modo de comer de uma pessoa ou comunidade (geralmente inconsciente, sem pensar).

a) 1, 2, 3, 4, 5.
b) 2, 3, 5, 1, 4.
c) 3, 5, 4, 1, 2.
d) 5, 4, 3, 2, 1.
e) 4, 1, 2, 5, 3.

3. (CA) O comportamento alimentar está relacionado ao controle da ingestão alimentar, que depende da harmonização de informações ambientais e fisiológicas. Sobre a fisiologia do comportamento alimentar, assinale a opção INCORRETA.
   a) A fome é a necessidade fisiológica de comer, combinando sensações induzidas pela privação alimentar.
   b) A saciedade é a sensação de plenitude gástrica com a perda da sensação de fome após a refeição.
   c) O apetite é muito sensível ao estresse e à qualidade gustativa dos alimentos.
   d) Os controles nutricionais homeostáticos são suficientes para prevenir a hiperfagia e a obesidade na presença de fácil acesso a alimentos altamente palatáveis.
   e) Além da fome fisiológica, existe a fome hedônica, ou apetite, que corresponde ao desejo de comer um alimento específico e do qual se espera ter satisfação e prazer.

4. (CA) Os principais determinantes dos comportamentos e escolhas alimentares são:
   a) Preço, sabor, estado de saúde e cultura.
   b) Biológicos e culturais, sendo os biológicos os mais importantes.
   c) Disponibilidade do alimento, seu preço e valor nutricional, além do estado de fome e desejo pelo alimento.
   d) Os relacionados aos alimentos (como sabor, aparência, valor nutricional etc.) e os relacionados à pessoa que come (como idade, estado nutricional, genética, mecanismos regulatórios inatos, estado fisiológico de fome e cultura, religião, classe social, renda etc.).
   e) Nenhuma opção está correta.

5. (CA) Os determinantes das escolhas alimentares podem estar relacionados aos alimentos e aos comedores. Sobre esses determinantes, assinale a opção INCORRETA.
   a) Esses determinantes podem ser relacionados tanto aos alimentos como aos comedores.
   b) A comida é associada a sentimentos ambivalentes de prazer e culpa.
   c) O sabor e os aspectos nutricionais, com foco na saúde e na composição dos alimentos, são os principais determinantes relacionados aos alimentos.
   d) Cultura, religião, moralidade, mídia e tradições aparecem entre os determinantes psicossocioculturais.

e) No cuidado nutricional, devem ser considerados prioritariamente os determinantes relacionados ao comedor e não aos alimentos.

6. (CA) O aconselhamento nutricional é:
    a) Uma abordagem psicológica, uma vez que nutricionistas não podem aconselhar ninguém.
    b) Uma abordagem que visa estimular o paciente a fazer suas próprias escolhas alimentares, contemplando seus desejos, emoções e percepções sobre sua alimentação.
    c) Uma abordagem na qual se aconselha diretamente o que o paciente deve fazer com relação à sua alimentação, apontando o que é melhor para ele.
    d) Um processo de atendimento conjunto com nutricionista e psicólogo para orientar a alimentação dos pacientes.
    e) Nenhuma opção está correta.

7. (CA) Com relação à informação em alimentação e nutrição, é INCORRETO afirmar que:
    a) Deve-se estar atento a extrapolações da interpretação das pessoas sobre publicações da mídia a respeito dos estudos científicos.
    b) Fazer declaração de listas de alimentos "bons" e "maus" é um sinal de credibilidade, e advertências sensacionalistas de "perigo" relacionado a um único alimento ou produto são aceitas, desde que respaldadas.
    c) É importante averiguar se os estudo foi realizado por uma instituição com credibilidade e por pesquisadores qualificados, se são dados preliminares e qual o tamanho da amostra.
    d) É essencial avaliar se houve financiamento do estudo e se a ciência é válida apesar da fonte.
    e) Todas as opções estão corretas.

8. (CA) A classificação dos alimentos em saudáveis e não saudáveis é:
    a) Óbvia e recomendada com base em calorias e nutrientes.
    b) Necessária e deve ser feita com base no nível de processamento dos alimentos.
    c) Opcional e depende da situação nutricional do paciente.
    d) Desnecessária quando se fala em comportamento alimentar.
    e) Inadequada e não deve ser feita, pois estimula comportamentos alimentares inadequados.

9. (CA) Habilidades interpessoais e de comunicação podem ser definidas, respectivamente, como:
    a) Ser hábil com pessoas e ser hábil para falar.
    b) Habilidades usadas para interagir com os outros de maneira adequada e construir relacionamentos com vínculo.

c) Ser hábil com pessoas e ser bom para falar, apresentar aulas e ideias e conversar com os pacientes.

d) Ter habilidades tanto para expressar ideias como para se relacionar com as pessoas.

e) Todas as opções estão corretas.

10. (CA) O modelo de aconselhamento nutricional diferencia-se em muitos aspectos daquele modelo tradicional pautado na prescrição dietética. Marque A para os itens que trazem características do aconselhamento nutricional e T para aqueles que caracterizam o modelo tradicional. Assinale a opção que apresenta a sequência CORRETA:

( ) Foco nos alimentos e nutrientes (o que se come).
( ) Ênfase na educação nutricional.
( ) Intervenções de longo prazo.
( ) Intenso relacionamento entre o nutricionista e o indivíduo.
( ) Plano de ação se desenvolve a partir e ao longo de várias consultas e evolui com o tempo.

a) A – T – A – T – A.

b) T – T – A –A – A.

c) A – A – T – T – A.

d) T – T – A – A – T.

e) A – A – A – T – A.

11. (CA) Sobre o projeto terapêutico singular (PTS), é CORRETO afirmar que:

a) É um planejamento individualizado proposto pelo Ministério da Saúde para que cada indivíduo seja visto de modo singular.

b) A proposta se comunica diretamente com a do aconselhamento nutricional, ao sugerir uma escuta cuidadosa e destacar a importância do vínculo e afetos.

c) O diagnóstico no PTS deve conter uma avaliação orgânica, psicológica e social.

d) O PTS trabalha com a definição de metas que serão negociadas com o paciente.

e) Todas as opções estão corretas.

12. (CA) Os estágios de mudança que consideram o nível de motivação:

a) É chamado também de modelo transteórico e considera que temos de motivar nossos pacientes.

b) É um modelo aplicado a mudanças de comportamento que considera o estágio de motivação e a prontidão das pessoas.

c) São nomeados pré-contemplação, contemplação, decisão, preparação, ação e manutenção.

d) Todas as opções estão corretas.

e) Todas as opções estão corretas, com exceção da letra "a".

13. (CA) A entrevista motivacional busca evocar dos pacientes boas motivações para fazer mudanças comportamentais no interesse de sua própria saúde. Das opções abaixo, assinale aquela que não apresenta um princípio orientador da entrevista motivacional.
    a) Resistir ao reflexo de consertar as coisas.
    b) Decidir as mudanças necessárias quando o paciente não está suficientemente motivado.
    c) Entender e explorar as motivações do paciente.
    d) Escutar com empatia.
    e) Fortalecer o paciente, estimulando a esperança e o otimismo.

14. (CA) A terapia cognitivo-comportamental (TCC) tem-se mostrado eficaz no tratamento de transtornos alimentares e da obesidade. Assinale a opção que NÃO apresenta um dos princípios básicos da TCC.
    a) A TCC usa uma variedade de técnicas para mudar o pensamento, o humor e o comportamento.
    b) A TCC enfatiza a colaboração e a participação ativa.
    c) As sessões de TCC são estruturadas.
    d) A TCC enfatiza inicialmente o tempo passado.
    e) A TCC visa ser limitada no tempo.

15. (CA) Ainda sobre a TCC, assinale a opção que NÃO contempla um exemplo de distorção cognitiva habitualmente trabalhada em indivíduos com transtornos alimentares.
    a) Não existem alimentos bons e alimentos ruins.
    b) A forma do corpo pode ser totalmente transformável.
    c) Seguir exercícios e dietas depende apenas do esforço pessoal.
    d) Alcançando o corpo ideal, pode-se obter sucesso em outros aspectos da vida.
    e) Uma alteração na dieta prescrita significa perda de controle e aí é possível comer o quanto quiser.

16. (CA) Uma técnica comportamental destacada pela TCC e também listada como efetiva para mudança com comportamentos alimentares pelos Cadernos de Atenção Básica nas Estratégias para o cuidado da pessoa com doença crônica, especificamente com obesidade é:
    a) Pesagem regular do paciente.
    b) Contagem de calorias e gorduras.
    c) Diário alimentar com registros alimentares e comportamentos.
    d) Estruturação de planos alimentares e lista de substituições.
    e) Nenhuma das opções está correta.

17. (CA) O modelo "comer intuitivo" (*intuitive eating*) foi proposto por duas nutricionistas americanas e incentiva as pessoas a terem uma relação saudável com a comida. Das opções abaixo, assinale a que NÃO se aplica ao "comer intuitivo".
    a) Permissão incondicional para comer.
    b) Comer para atender às necessidades fisiológicas e emocionais.
    c) Rejeitar a mentalidade de dieta.
    d) Respeitar seu corpo.
    e) Honrar a fome.

18. (CA) O modelo de competências alimentares foi desenvolvido por Satter, nutricionista americana, para estabelecer uma atitude positiva e flexível com relação à alimentação sob uma perspectiva biopsicossocial. A autora propôs um modelo de hierarquia da necessidade de comida. Assinale a opção que traz a sequência correta dessa hierarquia, da maior para a menor necessidade.
    1. Comida saborosa.
    2. Comida aceitável.
    3. Comida suficiente.
    4. Comida funcional.
    5. Novidade em comida.
    6. Acesso seguro à comida.
    a) 1 – 2 – 3 – 4 – 5 – 6.
    b) 3 – 2 – 6 – 1 – 5 – 4.
    c) 2 – 1 – 3 – 4 – 6 – 5.
    d) 6 – 5 – 4 – 3 – 2 – 1.
    e) 6 – 3 – 1 – 4 – 2 – 5.

19. (CA) Sobre os conceitos de "atenção plena" (*mindfulness*) e "comer com atenção plena" (*mindful eating*), assinale a opção INCORRETA.
    a) Envolve atenção para identificar gatilhos ambientais e emocionais que levam os indivíduos a comerem em excesso sem se dar conta.
    b) Promove maior reatividade a emoções.
    c) Define-se como "comer devagar, prestando atenção ao que se está comendo".
    d) Tem entre seus pilares o não julgamento, a confiança e a aceitação.
    e) Envolve todos os sentidos, imergindo o indivíduo nas cores, texturas, aromas, sabores e sons do comer e beber.

20. (CA) Sobre as evidências com relação aos modelos para mudança de comportamento alimentar, assinale a opção CORRETA.
    a) Não há estudos científicos explorando a mudança de comportamento alimentar especificamente, apenas consumo alimentar e estado nutricional.

b) Os estudos que exploram a mudança de comportamento alimentar não avaliam os efeitos de modelos específicos.
c) As evidências são mais fortes para a TCC e na entrevista motivacional, que são as mais estudadas.
d) Há fortes evidências para o uso de todas as técnicas que são amplamente estudadas.
e) Nenhuma das opções está correta.

21. (CA) Especificamente com relação à abordagem do comportamento alimentar de crianças, NÃO se recomenda:
a) Deixar as crianças se servirem livremente e determinarem as porções que vão consumir.
b) Deixar as crianças decidirem se não querem comer ou se vão repetir o prato ou as porções.
c) Determinar se a criança vai ou não comer e quanto ela deve comer.
d) Nenhum tipo de escolha deve ser apenas da criança; os pais/cuidadores devem ter a decisão sobre todos os passos.
e) Todas as afirmativas estão corretas.

22. (CA) O *Manual Diagnóstico e Estatístico de Transtornos Mentais* (DSM-5) inclui os seguintes transtornos alimentares, EXCETO:
a) Transtorno da evitação/restrição alimentar.
b) Transtorno da compulsão alimentar.
c) Transtorno da ruminação.
d) PICA.
e) Ortorexia.

23. (CA) A atenção básica tem um importante papel na identificação e no encaminhamento de casos de risco para transtornos alimentares. Marque a opção que traz os instrumentos que o Ministério da Saúde recomenda com fins de rastreamento desses casos:
a) BITE (teste de avaliação bulímica de Edimburgo) e EAT (teste de atitudes alimentares).
b) ECAP (escala de compulsão alimentar periódica) e EAT (teste de atitudes alimentares).
c) BSQ (questionário de imagem corporal) e ECAP (escala de compulsão alimentar periódica).
d) EDI (inventário de desordens alimentares) e BITE (teste de avaliação bulímica de Edimburgo).
e) EDI (inventário de desordens alimentares) e BSQ (questionário de imagem corporal).

24. (CA) O transtorno de compulsão alimentar é frequente em indivíduos com excesso de peso. Para seu diagnóstico, os episódios de compulsão devem estar associados a três (ou mais) dos seguintes aspectos, EXCETO:

    a) Comer grandes quantidades de alimentos e recorrer a comportamento compensatório, como o vômito.
    b) Comer mais rapidamente que o normal.
    c) Comer até se sentir desconfortavelmente cheio.
    d) Comer sozinho por vergonha de o quanto está comendo.
    e) Sentir-se desgostoso consigo próprio, deprimido ou muito culpado em seguida.

25. (CA) Questões associadas à imagem corporal podem ter impacto sobre os hábitos alimentares e na motivação para mudanças comportamentais. Assinale a opção que NÃO representa um distúrbio atitudinal da imagem corporal.

    a) Preocupação extrema com alimentação saudável.
    b) Insatisfação corporal.
    c) Medo mórbido de engordar.
    d) Checagem repetitiva do corpo.
    e) Investimento extremo no corpo.

26. (CA) As principais razões pelas quais as dietas são o mais importante fator de risco para o desenvolvimento de um transtorno alimentar são:

    a) Desregulam as funções de fome, apetite e saciedade, trazem pensamentos obsessivos com alimento e peso e podem desencadear episódios de descontrole e compulsão.
    b) Causam irritabilidade, letargia e mau humor e não garantem a perda de peso no longo prazo.
    c) Aumentam a fome e os pensamentos sobre comida e geram o efeito "sanfona".
    d) Desregulam as funções de fome, apetite e saciedade, não garantem a perda de peso no longo prazo e alteram o metabolismo.
    e) Nenhuma das opções está correta.

27. (CA) Ainda com relação às dietas restritivas, os principais mecanismos pelos quais elas desregulam o controle do peso e colaboram para o aumento do peso são:

    a) Desregular as funções de fome, apetite e saciedade, trazer pensamentos obsessivos com alimento e peso e desencadear episódios de descontrole e compulsão.
    b) Dietas sempre ajudam na perda de peso e não no aumento.
    c) Aumentar a fome e os pensamentos sobre comida.

d) Diminuição do gasto energético basal e total, *weight cycling* (efeito sanfona) e aumento da eficiência no armazenamento energia.

e) Dietas são a solução para o controle de peso e não causam desregulação.

28. (CA) A mentalidade de dieta é definida como:

a) Uma pessoa com uma mente que só pensa em dietas.

b) Uma forma de controle social e mal-estar de nossa experiência atual com a alimentação e o corpo.

c) Pensar e fazer todo tipo de dietas da moda.

d) Viver de dieta, ocupando muito espaço da mente com isso.

e) Todas as opções estão corretas.

29. (CA) O crescimento expressivo da obesidade em todo o mundo reforça a necessidade de compreender os fatores determinantes do comportamento alimentar. O Ministério da Saúde do Brasil recomenda a adoção de modelos teóricos com essa finalidade, destacando aquele que foca nos estágios de mudança de comportamento. Assinale a opção que representa tal modelo.

a) Terapia cognitivo comportamental.

b) Entrevista motivacional.

c) Teoria social cognitiva.

d) *Mindfulness* (atenção plena).

e) Transteórico.

30. (CA) Para a prevenção de problemas com relação aos comportamentos alimentares, recomenda-se que:

a) As intervenções foquem em imagem corporal positiva, conhecimento sobre atividade física e alimentação, autoestima e autoeficácia.

b) Sejam incorporados fatores socioambientais, como influência da família, de amigos e da mídia e a disponibilidade de alimentos saudáveis.

c) Nutricionistas devem ser conscientes de seu papel como formadores de opinião sobre temas relacionados com a comida, o corpo e a saúde, tomando o cuidado de não dicotomizar os alimentos, não promover a magreza e não demonizar o excesso de peso.

d) Não se fale em estratégias inadequadas para perder peso, não se promovam dietas restritivas, não se trabalhe com a contagem de calorias ou pontos, não se promova atividade física para queimar calorias e perder peso.

e) Todas as opções estão corretas.

Respostas

1 – C

É importante separar os diferentes constructos na área da alimentação. Comer é um comportamento, mas o consumo alimentar e nutricional não. O consumo alimentar e o nutricional são o que as pessoas comem (em alimentos ou calorias e nutrientes). Embora definido de maneira diversa, dependendo da base teórica (classicamente da Psicologia), considerando-se até a definição da palavra comportamento, acredita-se que o comportamento alimentar envolva métodos, reações, maneiras de proceder com o alimento – como comemos, com o que comemos, com quem comemos, onde comemos, quando comemos – ou seja, ações relacionadas com o ato de se alimentar. No entanto, as ações são regidas por afetos e cognições, pois, segundo vários teóricos, o comportamento é um dos componentes das atitudes alimentares, definidas como crenças, pensamentos, sentimentos, comportamentos e relacionamento com os alimentos.

- REF.: Alvarenga & Koritar (2015).

2 – B

O que se come não representa o conceito de comportamento alimentar, mas apenas a ingestão ou o consumo alimentar. O comportamento está mais ligado à pré-deglutição, ou seja, a aspectos como cultura, sociedade e experiência com o alimento, bem como ao ato de comer em si. Assim, pode ser definido da seguinte maneira: "como e de que forma se come; ações em relação ao ato de se alimentar". As atitudes são "crenças, pensamentos, sentimentos, comportamentos e relacionamentos com os alimentos". O estudo das atitudes torna possível compreender os comportamentos.

O comportamento alimentar se insere nas atitudes alimentares, que também se comunica com o de práticas alimentares ("forma com que os indivíduos se relacionam com a alimentação em diferentes esferas"). Por fim, o conceito de estrutura alimentar, que dá uma ideia de organização, compreende "horários, tipo e regularidade das refeições", enquanto hábito alimentar se refere aos "costumes e modo de comer de uma pessoa ou comunidade".

- REF.: Alvarenga & Koritar (2015).

3 – D

A homeostase nutricional, que relaciona ingestão, gasto e armazenamento de energia, representa apenas um dentre muitos controles da ingestão alimentar. Os controles nutricionais homeostáticos são inadequados para prevenir a hiperfagia e a obesidade na presença de fácil acesso a alimentos altamente palatáveis (ricos em açúcar, sal e gordura). O controle metabólico e o psicossocial devem ser analisados em conjunto.

- REF.: Alvarenga & Koritar (2015).

4 – D

As escolhas alimentares, e portanto os aspectos do comportamento, podem ser guiadas por determinantes relacionados aos alimentos, como o sabor, entre outros, e à pessoa que come, englobando aspectos biológicos, socioculturais e psicológicos. Desse modo, as escolhas e o comportamento alimentar são determinados por uma rede de fatores, sendo necessário pensar para além das questões apenas biológicas e considerar não só saúde, mas também prazer, significados, relações, questões emocionais etc.

- REF.: Alvarenga &, Koritar (2015).

5 – E

No cuidado nutricional, devem ser considerados todos os determinantes das escolhas alimentares, tanto os relacionados com os alimentos (sabor, aparência, valor nutricional, higiene, variedade, disponibilidade e preço) como com o comedor (biológicos e psicossocioculturais).

- REF.: Alvarenga & Koritar (2015).

6 – B

O aconselhamento é um processo genérico de ajuda, que nasce na Psicologia e, no caso de envolver a alimentação, é denominado aconselhamento nutricional, cujo objetivo central é promover mudanças. No aconselhamento nutricional, o nutricionista assume o papel de guiar e facilitar o processo das escolhas alimentares dos pacientes para que eles selecionem, escolham e definam seus caminhos de maneira autônoma. Portanto, o nutricionista deixa de ser um prescritor e assume um papel de terapeuta – e para isso precisa estudar e desenvolver habilidades interpessoais e de comunicação.

- REF.: Rodrigues, Soares & Boog (2005).

7 – B

É fundamental estar atento a possíveis extrapolações da mídia ao divulgar estudos científicos e ajudar os pacientes e clientes com relação a isso. Várias inconsistências podem e devem ser avaliadas, como: resultados que mostram correlação e são apresentados como causalidade; generalização dos resultados para uma população não representada no estudo; e exagero em relação a determinado benefício ou efeito. Por outro lado, são listados sinais que apontam para a falta de credibilidade das informações sobre nutrição, como: advertências sensacionalistas de "perigo" relacionado a um único alimento ou produto; declaração de listas de alimentos "bons" e "maus"; recomendações que prometem solução rápida, entre outros.

- REF.: Wansink (2005); Antonaccio, Godoy & Figueiredo (2015).

8 – E

Segundo a American Dietetic Association, o valor de um alimento deve ser determinado dentro da dieta como um todo, porque classificar os alimentos como bons e maus pode desencadear comportamentos alimentares não saudáveis. Não há sentido em classificar os alimentos por calorias e nutrientes de maneira isolada e, mesmo adotando-se a classificação do Guia Alimentar para a População Brasileira, deve-se estimular o consumo de alimentos frescos e pouco processados, mas não é necessário nem traz benefícios o uso dos termos "saudável" e "não saudável", o que pode fazer que algumas pessoas tenham pavor de certos alimentos e desenvolvam práticas compensatórias e purgativas ao ingeri-los.

- REF.: Nitzke & Freeland-Graves (2007); Antonaccio, Godoy & Figueiredo (2015).

9 – B

Habilidades interpessoais são aquelas usadas por uma pessoa para interagir adequadamente com outras. A habilidade de comunicação compreende habilidade social para a construção de bons relacionamentos por meio do vínculo e da empatia, e pode ser obtida por meio verbal e não verbal. Ambas as habilidades são fundamentais para o nutricionista que deseja realizar aconselhamento nutricional e trabalhar com a mudança de comportamento de seus pacientes, devendo, portanto, ser estudadas e praticadas, pois podem ser desenvolvidas.

- REF.: Da Silva (2005); Alvarenga & Vicente Jr. *et al.* (2015).

10 – B

Algumas características importantes diferenciam o modelo do aconselhamento nutricional do modelo tradicional de tratamento nutricional po enfocar também a maneira como se come, e não apenas o que se come. Envolve intervenções de longo prazo. A educação alimentar está presente, mas não é o principal componente. Há um relacionamento intenso entre o terapeuta nutricional e o indivíduo, o que por si só constitui parte do tratamento. O plano de ação se desenvolve a partir e ao longo de várias consultas e evolui com o tempo, e geralmente é apresentado na forma de metas e planos alimentares bastante individualizados.

- REF.: Ulian *et al.* (2015).

11 – E

O projeto terapêutico singular (PTS) consiste em um planejamento individualizado proposto pelo Ministério da Saúde em seu Núcleo Técnico da Política Nacional de Humanização dentro da clínica ampliada com a proposição de encarar cada indivíduo de modo singular (e eticamente). O PTS é estruturado em quatro momentos: (1) o diagnóstico: para o qual deve haver a avaliação orgânica, psicológica e social do paciente, incluindo questões relacionadas a trabalho, cultura, família e rede social; (2) a definição de metas: de curto, médio e longo prazo, negociadas com o paciente; (3) divisão de responsabilidades: com tarefas do profissional e do paciente; (4) reavaliação para discussão da evolução das metas sequenciais.

- REF.: Ministério da Saúde (2007).

12 – E

O modelo transteórico ou de estágios de mudança tem aplicabilidade para a mudança de comportamentos diversos, incluindo os alimentares. Ele classifica as pessoas em níveis de motivação com os nomes de pré-contemplação, contemplação, decisão, preparação, ação e manutenção, dependendo justamente de o quanto consideram mudar e o quanto estão prontas para isso. Avaliar e estimular a motivação intrínseca dos pacientes devem ser mais uma tarefa dos nutricionistas no trabalho de mudança de comportamento, mas não motivamos ninguém, uma vez que motivo é algo próprio e podemos apenas estimular o motivo intrínseco das pessoas.

- REF.: Toral & Slater (2007).

13 – B

A prática da entrevista motivacional tem quatro princípios orientadores: resistir ao reflexo de consertar as coisas; entender e explorar as motivações do paciente; escutar com empatia; e fortalecer o paciente, estimulando a esperança e o otimismo. Não cabe ao profissional decidir quais são as mudanças necessárias ao paciente, mas ativar a própria motivação do paciente para a mudança e a adesão ao tratamento.

- REF.: Rollnick, Miller & Butler (2009).

14 – D

A TCC deve adequar-se a cada indivíduo. Entretanto, alguns princípios básicos devem ser seguidos: (1) a TCC está baseada em uma formulação em desenvolvimento contínuo dos problemas dos pacientes e em uma conceituação individual de cada paciente em termos cognitivos; (2) a TCC requer uma aliança terapêutica sólida; (3) a TCC enfatiza a colaboração e a participação ativa; (4) a TCC é orientada para os objetivos e focada nos problemas; (5) a TCC enfatiza inicialmente o presente; (6) a TCC é educativa, tendo como objetivo ensinar o paciente a ser seu próprio terapeuta, e enfatiza a prevenção de recaídas; (7) a TCC visa ser limitada no tempo; (8) as sessões de TCC são estruturadas; (9) a TCC ensina os pacientes a identificarem, avaliarem e responderem as seus pensamentos e crenças disfuncionais; (10) a TCC usa uma variedade de técnicas para mudar o pensamento, o humor e o comportamento.

- REF.: Beck (2013).

15 – A

Nos transtornos alimentares, o indivíduo apresenta crenças distorcidas em relação à forma do corpo, à alimentação e ao peso. Essas crenças contribuem para a manutenção da doença. Segundo Meyer (2011), são duas as crenças a serem trabalhadas em pacientes com transtornos alimentares: a forma do corpo pode ser totalmente transformável e, ao ser alcançado o corpo ideal, pode-se obter sucesso em outros aspectos da vida. Além dessas, existem outras distorções cognitivas que merecem atenção nesses pacientes, como o pensamento dicotômico (alimentos bons e alimentos ruins), a rotulação, a generalização e a abstração seletiva, entre outras. Podemos citar ainda como exemplo as crenças de que "seguir exercícios e dietas depende apenas do esforço pessoal" e "uma alteração na dieta prescrita significa perda de controle e aí posso comer o quanto quiser", frequentemente observadas entre os pacientes com transtornos alimentares.

- REF.: Andretta, Ferreira (2016).

16 – C

O diário alimentar é considerado uma técnica comportamental de automonitoração. Nele, os pacientes registram data, hora, o que comeram e a quantidade, bem como outros pontos também podem ser monitorados, como notas para a fome e a saciedade, pensamentos e sentimentos, local, companhia e duração da refeição. Ele é muito útil para que o nutricionista discuta e planeje de maneira individualizada o seguimento de seu paciente, além de ser muito ilustrativo e prático para que o paciente perceba seus comportamentos alimentares. Não se recomenda necessariamente para o trabalho com mudança de comportamento pesar os pacientes em todas as consultas; não há evidência de que planos alimentares com lista de substituições ajudem nesse sentido; e contar calorias e gramas dos nutrientes é uma ação obsessiva e inadequada.

- REF.: Brasil (2014); Pisciolaro *et al.* (2015); Ulian *et al.* (2015).

17 – A

O comer intuitivo baseia-se em três pilares: permissão incondicional para comer, comer para atender às necessidades fisiológicas e não emocionais e apoiar-se nos sinais internos de fome e saciedade para determinar o que, o quanto e quando comer. Com mais detalhes, podemos elencar 10 princípios básicos do comer intuitivo, com o objetivo de favorecer o indivíduo a estabelecer uma relação normal com a comida: (1) rejeitar a mentalidade de dieta; (2) honrar a fome; (3) fazer as pazes com a comida; (4) desafiar o policiamento alimentar; (5) sentir a saciedade; (6) descobrir o fator de satisfação; (7) lidar com as emoções sem usar a comida; (8) respeitar seu corpo; (9) exercitar-se, sentindo a diferença; e (10) honrar a saúde e praticar uma nutrição gentil.

- REF.: Alvarenga & Figueiredo (2015).

18 – A

O modelo de hierarquia da necessidade de comida proposto por Satter foi baseado na teoria da motivação humana de Maslow, que postula a priorização das necessidades humanas. Assim, está na base da pirâmide, como a maior necessidade, a comida suficiente, seguida de comida aceitável – acesso seguro à comida – comida saborosa – novidade em comida e, apenas por último, no ápice da pirâmide, comida funcional.

- REF.: Vicente Jr *et al.* (2015).

19 – C

Comer com atenção plena é muito mais amplo e complexo do que simplesmente "comer devagar, prestando atenção ao que se está comendo". Envolve todos os sentidos, imergindo o indivíduo nas cores, texturas, aromas, sabores e sons do comer e beber. Sete pilares são apontados como necessários à prática da atenção plena: não julgamento, paciência, mente de principiante, confiança, não resistência, aceitação e desapego.

- REF.: Polacow, Costa & Figueiredo (2015).

20 – A

Há fortes evidências para o uso combinado da teoria comportamental e cognitivo-comportamental (TCC) na modificação de hábitos alimentares, peso e fatores de risco cardiovasculares e diabetes. A entrevista motivacional tem-se mostrado muito efetiva como estratégia de aconselhamento, especialmente quando combinada com TCC. Poucos trabalhos avaliaram a aplicação do modelo transteórico e o uso da terapia social cognitiva de outros modelos, sendo necessários mais estudos.

- REF.: Spahn *et al.* (2010); Alvarenga (2015).

21 – C

O modelo da divisão de responsabilidades postula que os pais são responsáveis por definir o que a criança vai comer, planejando o que entra em casa, o cardápio e as opções disponíveis, bem como os momentos das refeições que, do mesmo modo, devem ser estruturados e planejados. Já a criança é a responsável por definir se vai ou não comer e o quanto vai comer. Não respeitar essa autonomia pode destruir o comer intuitivo das crianças.

- REF.: Petty *et al.* (2015).

22 – E

O *Manual Diagnóstico e Estatístico de Transtornos Mentais* (DSM-5) define transtornos mentais como "uma perturbação persistente na alimentação ou no comportamento relacionado à alimentação que resulta no consumo ou na absorção alterada de alimentos e que compromete significativamente a saúde física ou o funcionamento psicossocial" e descreve critérios diagnósticos para pica, transtorno de ruminação, transtorno alimentar restritivo/evitativo, anorexia nervosa, bulimia nervosa e transtorno de compulsão alimentar.

- REF.: DSM-5 (2014).

23 – A

Diante do papel que os profissionais da atenção básica assumem no rastreamento dos transtornos alimentares na comunidade, o Ministério da Saúde do Brasil sugere dois instrumentos de rastreamento para apoiar a atuação desses profissionais: EAT (teste de atitudes alimentares), usado no rastreamento de indivíduos suscetíveis ao desenvolvimento de anorexia ou bulimia nervosa; e ECAP (escala de compulsão alimentar periódica), para rastreamento do transtorno de compulsão alimentar em indivíduos obesos.

- REF.: Brasil (2014).

24 – A

O DSM-5 aponta como critérios diagnósticos do transtorno da compulsão alimentar: (A) episódios recorrentes de compulsão alimentar, sendo um episódio de compulsão alimentar caracterizado pelos seguintes aspectos: (1) ingestão, em um período determinado (p. ex.: dentro de cada período de 2 horas), de uma quantidade de alimento definitivamente maior do que a maioria das pessoas consumiria no mesmo período sob circunstâncias semelhantes; e (2) sensação de falta de controle sobre a ingestão durante o episódio (p. ex.: sentimento de não conseguir parar de comer ou controlar o que e o quanto se está ingerindo); (B) os episódios de compulsão alimentar estão associados a três (ou mais) dos seguintes aspectos: (1) comer mais rapidamente do que o normal; (2) comer até se sentir desconfortavelmente cheio; (3) comer grandes quantidades de alimento na ausência da sensação física de fome; (4) comer sozinho por vergonha de o quanto se está comendo; e (5) sentir-se desgostoso de si próprio, deprimido ou muito culpado em seguida; (C) sofrimento marcante em virtude da compulsão alimentar; (D) os episódios de compulsão alimentar ocorrem, em média, ao menos uma vez por semana durante 3 meses; (E) a compulsão alimentar não está associada ao uso recorrente de comportamento compensatório inapropriado como na bulimia nervosa e não ocorre exclusivamente durante o curso de bulimia nervosa ou anorexia nervosa.

- REF.: DSM-5 (2014).

25 – A

Os distúrbios de imagem corporal envolvem dois componentes: um perceptivo e outro atitudinal. São exemplos de distúrbios atitudinais da imagem corporal: insatisfação corporal, medo mórbido de engordar, checagem repetitiva do corpo, investimento extremo no corpo, depreciação corporal, preocupação extrema com o corpo e valorização extrema do corpo.

- REF.: Alvarenga (2015).

26 – A

Embora todos possam ser considerados efeitos das dietas restritivas, elas se relacionam com o desenvolvimento de um transtorno alimentar principalmente em virtude da desregulação das funções internas por motivos fisiológicos e cognitivos, tornando difícil saber quando começar a comer e quando parar; assim, as pessoas suscetíveis se tornam cada vez mais obcecadas pela comida e podem começar a apresentar episódios de descontrole e compulsão.

- REF.: Alvarenga, Polacow & Scagliusi (2015).

27 – D

Embora as opções "a" e "c" também tragam consequências das dietas restritivas, os principais mecanismos para a desregulação do peso corporal são a diminuição do gasto energético basal e total, *weight cycling* (efeito sanfona) e aumento da eficiência no armazenamento de energia. Além de poderem desencadear descontrole e compulsão, as dietas não levam à perda de peso duradoura. Muitas pessoas acabam na verdade ganhando cada vez mais peso quando entram em ciclos repetidos de dieta (*weight cycling*) e aumento da eficiência no armazenamento de energia.

- REF.: Alvarenga, Polacow & Scagliusi (2015).

28 – A

A mentalidade de dieta pode ser definida como "uma forma de controle social e mal-estar da nossa experiência atual com a alimentação e o corpo"; nesta não se sabe mais o que se gosta de comer, o que é fome, saciedade e quando se sente. A mentalidade de dieta é produzida socialmente, internalizada e regula as nossas relações com a comida. O grande problema é que ela impregna os tratamento convencionais para questões alimentares, utilizando-se do controle da alimentação para obter a "contenção dos sintomas" e não reconhece que é justamente essa a origem do problema.

- REF.: Menucci, Timerman & Alvarenga (2015).

29 – E

O Ministério da Saúde destaca no *Caderno de Atenção Básica*, destinado ao cuidado da pessoa com obesidade, a incorporação do modelo transteórico, pautado nos estágios de mudança de comportamento, como estratégia que pode contribuir para o sucesso de intervenções nutricionais. A classificação dos indivíduos nos estágios de mudança permite direcionar melhor as ações e metas para cada indivíduo, considerando que esses apresentam diferentes percepções e motivações para realizar mudanças em sua dieta ou em seu estilo de vida.

- REF.: Brasil (2014).

30 – E

A prevenção dos comportamentos alimentares transtornados é uma grande oportunidade para o nutricionista, que deve estar atento aos que não têm efeitos positivos (como dividir os alimentos em saudáveis e não saudáveis, trabalhar focando apenas na perda de peso, orientações baseadas em calorias etc.) e aqueles que têm, como imagem corporal positiva, alimentação e atividade física saudáveis, mudanças corporais da adolescência, genética, discriminação corporal, como lidar com as mensagens da mídia, melhora da autoestima e os riscos da restrição alimentar. Assim, todos podem ter papel na prevenção dos problemas alimentares em sua atuação, desde que sejam sensíveis em suas abordagens e considerem como falar de comida, corpo e saúde.

- REF.: Dunker *et al.* (2010, 2015).

Referências

Alvarenga MS, Figueiredo M. Comer intuitivo. In: Alvarenga MS, Figueiredo M, Timerman F, Antonaccio CMA. Nutrição comportamental. São Paulo: Manole, 2015:237-62.

Alvarenga MS, Koritar P. Atitude alimentar: o comportamento, os sentimentos e as crenças sobre comida. In: Alvarenga MS, Figueiredo M, Timerman F, Antonaccio CMA. Nutrição comportamental. São Paulo: Manole, 2015:23-50.

Alvarenga MS, Polacow VO, Scagliusi FB. Dieta e seus efeitos no comportamento alimentar. In: Alvarenga MS, Figueiredo M, Timerman F, Antonaccio CMA. Nutrição comportamental. São Paulo: Manole, 2015:69-100.

Alvarenga MS, Vicente Jr C. Habilidades de comunicação no atendimento em nutrição. In: Alvarenga MS, Figueiredo M, Timerman F, Antonaccio CMA. Nutrição comportamental. São Paulo: Manole, 2015:191-214.

Andretta I, Ferreira MG. Os modelos cognitivos dos transtornos alimentares. In: Finger IG, Oliveira MS. A prática da terapia cognitivo-comportamental nos transtornos alimentares e obesidade. Novo Hamburgo: Sinopsys, 2016:78-97.

Antonaccio CMA, Godoy C, Figueiredo M. Nutrição comportamental para uma comunicação responsável em saúde e nutrição In: Alvarenga MS, Figueiredo M, Timerman F, Antonaccio CMA. Nutrição comportamental. São Paulo: Manole, 2015:133-60.

Beck JS. Terapia cognitivo-comportamental: teoria e prática. 2. ed. Porto Alegre: Artmed Editora, 2013.

Brasil. Ministério da Saúde. Secretaria de Atenção à Saúde. Departamento de Atenção Básica. Estratégias para o cuidado da pessoa com doença crônica: obesidade. Brasília: Ministério da Saúde, 2014. 212 p.:il. (Cadernos de Atenção Básica, n. 38).

Da Silva MJP. Comunicação tem remédio. Edições Loyola, 2005.

Dunker KLL, Alvarenga MS, Romano ECB, Timerman F. Nutrição comportamental na prevenção conjunta de obesidade e comer transtornado. In: Alvarenga MS, Figueiredo M, Timerman F, Antonaccio CMA. Nutrição comportamental. São Paulo: Manole, 2015:445-64.

Dunker KLL, Timerman F, Alvarenga M, Scagliusi FB, Philippi ST. Prevenção dos transtornos alimentares e postura do nutricionista. In: Alvarenga M, Scagliusi FB, Philippi ST. Nutrição e transtornos alimentares: avaliação e tratamento. Barueri: Manole; 2010:497-516.

Ministério da Saúde. Secretaria de Atenção à Saúde & Núcleo Técnico da Política Nacional de Humanização. Clínica ampliada, equipe de referência e projeto terapêutico singular, 2007.

Nitzke S, Freeland-Graves J. American Dietetic Association. Position of the American Dietetic Association: total diet approach to communicating food and nutrition information. J Am Diet Assoc, 2007; 107:100-8.

Polacow VO, Costa AC, Figueiredo M. Comer com atenção plena (mindfuleating). In: Alvarenga MS, Figueiredo M, Timerman F, Antonaccio CMA. Nutrição comportamental. São Paulo: Manole, 2015:263-80.

Rodrigues EM, Soares FPDTP, Boog MCF. Resgate do conceito de aconselhamento no contexto do atendimento nutricional. Revista de Nutrição 2005:119-28.

Rollnick S, Miller WR, Butler CC. Entrevista motivacional no cuidado da saúde: ajudando pacientes a mudar o comportamento. Porto Alegre: Artmed Editora, 2009.

Ulian M, Sato P, Alvarenga MS, Scagliusi FB. Aconselhamento nutricional versus prescrição. In: Alvarenga MS, Figueiredo M, Timerman F, Antonaccio CMA. Nutrição comportamental. São Paulo: Manole, 2015:161-90.

Vicente Jr. C, Fabbri AD, Costa AC, Alvarenga MS. Competências alimentares. In: Alvarenga MS, Figueiredo M, Timerman F, Antonaccio CMA. Nutrição comportamental. São Paulo: Manole, 2015:281-302.

Wansink B. Position of the American Dietetic Association: food and nutrition misinformation. 2005. Disponível em: https://papers.ssrn.com/sol3/papers.cfm?abstract_id=2714473.

Capítulo 15

Terapia Nutricional Enteral e Parenteral (TNEP)

Geam Carles Mendes dos Santos
Ana Luiza de Rezende Ferreira Mendes

Questões

1. (TNEP) Sobre as resoluções que normatizam a terapia nutricional:

   I. A Portaria nº 343, de 7 de março de 2005, tem como finalidade instituir, no âmbito do SUS, mecanismos para implantação da assistência de alta complexidade em terapia nutricional.

   II. A RCD nº 63, de 6 de julho de 2000, regulamenta os requisitos técnicos mínimos exigidos para a terapia de nutrição enteral.

   III. A Portaria MS/SNVS nº 272, de 8 abril de 1998, regulamenta os requisitos técnicos mínimos exigidos para terapia de nutrição parenteral.

   IV. A Portaria nº 131 estabelece uma nova conformação para a tabela de procedimento do Sistema de Informações Hospitalares (SIH) para a assistência em terapia nutricional de alta complexidade.

   Estão CORRETAS as afirmativas:

   a) I e II.
   b) III e IV.
   c) II e IV.
   d) II e III.
   e) Todas as opções estão corretas.

2. (TNEP) A incorporação de boas práticas e a sistematização do trabalho dentro de uma unidade hospitalar que utiliza terapia nutricional são necessárias para o bom andamento da rotina de manipulação de dietas que permeiam as etapas de compras, envase e distribuição, de modo a evitar contaminações que provoquem a ocorrência de enfermidades transmitidas pelas dietas. Sobre as boas práticas, assinale a opção CORRETA.

a) As Boas Práticas de Preparação da Nutrição Enteral estabelecem orientações gerais de preparação e os critérios para a aquisição de insumos, embalagens e dietas enterais industrializadas.
b) A legislação vigente estabelece que os funcionários envolvidos na preparação de nutrição enteral devem utilizar os seguintes paramentos na sala de manipulação: uniforme branco, sapatos recobertos por protetores descartáveis, avental descartável sobre macacão com mangas compridas e decote fechado, não sendo imprescindível o uso de gorro e máscara.
c) A constatação de contaminação por bactérias mesófilas no monitoramento da qualidade microbiológica de dietas enterais representa alerta para a possibilidade de intoxicação alimentar.
d) Os visitantes e as pessoas não treinadas podem ter acesso à sala de manipulação. Quando necessário, essas pessoas devem ser antecipadamente informadas sobre a conduta, a higiene pessoal e o uso de vestimentas de proteção.
e) Uma unidade destinada ao preparo de nutrição enteral deve contar somente com uma área de armazenamento e uma área de preparo, justamente para redução de custos.

3. (TNEP) O serviço de Nutrição de um hospital privado recebe a visita de fiscais da Agência Nacional de Vigilância Sanitária (ANVISA). Logo de início, eles relatam que buscam analisar as condições de utilização e manipulação de dietas da terapia nutricional. Os critérios para avaliação do cumprimento dos itens do roteiro de inspeção emitido pela Resolução nº 63, de 6 de julho 2000, são utilizados e visam relacionar a qualidade e a segurança da nutrição enteral na unidade de saúde. Segundo esses critérios, os relatórios finais dos fiscais podem conter os itens com denominação:
   a) Recomendável (R), quando o item pode influir em grau crítico na qualidade e segurança da nutrição enteral.
   b) Necessário (N), quando o item pode influir em grau não crítico na qualidade e segurança da nutrição enteral.
   c) Informativo (INF), quando o item pode influir em grau não crítico na qualidade e segurança da nutrição enteral.
   d) Imprescindível (I), quando o item pode influir em grau crítico na qualidade e segurança da nutrição enteral.
   e) Legal (L), quando o item tem uma resposta legal de funcionamento para a qualidade e a segurança da nutrição enteral.

4. (TNEP) A Diretoria Colegiada da ANVISA com a Resolução RDC nº 63/2000 instituiu o regulamento técnico que fixa os requisitos mínimos exigidos para a terapia de nutrição enteral (TNE). Nessa resolução está definida a equipe multiprofissional de terapia nutricional (EMTN) como um grupo formal que deve obrigatoriamente ser constituído por pelo menos um profissional de cada categoria, a saber: médico, nutricionista,

enfermeiro e farmacêutico. Também estabelece as atribuições da EMTN, especificamente para a prática da terapia nutricional enteral e parenteral. Analise as seguintes atribuições e os respectivos profissionais relacionados e marque a alternativa correta:

a) O nutricionista tem como atribuição avaliar e assegurar a administração da nutrição enteral, observando as informações contidas no rótulo e confrontando-as com a prescrição médica, além de proceder a inspeção visual antes de sua administração.

b) O médico deve formular a nutrição enteral, estabelecendo sua composição qualitativa e quantitativa, seu fracionamento segundo horários e formas de apresentação.

c) O farmacêutico deverá assegurar a correta amostragem da nutrição enteral e parenteral preparada para análise microbiológica.

d) O enfermeiro deve coordenar os protocolos de avaliação nutricional, indicação, prescrição e acompanhamento da terapia nutricional.

e) O nutricionista deve adequar a prescrição dietética com base na evolução nutricional e na tolerância digestiva apresentada pelo paciente.

5. (TNEP) Um paciente com 35 anos de idade, 73 kg, 1,74 m, foi internado em unidade de terapia intensiva devido a politrauma. O paciente apresentou insuficiência respiratória e foi colocado em ventilação mecânica. No 4º dia de internação, o paciente foi levado ao centro cirúrgico e submetido à laparotomia exploradora, que, contudo, não apresentou achados significativos. No 6º dia de internação, o paciente estava em íleo paralítico e completava jejum de 6 dias. O paciente estava sob uso de noradrenalina em desmame. Ao exame físico, foi detectado abdome distendido. Havia sonda nasogástrica (SNG) aberta e produtiva, 1.500 mL nas últimas 24 horas. Os exames laboratoriais do paciente mostravam glicemia = 220 mg/dL, ureia = 100 mg/dL, creatinina de 1,5 mg/dL, sódio sérico = 149 mEq/L, potássio sérico = 2,8 mEq/L e osmolalidade sérica de 350 mOsm/kg, além de acidose metabólica discreta.

Com relação ao caso clínico apresentado, assinale a opção CORRETA.

a) A nutrição parenteral total (NPT) deve ser iniciada somente após estabilidade hemodinâmica e equilíbrio acidobásico, observando-se a relação risco/benefício.

b) Deve-se iniciar NPT, sistema 3/1, de imediato, pois o paciente está em risco nutricional grave e com déficit calórico severo.

c) Deve-se iniciar nutrição parenteral periférica (NPP), com sistema 2/1, pois acidose metabólica e retenção nitrogenada não são contraindicações ao uso de NPP.

d) Deve-se fechar a SNG, estimular com procinéticos e iniciar imediatamente nutrição enteral.

e) Nessa situação, não há nenhum risco, devendo ser iniciada nutrição de dupla via, isto é, NPT associada à nutrição enteral, pois o importante é anular o déficit calórico.

A Tabela 15.1 deve ser utilizada para as questões 6, 7 e 8.

Tabela 15.1

Fórmula	Kcal/L	Proteínas (g/L)	Carboidratos (g/L)	Lipídios (g/L)	mOsm/kg
X	1000	40	134	34	288
Y	1500	68	184	55	550

6. (TNEP) A tabela apresenta a composição de duas fórmulas industriais, X e Y, para a nutrição enteral. Avalie as afirmativas a seguir acerca das características e indicações de cada uma delas.

   I. A partir dos valores de osmolalidade apresentados na tabela, é correto concluir que provavelmente os nutrientes das fórmulas são diferentes quanto à complexidade, com a fórmula Y devendo ter nutrientes de menos complexidade.

   II. A razão energia não proteica por grama de nitrogênio das fórmulas X e Y, entre 100 kcal/g de N_2 e 150 kcal/g de N_2, indica balanceamento adequado dos nutrientes energéticos e proteicos, o que influencia o desempenho de suas funções metabólicas.

   III. A fórmula X é indicada para pacientes com sonda nasogástrica, que possibilita a administração de grande volume de alimento; a fórmula Y, que apresenta maior densidade energética, deve ser administrada a pacientes submetidos à jejunostomia em razão de sua alta osmolalidade com menor chance de complicação.

   IV. O fornecimento de 1.750 kcal da fórmula Y a um indivíduo que pese 60 kg representa dieta hiperproteica, igual ao que ocorre caso seja oferecido a esse mesmo indivíduo o mesmo volume da fórmula X.

   Assim, as opções CORRETAS são:

   a) I e III.
   b) I e IV.
   c) II e IV.
   d) III e IV.
   e) I e II.

7. (TNEP) Um paciente de 26 anos sofreu traumatismo após queda de motocicleta. Teve escoriações nos membros inferiores e superiores e no tórax, além de fratura da tíbia direita. No 2º dia de internação, a alimentação nasoenteral foi liberada pela EMTN. Inicialmente, o volume da dieta prescrita foi de 150mL a cada 3 horas por infusão intermitente sem repouso. Foi feita a avaliação nutricional do paciente e obtidos os seguintes dados: peso - 65 kg; altura - 1,74 m. Segundo a Sociedade Americana de Nutrição Parenteral e Enteral (ASPEN, 2016), a necessidade de proteínas desse paciente é de 1,2 g/kg/dia. Se o nutricionista se decidir pelo uso da dieta Y, assinale a quantidade de proteína e energia que o paciente irá ingerir por dia, respectivamente.

   a) 78,7 g e 1.800 kcal.
   b) 81,6 g e 1.800 kcal.

c) 65,4 g e 1.800 kcal.

d) 81,6 g e 1.575 kcal.

e) 65,4 g e 1.575 kcal.

8. (TNEP) No 5º dia de internação, a EMTN resolve evoluir a dieta Y, mas a administração passa a ser contínua. A prescrição passa para 63 mL/h por bomba de infusão (BI). Assinale a opção que apresenta a quantidade de proteína ingerida, a energia administrada e o volume final por dia.

   a) 81,6 g, 1.512 kcal, 1.512 mL.

   b) 60,5 g, 1.512 kcal, 1.512 mL.

   c) 102,8 g, 2.268 kcal, 1.512 mL.

   d) 102,8 g, 2.268 kcal, 2.268 mL.

   e) 81,6 g, 2.450 kcal, 2.268 mL.

9. (TNEP) Paciente de 28 anos foi internado em um hospital público em decorrência de infarto agudo do miocárdio e levado para a UTI. Após 24 horas, o médico resolve que deve alimentar o paciente. A EMTN é chamada para avaliar o tipo de nutrição que poderia ser ministrada. Assim, um conceito básico que iria ajudá-lo seria o conceito de nutrição enteral e nutrição parenteral. Qual a diferença básica entre as duas?

   a) A nutrição enteral é administrada através de uma veia e a parenteral através do ílio.

   b) A nutrição enteral é administrada através de um vaso sanguíneo e a parenteral pela boca.

   c) A nutrição parenteral é administrada via trato gastrointestinal e a enteral através de um local fora do trato gastrointestinal.

   d) A nutrição enteral é administrada através do trato gastrointestinal e a parenteral através da via intravenosa.

   e) A nutrição enteral é administrada através do estômago e a parenteral através do intestino delgado.

10. (TNEP) O paciente FAS foi internado na rede privada de saúde. Tem 64 anos, sexo masculino e foi admitido com anemia, fadiga e dor abdominal. Após uma tomografia computadorizada, foi diagnosticado câncer de intestino delgado e no 6º dia de internação hospitalar foi feita uma enterectomia para a retirada do tumor. Após a operação, verificou-se que a enterectomia resultou em 85 cm de intestino delgado remanescente, sendo diagnosticada síndrome do intestino curto (SIC). A terapia nutricional indicada neste caso é:

    a) Terapia nutricional enteral polimérica.

    b) Terapias nutricional enteral polimérica e parenteral associadas.

    c) Terapia nutricional enteral oligomérica.

    d) Terapias nutricional enteral elementar e parenteral associadas

    e) Terapia nutricional parenteral total.

11. (TNEP) Paciente de 58 anos, portador de câncer de estômago, apresenta há 1 mês vômitos diários, com restos alimentares, cerca de 1 hora após as refeições. Refere perda de peso importante (20% do peso habitual) e nega outras enfermidades. Ao exame físico, está extremamente emagrecido e chama atenção a distensão gástrica visível na parede abdominal. Tem indicação cirúrgica com proposta de gastrectomia total. Após a cirurgia, verificou-se um intestino sem muita motilidade, havendo a suspeita de íleo paralítico. A EMTN indicou a nutrição parenteral, que consiste em uma solução ou emulsão composta de glicídios, proteínas, lipídios, vitaminas, sais minerais e eletrólitos, é estéril e apirogênica. A NP é indicada:

   a) Sempre para pacientes portadores de câncer terminal impedidos de alimentar-se por via oral, mesmo na presença de disfunção orgânica, com a finalidade de prolongar a vida.
   b) Nas situações clínicas de obstrução intestinal, fístulas digestivas de alto débito, nutrição enteral insuficiente e quadro inflamatório intestinal grave.
   c) Para pacientes nutridos, com baixo risco nutricional, que estejam sob nutrição enteral, como complementação das necessidades calóricas, já que é isenta de riscos.
   d) Para pacientes nutridos nas situações de perioperatório de cirurgias do trato gastrointestinal superior, devendo ser utilizada de rotina.
   e) Para pacientes idosos, hospitalizados, em tratamento de infecção, acometidos por anorexia e baixa ingesta por via oral, com trato gastrointestinal funcionante.

12. (TNEP) A modulação nutricional da resposta ao estresse via terapia nutricional precoce é uma das estratégias que podem agravar a doença, suas complicações e o tempo de permanência na UTI. Esses pacientes, quando estiver indicada a nutrição parenteral, necessitam de suplementação adequada de nutrientes. A respeito da utilização dos nutrientes na nutrição parenteral, assinale a opção CORRETA:

   a) Ao se produzir a nutrição parenteral, deve-se ter cuidado em relação aos carboidratos, pois existe uma diferenciação entre glicose anidra e monoidratada. Um grama de glicose anidra corresponde a 4 kcal, enquanto 1 g de glicose monoidratada corresponde a 3,75 kcal.
   b) A emulsão lipídica com triglicerídios de cadeia longa (TCL) é metabolizada de maneira mais rápida, sendo por isso muito utilizada nas preparações.
   c) A emulsão lipídica à base de óleo de soja é uma fonte de ácidos graxos poli-insaturados, contendo grandes quantidades de ácido linoleico e ácido alfa-linolênico.
   d) A administração de emulsão lipídica contendo somente TCL pode influir de modo positivo na resposta inflamatória, no estado imunológico e no desfecho clínico de pacientes em estado crítico.
   e) As soluções de aminoácidos utilizadas na nutrição parenteral para adultos podem ser classificadas como solução padrão e solução especial. A solução padrão contém misturas de aminoácidos necessários para portadores de determinadas patologias, como renais e hepáticas

13. (TNEP) Um paciente de 49 anos foi admitido no hospital da rede pública devido a um acidente vascular cerebral. No 2º dia de internação hospitalar, o paciente já se encontrava mais estável e a EMTN o avaliou e indicou a necessidade de nutrição parenteral. O médico da equipe sugeriu a seguinte solução de nutrição parenteral total, com esquema 3 em 1 diário, prescrita para um indivíduo adulto com massa corporal de 62 kg:
   - 744 mL de solução de aminoácidos a 10%;
   - 310 mL de solução lipídica a 20%;
   - 760 mL de solução de glicose a 50%.

   Assinale a opção correspondente à velocidade de infusão de glicose (VIG) na situação apresentada e à interpretação correta do resultado.

   a) VIG = 5,9 mg/kg/min; está dentro do limite recomendado para pacientes estáveis.
   b) VIG = 7,6 mg/kg/min; excede o limite recomendado para pacientes críticos e estáveis.
   c) VIG = 0,08 g/kg/min; tolerável mesmo no caso de pacientes críticos.
   d) VIG = 1,06 mg/kg/min; abaixo do recomendado, podendo ocasionar hipoglicemia no paciente.
   e) VIG = 3,1 mg/kg/min; está dentro do limite recomendado para pacientes estáveis.

14. (TNEP) Paciente do sexo feminino com 68 anos de idade e 58 kg, não diabética, apresenta-se com diagnóstico de câncer de cólon intestinal. Logo após a cirurgia para retirada da parte afetada, a paciente começa a terapia nutricional enteral e apresenta pouca evolução devido a complicações. A EMTN é convocada para indicar melhor suporte nutricional e escolhe a nutrição parenteral por 7 dias para depois tentar reiniciar a enteral. A EMTN escolhe iniciar a terapia nutricional parenteral no sistema 2:1 ou o também chamado sistema glicídico. Foi utilizada no planejamento uma oferta de 30 kcal/kg/dia, 1,4 g/kg/dia de proteína, oferta hídrica de 30 mL/kg/dia e 5 mg/kg/min de carboidrato, no máximo. Utilizaremos uma solução de 10% AA e uma solução de 50% de glicose.

   Assinale a opção correspondente à VIG na situação apresentada.

   a) 4,98 mg/kg/min.
   b) 4,75 mg/kg/min.
   c) 4,80 mg/kg/min.
   d) 4,54 mg/kg/min.
   e) 5,42 mg/kg/min.

15. (TNEP) Paciente de 38 anos foi admitido com dores abdominais e desnutrição moderada. No 2º dia, foi prescrita terapia nutricional enteral, pois ele não conseguia ingerir mais do que 30% da necessidade energética. O paciente reclamava muito de falta de fome. No 4º dia de internação, apresentou vômitos e diarreia com pelo menos quatro episódios de cada. No 5º dia, a acompanhante se descuidou um pouco e o paciente retirou a sonda, a qual foi recolocada logo após. No 6º dia de internação, a sonda

nasoentérica apresentou obstrução, provavelmente por não ter sido feita a limpeza adequada após cada refeição. Foram realizadas tentativas de limpeza e obtido êxito. No 10º dia de internação, o paciente apresentou resíduos gástricos de mais de 500 mL e teve sua dieta suspensa. Perante um caso tão comum, qual(is) item(ns) não é(são) uma complicação da terapia nutricional enteral?

a) Distensão abdominal, cólicas empachamento, flatulência.

b) Fístula traqueoesofágica.

c) Aspiração pulmonar.

d) Desnutrição energético-proteica.

e) Gastroenterites por contaminação microbiana.

16. (TNEP) Vários pacientes chegam à unidade hospitalar relatando baixa ingestão alimentar, seja em razão de processo inflamatório, seja até mesmo por dificuldade de deglutir. Normalmente verificamos que esses pacientes se encaixam na principal indicação para início da terapia nutricional de acordo com a Sociedade Europeia de Nutrição Clínica e Metabolismo (*European Society for Clinical Nutrition and Metabolism* – ESPEN, 2006), segundo a qual "o paciente que não conseguir ingerir até 80% das necessidades em 3 dias deve receber a terapia nutricional". Após a indicação da EMTN, devem ser cumpridas etapas importantíssimas para a evolução do paciente. Uma delas é a seleção da fórmula. Assim, analise os item abaixo sobre a seleção das dietas.

I. As orientações nutricionais da Sociedade Americana de Nutrição Parenteral e Enteral (*American Society for Parenteral and Enteral* Nutrition – ASPEN/*Society of Critical Care Medicine* – SCCM, 2016) recomendam o uso de fórmulas poliméricas isotônicas ou quase isotônicas de 1,0 a 1,5 kcal/mL ao se iniciar a nutrição enteral na UTI.

II. Segundo as diretrizes da SCCM/ASPEN de 2016: "fórmula com fibras mistas não deve ser usada profilaticamente de rotina no paciente adulto criticamente doente para promover a regularidade ou prevenir a diarreia, devendo ser considerado o uso de uma fórmula comercial contendo fibra mista e se houver a evidência de diarreia persistente, deve-se evitar a fibra insolúvel em pacientes com alto risco de isquemia intestinal ou dismotilidade grave e considerar uma solução solúvel fermentável adicionada de fibra (frutoligossacarídeo, inulina) para uso rotineiro em todos os pacientes hemodinamicamente estáveis."

III. As fórmulas oligoméricas e elementares podem ser úteis em pacientes com má absorção, disfunção pancreática e intestino com descanso prolongado após cirurgia abdominal importante ou outra evidência de doença gastrointestinal.

IV. Uma fórmula polimérica padrão pode ser bem tolerada pelo paciente com disfunção hepática. Se o paciente tiver ascite ou edema, a fórmula enteral provavelmente precisa ser concentrada. Em caso de encefalopatia hepática refratária ao tratamento médico, talvez possa ser tentada uma fórmula com aminoácidos de cadeia ramificada (BCAA); no entanto, não mais do que por alguns dias, devido à sua baixíssima quantidade de proteína.

Assinale a opção CORRETA:

a) São corretos apenas os itens I e III.
b) São corretos apenas os itens II e IV.
c) São corretos apenas os itens III e IV.
d) Apenas o item IV está incorreto.
e) Os itens I, II, III e IV estão corretos.

17. (TNEP) A nutrição enteral é frequentemente interrompida devido a procedimentos, posicionamento, questões técnicas com acessos da alimentação e problemas gastrointestinais decorrentes de intolerância. A intolerância à nutrição enteral é caracterizada por náusea, vômitos e altos valores de volumes de resíduo gástrico (VRG), os quais são comumente citados como o motivo para interrupção da nutrição enteral. Atualmente, vários estudos descrevem como devemos trabalhar com a análise dos VRG.

Assinale a opção CORRETA sobre a análise desses VRG nos pacientes que utilizam nutrição enteral.

a) O uso de medicamentos procinéticos, como eritromicina e metoclopramida, é eficaz nesse grupo, levando ao aumento dos VRG e melhorando assim a tolerância à nutrição entérica.
b) Segundo as principais diretrizes, os agentes de promotilidade devem ser considerados após qualquer episódios de VRG (> 150 mL).
c) A medição de VRG é subjetiva e obtida somente pela posição do paciente, pelo diâmetro do tubo de alimentação, pelo tamanho da seringa e pelo clínico que realiza a medição.
d) Os VRG devem ser avaliados a cada 4 horas em pacientes graves. Um VRG superior a 500 mL deve resultar em retirada de nutrição enteral para avaliação da tolerância.
e) Seria um VRG uma quantidade de resíduo da dieta > 100 mL, sendo recomendado o bloqueio da terapia nutricional por 3 horas.

18. (TNEP) As fórmulas de nutrição enteral são definidas como "um alimento que é formulado para ser consumido ou administrado no trato gastrointestinal sob a supervisão de uma EMTN e que é destinado para dieta específica, gestão de uma doença ou condição para a qual é requisito nutricional, com base em princípios científicos reconhecidos". Quanto aos nutrientes das fórmulas enterais industrializadas, assinale a opção CORRETA.

a) A presença de fibras fermentáveis, monossacarídeos, oligossacarídeos, dissacarídeos e poliálcoois (conhecidos como FODMAP) pode causar intolerância ou diarreia nos pacientes.
b) As fórmulas poliméricas contêm proteínas hidrolisadas que requerem níveis normais de enzimas pancreáticas para digestão e absorção, e fontes comuns incluem isolado de proteína de soja e caseinatos.

c) A proteína do soro do leite tem sido pouco empregada nas formulações industrializadas devido à sua digestibilidade lenta.

d) Os lipídios representam o macronutriente primário na maioria das fórmulas entéricas, e fontes comuns em fórmulas poliméricas são sólidos de xarope de milho e maltodextrina.

e) As fórmulas iniciais com fibras contêm polissacarídeo de soja, o que aumenta a viscosidade e leva à sedimentação, diminuindo o risco de oclusão do tubo de alimentação, especialmente o de pequeno calibre.

19. (TNEP) A osmolaridade refere-se ao número de miliosmoles por litro de solução, e a osmolalidade, ao número de miliosmoles por quilo de água. A osmolalidade das dietas varia de 250 a 800 mOsm/kg. Na prática clínica, essas medidas de grandeza estão relacionadas com a tolerância digestiva à nutrição enteral.

Sobre os conceitos e a utilização de osmolaridade e osmolalidade na prática nutricional, assinale a opção CORRETA.

a) O estômago tolera dietas com osmolaridade menos elevada, enquanto as porções distais do trato gastrointestinal respondem melhor às formulações hiperosmolares.

b) A administração de dietas hiperosmolares de maneira rápida e intermitente gravitacional pode contribuir para a redução dos problemas com esse tipo de dieta.

c) Quanto mais componentes complexos contiver a formulação, maior será o valor da sua osmolalidade.

d) Os nutrientes que mais afetam a osmolalidade de uma solução são os carboidratos simples (mono e dissacarídeos), que apresentam efeito osmótico maior do que o dos carboidratos de maior peso molecular (amido), minerais e eletrólitos.

e) As dietas oligoméricas têm osmolaridade menor e são mais facilmente absorvidas, quando comparadas às dietas poliméricas.

20. (TNEP) Com relação à necessidade de monitoramento da oferta de carboidratos na terapia de nutrição enteral, assinale a opção CORRETA.

a) Uma ingestão elevada de carboidratos pode promover hipoglicemia e redução do trabalho ventilatório.

b) Os carboidratos, em sua forma rapidamente disponível, apresentam baixo índice glicêmico com redução rápida da glicemia pós-prandial.

c) A ingestão reduzida de carboidrato promove lipólise e proteólise, o que ocasiona a cetose e o aumento da disponibilidade de lipídios para oxidação.

d) Uma ingestão elevada de carboidratos pode promover hipoglicemia, hiperglicemia e redução do trabalho ventilatório.

e) Todas as opções estão corretas.

21. (TNEP) A administração da terapia nutricional enteral tem por objetivo fornecer tudo o que uma pessoa necessita em termos de nutrientes, como carboidratos, proteínas, gorduras, vitaminas, minerais e água. Assinale a opção CORRETA com relação às características das proteínas.

   a) A presença de di e tripeptídeos aumenta a absorção de N_2 no intestino.
   b) As proteínas parcialmente hidrolisadas afetam pouco a osmolaridade da fórmula e são indicadas para indivíduas em boas condições.
   c) Os aminoácidos livres têm absorção mais rápida do que as proteínas parcialmente hidrolisadas, especialmente os peptídeos.
   d) Para os indivíduos com dificuldade de digestão e absorção, as proteínas intactas são uma boa opção.
   e) Todas as opções estão corretas.

22. (TNEP) Desde 1980, as dietas enterais tiveram grande evolução. A tecnologia ampliou o leque de possibilidades de utilização das formulações enterais. Os requisitos nutricionais, o estado clínico subjacente e a função dos órgãos do trato gastrointestinal são componentes essenciais na seleção da fórmula de nutrição enteral adequada, a qual exige a compreensão dos componentes da fórmula individual e o julgamento clínico em relação à eficácia, à tolerância e à promoção de resultados clínicos positivos. Assim, quanto à complexidade dos nutrientes e à osmolaridade das fórmulas para terapia nutricional, analise as afirmativas abaixo.

   I. Pacientes com diarreia frequente e/ou distensão abdominal podem ser beneficiados pelas fórmulas oligoméricas.
   II. Fórmulas hipertônicas são mais bem toleradas no estômago, mas o intestino pode tolerar se a oferta for lenta ou com bomba de infusão (BI).
   III. Pacientes com atrofia intestinal, intestino curto e desnutrição grave podem se beneficiar de fórmulas poliméricas.
   IV. Fórmulas específicas para doenças apresentam elevada osmolalidade, pois contêm nutrientes complexos e precisam ser administradas de maneira lenta independentemente do local.

   Assinale a opção que apresenta as afirmativas CORRETAS:

   a) I e II.
   b) I e III.
   c) II e IV.
   d) III e IV.
   e) Todas as opções estão corretas.

23. (TNEP) A maioria das complicações que ocorrem com a administração da dieta enteral pode ser evitada caso a prescrição, a evolução da terapia nutricional enteral e o acompanhamento nutricional sejam feitos de maneira adequada. Analisando os

itens a seguir, assinale a opção CORRETA com relação às complicações em nutrição enteral.

a) Deve-se reconsiderar o reposicionamento da sonda da região pré para pós-pilórica em casos de deslocamento ou saída acidental da sonda.

b) As complicações metabólicas são mais frequentes em nutrição enteral, seguidas das complicações metabólicas.

c) Dentre as principais complicações que resultam na interrupção da administração da nutrição enteral estão a saída acidental e a estase gástrica.

d) O manejo indicado para os casos de estase gástrica consiste em avaliar o uso de dietas com fibras e aumentar a hidratação.

e) As complicações gastrointestinais são bastante comuns e se devem apenas à alta osmolaridade das dietas.

24. (TNEP) A nutrição enteral precoce é de suma importância para a recuperação do estado nutricional do paciente. Assinale a opção CORRETA com relação à nutrição enteral precoce.

a) A terapia nutricional enteral precoce está relacionada a aumento nas complicações gastrointestinais, incluindo fístula ou deiscência anastomótica, o que confirma um receio muito comum entre os cirurgiões e acaba dificultando seu uso rotineiro.

b) O início precoce da alimentação via oral ou enteral favorece a manutenção da mucosa intestinal, mas tem pouco efeito sobre a redução de complicações relacionadas com ferida operatória e cicatrização, complicações sépticas, perda de peso e melhora do balanço nitrogenado no pós-operatório.

c) A terapia nutricional enteral precoce melhora a resposta metabólica, mas não parece ter influência sobre a resposta imune do paciente.

d) As sociedades internacionais que trabalham com nutrição enteral divergem sobre o período que caracteriza a precocidade da nutrição. As diretrizes brasileiras normalmente recomendam que seja definida como a que acontece nas primeiras 72 horas de tratamento.

e) A nutrição enteral mantém a integridade estrutural, altura e vilosidade e suporte da massa de IgA secretora dos imunócitos (células B e células plasmáticas) que compõem o tecido linfoide associado ao intestino (GALT).

25. (TNEP) Um grande hospital da rede pública conta com 450 leitos produz mais de 2.000 formulações enterais por mês. As complicações da nutrição enteral no paciente em estado crítico não devem ser subestimadas. Assim, o nutricionista do hospital resolve implantar protocolos e indicadores de qualidade para minimizar essas complicações. O nutricionista foi informado de que um paciente que estava recebendo nutrição enteral polimérica tinha apresentado diarreia por 2 dias, com mais de quatro evacuações líquidas diárias. Diante dessa situação, recomenda-se:

a) Trocar a dieta por uma com menor osmolalidade, diminuir o volume administrado ou até modificar a fórmula com a adição de probióticos.

b) Suspender a dieta e substituí-la pela nutrição parenteral total.

c) Acrescentar fibra insolúvel para aumentar o volume das fezes.

d) Administrar a solução enteral polimérica à temperatura de aproximadamente 15ºC.

e) Substituir a dieta por uma formulação hidrolisada com, pelo menos, 500 mOsm/kg.

26. (TNEP) Dispositivos de alimentação de acesso entérico podem ser usados por curto prazo para fornecer nutrientes para o funcionamento ideal nos períodos de doença aguda grave. Já em longo prazo, os dispositivos de alimentação de acesso entérico podem fornecer nutrientes por longos períodos de necessidade médica e ao longo da vida, se indicado. A seleção e os cuidados adequados da via de acesso são fundamentais para minimizar os efeitos adversos e garantir o sucesso da terapia nutricional enteral. O prazo máximo recomendado para a utilização de sonda nasoenteral é de até:

a) 10 dias.

b) 3 meses.

c) 3 semanas.

d) 20 semanas.

e) 6 semanas.

27. (TNEP) Paciente RBB, 52 anos, sexo masculino, obeso em estado crítico com índice de massa corporal (IMC) entre 30 e 39,9 kg/m^2, deu entrada no hospital com várias complicações. Diante disso, qual seria a recomendação de calorias a serem administradas para esse paciente?

a) 30 kcal/kg de peso ideal/dia.

b) 12 kcal/kg de peso ideal/dia.

c) 14 kcal/kg de peso atual/dia.

d) 40 kcal/kg de peso atual/dia.

e) 22 kcal/dia de peso atual/dia.

28. (TNEP) Um paciente de 24 anos, sexo masculino, com 90 kg, foi internado no hospital de uma rede privada. No 4º dia de internação, teve problemas respiratórios e foi direcionado para a UTI. A equipe multidisciplinar decidiu, a partir do peso ideal do paciente (68 kg), seguir a recomendação de proteínas para esse paciente obeso segundo a ASPEN, já que ele estava com IMC de 35 kg/m$^{2.}$ A necessidade proteica desse paciente seria de:

a) 150 g.

b) 75 g.

c) 90 g.

d) 136 g.

e) 180 g.

29. (TNEP) Um paciente adulto de 72 kg foi internado por traumatismo, e foram prescritas 25 kcal/kg. O valor energético total foi de 1.800 kcal. Foi escolhida uma dieta com 1,3 kcal/mL, cuja composição de macro e micronutrientes estava adequada ao paciente.

    Assinale a opção CORRETA com o valor aproximado da água contida na fórmula enteral e a necessidade hídrica diária desse paciente.

    a) 1.052,6 mL de água na dieta e 2.160 mL de necessidade hídrica.
    b) 1.800,7 mL de água na dieta e 1.500 mL de necessidade hídrica.
    c) 1.300 mL de água na dieta e 2.000 mL de necessidade hídrica.
    d) 3.200,6 mL de água na dieta e 3.200 mL de necessidade hídrica.
    e) 1.800 mL de água na dieta e 2.160 mL de necessidade hídrica.

30. (TNEP) Os guias das sociedades internacionais nos ajudam a decidir sobre os conceitos de nossas dietas. A *European Society for Clinical Nutrition and Metabolism* (ESPEN) considera uma fórmula normocalórica quando a densidade da fórmula é igual a:

    a) 1,5 kcal/mL.
    b) 0,6 kcal/mL.
    c) 1,15 kcal/mL.
    d) 1,3 kcal/mL.
    e) 0,8 kcal/mL.

31. (TNEP) O estado nutricional de um indivíduo é um determinante da decomposição corporal e do *status* funcional. Estados de desnutrição afetam negativamente os resultados apresentados pelos pacientes, aumentando a morbimortalidade, o tempo gasto no hospital e as taxas de readmissão, bem como os custos, diminuindo a qualidade de vida. Assim na terapia nutricional são muito importantes a triagem nutricional e a avaliação nutricional.

    Assinale a opção CORRETA sobre as diferenças entre triagem nutricional e avaliação nutricional.

    a) A triagem nutricional determina o desarranjo nutricional do paciente, enquanto a avaliação nutricional identifica fatores de risco para desnutrição.
    b) Por existirem várias ferramentas de triagem nutricional, a avaliação nutricional deve ser mais utilizada, pois sua aplicação é facilitada.
    c) A avaliação nutricional difere da triagem nutricional na profundidade das informações obtidas pelo indivíduo em relação às suas condições nutricionais, o que permitirá que o profissional de saúde formule um melhor diagnóstico.
    d) É exemplo de ferramenta de triagem nutricional a antropometria, pois é simples e de fácil aplicação.
    e) São exemplos de ferramentas de avaliação nutricional: NUTRIC *score* (*NUTrition Risk in the Critically ill*), NRS (*Nutritional Risk Screening*, 2002) e MUST (*Malnutrition Universal Screening Tool*).

Respostas

1 – E

A terapia nutricional é um procedimento que exige elaboração de protocolos, equipes capacitadas, fiscalização periódica e acompanhamento do paciente desde a internação até sua alta. As Portarias 272 e 63 tratam das exigências para a prática das nutrições parenteral e enteral, respectivamente, com exigências de criação de uma equipe multidisciplinar de terapia nutricional, além da necessidade de estrutura física compatível. As Portarias 343 e 131 explicitam os mecanismos e as normas para a organização e a implantação da assistência de alta complexidade, como regulação e fiscalização, controle e avaliação da terapia nutricional. A Portaria 131 estabelece uma nova conformação para a tabela de procedimento do Sistema de Informações Hospitalares (SIH), para a assistência em terapia nutricional de alta complexidade.

- REF.: Brasil (1998, 2000, 2005a, 2005b).

2 – A

As Boas Práticas de Preparação de Nutrição Enteral (BPPNE) fixam os procedimentos a serem adotados pela unidade hospitalar na manipulação de dietas enterais, destacando-se que as dietas podem ser manipuladas tanto em ambiente hospitalar como em empresas prestadoras de bens e serviços que se destinem à manipulação dessas formulações. Assim, a unidade hospitalar pode ter uma área destinada à manipulação das dietas enterais ou pode terceirizar o serviço, recebendo as dietas de empresas especializadas que também contem com o profissional nutricionista como responsável técnico das atividades.

As BPPNE estabelecem as orientações gerais para aplicação nas operações de preparação da nutrição enteral, bem como os critérios para aquisição de insumos, materiais de embalagem e nutrição enteral industrializada. O nutricionista é o responsável pela qualidade da nutrição enteral que processa, conserva e transporta. É indispensável a efetiva inspeção durante todo o processo de preparação da nutrição enteral para garantir a qualidade do produto a ser administrado.

Deve haver um programa de treinamento com os respectivos registros para todo o pessoal envolvido nas atividades que possam afetar a qualidade da nutrição enteral (preparação, limpeza e manutenção). Os funcionários devem receber treinamento inicial e contínuo, inclusive instruções de higiene, além de motivação para a manutenção dos padrões de qualidade.

Todos os funcionários envolvidos devem conhecer os princípios das BPPNE.

Os funcionários envolvidos na preparação da nutrição enteral devem estar adequadamente paramentados para assegurar a proteção do produto. A paramentação utilizada na sala de manipulação deve compreender: uniforme constituído de sapato fechado ou botas, avental fechado ou macacão com mangas compridas, decote fechado, gorro ou touca e máscara, constituindo barreira à liberação de partículas (respiração, tosse, espirro, suor, pele e cabelo).

- REF.: Brasil (2000).

3 – D

Os critérios para avaliação do cumprimento dos itens dos roteiros de inspeção, visando à qualidade e à segurança da nutrição enteral, baseiam-se no risco potencial inerente a cada item.

- É IMPRESCINDÍVEL (I) aquele item que pode influir em grau crítico na qualidade e segurança da nutrição enteral.
- É NECESSÁRIO (N) aquele item que pode influir em grau crítico na qualidade e segurança da nutrição enteral.
- É RECOMENDÁVEL (R) aquele item que pode influir em grau menos crítico na qualidade e segurança da nutrição enteral.
- É INFORMATIVO (I) aquele que oferece subsídios para melhor interpretação dos demais itens sem afetar a qualidade e a segurança da nutrição enteral.

- REF.: Brasil (2000).

4 – E

As atribuições específicas de cada profissional que integra a EMTN estão relacionadas à área de conhecimento, sendo atribuição específica do nutricionista avaliar e monitorar o estado nutricional, elaborar a prescrição dietética e supervisionar sua formação. Os procedimentos referentes à passagem da sonda, à manutenção da via de acesso e à administração da dieta cabem ao enfermeiro. São de competência do médico a indicação e a prescrição da melhor via de acesso. Já ao farmacêutico compete a avaliação das formulações das prescrições médicas e dietéticas, principalmente com relação à compatibilidade físico-química, droga-nutriente e nutriente-nutriente.

- REF.: Brasil (2000).

5 – A

A nutrição parenteral consiste na administração de nutrientes, como glicose e proteínas, além de água, eletrólitos, sais minerais e vitaminas, através da via endovenosa, por meio da via periférica ou central, sendo utilizada tanto como terapia exclusiva como de apoio, dependendo da capacidade fisiológica de digestão e/ou absorção de cada paciente. As principais indicações são: depleção das proteínas plasmáticas, perda significativa ou incapacidade de manutenção do peso corporal, traumas e cirurgias. Está indicada para diminuir as complicações infecciosas, metabólicas ou de infusão e para manutenção dos controles bioquímicos, clínicos e antropométricos, permitindo assim a manutenção da homeostase, uma vez que as calorias e os aminoácidos necessários são supridos.

O suporte nutricional parenteral não deve ser iniciado em vigência de hipofluxo sistêmico e/ou do uso de agentes vasopressores em doses elevadas (ou seja, noradrenalina > 50 a 100 μg/min com sinais de baixa perfusão tecidual), sob o risco de desenvolvimento da síndrome isquêmica intestinal, que ocorre em menos de 1% dos casos, mas pode ter evolução clínica fatal. A dor e a distensão abdominais são os sintomas prevalentes, mas acidose metabólica de origem indeterminada e hemorragias gastrointestinais podem fazer parte do quadro clínico. A possibilidade de complicações metabólicas com a oferta parenteral de nutrientes nas condições de hipofluxo é alta, exigindo monitoramento frequente e progressão lenta.

- REF.: Kawamura & Castro (2015); McClave *et al.* (2016); Waitzberg *et al.* (2017).

6 – E

A osmolaridade se refere ao número de miliosmoles por litro de solução e a osmolalidade, ao número de miliosmoles por quilo de água. A osmolalidade das dietas enterais varia de 250 a 800 mOsm/kg. Na prática clínica, essas grandezas estão relacionadas com a tolerância digestiva da nutrição enteral. Os nutrientes que mais afetam a osmolalidade de uma solução são os carboidratos simples, proteínas isoladas, eletrólitos, aminoácidos cristalinos e triglicerídios de cadeia média, estes últimos com ação menor.

Para o cálculo da relação kcal não proteica/g de N_2 de fórmula, fazemos o seguinte:

Fórmula X:
Carboidrato: 134 × 4 = 536 kcal Lipídio: 34 × 9 = 306 kcal
kcal não proteica: kcal carboidrato + kcal lipídio = 536 + 306 = 842 kcal
g de nitrogênio da fórmula X: PTNg ÷ 6,25 = 40 ÷ 6,25 = 6,4 g de nitrogênio
kcal não proteica/g de nitrogênio da fórmula X = 842 kcal ÷ 6,4g = **131**.

Fórmula Y:
Carboidrato: 184 × 4= 736 kcal Lipídio: 55 × 9 = 495 kcal
kcal não proteica: kcal carboidrato + kcal lipídio = 736 + 495 = 1.231 kcal
g de nitrogênio da fórmula X: PTNg ÷ 6,25 = 68 ÷ 6,25 = 10,88 g de nitrogênio
kcal não proteica/g de nitrogênio da fórmula X = 1.231 kcal ÷ 10,88g = **113**

Assim as duas fórmulas estão dentro do intervalo de 100 a 150.

Dieta normoproteica segundo a ASPEN (2016) – 0,9 a 1,2 g/kg/dia – 54 g a 72 g

Com relação ao item IV, podemos verificar a fórmula Y:
1.750 kcal – 1.167 mL devido à densidade de 1,5 kcal/mL
1.000mL → 68 g
1.167 mL → Y g
Y g = (1.167 × 68) ÷ 1.000 = 79,3 g de ingestão proteica utilizando a fórmula Y, sendo uma dieta hiperproteica segundo a ASPEN (2016).

Se utilizarmos o mesmo volume da dieta X, temos o seguinte:
1.000 mL → 40 g
1.167 mL → X g
X g = (1.167 × 40) ÷ 1.000 = 46,68 g de ingestão proteica utilizando o mesmo volume da fórmula Y, sendo uma dieta hipoproteica segundo a ASPEN (2016).

- REF.: McClave *et al.* (2016).

7 – B

O paciente irá tomar oito refeições de 150 mL, totalizando 1 200 mL. A dieta Y tem densidade de 1,5 kcal/mL; multiplicando o volume por 1,5 o resultado é igual a 1.800 kcal/dia.

1.000 mL da dieta Y tem 68 g de proteína;
1.200 mL da dieta Y terá 81,6 g.

- REF.: McClave *et al.* (2016).

8 – C

Com a mudança na forma de administração e o aumento do volume, temos:

Vazão indicada = 63 mL/h
Volume total = 63 × 24 = 1.512 mL/dia.

A dieta Y tem uma densidade de 1,5 kcal/mL; assim, temos em calorias um total de 1,5 × 1.512 mL = 2.268 kcal/dia.

A dieta Y tem 1.000 mL – 68 g de proteína; assim, em 1.512 mL haverá 102,8 g de proteína por dia.

- REF.: McClave *et al.* (2016).

9 – D

A Resolução nº 63, de 2000, define nutrição enteral como "a ingestão controlada de nutrientes, na forma isolada ou combinada, de composição definida ou estimada, especialmente formulada e elaborada para uso por sondas ou via oral, industrializada ou não, utilizada exclusiva ou parcialmente para substituir ou completar a alimentação oral em pacientes desnutridos ou não, conforme suas necessidades nutricionais, em regime hospitalar, ambulatorial ou domiciliar, visando à síntese ou manutenção dos tecidos, órgãos ou sistemas".

A Portaria nº 135, de março de 2005, resume a definição da nutrição enteral como "aquela fórmula nutricional completa administrada através de sonda nasoentérica, sonda nasogástrica, jejunostomia ou gastrostomia".

A Resolução nº 272, de 1998, define a nutrição parenteral como "solução ou emulsão, composta basicamente de carboidratos, aminoácidos, lipídios, vitaminas e minerais, estéril e apirogênica, acondicionada em recipiente de vidro ou plástico, destinada à administração endovenosa em pacientes desnutridos ou não, em regime hospitalar, ambulatorial ou domiciliar, visando à síntese ou manutenção dos tecidos, órgãos ou sistemas".

- REF.: Brasil (1998, 2000); Kawamura & Castro (2015); Waitzberg *et al.* (2017).

10 – E

A síndrome do intestino curto (SIC) é uma condição clínica de má absorção intestinal secundária à perda da superfície da mucosa funcionante em consequência de ressecção cirúrgica, como no caso de fístulas e cirurgia bariátrica, ou perda das células em decorrência de infecção, isquemia, químio e/ou radioterapia.

O comprometimento crítico de intestino remanescente capaz de evitar a dependência permanente da terapia nutricional parenteral, determinado pela análise radiológica, é: > 35 cm nos pacientes com anastomose jejunoileal, > 60 cm nos pacientes com anastomose jejunocólica e > 115 cm nos pacientes com jejunostomia terminal. Essas medidas objetivas facilitam a avaliação precoce da possibilidade de progressão para a falência intestinal, mas as inter-relações anatômicas e funcionais no intestino são complexas e ainda não plenamente estudadas e conhecidas

A terapia nutricional em pacientes com SIC está indicada assim que se atinge a estabilidade hemodinâmica após a operação de ressecção intestinal. Nessa fase aguda, a maioria dos pacientes necessita da terapia de nutrição parenteral. Após a fase aguda, a terapia de nutrição enteral deve ser iniciada assim que possível, porque a presença de alimentos no lúmen intestinal favorece a adaptação intestinal.

- REF.: Rocha *et al.* (2011); Caruso (2016).

11 – C

A nutrição parenteral consiste na administração de nutrientes, como glicose e proteínas, além de água, eletrólitos, sais minerais e vitaminas através da via endovenosa, por meio da via periférica ou central, sendo utilizada tanto como terapia exclusiva como de apoio, dependendo da capacidade fisiológica de digestão e/ou absorção de cada paciente. As principais indicações são: depleção das proteínas plasmáticas, perda significativa ou incapacidade de manutenção do peso corporal, traumas e cirurgias. Para diminuir as complicações infecciosas, metabólicas ou de infusão são a indicação adequada, manutenção dos controles bioquímicos, clínicos e antropométricos, permitindo assim a manutenção da homeostase, uma vez que é suprido o consumo necessário de calorias e aminoácidos.

O suporte nutricional parenteral não deve ser iniciado em vigência de hipofluxo sistêmico e/ou do uso de agentes vasopressores em doses elevadas (ou seja, noradrenalina > 50 a 100 µg/min com sinais de baixa perfusão tecidual), sob o risco de desenvolvimento da síndrome isquêmica intestinal, que ocorre em menos de 1% dos casos, mas pode ter evolução clínica fatal. A dor e a distensão abdominais são os sintomas prevalentes, mas acidose metabólica de origem indeterminada e hemorragias gastrointestinais podem integrar o quadro clínico. A possibilidade de complicações metabólicas com a oferta parenteral de nutrientes nas condições de hipofluxo é alta, exigindo monitoramento frequente e progressão lenta.

- REF.: Kawamura & Castro (2015); McClave *et al.* (2016); Waitzberg *et al.* (2017).

12 – C

A glicose é o principal carboidrato utilizado como fonte calórica na terapia nutricional parenteral, devendo ser prescrita em quantidade suficiente para atenuar o catabolismo proteico.

Um grama de glicose anidra corresponde a 3,75 calorias, enquanto 1 g de glicose monoidratada corresponde a 3,4 kcal. Com relação aos lipídios, a administração de emulsão lipídica contendo somente triglicerídios de cadeia longa (TCL) pode influir de maneira negativa na resposta inflamatória, no estado imunológico e no desfecho clínico de pacientes em estado crítico. A ASPEN não recomenda a administração de emulsões lipídicas somente com TCL. A emulsão lipídica à base de óleo de soja é uma fonte de ácidos graxos poli-insaturados, contendo grandes quantidades de ácido linoleico e ácido alfa-linolênico; por isso, é bastante utilizada na nutrição parenteral, assim como triglicerídios de cadeia média.

- REF.: Filho & Akamine (2015); Furst (2017).

13 – E

Necessidades hídricas:
Planejado: 30 mL/kg/dia
X mL = peso kg × 30 mL ⇒ 62 × 30 = **1.860 mL.**

Calorias totais:
Planejado: 30 kcal/kg/dia
X kcal = peso kg × 30 kcal ⇒ 62 × 30 = **1.860 kcal.**

Necessidades proteicas:
Planejado: 1,2 g/kg/dia
X g = peso kg × 1,2 g ⇒ 62 × 1,2= **74,4 g.**

Como cada grama de proteína fornece 4 kcal, temos:
X kcal: g AA × 4 kcal ⇒ 74,4 g × 4 = **297,6 kcal**
kcal total – kcal PTN = 1860 – 297,6= **1.562,4 kcal não proteicas.**

Volume da solução de aminoácidos (AA) conforme concentração:
Planejado: solução de 10% de AA (100 mL de solução fornecem 10 g de AA)
X mL = (g AA × 100 mL) ÷ 10
X mL = (74,4g × 100) ÷ 10 = **744 mL de solução de AA a 10%.**

Necessidade lipídicas:
Recomendação: 1 g de lipídio/kg/dia
X g = 1g × 62 = **62 g de lipídio/dia.**

Emulsão lipídica selecionada: emulsão lipídica a 20% (TCL/TCM). Cada grama de lipídio a 20% fornece 10 kcal, portanto:
X g = 62 × 10 = **620 kcal/dia.**

Necessidades energéticas remanescentes (kcal não proteicas) = **1.562,4 kcal – 620 kcal = 942,4 kcal.**

Cálculo do volume da emulsão lipídica (EL):
EL a 20% - cada 100 mL de solução fornecem 20 g de lipídio
X mL = (62 g de lipídio × 100) ÷ 20 = **310 mL de EL a 20%.**

Necessidade glicídica:
Planejado: < 5 mg/kg/min

A determinação da quantidade de carboidrato necessária corresponde à oferta calórica total calculada menos a oferta calórica de AA prescrita:
1.860 kcal totais – 297,6 kcal de AA - 620 kcal de lipídios = **942,4 kcal de glicose**.

Considerando que cada grama de glicose monoidratada fornece 3,4 kcal, temos:
X g de glicose monoidratada = kcal de glicose ÷ 3,4 → 942,4 ÷ 3,4 = **277,18g de glicose/dia**.

Velocidade de infusão de glicose (VIG) = quantidade de glicose monoidratada ÷ (peso kg × 1.440 [minutos em 24 horas])
VIG = 277.180 ÷ (62 × 1.440) = **3,1 mg/kg/min**.

Obs.: como a velocidade de infusão considera o tempo em minutos, temos que 24 horas = 1.440 minutos.

É necessário transformar a concentração de glicose de gramas em miligramas.

- REF.: Teixeira Neto (2003); Carlixto-Lima *et al.* (2011).

14 – A

Necessidade hídricas:
Planejado: 30 mL/kg/dia
X mL = peso kg × 30 mL ⇒ 58 × 30= **1.740 mL**.

Calorias totais:
Planejado: 30 kcal/kg/dia
X kcal = peso kg × 30 kcal ⇒ 58 × 30 = **1.740 kcal**.

Necessidades proteicas:
Planejado: 1,4 g/kg/dia
X g = peso kg × 1,4 g ⇒ 58 × 1,4 = **81,2 g**.

Como cada grama de proteína fornece 4 kcal, temos:
X kcal: g AA × 4 kcal ⇒ 81,2 g × 4 = **324,8 kcal**.

Volume da solução de aminoácidos conforme concentração:
Planejado: solução de 10% de AA (100 mL de solução fornecem 10 g de AA)
X mL = (g AA × 100 mL) ÷ 10 ⇒ (81,2 g × 100) ÷ 10 = **812 mL de solução de AA a 10%**.

Necessidade glicídica:
Planejado: < 5 mg/kg/min.

A determinação da quantidade de carboidrato necessária corresponde à oferta calórica total calculada menos a oferta calórica de AA prescrita:
1.740 kcal totais – 324,8 kcal de AA = **1.415,2 kcal de glicose**.

Considerando que cada grama de glicose monoidratada fornece 3,4 kcal, temos:
X g de glicose monoidratada = kcal de glicose ÷ 3,4 ⇒ 1.415,2 ÷ 3,4 = **416,23 g de glicose/dia**.

Velocidade de infusão de glicose (VIG) = quantidade de glicose monoidratada ÷ (peso kg × 1.440 [minutos em 24 horas])
VIG = 416.230 ÷ (58 × 1.440) = **4,98 mg/kg/min**.

Obs: como a velocidade de infusão considera o tempo em minutos, temos que 24 horas = 1.440 minutos.

É necessário transformar a concentração de glicose de gramas em miligramas:
416,23 g × 1.000 = **416.230 mg de glicose**.

- REF.: Teixeira Neto (2003); Carlixto-Lima *et al.* (2011).

15 – D

As principais complicações em nutrição enteral são classificadas como metabólicas, gastrointestinais, mecânicas, infecciosas e operacionais. As complicações metabólicas são caracterizadas por desidratação e hiperidratação (oferta inadequada de água). Citam-se também a hiper e a hipoglicemia, que estão associadas à oferta inadequada de calorias, as interrupções não programadas da nutrição enteral e a própria condição do paciente. Ocorre também a síndrome da realimentação, quando os pacientes desnutridos ou em jejum prolongado passam a ser alimentados novamente de maneira rápida e com grandes volumes. Com relação às complicações gastrointestinais, podem ser citadas diarreia, náuseas e constipações, associadas ao excesso de gordura na dieta, à infusão rápida ou à intolerância a componentes da fórmula.

Por fim, as complicações mecânicas e operacionais dão conta do aparato técnico e operacional da terapia nutricional enteral. Entre suas causas estão a obstrução da sonda, as erosões e a necrose nasal. O manuseio inadequado durante a administração da dieta também pode ser uma causa.

Uma das indicações para terapia nutricional enteral é a desnutrição, que, por isso, não seria considerada uma complicação.

- REF.: Vasconcelos (2014); Dias (2015); Ribeiro & Souza (2015).

16 – E

As fórmulas poliméricas contêm proteínas intactas que necessitam de níveis normais de enzimas pancreáticas para digestão e absorção e incluem isolado de proteína de soja e caseinatos. Normalmente, 1 a 1,5 L de uma fórmula polimérica fornece 100% da dose recomendada (RDA) da maioria das vitaminas e minerais, geralmente sem lactose e sem glúten.

As fórmulas poliméricas padrões estão disponíveis em várias concentrações, que vão de 1 a 2 kcal/mL para auxiliar o manejo dos pacientes com restrições específicas de líquidos. Fórmulas com concentrações mais baixas são isotônicas ou quase isotônicas e podem ser úteis em pacientes com diarreia induzida por osmose.

Segundo as diretrizes do ASPEN/SCCM (American Society for Parenteral and Enteral Nutrition/Society of Critical Care Medicine, 2016): "as fórmulas com fibras mistas não devem ser usadas rotineiramente no paciente adulto criticamente doente por promoverem a regularidade ou prevenirem a diarreia, devendo ser considerado o uso de uma fórmula comercial contendo fibras mistas e, se houver evidência de diarreia persistente, evitar tanto a fibra insolúvel em pacientes com alto risco de isquemia intestinal ou dismotilidade grave como considerar uma solução solúvel fermentável de fibra (FOS, inulina) para uso rotineiro em todos os pacientes hemodinamicamente estáveis."

- REF.: Escuro & Hummell (2016); McClave *et al.* (2016).

17 – D

O conteúdo dos protocolos de alimentação atualmente disponíveis varia. Com base nas melhores evidências disponíveis, deve ser adotado um protocolo que incentiva o uso da alimentação enteral *versus* alimentação parenteral, quando possível, promove alimentação enteral, inclui o uso de agentes procinéticos, quando medicamente apropriado, tolera VRG maiores (≥ 250 mL), encoraja o uso de acesso duodenal, quando prontamente disponível, e procura minimizar as interrupções na alimentação. Essas recomendações estão em concordância com as diretrizes de práticas com base em evidências desenvolvidas pela Associação Médica Canadense e a ASPEN (2016) a respeito da nutrição enteral em adultos criticamente doentes.

- REF.: McClave *et al.* (2016); Ozen, Tosun & Yamanel (2016).

18 – A

As dietas enterais industrializadas são práticas, nutricionalmente completas e oferecem maior segurança quanto ao controle microbiológico e à composição centesimal. Elas são classificadas em fórmulas padrões e fórmulas especializadas. As fórmulas padrões contêm nutrientes em sua forma intacta, em quantidades próximas às recomendações nutricionais para indivíduos normais. As modificadas se diferenciam pela ausência, redução ou adição de nutrientes não previstos na fórmula padrão.

- REF.: Escuro & Hummell (2016); McClave *et al.* (2016); Savino (2017).

19 – D

Para a escolha da fórmula a ser utilizada na nutrição enteral, consideram-se a complexidade dos nutrientes e a osmolaridade, os quais podem interferir no resultado esperado. As fórmulas poliméricas são a primeira escolha em virtude do menor custo e da tolerabilidade; contudo, em casos de diarreia e/ou distensão abdominal prolongadas, a não resolução do problema com as fórmulas poliméricas em bomba de infusão torna o uso de fórmulas oligoméricas a melhor opção. Essas fórmulas apresentam nutrientes parcialmente hidrolisados, facilitando a absorção e beneficiando o paciente. As fórmulas elementares e oligoméricas são mais indicadas em casos de desnutrição grave ou má absorção de nutrientes.

- REF.: Toledo & Castro (2015); Waitzberg (2017).

20 - C

Os carboidratos ofertados devem ser monitorados, promovendo redução de proteólise e lipólise e suprindo as necessidades energéticas com a manutenção da glicemia. A lipólise aumenta a disponibilidade de lipídios para oxidação, resultando em cetose. Em quantidades elevadas, promovem hiperglicemia, hipertrigliceridemia, esteatose hepática e aumento do trabalho ventilatório. Em caso de jejum prolongado ou desnutrição severa, é estimulada a liberação da insulina com aumento na captação de glicose, fosfato, potássio e magnésio para as células e redução repentina da concentração plasmática desses nutrientes, ocasionando distúrbios metabólicos e hidreletrolíticos (síndrome de realimentação). Sua forma rapidamente disponível como monossacarídeos, dissacarídeos e maltodextrina apresenta elevado índice glicêmico e, consequentemente, aumento rápido da glicemia pós-prandial.

- REF.: Horie & Gonçalves (2015).

21 - A

As proteínas intactas são indicadas para indivíduos com boas condições de digestão e absorção, afetando pouco a osmolaridade da fórmula. Já as parcialmente hidrolisadas aumentam a absorção de N_2 no intestino na presença de di e tripeptídeos, são uma boa opção para indivíduos com dificuldade de digestão e absorção e aumento da osmolaridade e são bem toleradas quando a administração é lenta e/ou em bomba de infusão. Os aminoácidos livres parecem ter absorção mais lenta que os peptídeos, além de aumentarem a osmolaridade da fórmula. A arginina e a glutamina são utilizadas como imunomoduladores.

- REF.: Bongestab & Ribeiro, (2015); Toledo & Rosenfeld (2015).

22 - A

Para a escolha da fórmula utilizada em nutrição enteral, consideram-se a complexidade dos nutrientes e a osmolaridade, que podem interferir no resultado esperado. As fórmulas poliméricas são a primeira escolha em razão do menor custo e da tolerabilidade; contudo, em situações de diarreia e/ou distensão abdominal prolongadas, a não resolução do problema com o uso de fórmulas poliméricas em bomba de infusão torna o uso de fórmulas oligoméricas a melhor opção. Essas fórmulas apresentam nutrientes parcialmente hidrolisados, facilitando a absorção com benefício para o paciente. As fórmulas elementares e oligoméricas são mais indicadas em casos de desnutrição grave ou má absorção de nutrientes.

- REF.: McClave *et al.* (2016).

23 - C

As complicações podem ser classificadas como gastrointestinais, mecânicas e metabólicas. O impacto das complicações é representada pela interrupção da oferta da nutrição enteral. São oferecidas dietas com fibras e maior hidratação para os casos de constipação. Nos casos de estase gástrica, é importante considerar o reposicionamento da sonda da região pré para a pós-pilórica. Faz-se necessário avaliar periodicamente o posicionamento da sonda por ausculta nos casos de deslocamento ou saída acidental da sonda.

- REF.: Vasconcelos (2014); Dias (2015); Ribeiro & Souza (2015); McClave *et al.* (2016).

24 - E

A nutrição enteral precoce atenua a resposta metabólica, melhora a resposta imune, com redução da liberação de mediadores pró-inflamatórios, e o processo de cicatrização, diminui a permeabilidade da mucosa intestinal e a chance de translocação bacteriana, previne a ocorrência de úlceras de estresse, melhora o estresse oxidativo pós-cirurgia, diminui a ocorrência de sepse e favorece o alcance mais rápido das metas calóricas e proteicas. A nutrição enteral mantém a integridade funcional do intestino, garantindo junções apertadas entre as células intraepiteliais, estimulando o fluxo sanguíneo e induzindo a liberação de agentes endógenos (p. ex.: colecistocinina, gastrina, bombesina e sais biliares).

O suporte nutricional enteral deve ser iniciado nas primeiras 24 a 48 horas do tratamento, após a estabilização hemodinâmica, antecedendo as respostas hipermetabólica e hipercatabólica que se instalam nas primeiras 72 horas após a lesão inicial. O suporte nutricional enteral precoce está associado a menor incidência de úlcera de estresse e de lesão trófica intestinal, menor produção sistêmica de citocinas inflamatórias e menor morbidade infecciosa em pacientes graves. Há a tendência de redução da mortalidade, descrita em alguns trabalhos, mas sem significância estatística. Não é necessária a presença de ruídos hidroaéreos ou a liberação de gases para o início da administração enteral de nutrientes ao paciente grave. Não há benefício em oferecer a terapia nutricional enteral e/ou parenteral por períodos inferiores a 3 dias.

- REF.: Bongestab & Ribeiro (2015); Borges, Barone & Oliveira (2015); Campos, Borges & Campos (2015); McClave *et al.* (2016).

25 - A

A diarreia pode ser caracterizada como três ou mais episódios de evacuação de consistência liquida em 24 horas. Sua incidência varia de 15% a 18% nos pacientes em terapia nutricional enteral (TNE), sendo uma limitação importante para o uso amplo de TNE. A diarreia representou 17,9% das causas de interrupção da TNE; entretanto, não foi a causa principal, mas deve ser considerada um fator contribuinte. Segundo algumas fontes, a conduta contra diarreia deverá ser aplicada sempre que o número de evacuações líquidas ou semilíquidas for maior que três evacuações diárias. Cabe lembrar que fórmulas mais densas têm menor quantidade de água e maior osmolalidade, o que pode prejudicar a conduta. Uma dieta com densidade de 1 kcal/mL apresenta em sua composição 80% de água, enquanto uma dieta de 1,5 kcal/dia contém 65% a 70% de água. São escolhidas fórmulas com osmolalidade < 350 mOsm/kg, semelhantes à do trato gastrointestinal (TGI). As fórmulas para diarreia não devem conter fibras insolúveis, mas podem incluir a fibras solúveis; no entanto, caso continuem os episódios de diarreia, deverá ser retirada e utilizada uma fórmula sem fibra ou com probióticos para o restabelecimento do TGI. A temperatura da dieta deve estar próxima à corporal, pois temperaturas frias podem acelerar o trânsito intestinal.

- REF.: Vasconcelos (2014); Dias (2015); Ribeiro & Souza (2015).

26 – E

As vias de acesso em nutrição enteral podem estar dispostas no estômago, duodeno ou jejuno conforme as facilidades técnicas e as rotinas de administração, bem como em razão das alterações orgânicas e/ou funcionais a serem corrigidas. Em pacientes que necessitam de nutrição enteral por um período curto, o tempo máximo é de 6 semanas. A sonda nasoenteral é a mais utilizada graças a seu custo baixo e à colocação fácil, sendo recomendada sua utilização por 6 semanas, no máximo.

- REF.: Miller *et al.* (2014); Vasconcelos (2014); Lord & Linda (2018).

27 – C

A *American Society for Parenteral and Enteral Nutrition* (ASPEN) e a *Society of Critical Care Medicine* (SCCM) recomendam uma dieta hipocalórica (11 a 14 kcal/kg de peso atual ou 22 a 25 kcal/kg de peso ideal/dia) com o objetivo de melhorar o controle glicêmico e a resistência periférica à insulina, prevenindo as consequências metabólicas da hiperalimentação, como hipercapnia, retenção de líquidos e hipertrigliceridemia. Promove ainda melhora do balanço nitrogenado, redução do tempo de internação na UTI e diminuição na utilização de antibióticos em pacientes obesos cirúrgicos.

- REF.: McClave *et al.* (2016).

28 – D

A ASPEN e a SCCM recomendam a oferta de nutrição hipocalórica permissiva em pacientes obesos em suporte nutricional enteral, tendo como meta a oferta calórica de 11 a 14 kcal/kg de peso atual/dia. A partir de estudos com balanço nitrogenado em pacientes com oferta de nutrição hipocalórica, as recomendações se estendem para 2 g/kg de peso ideal em pacientes com IMC entre 30 e 39,9 kg/m^2 e para 2,5 g/kg de peso ideal em pacientes com IMC $\geq$ 40 kg/m^2 de proteína/dia. Assim, devo utilizar o peso ideal (68 kg) $\times$ 2 = **136 g**.

- REF.: McClave *et al.* (2016).

29 – A

A quantidade de água livre na dieta depende de sua concentração, como é possível observar na Tabela 15.2:

Tabela 15.2

Densidade calórica	
0,9 a 1,2 kcal/mL (Densidade padrão)	80 a 86% de água
1,3 a 1,5 kcal/mL	76 a 78%* de água
1,6 a 2,0 kcal/mL	69 a 71%** de água

Obs.: quantidade de água referente a *1,5 kcal/mL e **2,0 kcal/mL.

Vamos calcular o volume de dieta necessário ao paciente no dia:
1.000 mL – 1.300 kcal (1,3 kcal/mL)
X mL - 1.800 kcal
X = 1.384,6 mL de dieta ao dia.

Se considerarmos que essa dieta hipercalórica tem densidade de 1,3 kcal/mL de água (Ver Tabela 15.2 – 76%), podemos dizer que:
100% do volume - 1.384,6 mL de dieta
76% de água - X mL de água.

Assim, x = (1.384,6 × 76) ÷ 100 = **1.052,6 mL de água**.

Paralelamente, é importante calcular a necessidade hídrica do paciente, levando em consideração o estado de hidratação, febre, diarreia, vômitos, fístulas e queimaduras.

Adultos – recomendação: 30 mL/kg/dia
Necessidade hídrica: 30 × 72 = **2.160 mL.**

- REF.: Vasconcelos (2014); Baxter & Waitzberg (2017).

30 - C

A *European Society for Clinical Nutrition and Metabolism* (ESPEN, 2006) considera uma fórmula normocalórica quando a densidade calórica é de 0,9 a 1,2 kcal/mL. Valores maiores representam dieta hipercalórica (1,3 a 1,5 kcal/mL) e menores (0,6 a 0,8 kcal/mL), hipocalórica.

- REF.: Horie & Gonçalves (2015); Baxter & Waitzberg (2017); Correia (2018).

31 - C

Um fator primordial no momento da admissão hospitalar do paciente grave diz respeito a seu diagnóstico nutricional, bem como à determinação do risco nutricional para a tomada de decisão acerca da estratégica nutricional mais adequada para a condição clínica específica. Ao profissional nutricionista cabe avaliar o estado nutricional do paciente com base em protocolos preestabelecidos, enquanto a identificação do risco nutricional pode ser realizada por qualquer profissional de saúde treinado para esse fim. O diagnóstico do estado nutricional é importante para detecção precoce de desnutrição e inclui a triagem nutricional. Enquanto a triagem detecta o risco nutricional, a avaliação nutricional tem como objetivo principal comprovar a presença de desnutrição e classificar seu grau. Os principais exemplos de ferramentas de triagem nutricional são *Malnutrition Universal Screening Tool* (MUST), *Nutritional Risk Screening* 2002 (NRS 2002) e *NUTrition Risk In the Critically ill* (NUTRIC *score*).

- REF.: Moraes *et al.* (2015).

Referências

Baxter YC, Waitzberg DL. Critérios de decisão na seleção de dietas enterais. In: Waitzberg DL. Nutrição oral, enteral e parenteral na prática clínica. 5. ed. São Paulo: Atheneu: 2017:841-57.

Bongestab R, Ribeiro PC. Cálculo de requerimentos nutricionais na UTI. Quanto preciso ofertar de nutrientes para o meu paciente? In: Ribeiro PC. Nutrição. Série medicina de urgência e terapia intensiva do Hospital Sírio-Libanês. São Paulo: Atheneu, 2015.

Borges VC, Barone MG, Oliveira PM. Terapia nutricional enteral precoce. In: Toledo D, Castro M. Terapia nutricional em UTI. Rio de Janeiro: Rubio, 2015:127-34.

Brasil. Ministério da Saúde - Agência Nacional de Vigilância Sanitária. Portaria MS/SNVS nº 272, de 8 abril de 1998. Brasília: Diário Oficial da União, 1998.

Brasil. Ministério da Saúde - Agência Nacional de Vigilância Sanitária. Resolução nº 63, de 6 de julho de 2000. Brasília: Diário Oficial da União, 2000.

Brasil. Ministério da Saúde - Agência Nacional de Vigilância Sanitária. Portaria nº 343, de 7 de março de 2005. Brasília: Diário Oficial da União, 2005a.

Brasil. Ministério da Saúde - Agência Nacional de Vigilância Sanitária. Portaria nº **131**, de 8 de março de 2005. Brasília: Diário Oficial da União, 2005b.

Campos ACL, Borges A, Campos LF. Quando devo começar a minha terapia nutricional? In: Ribeiro PC. Nutrição. São Paulo: Atheneu, 2015:65-73.

Carlixto-Lima L et at. Componentes e cálculo da nutrição parenteral. Rio de Janeiro: Rubio, 2011.

Caruso L. Intervenção nutricional no pré e pós cirúrgico. In: Chemin SMS, Mura JDP. Tratado de alimentação, nutrição e dietoterapia. 3. ed. Payá, 2016.

Correia MITD. Nutrition screening vs nutrition assessment: What's the difference? Nutrition in Clinical Practice, 2018; 33(1):62-72.

Dias MCG. Manejo das complicações relacionadas com a terapia nutricional enteral. In: Toledo D, Castro M. Terapia nutricional em UTI. Rio de Janeiro: Rubio, 2015:127-34.

Escuro AA, Hummell AC. Enteral formulas in nutrition support practice: Is there a better choice for your patient? Nutrition in Clinical Practice, Dec 2016; 31(6):709-22.

Filho MK, Akamine D. Principais insumos da terapia nutricional parenteral. In: Toledo D, Castro M. Terapia nutricional em UTI. Rio de Janeiro: Rubio, 2015:143-47.

Furst P. Substratos em Nntrição parenteral. In: Waitzberg DL. Nutrição oral, enteral e parenteral na prática clínica. 5. ed. São Paulo: Atheneu, 2017:841-57.

Horie LM, Gonçalves RCC. Escolha da fórmula enteral. In: Toledo D, Castro M. Terapia nutricional em UTI. Rio de Janeiro: Rubio, 2015:105-15.

Kawamura KS, Castro M. Indicações de terapia nutricional parenteral. In: Toledo D, Castro M. Terapia nutricional em UTI. Rio de Janeiro: Rubio, 2015:137-42.

Lord LM. Enteral access devices: Types, function, care, and challenges. Nutrition in Clinical Practice, 2018; 33(1):16-38.

McClave SA, Taylor BE, Martindale RG et al; Society of Critical Care Medicine; American Society for Parenteral and Enteral Nutrition. Guidelines for the provision and assessment of nutrition support therapy in the adult critically ill patient: Society of Critical Care Medicine (SCCM) and American Society for Parenteral and Enteral Nutrition (ASPEN). JPEN J Parenter Enteral Nutr, 2016; 40:165.

Miller KR, McClave SA, Kiraly LN, Martindale RG, Benns MV. A tutorial on enteral access in adult patients in the hospitalized setting. JPEN J Parenter Enteral Nutr, 2014; 38(3):282-95.

Moraes MF, Lima FCA, Luz AMA. Manejo das complicações relacionadas com a terapia nutricional enteral. In: Toledo D, Castro M. Terapia nutricional em UTI. Rio de Janeiro: Rubio, 2015:9-18.

Nunes ALB, Koterba E, Alves VGF, Abrahão V, Correia MITD. Terapia nutricional no paciente grave. Projeto Diretrizes. São Paulo: Associação Médica Brasileira e Conselho Federal de Medicina, 2011: 309-24.

Ozen N, Tosun N, Yamanel L et al. Evaluation of the effect on patient parameters of not monitoring gastric residual volume in intensive care patients on a mechanical ventilator receiving enteral feeding: a randomized clinical trial. J Crit Care, 2016; 33:137-44.

Ribeiro PC, Souza IAO. Complicações relacionadas à nutrição enteral. In: Ribeiro PC. Nutrição. São Paulo: Atheneu, 2015:119-35.

Rocha EEM, Correia MITD, Borges VC, Dias MCG, Rocha RO, Borges A, Campos ACL, Buzzini R. Terapia nutricional na síndrome do intestino curto – insuficiência/falência intestinal. Projeto Diretrizes. Associação Médica Brasileira e Conselho Federal de Medicina, 2011.

Savino, P. Knowledge of constituent ingredients in enteral nutrition formulas can make a difference in patient response to enteral feeding. Nutrition in Clinical Practice, março 2017.

Teixeira Neto F. Nutrição clínica. Rio de Janeiro: Guanabara Koogan, 2003.

Toledo D, Castro M. Terapia nutricional em UTI. Rio deJaneiro: Rubio, 2015.

Toledo D, Rosenfeld VAS. Necessidades protéicas. In: Toledo D, Castro M. Terapia nutricional em UTI. Rio de Janeiro: Rubio, 2015:105-15.

Vasconcelos MIL. Nutrição enteral. In: Cuppari L. Nutrição clínica no adulto. 3. ed. Barueri: Manole, 2014:527-61.

Waitzberg DL. Nutrição oral, enteral e parenteral na prática clínica. 5. ed. São Paulo: Atheneu, 2017.

Waitzberg DL, Junior PEP, Cecconello I. Indicação, formulação e monitorização em nutrição parenteral total central e periférica. In: Waitzberg DL. Nutrição oral, enteral e parenteral na prática clínica. 5ª.ed. São Paulo: Atheneu, 2017:841-57.

Capítulo 16

Nutrição Esportiva (NE)

Audrey Yule Coqueiro
Marcelo Macedo Rogero

Questões

1. (NE) Embora sejam comumente empregados como sinônimos, os conceitos referentes às expressões atividade física, exercício físico e esporte diferem uns dos outros. Nesse contexto, assinale a opção CORRETA.
   a) Atividade física é toda atividade planejada, estruturada e repetitiva, enquanto exercício físico designa qualquer movimento corporal e esporte compreende apenas atividades de competição institucionalmente regulamentadas.
   b) Atividade física é toda atividade planejada, estruturada e repetitiva, enquanto exercício físico e esporte designam qualquer movimento corporal que culmine em contração muscular e, por consequência, em gasto energético.
   c) As expressões atividade física e exercício físico designam qualquer movimento corporal que culmine em contração muscular e, por consequência, em gasto energético, enquanto esporte designa atividades de competição institucionalmente regulamentadas.
   d) Atividade física é definida como qualquer movimento corporal que culmine em contração muscular e, por consequência, em gasto energético. Por outro lado, exercício físico se refere a toda atividade planejada, estruturada e repetitiva, enquanto esporte designa atividades de competição institucionalmente regulamentadas.
   e) Atividade física, exercício físico e esporte designam atividades planejadas, estruturadas e repetitivas, e a diferença entre eles consiste no fato de o termo esporte incluir atividades de competição institucionalmente regulamentadas.

2. (NE) A determinação do gasto energético durante o exercício físico é de suma importância para o planejamento dietético adequado do atleta. No que concerne aos métodos de determinação do gasto energético, assinale a opção CORRETA.
   a) A potência anaeróbia de um indivíduo pode ser quantificada por diversos métodos, dentre eles os testes ergométricos ou ergoespirométricos.

b) Na ergoespirometria, a potência aeróbia é mensurada pelo consumo máximo de oxigênio ($VO_{2máx}$).

c) $VO_{2máx}$ e VO_{2pico} são sinônimos.

d) Antes do teste ergoespirométrico, é solicitado que o indivíduo evite a prática de exercício físico intenso por 1 mês.

e) A frequência cardíaca máxima é considerada o método padrão-ouro para avaliação do esforço máximo durante o exercício e, também, para obtenção do gasto energético.

3. (NE) O equivalente metabólico (MET) é utilizado para estimar o gasto energético durante o exercício físico. Uma unidade de MET é equivalente a:

   a) 3,9 mL de oxigênio/kg de peso corporal/min.
   b) 3,8 mL de oxigênio/kg de peso corporal/min.
   c) 3,5 mL de oxigênio/kg de peso corporal/min.
   d) 3,6 mL de oxigênio/kg de peso corporal/min.
   e) 3,7 mL de oxigênio/kg de peso corporal/min.

4. (NE) A ingestão adequada de proteínas é de extrema importância para indivíduos engajados em exercícios resistidos, favorecendo o anabolismo proteico e a hipertrofia muscular. A recomendação de ingestão de proteínas para atletas de exercícios de força é de:

   a) 1,7 a 1,8 g de proteína/kg de peso/dia.
   b) 0,8 a 1,0 g de proteína/kg de peso/dia.
   c) 1,0 a 1,2 g de proteína/kg de peso/dia.
   d) Acima de 2,0 g de proteína/kg de peso/dia.
   e) Entre 2,5 e 3,0 g de proteína/kg de peso/dia.

5. (NE) As proteínas têm papel fundamental na recuperação muscular e, por consequência, no desempenho físico em exercícios aeróbios. A recomendação de ingestão de proteínas para atletas de *endurance* é de:

   a) 0,8 g de proteína/kg de peso/dia.
   b) 1,0 g de proteína/kg de peso/dia.
   c) 1,2 a 1,4 g de proteína/kg de peso/dia.
   d) 1,6 a 1,8 g de proteína/kg de peso/dia.
   e) Acima de 2,0 g de proteína/kg de peso/dia.

6. (NE) Os carboidratos são importantes macronutrientes para o fornecimento de energia ao organismo. Com relação à ingestão de carboidratos antes, durante e após o exercício físico, assinale a opção CORRETA.

a) No período pré-treino, é recomendado o consumo de carboidratos de alto índice glicêmico.
b) Para exercícios com duração superior a 30 minutos, sugere-se a suplementação com carboidratos durante o exercício.
c) No período pós-treino, é recomendado o consumo de carboidratos de baixo índice glicêmico.
d) No período pós-treino, não é recomendada a ingestão de carboidratos, apenas de proteínas.
e) A forma como o carboidrato é ofertado – líquida ou sólida – não interfere em seu efeito ergogênico.

7. (NE) A recomendação de ingestão de carboidratos para atletas engajados em atividades de longa duração ou treinos intensos (> 70% do $VO_{2máx}$) é de:
   a) 10 g/kg de peso/dia.
   b) 8 g/kg de peso/dia.
   c) 6 g/kg de peso/dia.
   d) 4 g/kg de peso/dia.
   e) 2 g/kg de peso/dia.

8. (NE) No que se refere ao papel dos lipídios durante o exercício físico, é correto afirmar que:
   I. Os lipídios utilizados durante o exercício físico são provenientes exclusivamente do tecido adiposo.
   II. Os lipídios são importantes fontes de energia no exercício físico de alta intensidade e curta duração.
   III. Os lipídios são importantes fontes de energia no exercício predominantemente anaeróbio.
   IV. O treinamento de *endurance* induz adaptações que favorecem a utilização de lipídios como fontes de energia durante o exercício.

   Estão CORRETAS as afirmativas:
   a) Todas (I a IV).
   b) Apenas I.
   c) II e III.
   d) Apenas IV.
   e) Nenhuma.

9. (NE) A recomendação de lipídios para atletas é de:
   a) 3,0 g/kg de peso/dia.
   b) 2,5 g/kg de peso/dia.

c) 2,0 g/kg de peso/dia.

d) 1,5 g/kg de peso/dia.

e) 1,0 g/kg de peso/dia.

10. (NE) Diversos minerais têm sido estudados como possíveis recursos a fim de melhorar o desempenho físico e a saúde de atletas. Com relação a esse tema, marque a opção CORRETA.

a) O consumo adequado de cálcio é indispensável para atletas, tendo em vista que o exercício físico reduz a força e a massa óssea.

b) A prevalência de deficiência de ferro é maior em mulheres atletas em comparação àquela observada em homens atletas.

c) A deficiência de magnésio não afeta o desempenho físico, mas pode aumentar o risco de doenças crônicas não transmissíveis, como diabetes tipo 2 e hipertensão arterial sistêmica.

d) O exercício físico não afeta as concentrações orgânicas de zinco.

e) As concentrações séricas e urinárias de cobre reduzem imediatamente após o exercício físico.

11. (NE) A hidratação adequada é de suma relevância para atenuar o aumento da temperatura corporal que ocorre durante o exercício físico. Acerca deste assunto, assinale a opção CORRETA.

a) A taxa de calor produzida durante o exercício físico é proporcional à taxa de trabalho.

b) O músculo esquelético é o único tecido responsável pela geração de calor durante o exercício físico.

c) O calor que é produzido durante o exercício físico é conduzido pela circulação linfática para a pele, sendo, então, dissipado para o ambiente.

d) Embora haja aumento da temperatura corporal durante o exercício físico, evidências indicam que esse fenômeno não tem correlação com o desenvolvimento de fadiga precoce.

e) A temperatura da pele não varia de acordo com o ambiente, mantendo-se em $38 \pm 1°C$.

12. (NE) Para adequar a ingestão de fluidos durante o exercício físico, é necessário calcular a taxa de sudorese do atleta, que é realizada por meio da equação:

a) Volume de líquido ingerido – volume de urina.

b) (Volume de líquido ingerido – volume de urina) ÷ horas de atividade física.

c) [(Peso antes do exercício – peso após o exercício) + volume de líquido ingerido – volume de urina] ÷ horas de atividade física.

d) Peso antes do exercício – peso após o exercício

e) (Peso antes do exercício – peso após o exercício) ÷ horas de atividade física.

13. (NE) Referente aos fluidos que devem ser ingeridos durante o exercício físico, é correto afirmar que:

I. A temperatura dos líquidos ingeridos durante o exercício físico deve estar entre 4 e 10°C.

II. A ingestão de água pura pode promover aumento do volume sanguíneo e, consequentemente, diluição de eletrólitos no plasma. Desse modo, é preferível a ingestão de bebidas esportivas durante o exercício exaustivo e prolongado.

III. Em condições ambientais quentes, é preferível oferecer bebidas com alta concentração de carboidratos (> 15%).

IV. A inserção de carboidratos diferentes, como a glicose e a frutose, em bebidas esportivas representa estratégia interessante para favorecer a absorção de líquido.

Estão CORRETAS as afirmativas:

a) Todas (I a IV).

b) Nenhuma.

c) I e II.

d) III e IV.

e) II e IV.

14. (NE) A creatina é um suplemento muito comum no âmbito esportivo, estando vinculada a diversos benefícios. Referente a esse suplemento, é correto afirmar que:

I. A creatina é abundante nos alimentos, sendo encontrada em produtos de origem animal e vegetal, como carnes, frutas e legumes.

II. No organismo humano, a creatina está presente nas formas fosforilada (30 a 40%) e livre (60 a 70%).

III. Endogenamente, a síntese de creatina ocorre, principalmente, no sistema nervoso central.

IV. A síntese endógena de creatina depende dos aminoácidos de cadeia ramificada (leucina, isoleucina e valina).

V. Diariamente, cerca de 2 g de creatina são convertidos espontaneamente à creatinina e excretados na urina.

Estão CORRETAS as afirmativas:

a) Nenhuma.

b) Todas.

c) Apenas II.

d) I, II e V.

e) II e V.

15. (NE) A suplementação com beta-alanina tem despertado crescente interesse na área de nutrição esportiva. Referente a esse suplemento, assinale a opção CORRETA.

a) A beta-alanina é um aminoácido condicionalmente indispensável, sendo necessário apenas em determinadas situações, como no exercício físico exaustivo.

b) A beta-alanina *per se* apresenta propriedades ergogênicas limitadas.

c) A beta-alanina é precursora do tripeptídeo carnosina, o qual apresenta a capacidade de tamponar prótons intracelulares.

d) A suplementação com beta-alanina é indicada para atletas engajados em exercícios físicos de baixa intensidade e com duração superior a 2 horas.

e) A dose diária de beta-alanina deve ser superior a 10 g/dia para aumentar as concentrações musculares de carnosina.

16. (NE) A suplementação com glutamina é comum no âmbito esportivo. Acerca desse aminoácido, avalie as seguintes asserções e a relação entre elas.

I. Exercícios físicos prolongados podem reduzir a concentração plasmática de glutamina.

II. A diminuição da glutaminemia, mesmo quando não alcança valores críticos (< 400 µmol/L), compromete a atividade do sistema imune e aumenta o risco do desenvolvimento de infecções do trato respiratório superior.

A respeito dessas asserções, assinale a opção CORRETA.

a) A asserção I é uma proposição verdadeira, enquanto a II é uma proposição falsa.

b) A asserção I é uma proposição falsa, enquanto a II é uma proposição verdadeira.

c) Ambas as asserções são proposições verdadeiras.

d) Ambas as asserções são proposições verdadeiras, sendo a II uma consequência do fato ocorrido na I.

e) Ambas as asserções são proposições falsas.

17. (NE) A forma como a glutamina é administrada influencia sua concentração plasmática e tecidual. Referente a este tema, assinale a opção CORRETA.

a) A suplementação com glutamina livre é a forma mais efetiva para aumentar as concentrações plasmáticas e teciduais de glutamina.

b) A administração de alanina livre é a principal estratégia para poupar os estoques de glutamina e, por consequência, manter as concentrações plasmáticas e teciduais de glutamina.

c) A suplementação com glutamato é o método mais efetivo para aumentar as concentrações plasmáticas e teciduais de glutamina, sendo considerada também o mais seguro, não existindo relatos de toxicidade ou efeitos colaterais.

d) A suplementação com dipeptídeos contendo glutamina, como o L-alanil-L-glutamina, é mais eficaz em aumentar a glutaminemia e os estoques corporais desse aminoácido quando comparada com a suplementação isolada de glutamina.

e) A dieta fornece quantidades suficientes de glutamina e, portanto, a suplementação com esse aminoácido em sua forma livre ou como dipeptídeo (p. ex.: L-alanil-L-glutamina) em nenhuma circunstância é capaz de aumentar as concentrações plasmáticas e teciduais de glutamina.

18. (NE) A suplementação com aminoácidos de cadeia ramificada (ACR) – leucina, isoleucina e valina – é bastante difundida no esporte. Concernente a esses aminoácidos, é correto afirmar que:

I. Assim como na maioria dos aminoácidos, o metabolismo dos ACR ocorre principalmente no fígado.

II. Dentre os ACR, a valina é o mais associado ao aumento da síntese proteica muscular.

III. Todos os efeitos biológicos dos ACR ocorrem de maneira direta, tendo em vista que esses aminoácidos não podem ser convertidos endogenamente em outros nutrientes.

IV. É bem estabelecido na literatura que a suplementação com ACR é capaz de retardar o desenvolvimento de fadiga central.

Estão CORRETAS as afirmativas:

a) Todas.

b) Nenhuma.

c) Todas, exceto II.

d) I, II e IV.

e) Apenas I.

19. (NE) O aminoácido de cadeia ramificada leucina é um estimulador da síntese proteica por meio da ativação da via:

a) Do fator nuclear *kappa B* (NF-κB).

b) Da sirtuína 1 (SIRT-1).

c) Do fator nuclear eritroide 2 (Nfr2).

d) Da proteína-alvo da rapamicina em mamíferos (mTOR).

e) De todas as vias mencionadas nas opções anteriores.

20. (NE) A suplementação com β-hidróxi-β-metilbutirato (HMB) tem ganhado popularidade no âmbito esportivo em vista de seu possível efeito ergogênico. No que concerne a essa substância, aponte a opção CORRETA.

a) O HMB é um dos metabólitos do aminoácido de cadeia ramificada valina, sendo aproximadamente 80% da valina presente no organismo metabolizados a HMB por meio da enzima alfa-cetoisocaproato dioxigenase.

b) O HMB é um dos metabólitos do aminoácido de cadeia ramificada isoleucina, sendo aproximadamente 80% da isoleucina presente no organismo metabolizados a HMB por meio da enzima alfa-cetoisocaproato dioxigenase.

c) O HMB é um dos metabólitos do aminoácido de cadeia ramificada leucina, sendo aproximadamente 95% da leucina presente no organismo metabolizados a HMB por meio da enzima alfa-cetoisocaproato dioxigenase.

d) O HMB é um dos metabólitos do aminoácido glutamina, sendo aproximadamente 95% da glutamina presente no organismo metabolizados a HMB por meio da enzima alfa-cetoisocaproato dioxigenase.

e) O HMB parece ter efeito anticatabólico por meio da via ubiquitina-proteassoma.

21. (NE) Os efeitos ergogênicos derivados da cafeína podem ser explicados por diversos mecanismos de ação, como:

a) Mobilização de íons Ca^{+} do retículo sarcoplasmático, favorecendo a contração muscular.

b) Tamponamento intracelular de íons H^{+}.

c) Transporte interórgãos de amônia, evitando o acúmulo muscular desse metabólito tóxico.

d) Ativação da via da mTOR, estimulando a síntese proteica muscular.

e) Todas as opções estão corretas.

22. (NE) A suplementação com probióticos no esporte é uma intervenção recente que tem despertado a atenção de diversos profissionais de saúde, pesquisadores e, também, de atletas. No que concerne aos probióticos, é correto afirmar que:

I. Os probióticos são conceituados como "micro-organismos vivos ou inativados que, quando administrados em quantidades adequadas, conferem benefícios à saúde do hospedeiro".

II. As principais alegações de saúde dos probióticos são a melhora da saúde intestinal e seu papel imunomodulador.

III. Um dos objetivos da suplementação com probióticos para atletas seria melhorar a imunocompetência.

IV. Os probióticos podem apresentar efeito ergogênico direto por serem utilizados como substratos energéticos durante o exercício físico.

Estão CORRETAS as afirmativas:

a) Todas.

b) Nenhuma.

c) Todas, exceto IV.

d) II e III.

e) Apenas III.

23. (NE) As síndromes de *overreaching* e *overtraining* são quadros que afetam a saúde e a *performance* do atleta. Referente a essas situações, assinale a opção CORRETA.

    a) A síndrome de *overtraining* decorre do excesso de treinamento, associado a períodos insuficientes de descanso, prejudicando o desempenho físico.
    b) O *overtraining* precede o *overreaching*, considerado um quadro mais grave.
    c) Ambas as síndromes apresentam sintomas similares, porém a duração desses e a redução da *performance* são maiores no *overreaching*.
    d) O *overreaching* funcional é sempre prejudicial ao desempenho atlético.
    e) Embora apresente diversos efeitos deletérios, alterações psicológicas não são sintomas observados nas síndromes de *overreaching* e *overtraining*.

24. (NE) As bebidas esportivas têm como objetivo promover aumento real ou percebido da *perfomance*, bem como retardar a fadiga. No que concerne a esse recurso nutricional, é correto afirmar que:

    I. Os principais componentes das bebidas esportivas são os macronutrientes – carboidratos, proteínas e lipídios.
    II. As bebidas isotônicas contêm concentrações similares de sais e açúcares àquelas encontradas no organismo humano.
    III. As bebidas hipotônicas contêm concentrações superiores de sais e açúcares àquelas encontradas no organismo humano.
    IV. As bebidas hipertônicas contêm concentrações inferiores de sais e açúcares àquelas encontradas no organismo humano.
    V. As bebidas hipotônicas normalmente são consumidas após o treino.

    Estão CORRETAS as afirmativas:

    a) Nenhuma.
    b) Apenas II.
    c) I, III e V.
    d) II, IV e V.
    e) Todas.

Respostas

1 – D

A expressão atividade física designa qualquer movimento corporal que culmine em contração muscular e, por consequência, em gasto energético superior ao do repouso. Nesse sentido, o movimento simples de um dedo pode ser considerado uma atividade física. Por outro lado, exercício físico é considerado toda atividade física planejada, estruturada e repetitiva com o objetivo de melhorar ou manter um ou mais componentes da aptidão física. Um exemplo de exercício físico é uma caminhada com duração de 1 hora sem interrupção e com ritmo constante.

Esporte designa um sistema ordenado de práticas corporais relativamente complexas que envolvem atividades de competição institucionalmente regulamentadas. Esse sistema se fundamenta na superação de competidores ou de marcas e/ou resultados anteriores estabelecidos pelo próprio atleta.

- REF.: Ribeiro *et al.* (2012); Powers & Howley (2014).

2 – B

A potência aeróbia, durante a ergoespirometria, é mensurada pelo consumo máximo de oxigênio ($VO_{2máx}$), que é considerado o maior volume de oxigênio por unidade de tempo que um indivíduo é capaz de captar durante o exercício físico ao respirar o ar atmosférico. Essa medida reflete a eficiência do sistema aeróbio e da produção de energia. Os valores de $VO_{2máx}$ representam o limite máximo quanto à captação e o transporte de oxigênio e, também, à sua participação na mobilização e na utilização de substratos energéticos durante o exercício físico. O consumo de oxigênio pico (VO_{2pico}) é o maior valor do consumo de oxigênio de um indivíduo no momento do teste ergoespirométrico, enquanto o $VO_{2máx}$ representa um platô no consumo máximo de oxigênio.

Diversos procedimentos são necessários antes da realização do teste ergoespirométrico, como: (i) evitar a prática de exercícios físicos intensos por 24 horas antes do exame, (ii) evitar a ingestão de alimentos que contenham cafeína antes do teste e (iii) ingerir uma refeição leve 2 horas antes do teste, entre outros.

Vale salientar que a aplicação de testes ergoespirométricos nem sempre é possível na prática clínica, tendo em vista diversas dificuldades na realização desses exames, como o alto custo. Assim, a frequência cardíaca máxima é bastante utilizada para a obtenção do esforço máximo durante o exercício físico, apesar de não ser considerada o melhor método.

- REF.: Ribeiro *et al.* (2012).

3 – C

O MET é usado para estimar o metabolismo em repouso, sendo representado pelo consumo de oxigênio (VO_2) de aproximadamente 3,5 mL/kg/min. O gasto energético avaliado em MET constitui o número de vezes pelo qual o metabolismo de repouso foi multiplicado durante uma atividade. Exemplificando, se um indivíduo pedala a quatro MET, entende-se que seu gasto de energia é quatro vezes superior ao que ocorre em repouso. Na tabela a seguir, é apresentado o valor em MET de diversos exercícios.

Valor em MET dependendo do tipo de exercício físico.

Esporte	MET
Basquete	6,0
Futsal	7,0
Handebol	8,0
Vôlei	4,0
Natação	7,0
Polo	10,0
Hidroginástica	4,0
Ginástica	4,0
Balé e *jazz*	4,8
Tênis	7,0
Ciclismo	8,0
Remo	7,0
Esquiar	7,0
Musculação	3,0
Yoga	2,5
Alongamento	2,5

Adaptado de Ainsworth *et al.*, 2000.

- REF.: Ainsworth *et al.* (2000); Coelho-Ravagnani *et al.* (2013); Powers & Howley (2014).

4 – A

Estudos têm apontado a necessidade de um consumo proteico superior para atletas engajados em exercícios de força – de 1,7 a 1,8 g de proteína/kg/dia – em comparação com a recomendação proteica para sedentários ou indivíduos engajados em exercícios de *endurance*. Vale salientar que a ingestão de quantidades excessivas de proteína (acima do valor recomendado) não se reverte em nenhum efeito adicional na síntese de proteínas totais corporais.

- REF.: Tirapegui, Rossi & Rogero (2012).

5 – C

A recomendação de ingestão de proteínas para atletas de *endurance* é de 1,2 a 1,4 g/kg/dia, podendo variar entre o valor mínimo e o máximo de acordo com diversos fatores, como a tolerância do atleta à ingestão proteica. Desse modo, é recomendado um consumo proteico inferior para atletas de *endurance* (1,2 a 1,4 g/kg/dia), comparado com atletas de força (1,7 a 1,8 g/kg/dia).

- REF.: Panza *et al.* (2007); Tirapegui, Rossi & Rogero (2012).

6 – E

No pré-treino, é sugerido o consumo de carboidratos de baixo a moderado índice glicêmico, uma vez que carboidratos de alto índice glicêmico são rapidamente absorvidos e, portanto, não mantêm a glicemia por períodos prolongados. Por outro lado, no pós-treino, é recomendada a ingestão de carboidratos de alto índice glicêmico que induzam a síntese de glicogênio de maneira rápida.

Para exercícios físicos com duração superior a 1 hora, sugere-se a suplementação com carboidratos durante a atividade, e o modo com que os carboidratos são oferecidos para consumo – líquido ou sólido – parece não interferir em seu efeito ergogênico. Vale salientar que a suplementação deve ser recomendada apenas por profissionais capacitados, como o nutricionista, levando em consideração diversos fatores, como os objetivos e a tolerância do atleta.

- REF.: Burke *et al.* (2011); Gomes, Guerra & Tirapegui (2012).

7 – A

O Consenso de 2009 da Sociedade Brasileira de Medicina do Exercício e do Esporte recomenda que a ingestão de carboidratos esteja entre 5 e 8 g/kg de peso/dia. Porém, para atletas engajados em atividades de longa duração ou treinos intensos (> 70% do $VO_{2máx}$), é recomendado o consumo de 10 g/kg de peso/dia. Os órgãos internacionais *American College of Sports Medicine*, *American Dietetic Association* e *Dietitians of Canada* recomendam que a ingestão de carboidratos esteja entre 6 e 10 g/kg de peso/dia. Atletas de *endurance* que estão treinando intensamente devem reduzir o consumo de lipídios para menos de 25% do valor energético total (VET) da dieta para atingir a recomendação de carboidratos, que passaria a constituir de 60 a 70% do VET.

Desse modo, considerando as recomendações das instituições supramencionadas, o valor mínimo de ingestão de carboidratos deveria ser de 5 g/kg de peso/dia, enquanto a ingestão máxima deveria ser de 10 g/kg de peso/dia. Cabe ressaltar, entretanto, que a ingestão de carboidratos pode ser aumentada em determinadas situações, como na realização de exercícios físicos em temperaturas muito baixas, comuns em esportes de inverno.

- *REF.*: Hernandez & Nahas (2009); Burke *et al.* (2011); Meyer, Manore & Helle (2011); Gomes, Guerra & Tirapegui (2012).

8 – D

Os triacilgliceróis são a principal reserva energética do organismo, perfazendo, em média, 20% da massa corporal, o que equivale a uma massa 100 vezes superior à de glicogênio hepático. Existem diversos *pools* de triacilgliceróis no organismo, os quais têm a capacidade de fornecer ácidos graxos para o tecido muscular, como o tecido adiposo, e os triacilgliceróis estocados dentro da fibra muscular, que podem fornecer quantidade substancial de ácidos graxos durante o exercício físico.

Apesar da grande quantidade de lipídios disponíveis como substrato energético no organismo, os processos de utilização de lipídios são ativados lentamente e ocorrem em taxas significativamente inferiores àquelas observadas durante o catabolismo de carboidratos. Não obstante, os lipídios são relevantes fontes de energia utilizada no exercício prolongado, mas não no exercício de alta intensidade e curta duração.

Diferentemente dos carboidratos, que podem fornecer energia por meio da glicólise anaeróbia, o catabolismo de lipídios é um processo aeróbio, o qual é principalmente verificado no coração e nas fibras tipo I (vermelhas e oxidativas) do músculo esquelético. Logo, esses macronutrientes são especialmente utilizados em exercícios de baixa a moderada intensidade (25% a 65% do $VO_{2máx}$) e de longa duração (predominantemente aeróbios), quando ocorre aumento de cinco a dez vezes da oxidação de lipídios em relação aos valores de repouso.

O treinamento de *endurance* induz adaptações que favorecem a utilização de lipídios como fontes de energia durante o exercício. Dentre elas, destacam-se: (i) menor quociente respiratório muscular, (ii) pequeno aumento da concentração plasmática de ácidos graxos livres, (iii) menor taxa de utilização de glicogênio muscular, (iv) redução da utilização de glicose sanguínea pelo músculo, (v) redução do acúmulo de lactato muscular e (vi) aumento da utilização de triacilgliceróis intramusculares.

- REF.: Rogero, César & Tirapegui (2012).

9 – E

No que concerne à recomendação de lipídios, a Sociedade Brasileira de Medicina do Exercício e do Esporte, no parecer publicado em 2009, recomenda para atletas as mesmas quantidades desses macronutrientes indicadas para indivíduos sedentários – 1 g de lipídios/kg de peso/dia –, representando, aproximadamente, 30% do VET, sendo 10% de ácidos graxos saturados, 10% de poli-insaturados e 10% de monoinsaturados. Adicionalmente, é sugerida a não utilização da suplementação de lipídios de cadeia média e longa em virtude da escassez de evidências científicas.

- REF.: Hernandez & Nahas (2009).

10 – B

A deficiência de ferro é comum no esporte, sendo mais frequente em atletas do sexo feminino em vista das perdas de ferro durante o ciclo menstrual, além das perdas desse micronutriente decorrentes do exercício físico, como as que ocorrem com o aumento da taxa de sudorese. Atletas vegetarianos também são considerados um grupo de risco para a deficiência de ferro em virtude da ausência do consumo de carnes vermelhas. Desse modo, a nutrição de mulheres, em especial as vegetarianas, exige cautela no que concerne à adequação de ingestão de fontes alimentares de ferro.

- REF.: Amorim & Tirapegui (2012).

11 – A

A taxa de calor é proporcional à taxa de trabalho, tendo em vista que as contrações musculares exigem o aumento da oxidação de substratos, como glicose, ácidos graxos e aminoácidos, a fim de gerar energia, da qual uma menor parcela é convertida em adenosina trifosfato (ATP) e uma maior é convertida em calor (aproximadamente 70%), aumentando a temperatura corporal. A taxa de produção de calor é de 1 kcal/min no repouso, enquanto no exercício essa razão pode exceder a 20 kcal/min.

- REF.: Gomes *et al.* (2012).

12 - C

A taxa de sudorese é expressa em mililitros por hora de exercício físico, sendo estabelecida por meio da diferença entre o peso do atleta antes e após o exercício, na qual deve ser adicionado o volume de líquido ingerido e descontado o volume de líquido excretado (diurese). O resultado, em mililitros, deve ser dividido pelo número de horas em que o exercício foi realizado, determinando, então, a taxa de sudorese do atleta.

- REF.: Gomes *et al.* (2012).

13 - E

O consumo excessivo de água durante o exercício físico exaustivo e prolongado aumenta o volume sanguíneo, promovendo uma diluição plasmática e aumentando a diurese, o que poderia provocar um quadro de hiponatremia. Assim, para atletas, é recomendada a ingestão de bebidas esportivas. Segundo a Sociedade Brasileira de Medicina do Esporte, a temperatura dos fluidos ingeridos durante o exercício físico deve estar entre 15 e 22ºC. É sugerido que fluidos com sabores leves são mais bem aceitos que a água durante o exercício físico, e o sabor, a acidez e a intensidade do gosto na boca influenciam a palatabilidade e podem estimular ou não o consumo de líquidos. Vale salientar que é recomendada a ingestão de 500 a 1.000 mL de líquidos por hora de atividade.

A inclusão de diferentes carboidratos, como glicose e frutose, em uma mesma fórmula pode apresentar resultados interessantes. A absorção intestinal desses carboidratos ocorre de maneira diferente, o que promove maior eficiência na absorção de substratos energéticos. Adicionalmente, a combinação de carboidratos favorece a maior absorção de sódio e água, evitando a desidratação do atleta. É importante mencionar que em condições ambientais quentes é sempre mais adequado oferecer bebidas com baixa concentração de carboidratos (4 a 6%) para evitar o retardo do esvaziamento gástrico e a ocorrência de distúrbios gastrointestinais.

- REF.: Hernandez & Nahas (2009); Gomes *et al.* (2012).

14 - E

A creatina (ácido α-metil-guanidino acético) é uma amina de ocorrência natural em células eucarióticas, sendo, portanto, encontrada na dieta apenas em alimentos de origem animal, como carnes vermelhas e laticínios. Endogenamente, a síntese de creatina ocorre especialmente no fígado, nos rins e no pâncreas por meio dos aminoácidos arginina, metionina e glicina.

No organismo humano, a creatina está presente nas formas livre e fosforilada (fosforilcreatina), nas quantidades de 60 a 70% (livre) e 30 a 40% (fosforilada), sendo 90% do total de creatina armazenado no tecido muscular esquelético. Estima-se que um homem de 70 kg tenha aproximadamente 120 a 130 mmol de creatina para cada quilo de peso seco, embora esse valor varie de acordo com o conteúdo de massa muscular do indivíduo. Diariamente, cerca de 2 g de creatina são convertidos espontaneamente em creatinina e excretados na urina.

- REF.: Delanghe, De Slypere & De Buyzere (1989); Harris, Söderlund & Hultman (1992); Lukaszuk *et al.* (2002); Snow & Murphy (2003); Brosnan & Brosnan (2004); Harris *et al.* (2011); Wallimann, Tokarska-Schlattner & Schlattner (2011).

15 – B

A beta-alanina é um aminoácido não proteinogênico sintetizado endogenamente no fígado. Logo, esse aminoácido é encontrado na dieta apenas em alimentos de origem animal, como carnes e aves. No fígado, a beta-alanina é produzida a partir da uracila e timina, sendo o produto final da degradação dessas substâncias. Embora evidências científicas indiquem melhora da *performance* física após a suplementação com esse aminoácido, a beta-alanina *per se* apresenta propriedades ergogênicas limitadas.

A beta-alanina é precursora de carnosina, um dipeptídeo com diversas funções biológicas, dentre elas a capacidade de tamponar prótons intracelulares, atenuando a acidose muscular e, por consequência, o desenvolvimento de fadiga. O mecanismo de ação da carnosina em tamponar íons H^+ decorre da estrutura da molécula, visto que os átomos de nitrogênio presentes no anel imidazólico podem aceitar prótons em pH fisiológico. Durante o exercício físico, acredita-se que o efeito tamponante da carnosina preceda a ação do bicarbonato.

O acúmulo de íons H^+ (prótons) decorrentes da dissociação de ácidos carboxílicos, como o ácido láctico, que ocorre naturalmente durante as reações glicolíticas, é considerado uma das principais causas de fadiga em exercícios de alta intensidade e curta duração (onde há predomínio dos sistemas energéticos creatina-fosfato e glicolítico). Nesse cenário, estratégias capazes de atenuar a acidose celular, com destaque para a suplementação com beta-alanina, teriam potencial ergogênio nesses tipos de exercício.

É recomendada a administração de beta-alanina para indivíduos engajados em atividades com duração de 60 a 240 segundos, como no exercício resistido. Em atividades com duração inferior a 60 segundos, a suplementação com esse aminoácido não é recomendada, tendo em vista que a acidose muscular não é um fator limitante nesses tipos de exercício. Salienta-se que, embora a beta-alanina seja mais comumente administrada em exercícios com caráter anaeróbio, há evidências sugerindo efeito ergogênico dessa intervenção também em atividades aeróbias. Entretanto, é válido mencionar que há um intenso conflito na literatura referente ao uso de beta-alanina por atletas de *endurance*, tendo em vista que há possibilidade de redução da capacidade aeróbia após intervenção com esse aminoácido.

Evidências demonstram que doses de 4 a 6 g/dia de beta-alanina, durante 4 semanas, elevam em 64% as concentrações de carnosina no músculo esquelético, comparados aos valores basais, e com 10 semanas de suplementação esse aumento supera os 80%. Vale ressaltar que há uma intensa variabilidade individual, que divide os indivíduos entre os que respondem muito (*high responders*) e os que respondem pouco (*low responders*) à suplementação com beta-alanina, podendo o aumento de carnosina muscular variar de 15 a 55% durante 5 a 6 semanas de intervenção. Possivelmente, o valor basal de carnosina muscular e a composição das fibras musculares contribuem para a variabilidade entre indivíduos.

- REF.: Harris *et al.* (2006); Suzuki *et al.* (2006); Harris *et al.* (2007); Hill *et al.* (2007); Baguet *et al.* (2009); Culbertson *et al.* (2010); Jordan *et al.* (2010); Caruso *et al.* (2012); Finsterer *et al.* (2012); Hobson *et al.* (2012); De Salles Painelli *et al.* (2014); Trexler *et al.* (2015); Saunders *et al.* (2017).

16 – A

Exercícios físicos prolongados e exaustivos reduzem a concentração plasmática e tecidual de glutamina; entretanto, quando a diminuição da glutaminemia não atinge valores críticos (glutaminemia < 400 µmol/L), não há comprometimento da funcionalidade do sistema imune e, portanto, não há aumento do risco do desenvolvimento de infecções do trato respiratório superior.

- REF.: Castell LM & Newsholme (1997); Rogero *et al.* (2006); Raizel *et al.* (2016); Tritto *et al.* (2018).

17 – D

Apesar de ser comumente administrada na nutrição esportiva, a eficácia da suplementação com glutamina livre tem sido bastante questionada. Evidências demonstraram que a suplementação com o dipeptídeo L-alanil-L-glutamina é mais efetiva em aumentar as concentrações de glutamina no plasma, no tecido muscular esquelético e no fígado, comparada à administração de glutamina livre. Possivelmente, esse resultado se associa ao fato de a absorção intestinal de dipeptídeos e aminoácidos ocorrer de maneira distinta, sendo mais rápida e eficiente a absorção de dipeptídeos.

- REF.: Thamotharan *et al.* (1999); Rogero *et al.* (2004, 2006); Coqueiro *et al.* (2018).

18 – B

Ao contrário da maioria dos aminoácidos, os ACR são oxidados primariamente no músculo esquelético, sendo a taxa de oxidação da leucina superior à dos aminoácidos isoleucina e valina. O sistema enzimático que catalisa a transaminação desses aminoácidos – aminotransferase de ACR (ATACR) - predomina no tecido muscular, enquanto o complexo enzimático desidrogenase de cetoácidos de cadeia ramificada (DCCR) está em maior concentração no tecido hepático e catalisa a descarboxilação oxidativa dos cetoácidos de cadeia ramificada (produtos da ação enzimática da ATACR).

A suplementação com ACR no exercício físico se fundamenta no potencial anabólico desses aminoácidos, em especial a leucina, por meio da ativação de vias específicas associadas à síntese proteica muscular. Adicionalmente, os ACR podem ser convertidos endogenamente em outros aminoácidos, como a glutamina e a alanina. Nesse cenário, indiretamente, os ACR apresentam ação imunomoduladora.

Os ACR são também frequentemente administrados no intuito de atenuar o desenvolvimento de fadiga central. A hipótese da fadiga central determina que alterações na síntese de neurotransmissores, como aumento da síntese de serotonina e redução da síntese de dopamina, culminam em um estado de cansaço, sono e letargia, prejudicando a *performance* física. Os mecanismos que poderiam desencadear o aumento da síntese de serotonina são: (i) o aumento plasmático de seu precursor, o triptofano livre (não associado à albumina); (ii) a redução plasmática de aminoácidos neutros, como os ACR, que competem com o triptofano para adentrar o sistema nervoso central; e (iii) o aumento de ácidos graxos livres no plasma que competem com o triptofano pela ligação com a albumina, aumentando o conteúdo plasmático de triptofano livre.

O objetivo da suplementação com ACR seria aumentar a concentração plasmática desses aminoácidos, atenuando a síntese de serotonina; entretanto, diversos estudos falharam em apresentar efeitos positivos dessa intervenção. Finalmente, é válido salientar que a hipótese da fadiga central não é completamente elucidada na literatura, e diversos estudos não comprovam que o aumento da síntese de serotonina é crucial para a redução do desempenho físico.

- REF.: Chaouloff *et al.* (1986); Blomstrand, Celsing & Newsholme (1988);Blomstrand *et al.* (1989, 1997, 2005); Skeie, Kvetan & Gil (1990); Fernstrom (1994); Verger *et al.* (1994); Pannier, Bouckaert & Lefebvre (1995); Meeusen *et al.* (1996); Strüder *et al.* (1998); Blomstrand (2001); Weicker & Struder (2001); Piacentini (2002); Smriga *et al.* (2002); Fernstrom (2005); Meeusen *et al.* (2006); Rogero & Tirapegui (2008); Torres-Leal *et al.* (2010); Rossi & Turapegui (2012); Cordeiro *et al.* (2014);

19 – D

A leucina é um estimulador da síntese proteica por meio da ativação da via da mTOR (*mammalian target of rapamycin* – proteína-alvo da rapamicina em mamíferos).

- REF.: Rogero & Tirapegui (2008); Torres-Leal *et al.* (2010); Rossi & Turapegui (2012).

20 – E

O HMB é um dos metabólitos da leucina. Esse aminoácido é catalisado pela aminotransferase de aminoácidos de cadeia ramificada (ATCR), sendo convertido em seu cetoácido, o alfa-cetoisocaproato (KIC), o qual pode ser oxidado a HMB por meio da enzima KIC dioxigenase no citosol hepático de mamíferos. Aproximadamente 5% da leucina orgânica são convertidos em HMB por esse processo.

Estima-se que o HMB possa ser parcialmente responsável pelos efeitos da leucina, apresentando, portanto, benefícios similares, como seu potencial anabólico. O HMB atenua, também, a degradação proteica mediante a redução da atividade da via ubiquitina-proteassoma, o que tem sido demonstrado tanto em doenças como em estados catabólicos induzidos pelo exercício físico, evidenciando ação direta ou indireta do HMB nessa via.

- REF.: Nissen & Sharp (2003); Eley, Russell & Tisdale M (2008); Nunes *et al.* (2008, 2011); Matos Neto & Tirapegui (2012).

21 – A

A cafeína é um estimulante do sistema nervoso central e apresenta papel modulador da função cardiovascular. Nesse contexto, diversos mecanismos de ação são propostos para explicar os efeitos ergogênicos da cafeína, como: (i) antagonista dos receptores de adenosina no sistema nervoso central, evitando a redução da atividade motora e da frequência respiratória, bem como da promoção de sono induzidas pela adenosina; (ii) estimulador da mobilização de cálcio pelo retículo sarcoplasmático, favorecendo a contração muscular; (iii) inibidor da fosfodiesterase, aumentando a concentração intracelular de adenosina monofosfato cíclico (AMP-cíclico) e a lipólise, poupando o glicogênio muscular; e (iv) melhora da função cardiovascular e pulmonar.

- REF.: Cappelletti *et al.* (2015).

22 – D

O termo probiótico é definido pela *Food and Agriculture Organization of the United States/World Health Organization* (FAO/WHO) como "micro-organismos vivos que, quando administrados em quantidades adequadas, conferem benefícios à saúde do hospedeiro". Embora essa definição implique que as culturas probióticas estejam ativas (micro-organismos vivos), evidências sugerem que probióticos inativados também conferem benefícios à saúde humana. Os micro-organismos inativados são denominados paraprobióticos ou *ghostprobiotics*. Nesse contexto, pesquisadores da área sugerem o desenvolvimento de um novo conceito de probióticos a fim de abranger também os paraprobióticos. Ainda assim, até o presente, o conceito de probióticos proposto pela FAO/WHO (2002) é o mais utilizado para definir o termo, havendo a necessidade do consumo de cepas probióticas ativas e viáveis.

Os principais efeitos benéficos dos probióticos são referentes a alterações positivas na composição da microbiota, promovendo saúde intestinal e redução do risco de doenças que afetam esse órgão, como doença celíaca e doença inflamatória intestinal. Os probióticos também são associados à melhora da resposta e homeostase do sistema imune. Desse modo, uma das premissas da suplementação com probióticos para atletas é a redução da incidência de distúrbios gastrointestinais e imunológicos. Entretanto, diversos estudos falharam em apresentar qualquer tipo de benefício dos probióticos para atletas, e alguns deles chegaram a relatar prejuízos à saúde após essa intervenção. Vale salientar que os dados acerca deste tema são escassos e que o resultado de estudos futuros pode contradizer as informações já apresentadas na literatura.

Além do possível efeito imunomodulador, estudos recentes indicam que os probióticos poderiam melhorar a *performance* atlética diretamente, por meio do aumento da disponibilidade de energia – a melhora na composição da microbiota intestinal está vinculada à melhora no processo de absorção de nutrientes –, síntese de ácidos graxos de cadeia curta (AGCC), que são utilizados como substratos energéticos, ação antioxidante, que pode atenuar a lesão muscular induzida por espécies reativas do oxigênio, entre outros. Nesse contexto, os probióticos poderiam melhorar a absorção de nutrientes energéticos e favorecer a síntese de AGCC, mas não ser utilizados *per se* como fontes de energia. Entretanto, poucos estudos avaliaram o efeito ergogênico dessa intervenção.

Coqueiro *et al.* (2017), em revisão bibliográfica recente, avaliaram 16 estudos em que foram administrados probióticos em praticantes de atividade física, atletas ou em modelos envolvendo exercício físico. Dentre os estudos analisados, seis aplicaram testes de *performance*, e apenas dois deles relataram melhora de desempenho físico com a suplementação de probióticos. Embora o número de estudos sobre este tema seja escasso, até o momento, a literatura sugere que essa intervenção não apresenta efeito ergogênico.

- REF.: Tannock (1998); FAO/OMS (2002); Moreira *et al.* (2007); Raizel *et al.* (2011); Taverniti & Guglielmetti (2011); West *et al.* (2011); Välimäki *et al.* (2012); Hill *et al.* (2014); Shing *et al.* (2014); Chen *et al.* (2016); Gill *et al.* (2016); Coqueiro *et al.* (2017).

23 – A

A associação de um programa exaustivo de treino, em razão do aumento do volume e/ou da intensidade de treinamento, com insuficiente período de recuperação e, por consequência, redução da *performance* por longos períodos, caracteriza a síndrome de *overtraining*. Tem sido proposto que o *overreaching* represente um estágio anterior à ocorrência do *overtraining*. Caso não identificado, o estado de *overreaching* pode levar ao desenvolvimento do quadro de *overtraining*, promovendo diminuição da *performance* e diversos sintomas, como insônia, agitação, dores musculares e fadiga, entre outros.

Grande parcela dos sintomas de *overreaching* e *overtraining* é de ordem psicológica (ansiedade, irritabilidade, alterações de humor etc.), tendo em vista que essas síndromes afetam a capacidade das glândulas adrenais de produzirem quantidades adequadas de hormônios, prejudicando a capacidade do indivíduo de lidar com o estresse. Apesar de os sintomas dessas síndromes serem similares, a duração desses no *overtraining* é superior, quando comparado ao *overreaching*.

São propostos dois tipos de *overreaching* – funcional e não funcional. O *overreaching* funcional, também denominado *overreaching* de curto prazo (*short-term overreaching*) ou supercompensação, decorre do aumento da carga de treino e promove redução temporária do desempenho físico (de 3 a 14 dias), porém, após período adequado de descanso, há melhora da *performance*. Por outro lado, no *overreaching* não funcional, também denominado *overreaching* de longo prazo (*long-term overreaching*), o aumento da carga de treinamento promove redução do desempenho físico mesmo após descanso adequado, sendo acompanhado de diversos sintomas, como fadiga, depressão, irritabilidade e ansiedade, entre outros.

- REF.: Kreher & Schwartz (2012); Rogero & Tirapegui (2012); Ka (2013); Meeusen *et al.* (2013); Carfagno & Hendrix (2014); Lewis *et al.* (2015); Kreher (2016); Cadegiani & Kater (2017).

24 – B

Os objetivos da ingestão de bebidas esportivas são fornecer energia ao atleta, repor nutrientes perdidos no suor, retardar a fadiga e favorecer a recuperação após o exercício físico. As bebidas isotônicas contêm concentrações de sais e açúcares similares àquelas encontradas no organismo humano. Os principais objetivos da ingestão de isotônicos são repor os nutrientes perdidos no suor e fornecer energia. Normalmente, esse tipo de bebida é a escolha preferida para a maioria dos atletas.

- REF.: Higgins, Tuttle & Higgins (2010); Colakoglu *et al.* (2016); Thomas, Erdman & Burke (2016).

Referências

Ainsworth B, Haskell W, Whitt M, Irwin M, Swartz A, Strath S et al. Compendium of physical activities: an update of activity codes and MET intensities. Med Sci Sport Exerc, 2000; 32(9):498-504.

Amorim A, Tirapegui J. Minerais na atividade física: cálcio, magnésio, ferro, zinco e cobre. In: Tirapegui J. Nutrição, metabolismo e suplementação na atividade física. São Paulo: Atheneu, 2012.

Baguet A, Reyngoudt H, Pottier A, Everaert I, Callens S, Achten E et al. Carnosine loading and washout in human skeletal muscles. J Appl Physiol [Internet]. 2009;106(3):837–42. Disponível em:: http://jap.physiology.org/cgi/doi/10.1152/japplphysiol.91357.2008.

Blomstrand E. Amino acids and central fatigue. Amino Acids, 2001; 20(1):25-34.

Blomstrand E, Celsing F, Newsholme EA. Changes in plasma concentrations of aromatic and branched - chain amino acids during sustained exercise in man and their possible role in fatigue. Acta Physiol Scand, 1988; 133:115-21.

Blomstrand E, Hassmen P, Ek S, Ekblom B, Newsholme EA. Influence of ingesting a solution of branched--chain amino acids on perceived exertion during exercise. Acta Physiol Scand [Internet]. 1997; 159(1):41-9. Disponível em: http://doi.wiley.com/10.1046/j.1365-201X.1997.547327000.x.

Blomstrand E, Møller K, Secher NH, Nybo L. Effect of carbohydrate ingestion on brain exchange of amino acids during sustained exercise in human subjects. Acta Physiol Scand, 2005; 185(3):203-9.

Blomstrand E, Perrett D, Parry-Billings M, Newsholme EA. Effect of sustained exercise on plasma amino acid concentrations and on 5-hydroxytryptamine metabolism in six different brain regions in the rat. Acta Physiol Scand, 1989; 136:473-81.

Brosnan M, Brosnan J. Renal arginine metabolism. J Nutr, 2004; 134:2791-5S.

Burke LM, Hawley JA, Wong SHS, Jeukendrup AE. Carbohydrates for training and competition. J Sports Sci, 2011; 29(Suppl. 1).

Cadegiani FA, Kater CE. Growth hormone (GH) and prolactin responses to a non-exercise stress test in athletes with overtraining syndrome: Results from the Endocrine and metabolic Responses on Overtraining Syndrome (EROS) - EROS-STRESS. J Sci Med Sport [Internet]. 2017; Disponível em: http://dx.doi.org/10.1016/j.jsams.2017.10.033.

Cadegiani FA, Kater CE. Hormonal aspects of overtraining syndrome: A systematic review. BMC Sports Sci Med Rehabil, 2017; 9(1):1-15.

Cadegiani FA, Kater CE. Hypothalamic-pituitary-adrenal (HPA) axis functioning in overtraining syndrome: Findings from Endocrine and Metabolic Responses on Overtraining Syndrome (EROS) - EROS--HPA Axis. Sport Med - Open [Internet]. 2017; 3(1):45. Disponível em: https://sportsmedicine-open.springeropen.com/articles/10.1186/s40798-017-0113-0.

Cappelletti S, Piacentino D, Daria P, Sani G, Aromatario M. Caffeine: cognitive and physical performance enhancer or psychoactive drug? Curr Neuropharmacol, 2015; 13:71-88.

Carfagno DG, Hendrix JC. Overtraining syndrome in the athlete: Current clinical practice. Curr Sports Med Rep, 2014; 13(1):45-51.

Caruso J, Charles J, Unruh K, Giebel R, Learmonth L, Potter W. Ergogenic effects of β-alanine and carnosine: Proposed future research to quantify their efficacy. Nutrients, 2012; 4(7):585-601.

Castell LM, Newsholme EA. The effects of oral glutamine supplementation on athletes after prolonged, exhaustive exercise. Nutrition, 1997; 13(7-8):738-42.

Chaouloff F, Laude D, Guezennec Y, Elghozi JL. Motor activity increases tryptophan, 5-hydroxyindoleacetic acid, and homovanillic acid in ventricular cerebrospinal fluid of the conscious rat. J Neurochem, 1986; 46(4):1313-6.

Chen JC, Lee WJ, Tsou JJ, Liu TP, Tsai PL, Author A et al. Effect of probiotics on postoperative quality of gastric bypass surgeries: A prospective randomized trial. Surg Obes Relat Dis [Internet]. 2016; 12:57-61. Disponível em: http://www.ncbi.nlm.nih.gov/pubmed/26499352.

Coelho-Ravagnani C de F, Melo FCL, Ravagnani FCP, Burini FHP, Burini RC. Estimativa do equivalente metabólico (MET) de um protocolo de exercícios físicos baseada na calorimetria indireta. Rev Bras Med do Esporte [Internet]. 2013; 19(2):134-8. Disponível em: http://www.scielo.br/scielo.php?script=sci_arttext&pid=S1517-86922013000200013&lng=pt&nrm=iso&tlng=en.

Colakoglu FF, Cayci B, Yaman M, Karacan S, Gonulateş S, Ipekoglu G et al. The effects of the intake of an isotonic sports drink before orienteering competitions on skeletal muscle damage. J Phys Ther Sci [Internet]. 2016; 28(11):3200-4. Disponível em: https://www.jstage.jst.go.jp/article/jpts/28/11/28_jpts-2016-624/_article

Coqueiro A, Bonvini A, Tirapegui J, Rogero M. Probiotics supplementation as an alternative method for celiac disease treatment. Int J Probiotics Prebiotics, 2017; 12:23-32.

Coqueiro AY, de Oliveira Garcia AB, Rogero MM, Tirapegui J. Probiotic supplementation in sports and physical exercise: Does it present any ergogenic effect? Nutr Health [Internet]. 2017; 23(4):239-49. Disponível em: http://journals.sagepub.com/doi/10.1177/0260106017721000.

Coqueiro A, Raizel R, Bonvini A, Hypólito T, Godois A, Pereira J et al. Effects of glutamine and alanine supplementation on central fatigue markers in rats submitted to resistance training. Nutrients. 2018; 10(119).

Cordeiro LMS, Guimarães JB, Wanner SP, La Guardia RB, Miranda RM, Marubayashi U et al. Inhibition of tryptophan hydroxylase abolishes fatigue induced by central tryptophan in exercising rats. Scand J Med Sci Sport, 2014; 24(1):80-8.

Culbertson JY, Kreider RB, Greenwood M, Cooke M. Effects of beta-alanine on muscle carnosine and exercise performance: A review of the current literature. Nutrients, 2010; 2(1):75-98.

De Salles Painelli V, Saunders B, Sale C, Harris RC, Solis MY, Roschel H et al. Influence of training status on high-intensity intermittent performance in response to β-alanine supplementation. Amino Acids, 2014; 46(5):1207-15.

Delanghe J, De Slypere J, De Buyzere M. Normal reference values for creatine, creatinine, and carnitine are lower in vegetarians. Clin Chem, 1989; 35:1802-3.

Eley H, Russell S, Tisdale M. Mechanism of attenuation of muscle protein degradation induced by tumor necrosis factor-alpha and angiotensin II by beta-hydroxy-beta-methylbutyrate. Am J Physiol Endocrinol Metab, 2008; 295(6):1417-26.

Fernstrom JD. 4th Amino Acid Assessment Workshop Branched-Chain Amino Acids and Brain Function. 2005; (10):1539-46.

Fernstrom JD. Dietary amino acids and brain function. J Am Diet Assoc [Internet]. 1994; 94(1):71-7. Disponível em: http://www.ncbi.nlm.nih.gov/pubmed/22677921.

Finsterer J. Biomarkers of peripheral muscle fatigue during exercise. BMC Musculoskelet Disord [Internet]. 2012; 13(1):218. Disponível em: http://bmcmusculoskeletdisord.biomedcentral.com/articles/10.1186/1471-2474-13-218.

Gill SK, Teixeira AM, Rosado F, Cox M, Costa RJS. High-dose probiotic supplementation containing Lactobacillus casei for 7 days does not enhance salivary antimicrobial protein responses to exertional heat stress compared with placebo. Int J Sport Nutr Exerc Metab, 2016; 26(2):150-60.

Gomes M, Guerra I, Rogero M, Tirapegui J. Hidratação no esporte. In: Tirapegui J. Nutrição, metabolismo e suplementação na atividade física. São Paulo: Atheneu, 2012.

Gomes M, Guerra I, Tirapegui J. Carboidratos e atividade física. In: Tirapegui J. Nutrição, metabolismo e suplementação na atividade física. São Paulo: Atheneu, 2012.

Harris R, Jones G, Hill C, Kendrick I, Boobis L, Kim C et al. The Carnosine Content of V Lateralis in Vegetarians and Omnivores. FASEB J, 2007; 21.

Harris R, Söderlund K, Hultman E. Elevation of creatine in resting and exercised muscle of normal subjects by creatine supplementation. Clin Sci (Lond), 1992; 83(3):367-74.

Harris R. Creatine in health, medicine and sport: an introduction to a meeting held at Downing College, University of Cambridge, July 2010. Amino Acids, 2011; 40:1267-70.

Harris RC, Tallon MJ, Dunnett M, Boobis L, Coakley J, Kim HJ et al. The absorption of orally supplied β-alanine and its effect on muscle carnosine synthesis in human vastus lateralis. Amino Acids, 2006; 30(3 SPEC. ISS.):279-89.

Hernandez AJ, Nahas RM. Modificações dietéticas, reposição hídrica, suplementos alimentares e drogas: Comprovação de ação ergogênica potenciais riscos para a saúde. Rev Bras Med do Esporte, 2009; 15(3 Suppl.):3-12.

Higgins JP, Tuttle TD, Higgins CL. Energy beverages: Content and safety. Mayo Clin Proc [Internet]. 2010; 85(11):1033-41. Disponível em: http://linkinghub.elsevier.com/retrieve/pii/S0025619611600943.

Hill C, Guarner F, Reid G, Gibson GR, Merenstein DJ, Pot B et al. Expert consensus document: The international scientific association for probiotics and prebiotics consensus statement on the scope and appropriate use of the term probiotic. Nat Rev Gastroenterol Hepatol, 2014; 11(8):506-14.

Hill CA, Harris RC, Kim HJ, Harris BD, Sale C, Boobis LH et al. Influence of β-alanine supplementation on skeletal muscle carnosine concentrations and high intensity cycling capacity. Amino Acids, 2007; 32(2):225-33.

Hobson RM, Saunders B, Ball G, Harris RC, Sale C. Effects of β-alanine supplementation on exercise performance: A meta-analysis. Amino Acids, 2012; 43(1):25-37.

Joint FAO/WHO Working Group on Drafting Guidelines for the Evaluation of Probiotics in Food. Guidelines for the evaluation of probiotics in food: report of a Joint FAO/WHO Working Group on Drafting Guidelines for the Evaluation of Probiotics in Food, London, Ontario, Canada, April 30 and May 1, 2002.

Jordan T, Lukaszuk J, Misic M, Umoren J. Effect of beta-alanine supplementation on the onset of blood lactate accumulation (OBLA) during treadmill running: Pre/post 2 treatment experimental design. J Int Soc Sports Nutr [Internet]. 2010; 7(1):20. Disponível em: http://jissn.biomedcentral.com/articles/10.1186/1550-2783-7-20.

KA B. Overtraining, exercise, and adrenal insufficiency. J Nov Physiother [Internet]. 2013; 3(1). Disponível em: https://www.omicsonline.org/open-access/overtraining-exercise-and-adrenal-insufficiency-2165-7025.1000125.php?aid=11717.

Kreher J. Diagnosis and prevention of overtraining syndrome: an opinion on education strategies. Open Access J Sport Med [Internet]. 2016; 7:115-22. Disponível em: https://www.dovepress.com/diagnosis-and-prevention-of-overtraining-syndrome--an-opinion-on-educa-peer-reviewed-article-OAJSM.

Kreher JB, Schwartz JB. Overtraining syndrome: A practical guide. Sports Health, 2012; 4(2):128-38.

Lewis NA, Collins D, Pedlar CR, Rogers JP. Can clinicians and scientists explain and prevent unexplained underperformance syndrome in elite athletes: an interdisciplinary perspective and 2016 update. BMJ Open Sport Exerc Med [Internet]. 2015; 1(1):e000063. Disponível em: http://bmjopensem.bmj.com/lookup/doi/10.1136/bmjsem-2015-000063.

Lukaszuk J, Robertson R, Arch J, Moore G, Yaw K, Kelley D et al. Effect of creatine supplementation and a lacto-ovo-vegetarian diet on muscle creatine concentration. Int J Sport Exerc Metab, 2002; 12:336-48.

Matos Neto E, Tirapegui J. B-hidroxi-β-metilbutirato (HMB) e atividade física. In: Tirapegui J. Nutrição, metabolismo e suplementação na atividade física. São Paulo: Atheneu, 2012.

Meeusen R, Duclos M, Foster C, Fry A, Gleeson M, Nieman D et al. Prevention, diagnosis, and treatment of the overtraining syndrome: Joint consensus statement of the European College of Sport Science and the American College of Sports Medicine. Med Sci Sports Exerc, 2013; 45(1):186-205.

Meeusen R, Thorré K, Chaouloff F, Sarre S, De Meirleir K, Ebinger G et al. Effects of tryptophan and/or acute running on extracellular 5-HT and 5-HIAA levels in the hippocampus of food-deprived rats. Brain Res, 1996; 740(1-2):245-52.

Meeusen R, Watson P, Hasegawa H, Roelands B, Piacentini MF. Central fatigue: The serotonin hypothesis and beyond. Sport Med, 2006; 36(10):881-909.

Meyer NL, Manore MM, Helle C. Nutrition for winter sports. J Sports Sci, 2011; 29(Suppl. 1).

Moreira A, Kekkonen R, Korpela R, Delgado L, Haahtela T. Allergy in marathon runners and effect of Lactobacillus GG supplementation on allergic inflammatory markers. Respir Med, 2007; 101(6):1123-31.

Nissen SL, Sharp RL. Effect of dietary supplements on lean mass and strength gains with resistance exercise: A meta-analysis. J Appl Physiol [Internet]. 2003; 94(2):651-9. Disponível em: http://jap.physiology.org/lookup/doi/10.1152/japplphysiol.00755.2002.

Nunes EA, Kuczera D, Brito GAP, Bonatto SJR, Yamazaki RK, Tanhoffer RA et al. β-Hydroxy-β-methylbutyrate supplementation reduces tumor growth and tumor cell proliferation ex vivo and prevents cachexia in Walker 256 tumor-bearing rats by modifying nuclear factor-κB expression. Nutr Res, 2008; 28(7):487-93.

Nunes EA, Lomax AR, Noakes PS, Miles EA, Fernandes LC, Calder PC. β-Hydroxy-β-methylbutyrate modifies human peripheral blood mononuclear cell proliferation and cytokine production in vitro. Nutrition [Internet]. 2011; 27(1):92-9. Disponível em: http://dx.doi.org/10.1016/j.nut.2009.12.008.

Pannier JL, Bouckaert JJ, Lefebvre RA. The antiserotonin agent pizotifen does not increase endurance performance in humans. Eur J Appl Physiol Occup Physiol, 1995; 72(1):175-8.

Panza VP, Coelho MSPH, Di Pietro PF, Assis MAA de, Vasconcelos FDAG de. Consumo alimentar de atletas: Reflexões sobre recomendações nutricionais, hábitos alimentares e métodos para avaliação do gasto e consumo energéticos. Rev Nutr, 2007; 20(6):681-92.

Piacentini MF, Meeusen R, Buyse L, de Schutter G, de Meirleir K. No effect of a selective serotonergic/noradrenergic reuptake in hibitoron endurance performance. Eur J Sport Sci, 2002; 2(6):37-41.

Powers S, Howley E. Fisiologia do exercício: teoria e aplicação ao condicionamento e ao desempenho. 8. ed. São Paulo: Manole, 2014. 649 p.

Raizel R, Leite JSM, Hypólito TM, Coqueiro AY, Newsholme P, Cruzat VF et al. Determination of the anti--inflammatory and cytoprotective effects of L-glutamine and L-alanine, or dipeptide, supplementation in rats submitted to resistance exercise. Br J Nutr [Internet]. 2016; 116(3):470-9. Disponível em: http://www.journals.cambridge.org/abstract_S0007114516001999.

Raizel R, Santini E, Kopper A, Reis Filho A. Efeitos do consumo de probióticos, prebióticos e simbióticos para o organismo humano. Rev Ciência Saúde, 2011; 4(2):66-74.

Ribeiro S, Melo C, Urasaki R, Scagliusi F, Tirapegui J. Gasto energético e atividade física. In: Tirapegui J. Nutrição, metabolismo e suplementação na atividade física. São Paulo: Atheneu, 2012.

Rogero M, César T, Tirapegui J. Lipídios e atividade física. In: Tirapegui J. Nutrição, metabolismo e suplementação na atividade física. São Paulo: Atheneu, 2012.

Rogero M, Tirapegui J. Excesso de treinamento ou overtraining. In: Tirapegui J. Nutrição, metabolismo e suplementação na atividade física. São Paulo: Atheneu, 2012.

Rogero MM, Tirapegui J, Pedrosa RG, de Castro IA, de Oliveira Pires IS. Effect of alanyl-glutamine supplementation on plasma and tissue glutamine concentrations in rats submitted to exhaustive exercise. Nutrition, 2006; 22(5):564-71.

Rogero MM, Tirapegui J, Pedrosa RG, De Oliveira Pires IS, De Castro IA. Plasma and tissue glutamine response to acute and chronic supplementation with L-glutamine and L-alanyl-L-glutamine in rats. Nutr Res, 2004; 24(4):261-70.

Rogero MM, Tirapegui J. Aspectos atuais sobre aminoácidos de cadeia ramificada e exercício físico. Rev Bras Ciências Farm, 2008; 44(4):563-75.

Rossi L, Turapegui J. Aminoácidos de cadeia ramificada e atividade física. In: Tirapegui J. Nutrição, metabolismo e suplementação na atividade física. São Paulo: Atheneu, 2012.

Saunders B, De Salles Painelli V, De Oliveira LF, Da Eira Silva V, Da Silva RP, Riani L et al. Twenty-four weeks of β-alanine supplementation on carnosine content, related genes, and exercise. Med Sci Sports Exerc, 2017; 49(5):896-906.

Shing CM, Peake JM, Lim CL, Briskey D, Walsh NP, Fortes MB et al. Effects of probiotics supplementation on gastrointestinal permeability, inflammation and exercise performance in the heat. Eur J Appl Physiol, 2014; 114(1):93-103.

Skeie B, Kvetan V, Gil KM, Rothkopf MM, Newsholme EA, Askanazi J. Branch-chain amino acids: their metabolism and clinical utility. Crit Care Med [Internet]. 1990; 18(June):549-71. Disponível em: file:///P:/Download Paper/CritCareMed/CritCareMed_18_549.pdf.

Smriga M, Kameishi M, Tanaka T, Kondoh T, Torii K. Preference for a solution of branched-chain amino acids plus glutamine and arginine correlates with free running activity in rats: Involvement of serotonergic-dependent processes of lateral hypothalamus. Nutr Neurosci, 2002; 5(3):189-99.

Snow R, Murphy R. Factors influencing creatine loading into human skeletal muscle. Exerc Sport Sci Rev, 2003; 31(3):154-8.

Strüder H, Hollmann W, Platen P, Donike M, Gotzmann A, Weber K. Influence of paroxetine, branched-chain amino acids and tyrosine on neuroendocrine system responses and fatigue in humans. Horm Metab Res [Internet]. 1998; 30(4):188-94. Disponível em: http://www.thieme-connect.de/DOI/DOI?10.1055/s-2007-978864.

Suzuki Y, Nakao T, Maemura H, Sato M, Kamahara K, Morimatsu F et al. Carnosine and anserine ingestion enhances contribution of nonbicarbonate buffering. Med Sci Sport Exerc, 2006; 38(2):334-8.

Tannock GW. Studies of the intestinal microflora: A prerequisite for the development of probiotics. Int Dairy J, 1998; 8(5-6):527-33.

Taverniti V, Guglielmetti S. The immunomodulatory properties of probiotic microorganisms beyond their viability (ghost probiotics: Proposal of paraprobiotic concept). Genes Nutr, 2011; 6(3):261-74.

Thamotharan M, Bawani SZ, Zhou X, Adibi SA. Functional and molecular expression of intestinal oligopeptide transporter (Pept-1) after a brief fast. Metabolism, 1999; 48(6):681-4.

Thomas D, Erdman K, Burke L. American College of Sports Medicine Joint Position Statement. Nutrition and Athletic Performance. Med Sci Sport Exerc, 2016; 48(3):543-68.

Tirapegui J, Rossi L, Rogero M. Proteínas e atividade física. In: Tirapegui J. Nutrição, metabolismo e suplementação na atividade física. São Paulo: Atheneu, 2012.

Torres-Leal FL, Vianna D, Fullin G, Teodoro R, Tirapegui J. Protein synthesis regulation by leucine protein synthesis regulation by leucine. 2010; 46(November 2015):2-9.

Trexler ET, Smith-Ryan AE, Stout JR, Hoffman JR, Wilborn CD, Sale C et al. International Society of Sports Nutrition position stand: Beta-alanine. J Int Soc Sports Nutr [Internet]. 2015; 12(1):30. Disponível em: http://www.jissn.com/content/12/1/30.

Tritto ACC, Amano MT, De Cillo ME, Oliveira VA, Mendes SH, Yoshioka C et al. Effect of rapid weight loss and glutamine supplementation on immunosuppression of combat athletes: a double-blind, placebo--controlled study. 2018; 14(1):83-92.

Välimäki IA, Vuorimaa T, Ahotupa M, Kekkonen R, Korpela R, Vasankari T. Decreased training volume and increased carbohydrate intake increases oxidized LDL levels. Int J Sports Med, 2012; 33(4):291-6.

Verger P, Aymard P, Cynobert L, Anton G, Luigi R. Effects of administration of branched-chain amino acids vs. glucose during acute exercise in the rat. Physiol Behav, 1994; 55(3):523-6.

Wallimann T, Tokarska-Schlattner M, Schlattner U. The creatine kinase system and pleiotropic effects of creatine. Amino Acids, 2011; 40(5):1271-96.

Weicker H, Struder HK. Influence of exercise on serotonergic neuromodulation in the brain. J Amin Acids, 2001; 20: 35-47:35.

West NP, Pyne DB, Cripps AW, Hopkins WG, Eskesen DC, Jairath A et al. Lactobacillus fermentum (PCC®) supplementation and gastrointestinal and respiratory-tract illness symptoms: A randomised control trial in athletes. Nutr J [Internet]. 2011; 10(1):30. Disponível em: http://nutritionj.biomedcentral.com/articles/10.1186/1475-2891-10-30.

Nutrição Funcional (NF)

Nara de Andrade Parente

Questões

1. (NF) O conceito de alimentos funcionais foi proposto inicialmente pelo Japão, em meados da década de 1980, e pode variar entre os diferentes países. Segundo a Agência Nacional de Vigilância Sanitária (ANVISA), alimentos funcionais são aqueles que:
   a) Têm alegação de propriedades funcionais e/ou de efeitos benéficos para a saúde em sua rotulagem conforme critério do produtor/fabricante.
   b) Descrevem no rótulo sua ação terapêutica curativa sobre determinada doença comprovada por estudos científicos realizados durante longo período.
   c) São aqueles alimentos industrializados aos quais é adicionado um ou mais nutrientes essenciais, como vitaminas, minerais e/ou aminoácidos.
   d) São potencialmente perigosos para a saúde humana, uma vez que seus efeitos fisiológicos se assemelham aos de medicamentos, podendo ser adquiridos mediante prescrição médica.
   e) Produzem efeitos metabólicos ou fisiológicos mediante a atuação de um nutriente ou não nutriente no crescimento, desenvolvimento, manutenção e em outras funções normais do organismo.

2. (NF) A rotulagem dos produtos que obtiverem autorização para uso de alegações de propriedades funcionais e de saúde deve apresentar o texto da alegação exatamente como aprovado no processo de avaliação da ANVISA, incluindo advertências e outras informações exigidas para veiculação conjunta.
   Qual das seguintes alegações NÃO é aprovada de acordo com as diretrizes da ANVISA?
   a) "As fibras alimentares auxiliam o funcionamento do intestino. Seu consumo deve estar associado a uma alimentação equilibrada e a hábitos de vida saudáveis."
   b) "Os fitoesteróis auxiliam a redução da absorção de colesterol. Seu consumo deve estar associado a uma alimentação equilibrada e a hábitos de vida saudáveis."

c) "O consumo de ácidos graxos ômega 3 auxilia a manutenção de níveis saudáveis de triglicerídeos, desde que associado a uma alimentação equilibrada e a hábitos de vida saudáveis."

d) "O licopeno tem ação antioxidante que protege as células contra os radicais livres. Seu consumo deve estar associado a uma alimentação equilibrada e a hábitos de vida saudáveis."

e) "O consumo diário de, no mínimo, 25 g de proteína de soja tem ação medicamentosa no controle do colesterol. Seu consumo deve estar associado a uma alimentação equilibrada e a hábitos de vida saudáveis."

3. (NF) A rotulagem dos produtos que obtiverem autorização para uso de alegações de propriedades funcionais e de saúde deve apresentar o texto da alegação exatamente como aprovado no processo de avaliação da ANVISA, incluindo advertências e outras informações exigidas para veiculação conjunta.

   Qual das seguintes alegações NÃO é aprovada de acordo com as diretrizes da ANVISA?

   a) "A luteína tem ação antioxidante que protege as células contra os radicais livres. Seu consumo deve estar associado a uma alimentação equilibrada e a hábitos de vida saudáveis."

   b) "Os frutoligossacarídeos – FOS (prebiótico) – contribuem para o equilíbrio da flora intestinal. Seu consumo deve estar associado a uma alimentação equilibrada e a hábitos de vida saudáveis."

   c) "O alho, através de seu componente alicina, é um anti-inflamatório natural e tem ação anticoagulante importante no tratamento de pessoas com doenças cardiovasculares."

   d) "O (nome da espécie do micro-organismo) (probiótico) contribui para o equilíbrio da flora intestinal. Seu consumo deve estar associado a uma alimentação equilibrada e a hábitos de vida saudáveis."

   e) "Este alimento contém beta glucana (fibra alimentar) que pode auxiliar na redução do colesterol. Seu consumo deve estar associado a uma alimentação equilibrada e baixa em gorduras saturadas e a hábitos de vida saudáveis."

4. (NF) De acordo com a ANVISA, desde 1990 já existiam pedidos de análise para fins de registro de diversos produtos até então não reconhecidos como alimentos pelo conceito tradicional. Após anos de trabalho e pesquisa, foram propostas as regulamentações técnicas para análise de alimentos com alegações de propriedades funcionais e/ou de saúde. Considerando os regulamentos técnicos sobre alimentos funcionais, qual das seguintes afirmações NÃO faz parte dos princípios que nortearam as ações da ANVISA?

   a) As alegações podem fazer referência a prevenção, tratamento e cura de doenças.

   b) As alegações devem ser de fácil entendimento e compreensão pelos consumidores.

   c) O fabricante é responsável pela comprovação da segurança do produto e pela eficácia da alegação.

d) Decisões já tomadas pela ANVISA podem ser reavaliadas com base em novas evidências científicas.

e) A comprovação da eficácia da alegação de alimento funcional deve ser realizada caso a caso com base em conhecimentos científicos atuais.

5. (NF) Inúmeros estudos mostram as evidências da eficácia dos alimentos funcionais. Segundo a ANVISA – RDC nºs 18 e 19, de 30 de abril de 1999, alimentos funcionais são aqueles que:

a) Apresentam efeitos fisiológicos, não prejudiciais à saúde, comprovados por meio da expressão ou mutação de um gene.

b) Têm ação curativa ou preventiva sobre determinada doença, ação essa comprovada por estudos científicos realizados durante certo tempo.

c) Têm alegação de propriedades funcionais e/ou de efeitos benéficos sobre a saúde em sua rotulagem conforme critério do produtor/fabricante.

d) Produzem efeitos metabólicos ou fisiológicos mediante a atuação de um nutriente ou não nutriente no crescimento, desenvolvimento, manutenção e em outras funções normais do organismo.

e) São potencialmente perigosos para a saúde humana, uma vez que seus efeitos fisiológicos se assemelham aos de medicamentos, podendo ser adquiridos mediante prescrição médica.

6. (NF) De acordo com o livro *Nutrição clínica funcional: dos princípios à prática clínica*, uma maneira de avaliação do paciente é através do sistema ATMS, que ajuda na anamnese do paciente. Preencha as lacunas abaixo com o significado de cada uma dessas etapas.

1. Antecedentes
2. *Triggers* (gatilhos)
3. Mediadores
4. Sintomas

( ) São quaisquer substâncias, enzimas ou fatores ambientais que causem os sintomas, a destruição dos tecidos e o comportamento em relação à doença.

( ) Relacionados com a história de vida do paciente e com a história genética de sua família.

( ) Revelam algumas carências nutricionais ou consequências do estado de saúde do paciente.

( ) Acionados por estresse, radiação, estresse oxidativo, traumas, lipopolissacarídeos bacterianos (LPS), vírus e parasitas.

Assinale a opção com a ordem correta do preenchimento das lacunas.

a) 1, 2, 3, 4.

b) 1, 3, 2, 4.

c) 2, 4, 1, 3.

d) 3, 1, 4, 2.

e) 4, 3, 2 ,1.

7. (NF) Probióticos são micro-organismos vivos capazes de melhorar o equilíbrio microbiano intestinal, produzindo efeitos benéficos à saúde do indivíduo. A esse respeito e de acordo com a ANVISA:
    a) *Streptococcus thermophillus* é considerado um micro-organismo probiótico.
    b) *Lactobacillus bulgaricus* é considerado um micro-organismo probiótico.
    c) A quantidade de micro-organismo probiótico presente no produto não precisa ser declarada no rótulo.
    d) O fabricante deve apresentar teste de resistência à acidez gástrica da cultura utilizada na fabricação do produto.
    e) O alimento probiótico deve apresentar uma quantidade mínima de 107 UFC de micro-organismos probióticos viáveis.

8. (NF) Os alimentos funcionais são aqueles que, além das funções nutricionais básicas, quando consumidos como parte da dieta usual produzem efeitos metabólicos e/ou fisiológicos benéficos à saúde. É CORRETO afirmar que:
    a) Apesar de os alimentos funcionais contribuírem para a boa saúde, devem ser consumidos em proporções adequadas, seguindo as recomendações das DRI.
    b) Os grãos integrais e farelos são fontes de fibras insolúveis e previnem o câncer de cólon e de tireoide.
    c) As frutas vermelhas e o vinho tinto são ricos em flavonoides, contribuindo assim para a prevenção das doenças cardiovasculares e do câncer.
    d) O consumo de extratos e concentrados de nutrientes funcionais deve ter embasamento científico e não pode ser realizado sem prescrição do nutricionista.
    e) O alho e a cebola são ricos em compostos lignanas, que atuam na prevenção da hipercolesterolemia, hipertensão e câncer.

9. (NF) Os modos de vida da sociedade moderna vêm se modificando rapidamente em decorrência da complexidade dessa coletividade, ampliando-se com isso os diferentes tipos de doenças e suas sintomatologias. Contudo, a baixa incidência de doenças em alguns grupos despertou a atenção de alguns alimentos atualmente denominados funcionais. Esses alimentos foram estudados no Japão em meados dos anos 1980 com o objetivo de desenvolver alimentações que promovessem a diminuição dos gastos públicos para uma população que envelhecia e apresentava elevada expectativa de vida naquele país. Assim, alimentos funcionais podem ser conceituados como aqueles que:
    a) Tratam e curam as doenças em virtude de sua composição química.
    b) Devem apresentar propriedades benéficas, além das nutricionais básicas.
    c) Previnem e curam, quando incluem suplementos dietéticos e outros tipos de alimentos.
    d) Apresentam propriedades nutricionais e auxiliam o tratamento de enfermidades.
    e) Devem apresentar propriedades de alimentos ultraprocessados, além das nutricionais curativas.

10. (NF) Os modos de vida da sociedade moderna vêm se modificando rapidamente em decorrência da complexidade dessa coletividade, ampliando-se com isso os diferentes tipos de doenças e suas sintomatologias. Contudo, a baixa incidência de doenças em alguns grupos despertou a atenção de alguns alimentos atualmente denominados funcionais. Esses alimentos foram estudados no Japão em meados dos anos 1980, com o objetivo de desenvolver alimentações que possibilitassem a diminuição dos gastos públicos para uma população que envelhecia e apresentava uma elevada expectativa de vida naquele país. Considerando as características dos alimentos funcionais, pode-se dizer que devem:

    a) Estar na forma de suplemento e ser absorvidos rapidamente.
    b) Ser alimentos convencionais e ser consumidos na dieta habitual.
    c) Desempenhar um papel curativo na redução do risco de doenças infecciosas.
    d) Ter efeitos curativos, além do valor básico nutritivo, que pode aumentar o bem-estar e a saúde.
    e) Ser compostos por componentes naturais e químicos com elevada concentração de vitaminas, acima das doses recomendadas.

11. (NF) O registro e a regulamentação de um alimento funcional no Brasil são de responsabilidade da ANVISA a partir de resoluções. A Resolução ANVISA/MS 19/99 trata do registro de Alimentos com Alegação de Propriedades Funcionais e/ou de Saúde em sua Rotulagem. Assim, dentre as diretrizes para a utilização de propriedades funcionais e/ou de saúde, segundo a ANVISA, pode-se dizer que são aqueles:

    a) Cuja alegação de propriedades funcionais e/ou de saúde é permitida em caráter obrigatório.
    b) Utilizados para fins dietéticos peculiares em caso de doença ou condição com requisitos nutricionais distintos.
    c) Feitos com o propósito de serem ingeridos na forma de tabletes, farinha, géis, cápsulas de gel, dentre outros, e devem ser consumidos sob supervisão médica.
    d) Processados ou formulados para atender as necessidades de um grupo específico da população em decorrência de determinada condição filosófica.
    e) Que, além de funções nutricionais básicas, quando se tratar de nutriente, produzirem efeitos metabólicos e/ou fisiológicos e/ou efeitos benéficos à saúde, devendo ser seguros para o consumo sem supervisão médica.

12. (NF) Segundo a ANVISA, "alimentos funcionais são aqueles que produzem efeitos metabólicos ou fisiológicos através da atuação de um nutriente ou não nutriente no crescimento, desenvolvimento, manutenção e em outras funções normais do organismo humano".

    As alegações de propriedades funcionais fazem referência à manutenção da saúde e à redução do risco de doenças, como:

    a) Os fitoesteróis contribuem no funcionamento intestinal.
    b) A betaglucana auxilia a redução da absorção do colesterol.

c) Os frutoligossacarídeos protegem as células contra os radicais livres.
d) O consumo de ômega 3 contribui para o equilíbrio da flora intestinal.
e) O licopeno é utilizado para manutenção de níveis saudáveis de triglicerídeos.

13. (NF) Segundo a ANVISA, "alimentos funcionais são aqueles que produzem efeitos metabólicos ou fisiológicos através da atuação de um nutriente ou não nutriente no crescimento, desenvolvimento, manutenção e em outras funções normais do organismo humano". As alegações de propriedades funcionais fazem referência à manutenção da saúde e à redução do risco de doenças.

Qual nutriente tem a alegação de auxiliar o equilíbrio da flora intestinal?

a) Alicina.
b) Ômega 3.
c) Licopeno.
d) Fitoesteróis.
e) Frutoligossacarídeos.

14. (NF) Segundo a ANVISA, "alimentos funcionais são aqueles que produzem efeitos metabólicos ou fisiológicos através da atuação de um nutriente ou não nutriente no crescimento, desenvolvimento, manutenção e em outras funções normais do organismo humano". As alegações de propriedades funcionais fazem referência à manutenção da saúde e à redução do risco de doenças.

Qual nutriente tem ação antioxidante com a alegação de proteger as células contra radicais livres?

a) Licopeno.
b) Ômega 3.
c) Fitoesteróis.
d) Betaglucana.
e) Frutoligossacarídeos.

15. (NF) Segundo a ANVISA, "alimentos funcionais são aqueles que produzem efeitos metabólicos ou fisiológicos através da atuação de um nutriente ou não nutriente no crescimento, desenvolvimento, manutenção e em outras funções normais do organismo humano". As alegações acerca dos alimentos funcionais são norteadas por diretrizes:

a) Cuja alegação de propriedades funcionais e/ou de saúde é definida pelo produtor de alimentos.
b) Em que são permitidas alegações de saúde que façam referência à cura ou à prevenção de doenças.
c) Em que, em caso de uma nova propriedade funcional, não há necessidade de comprovação científica da alegação de propriedades funcionais e/ou de saúde e da segurança de uso.

d) Em que o alimento ou ingrediente que alegar propriedades funcionais ou de saúde pode produzir efeitos benéficos, devendo ser seguro para consumo com supervisão médica por ter consumo limitado.

e) Em que são permitidas alegações de função e/ou conteúdo para nutrientes e não nutrientes, podendo ser aceitas aquelas que descrevem o papel fisiológico do nutriente ou não nutriente no crescimento, desenvolvimento e funções normais do organismo mediante demonstração da eficácia.

16. (NF) Os alimentos funcionais são alimentos naturais ou preparados que contenham uma ou mais substâncias classificadas como nutrientes ou não nutrientes capazes de atuar no metabolismo e na fisiologia humana, promovendo efeitos benéficos para a saúde que podem retardar o estabelecimento de doenças crônico-degenerativas e melhorar a qualidade e a expectativa de vida das pessoas. Levando em consideração as potencialidades dos alimentos funcionais de acordo com as alegações da ANVISA, qual tipo de ação diz respeito à função das algas, peixes e óleo de peixe?

a) O resveratrol reduz a agregação plaquetária na dose recomendada de 240 a 480 mL/dia.

b) Os compostos betaglucanas reduzem o colesterol total e o LDL na dose recomendada de 3 g/dia.

c) O licopeno reduz o risco de aterosclerose subclínica e peroxidação lipídica.

d) O EPA e o DHA presente auxilia a redução dos triglicerídeos e a secreção hepática de VLDL, além de terem efeito anti-inflamatório.

e) As catequinas reduzem o risco de alguns tipos de câncer na dose recomendada de quatro a seis xícaras de chá por dia.

17. (NF) Os alimentos funcionais são alimentos naturais ou preparados que contenham uma ou mais substâncias classificadas como nutrientes ou não nutrientes capazes de atuar no metabolismo e na fisiologia humana, promovendo efeitos benéficos para a saúde que podem retardar o estabelecimento de doenças crônico-degenerativas e melhorar a qualidade e a expectativa de vida das pessoas. Levando em consideração as potencialidades dos alimentos funcionais de acordo com as alegações da ANVISA, qual ação funcional diz respeito à aveia?

a) O resveratrol reduz a agregação plaquetária na dose recomendada de 240 a 480 mL/dia.

b) Os compostos betaglucanas podem auxiliar a redução do colesterol na dose recomendada de 3 g/dia.

c) O licopeno reduz o risco de aterosclerose subclínica e peroxidação lipídica.

d) Os compostos organossulfurados reduzem o colesterol total e o LDL na dose recomendada de 1 dente de alho/dia.

e) As catequinas reduzem o risco de alguns tipos de câncer na dose recomendada de quatro a seis xícaras de chá de alho por dia.

18. (NF) Os alimentos funcionais são alimentos naturais ou preparados que contenham uma ou mais substâncias classificadas como nutrientes ou não nutrientes capazes de atuar no metabolismo e na fisiologia humana, promovendo efeitos benéficos para a saúde que podem retardar o estabelecimento de doenças crônico-degenerativas e melhorar a qualidade e a expectativa de vida das pessoas. Levando em consideração as potencialidades dos alimentos funcionais de acordo com as alegações da ANVISA, qual ação funcional diz respeito ao tomate?
    a) O resveratrol reduz a agregação plaquetária na dose recomendada de 240 a 480 mL/dia.
    b) Os compostos betaglucanas reduzem o colesterol total e o LDL na dose recomendada de 3 g/dia.
    c) O licopeno reduz o risco de aterosclerose subclínica e peroxidação lipídica.
    d) Os compostos organossulfurados reduzem o colesterol total e o LDL na dose recomendada de 1 dente de alho por dia.
    e) As catequinas reduzem o risco de alguns tipos de câncer na dose recomendada de quatro a seis xícaras de chá de alho por dia.

19. (NF) Os alimentos funcionais são alimentos naturais ou preparados que contenham uma ou mais substâncias classificadas como nutrientes ou não nutrientes capazes de atuar no metabolismo e na fisiologia humana, promovendo efeitos benéficos para a saúde que podem retardar o estabelecimento de doenças crônico-degenerativas e melhorar a qualidade e a expectativa de vida das pessoas. Levando em consideração as alegações de propriedade funcional aprovadas pela ANVISA, é CORRETO afirmar que:
    a) As porções dos alimentos no rótulo devem seguir a resolução específica de alimentos funcionais.
    b) O uso das alegações de propriedades funcionais em qualquer alimento é definido pelo produtor.
    c) A padronização das alegações teve por objetivo melhorar os alimentos industrializados, obrigando-os a ter compostos funcionais na composição.
    d) A eficácia deve ser comprovada de acordo com o sexo, pois as características podem influenciar diferentes efeitos em homens e mulheres.
    e) As alegações aprovadas relacionam a propriedade funcional e/ou de saúde de um nutriente ou não nutriente do alimento, conforme o item 3.3 da Resolução nº 18/1999.

20. (NF) Os alimentos funcionais são alimentos naturais ou preparados que contenham uma ou mais substâncias classificadas como nutrientes ou não nutrientes capazes de atuar no metabolismo e na fisiologia humana, promovendo efeitos benéficos para a saúde que podem retardar o estabelecimento de doenças crônico-degenerativas e melhorar a qualidade e a expectativa de vida das pessoas. Levando em consideração que o licopeno tem ação antioxidante e protege as células contra os radicais livres, é possível encontrá-lo em alimentos como:

a) Cavala, mamão morango.
b) Goiaba, mamão, pitanga.
c) Pitanga, milho, pistache.
d) Gema de ovo, brócolis, couve.
e) Pimenta vermelha, goiaba, salsa.

21. (NF) Os alimentos funcionais são alimentos naturais ou preparados que contenham uma ou mais substâncias classificadas como nutrientes ou não nutrientes capazes de atuar no metabolismo e na fisiologia humana, promovendo efeitos benéficos para a saúde que podem retardar o estabelecimento de doenças crônico-degenerativas e melhorar a qualidade e a expectativa de vida das pessoas. Levando em consideração as funções das fibras alimentares de acordo com as alegações da ANVISA, é possível afirmar que:
a) Têm efeito inflamatório no trato gastrointestinal.
b) Ajudam no controle glicêmico, porém não melhoram o trânsito intestinal.
c) Contribuem para o equilíbrio da flora intestinal na dose de 3 g para um alimento sólido.
d) Mesmo não estando associadas à alimentação equilibrada, ao consumo hídrico e ao exercício físico, as fibras promovem ação benéfica no trânsito intestinal.
e) Os ácidos graxos de cadeia longa são produzidos a partir da fermentação das fibras insolúveis, promovendo melhora no sistema imune.

22. (NF) A ANVISA propõe requisitos de rotulagem aplicados a todos os alimentos. Para os suplementos alimentares, a intenção é exigir que os suplementos tragam informações detalhadas sobre a recomendação de uso, forma de preparo, instruções de conservação e advertências gerais ou específicas. Acerca da regulamentação de suplementos alimentares, são restrições específicas de rotulagem propostas pela ANVISA. Considere as afirmações a seguir:
I. Atribuir finalidade medicamentosa ou terapêutica.
II. Comparar suplementos com alimentos convencionais.
III. Sugerir a presença de substâncias não autorizadas ou proibidas.
IV. Colocar instruções de conservação, inclusive após a abertura da embalagem.

É CORRETO apenas o que se afirma em:
a) I.
b) III.
c) I e II.
d) II e III.
e) I, II e III.

23. (NF) Os alimentos funcionais contêm compostos bioativos que podem melhorar a saúde. Considerando que a ANVISA regulamenta alimentos funcionais no Brasil, identifique as afirmativas verdadeiras (V) e falsas (F), fundamentando-se nos alimentos funcionais e em sua aplicação.
( ) O uso de probióticos é indicado, pois é fonte de antioxidantes.
( ) A banana verde é uma fonte alimentar de amido resistente.
( ) Licopeno, luteína e zeaxantina são da família dos carotenoides, poderosos compostos antioxidantes.
( ) De acordo com a resolução da ANVISA sobre alimentos funcionais, eles conseguem um ótimo efeito sobre a saúde independentemente do tipo de dieta do paciente.
( ) De acordo com a ANVISA, os produtos à base de fitoesteróis determinam que no rótulo do produto conste a frase de advertência em destaque e em negrito: "o consumo deste produto deve ser acompanhado da ingestão de líquidos".

Assinale a opção com a ordem correta do preenchimento das lacunas.

a) F, V, F, F, F.
b) F, F, V, F, F.
c) V, V, F, V, V.
d) V, F, V, V, V.
e) F, V, F, V, F.

24. (NF) O consumo de ácidos graxos ômega 3 auxilia a manutenção de níveis saudáveis de triglicerídeos. De acordo com a ANVISA, essa alegação somente deve ser utilizada para:

a) Ácidos graxos ômega 3 de cadeia longa, provenientes de óleos de peixe.
b) Ácidos graxos ômega 3 de cadeia média, provenientes de óleos de peixe.
c) Produtos que apresentem, no mínimo, 1 g de ácido eicosapentaenoico em 100 g de produto pronto para consumo.
d) Produtos que apresentem, no mínimo, 1 g de ácido docosaexaenoico na porção.
e) Produtos que apresentem, no mínimo, 0,1 g de ácido docosapentaenoico em 100 g de produto pronto para consumo.

25. (NF) O butirato é um ácido graxo de cadeia curta produzido a partir da fermentação realizada pelas bactérias colônicas. Assinale a opção que apresenta os compostos fermentáveis que resultam em grandes quantidades de butirato.

a) Oligofrutose, inulina, psílio, farelo de aveia e amido resistente.
b) Farinha de casca de maracujá, oligofrutose e amido resistente.
c) Oligofrutose, psílio, inulina, gordura vegetal e farinha de aveia.
d) Frutoligossacarídeo, inulina, psílio, proteína animal e gordura vegetal.
e) Aveia em flocos finos, amido resistente e biomassa de banana verde.

26. (NF) A batata yacon tornou-se conhecida após ser utilizada por populações dos Andes com o relato de efeitos na saúde. Assinale a opção CORRETA sobre esse alimento funcional.

    a) Tem alto valor calórico, sendo utilizada para o combate à desnutrição proteico-calórica.
    b) Boa parte de suas propriedades pode ser atribuída ao alto teor de frutoligossacarídeos em sua composição.
    c) Como outras batatas, tem sabor amiláceo salgado e deve ser utilizada cozida para o preparo de sopas e purês.
    d) Como a maioria dos estudos sobre esse alimentos funcional foi realizada em humanos, há muitas alegações comprovadas em estudos de fase 3.
    e) Suas propriedades não são reconhecidas pela ANVISA; assim, não consta de sua resolução atual que regulamenta a alegação de propriedades funcionais.

27. (NF) Sobre os efeitos dos antioxidantes na saúde, identifique os nutrientes antioxidantes enzimáticos e não enzimáticos. Preencha as lacunas com (1) para enzimático e (2) para não enzimático.

    ( ) Vitamina C
    ( ) Zinco
    ( ) Vitamina E
    ( ) Cobre
    ( ) Vitamina A
    ( ) Selênio

    Assinale a opção com a ordem correta do preenchimento das lacunas.

    a) 1, 2, 1, 2, 1, 2.
    b) 2, 1, 2, 1, 2, 1.
    c) 1, 1, 1, 2, 2, 2.
    d) 1, 1, 2, 2, 1, 2.
    e) 2, 2, 2, 1, 1, 1.

28. (NF) Os prebióticos e probióticos têm grandes efeitos sobre a saúde do intestino. Avalie as assertivas abaixo, preenchendo as lacunas com (V) para verdadeiro e (F) para falso.

    ( ) Probióticos são tipos de fibras alimentares que têm como exemplo o frutoligossacarídeos (FOS) e a inulina.
    ( ) Prebióticos são bactérias com efeito benéfico para a saúde, como o grupo de *Bifidobacterium* e *Lactobacillus*.
    ( ) Probióticos são micro-organismos vivos que, quando consumidos em proporções adequadas, têm propriedades benéficas para a saúde humana.

( ) Nem todas as fibras alimentares são prebióticas, apenas as que têm como características a solubilidade em água e a fermentabilidade por bactérias.

( ) Prebiótico refere-se a componentes alimentares não digeríveis que estimulam a atividade bifidogênica, ou seja, o crescimento e/ou a ação de algumas bactérias presentes no intestino.

Assinale a opção com a ordem correta do preenchimento das lacunas.

a) F, V, F, F, F.

b) F, F, V, F, F.

c) V, V, F, V, V.

d) F, F, V, V, V.

e) F, V, F, V, F.

29. (NF) Sobre os ácidos graxos ômega 6 e ômega 3, avalie as assertivas abaixo e assinale a opção CORRETA.

a) Estima-se que a dieta ocidental seja rica em ômega 3.

b) Os ácidos graxos ômega 6 têm efeito anti-inflamatório, porém em menor proporção que o ômega 3.

c) Os ácidos graxos ômega 3 têm efeito anti-inflamatório e são indicados, dentre outros benefícios, para o tratamento da dislipidemia.

d) Os ácidos graxos ômega 6, em virtude dos efeitos benéficos, devem ser mais consumidos que os ômega 3, que têm efeitos deletérios à saúde.

e) Os ácidos graxos ômega 3 provêm de fonte animal, principalmente de peixes de águas frias e geladas, não havendo fontes vegetais desse nutriente.

30. (NF) Sobre os efeitos dos carotenoides sobre a saúde, assinale a opção CORRETA.

a) O licopeno é o único representante desse grupo de antioxidantes.

b) O licopeno tem benefícios relacionados à saúde da retina e da lente oftálmica do olho.

c) Por ser hidrossolúvel, a absorção do licopeno não depende da maneira com que se apresenta na alimentação.

d) O teor de carotenoide está principalmente nas cascas e aumenta proporcionalmente ao grau de maturação.

e) O licopeno é um pigmento verde e por isso está mais presente em folhas verde-escuras, além de ser rico em magnésio.

31. (NF) Na região Nordeste do Brasil, há uma grande variedade de frutos ricos em antioxidantes que podem ser considerados alimentos funcionais por sua capacidade de

prevenção de doenças. No estudo de Almeida *et al.* (2011) realizado com essas frutas, foi detectado maior teor de vitamina C, antocianina e compostos fenólicos, respectivamente, em:

a) Graviola, jaca e umbu.
b) Jaca, abacaxi e seriguela.
c) Sapoti, abacaxi e graviola.
d) Mangaba, tamarindo e murici.
e) Papaia, sapoti e ata (pinha ou fruta-do-conde).

32. (NF) "O processamento industrial de alimentos promove o prolongamento de sua vida útil, tornando-os mais atraentes ao paladar; entretanto, pode induzir mudanças e interações entre seus constituintes. Assim, o processamento pode ter um impacto positivo ou negativo. Ainda durante o processamento, o alimento é exposto a diversos fatores que podem interferir em sua estrutura e composição nutricional. Estudos mostram que alguns métodos de processamento industrial retêm melhor as vitaminas, enquanto outros promovem uma maior perda."

A Tabela 17.1 apresenta os valores médios de vitamina C em frutos de acerola submetidos a dois métodos de congelamento e armazenamento em câmara fria a –10°C, durante 36 dias.

Tabela 17.1 Valores de vitamina C e percentual de perdas nos processos de congelamento por túnel e câmara fria

Tratamentos	Tempo de armazenamento (dias)	Vitamina C (mg/100 g)	Perdas (%)
Valor inicial (colheita)	–	1.597,00	–
Túnel	9	1.365,58	14,5
	18	1.301,33	18,5
	27	1.146,58	28,2
	36	1.204,67	24,6
	Média	1.254,54	21,4
Câmara fria	9	1.214,33	24,0
	18	1.148,67	28,1
	27	1.131,42	29,2
	36	1.165,34	27,0
	Média	1.164,94	27,1

Modificado de Tavares *et al.*

Assinale a opção CORRETA.

a) Houve uma redução no teor de vitamina C da ordem de 27,1% nos frutos congelados em túnel.

b) Houve uma redução no teor de vitamina C da ordem de 24,6% nos frutos congelados em câmara fria.

c) Não há perdas nutricionais significativas em nenhum dos métodos de congelamento utilizados no estudo.

d) As perdas de vitamina C são mais aceleradas nos frutos congelados em câmara fria que naqueles congelados em túnel.

e) As perdas de vitamina C são mais aceleradas nas acerolas congeladas em túnel do que naquelas congeladas em câmara fria.

33. (NF) "O processamento industrial de alimentos promove o prolongamento de sua vida útil, tornando-os mais atraentes ao paladar; entretanto, pode induzir mudanças e interações entre seus constituintes. Assim, o processamento pode ter um impacto positivo ou negativo. Ainda durante o processamento, o alimento é exposto a diversos fatores que podem interferir em sua estrutura e composição nutricional. Estudos mostram que alguns métodos de processamento industrial retêm melhor as vitaminas, enquanto outros promovem uma maior perda."

Tabela 17.2 Retenção de vitaminas do complexo B utilizando diferentes faixas de temperatura na extrusão de flocos de milho

	% de Retenção			
Vitaminas	**130°C**	**140°C**	**150°C**	**160°C**
Tiamina	62	62	67	62
Riboflavina	100	100	67	100
Niacina	83	69	64	73
Piridoxina	86	86	67	100

Athar *et al.*

Assinale a opção CORRETA.

a) Na faixa de temperatura de 130°C, a maior retenção foi a de tiamina.

b) A tiamina foi a vitamina que apresentou maior variação na retenção nas quatro temperaturas utilizadas.

c) Houve maior retenção de riboflavina quando a faixa de temperatura de extrusão aplicada foi de 150°C.

d) Houve maior retenção de riboflavina e piridoxina quando a faixa de temperatura de extrusão foi de 160°C.

e) A niacina, comparada às outras vitaminas, apresentou a menor variação de retenção nas diferentes faixas de temperatura.

34. (NF) Em estudo com frutas regionais realizado na Universidade Estadual do Ceará, os pesquisadores investigaram o teor de compostos bioativos em polpas de frutas e dos subprodutos gerados após o processo de polpação (restos de casca, polpa, sementes).

Tabela 17.3 Níveis de betacaroteno e licopeno em frutas tropicais

Frutas **Nome popular**	**β-Caroteno (µg/100 g base seca)**		**Licopeno (µg/100 g base seca)**	
	Polpa	**Subproduto**	**Polpa**	**Subproduto**
Abacaxi	42,86 ± 4,26$^{a}_{x}$	156,10 ± 15,63$^{b,c}_{y}$	nd	nd
Acerola	2623,57 ± 262,42$^{e}_{y}$	272,83 ± 27,24$^{c}_{x}$	nd	nd
Siriguela	1422,77 ± 142,30^{d}	np	nd	nd
Caju	454,19 ± 45,44$^{b}_{y}$	179,14 ± 17,92$^{c}_{x}$	nd	nd
Goiaba	52,12 ± 5,69$^{a}_{y}$	26,67 ± 2,67$^{a}_{x}$	35,01 ± 3,62$^{a}_{y}$	18,11 ± 1,83$^{a}_{x}$
Graviola	nd	nd	nd	nd
Mamão papaia	2024,68 ± 199,86^{e}	490,29 ± 0,08^{d}	2077,04 ± 208,04$^{c}_{y}$	85,52 ± 0,08$^{a}_{x}$
Manga	953,60 ± 95,36$^{c}_{y}$	58,26 ± 5,83$^{a,b}_{x}$	nd	nd
Maracujá	1362,07 ± 136,22$^{d}_{y}$	57,93 ± 5,80$^{a,b}_{x}$	nd	nd
Pitanga	1564,06 ± 156,45$^{d}_{y}$	1110,85 ± 111,11$^{e}_{x}$	1445,16 ± 1,42$^{b}_{y}$	693,26 ± 69,29$^{b}_{x}$
Sapoti	nd	nd	41,93 ± 4,21$^{a}_{x}$	36,48 ± 2,21$^{a}_{x}$
Tamarindo	1,20 ± 0,12^{a}	np	0,09 ± 0,01^{a}	np

Resultados expressos em média ± desvio padrão (n = 3). nd: não detectado. np: não realizado.
Letras diferentes significam diferença significativa ($P < 0,05$). Letras x, y foram usadas para diferenças na linha ($P < 0,05$).
Letras a, b, c foram usadas para diferenças na coluna ($P < 0,05$).

Observe o quadro acima e assinale a opção CORRETA.

a) No papaia, há maior quantidade de licopeno na polpa.
b) Na acerola, há maior quantidade de licopeno na polpa.
c) No abacaxi, há maior quantidade de β-caroteno na polpa.
d) Na manga, há maior quantidade de β-caroteno no subproduto.
e) No tamarindo, há maior quantidade de β-caroteno no subproduto.

35. (NF) Em estudo com frutas regionais realizado na Universidade Estadual do Ceará, os pesquisadores investigaram o teor de compostos bioativos em polpas de frutas e dos subprodutos gerados após o processo de polpação (restos de casca, polpa, sementes).

Tabela 17.4 Total de compostos fenólicos em polpa e subprodutos de frutas tropicais

Frutas Nome popular	Fenólicos totais (mg GAE/100 g base seca)	
	Polpa	**Subproduto**
Abacaxi	990,76 ± 81,39$^{b,c}_{x}$	2787,09 ± 225,38$^{e}_{y}$
Acerola	29093,47 ± 799,68$^{g}_{y}$	7265,29 ± 16,78$^{g}_{x}$
Siriguela	925,84 ± 46,84^{a,b}	np
Caju	5286,49 ± 250,34$^{r}_{x}$	6588,41 ± 370,32$^{r}_{y}$
Goiaba	1723,06 ± 111,58$^{c}_{x}$	1987,19 ± 8,06$^{d}_{y}$
Graviola	2886,60 ± 119,05$^{d}_{y}$	1439,63 ± 22,32$^{c}_{x}$
Mamão papaia	1263,70 ± 126,97$^{b,c}_{y}$	783,37 ± 25,38$^{a,b}_{x}$
Manga	652,59 ± 22,53$^{a,b}_{y}$	376,12 ± 37,62$^{a}_{x}$
Maracujá	765,09 ± 15,95$^{a,b}_{y}$	451,06 ± 40,63$^{a}_{x}$
Pitanga	3957,20 ± 194,45$^{e}_{x}$	12696,03 ± 313,39$^{h}_{y}$
Sapoti	209,45 ± 20,03$^{a}_{x}$	1053,43 ± 105,41$^{b,c}_{y}$
Tamarindo	923,34 ± 53,35^{a,b}	np

Os resultados são expressos como média ± desvio padrão ($n = 3$). GAE: equivalente de ácido gálico. np: não realizado. Letras diferentes significam diferença significativa ($P < 0{,}05$). Letras x, y foram usadas para diferenças na linha ($P < 0{,}05$). Letras a, b, c foram usadas para diferenças na coluna ($P < 0{,}05$).

Observe o quadro acima e assinale a opção CORRETA.

a) No papaia, há menor quantidade de compostos fenólicos na polpa.
b) Na acerola, há maior quantidade de compostos fenólicos na polpa.
c) No abacaxi, há maior quantidade de compostos fenólicos na polpa.
d) Na manga, há maior quantidade de compostos fenólicos no subproduto.
e) No tamarindo, há maior quantidade de compostos fenólicos no subproduto.

36. (NF) Sobre os polifenóis dietéticos, assinale a opção que registra a relação verdadeira entre grupos e compostos.

a) O grupo das lignanas tem como composto as isoflavonas.
b) O grupo dos estilbenos tem como composto o resveratrol.
c) O grupo dos flavonoides tem como composto as lignanas.
d) O grupo dos ácidos fenólicos tem como composto o resveratrol.
e) O grupo dos ácidos fenólicos tem como composto as antocianinas.

37. (NF) Os compostos bioativos presentes nos alimentos naturais adquirem cada vez mais destaque na literatura por meio de seus promissores efeitos benéficos à saúde. Avalie as afirmações abaixo e assinale a INCORRETA.

a) O sulforafano é um composto organossulfurado encontrado em crucíferas (repolho, couve-de-bruxelas, brócolis, entre outros).

b) A EGCG (epigalocatequina-3-galato) é um composto bioativo encontrado principalmente no chá-verde, que apresenta maior concentração desta catequina.

c) O isotiocianato é o responsável pelas propriedades biológicas conferidas ao chá-verde como seu potencial antioxidante e anti-inflamatório.

d) A curcumina é um composto presente naturalmente no açafrão (*Curcuma longa*), com uma longa história de uso na tradicional alimentação indiana e na fitoterapia.

e) O resveratrol (3, 5, 4'-trihidroxiestilbeno) é um composto derivado da classe dos polifenóis encontrados em várias plantas, incluindo as uvas, no vinho tinto, no amendoim e nos pinheiros.

38. (NF) Sobre o conceito e o surgimento de alimentos funcionais e nutracêuticos, assinale a opção INCORRETA.

a) Nos EUA, os alimentos funcionais são definidos como "alimentos e componentes alimentares que proporcionam um benefício à saúde além da nutrição básica".

b) O conceito de alimento funcional foi introduzido pela primeira vez na China em meados da década de 1980 para alimentos que continham ingredientes com funções para a saúde.

c) A palavra *Neutraceuticals* foi introduzida em 1989 pela Fundação dos EUA para Inovação em Medicina para se referir a "qualquer substância que seja um alimento ou uma parte de um alimento e fornece benefícios médicos ou de saúde, incluindo a prevenção e o tratamento de doenças".

d) No Canadá, um alimento funcional é definido como um "alimento de aparência similar a, ou pode ser, um alimento convencional que é consumido como parte de uma dieta habitual e demonstra ter benefícios fisiológicos e/ou reduzir o risco de doenças crônicas, além das funções nutricionais básicas".

e) Na China, "alimentos saudáveis (funcionais) significam que um alimento tem funções especiais de saúde ou é capaz de fornecer vitaminas ou minerais. É adequado para consumo por grupos especiais de pessoas e tem a finalidade de regular as funções do corpo humano, mas não é usado para fins terapêuticos e não causará nenhum dano, seja agudo, subagudo ou crônico".

39. (NF) Um grupo de alimentos com muitas propriedades funcionais é constituído pelos cogumelos. Os mais famosos são o champignon e o shitake, e no Brasil temos o cogumelo-do-sol (*Agaricus blazei*) que vem sendo cultivado comercialmente desde o início da década de 1990. Sobre as propriedades de saúde relacionadas aos cogumelos, assinale a opção INCORRETA.

a) O cogumelo-ostra (*P. ostreatus*) tem atividade antioxidante.

b) Alguns cogumelos contêm ECGC em sua composição e exercem ação antioxidante.

c) Várias espécies de cogumelos têm alto teor de compostos fenólicos com ação antioxidante.

d) O shitake (*L. edodes*) e o cogumelo-ostra (*P. ostreatus*) apresentaram propriedades antibacterianas e antifúngicas.

e) Cogumelos contêm β-glucanas com a propriedade de ativação do sistema imune, aumentando o teor de anticorpos e fortalecendo os mecanismos de defesa fisiológicos.

40. (NF) Frutas e verduras são ricas em micronutrientes e compostos bioativos que têm relação com a saúde. O gráfico abaixo mostra a relação entre o consumo de frutas em porções diárias e os benefícios para a saúde mental. Avalie o Gráfico 17.1 e assinale a opção CORRETA.

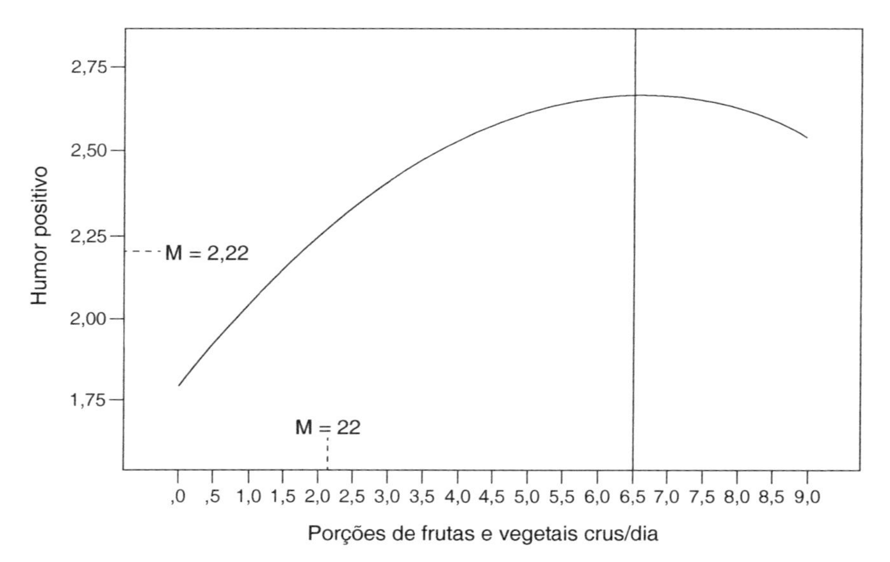

Gráfico 17.1. Curva de relação entre o consumo de frutas e vegetais naturais e o humor positivo.

a) Há aumento na melhora do humor, após o consumo de até nove porções diárias.

b) O consumo de frutas e vegetais não mostrou ter relação com o humor.

c) Quanto mais porções de frutas e vegetais consumidas, pior o humor.

d) Quanto mais porções de frutas e vegetais consumidas, melhor o humor.

e) Há um ponto de inflexão em 6,5 porções diárias, não sendo indicados benefícios a partir dessa quantidade de porções.

Respostas

1 – E

Os alimentos funcionais podem ser oferecidos na forma de alimentos ou produtos alimentícios. Quando produtos, sempre que uma empresa quiser fazer esse tipo de alegação, a alegação deverá ser submetida à avaliação da ANVISA. A legislação sanitária não estabelece uma lista de alegações que possa ser veiculadas na rotulagem de alimentos. Assim, as empresas interessadas devem propor um texto para a alegação que será veiculada em seu produto e devem verificar se o texto proposto não é uma alegação terapêutica ou medicamentosa, pois essas declarações são proibidas em alimentos, de acordo com o artigo 56 do Decreto-Lei nº 986, de 21 de outubro de 1969, que institui normas básicas de alimentos, e pelos itens 3.1 (f) e (g) da RDC nº 259, de 20 de setembro de 2002, que dispõe sobre a rotulagem geral de alimentos embalados.

Considera-se alegação terapêutica ou medicamentosa qualquer representação que afirme, sugira ou indique que o alimento ou seus constituintes podem prevenir, tratar ou curar doenças, não sendo potencialmente perigosos para a saúde humana. Não se assemelham a medicamentos, podendo ser adquiridos sem prescrição médica.

Os alimentos enriquecidos são aqueles aos quais é adicionado um ou mais nutrientes essenciais, como vitaminas, minerais e/ou aminoácidos, em quantidades definidas em regulamento específico (Portaria 31/98). O objetivo dessa adição é reforçar seu valor nutritivo em um ou mais nutrientes. Alguns alimentos, como as farinhas de milho e de trigo, têm obrigatoriamente de ser fortificados com ferro e ácido fólico, visando à redução da prevalência de anemia ferropriva e das doenças do tubo neural durante a formação do embrião, respectivamente. Um alimento enriquecido pode ter uma alegação chamada "plenamente reconhecida" para vitaminas ou minerais.

- REF.: Brasil (1999a); Stringheta *et al.* (2007).

2 – E

"O consumo diário de, no mínimo, 25 g de proteína de soja pode ajudar a reduzir o colesterol. Seu consumo deve estar associado a uma alimentação equilibrada e a hábitos de vida saudáveis". A ANVISA não permite falar sobre ação terapêutica/medicamentosa.

- REF.: Brasil (1999a).

3 – C

De acordo com a ANVISA, o alho não é listado dentre os alimentos e compostos com ação funcional.

- REF.: Brasil (1999a).

4 – A

As alegações não podem fazer referência a prevenção, tratamento e cura de doenças, conforme o artigo 56 do Decreto-Lei nº 986/69, o item 3.5 da Resolução nº 18/99 e o item 3.1 da Resolução RDC nº 259/02.

- REF.: Brasil (1999a); Costa & Rosa (2016).

5 – D

Inicialmente, é importante definir alimentos funcionais segundo a ANVISA, RDC nº 18:

- ALEGAÇÃO DE PROPRIEDADE FUNCIONAL: é aquela relativa ao papel metabólico ou fisiológico que o nutriente ou não nutriente tem no crescimento, desenvolvimento, manutenção e outras funções normais do organismo humano.
- ALEGAÇÃO DE PROPRIEDADE DE SAÚDE: é aquela que afirma, sugere ou implica a existência de relação entre o alimento ou ingrediente e doença ou condição relacionada à saúde, não havendo relação com expressão gênica nessa resolução.

- REF.: Brasil (1999b).

6 – D

Segundo o livro *Nutrição clínica funcional: dos princípios à prática clínica*, o sistema ATMS, muito utilizado na nutrição funcional é baseado na busca de antecedentes, *tiggers* (gatilhos), mediadores e sintomas para a anamnese do paciente. Os antecedentes estão relacionados com a história de vida do paciente e com a história genética de sua família. Os gatilhos são as formas pelas quais o sintoma pode ter sido ativado, como por estresse, radiação, estresse oxidativo, traumas, lipopolissacarídeos bacterianos (LPS), vírus e parasitas. Os mediadores ou mantenedores são quaisquer substâncias, enzimas ou fatores ambientais que causem os sintomas, a destruição dos tecidos e o comportamento em relação à doença, fazendo a doença permanecer presente. Os sintomas revelam algumas carências nutricionais ou outras consequências do estado de saúde do paciente.

- REF.: Paschoal, Naves & Fonseca (2007).

7 – D

A ANVISA considera como probióticos os micro-organismos listados a seguir:

- *Lactobacillus acidophilus*
- *Lactobacillus casei shirota*
- *Lactobacillus casei* variedade *rhamnosus*
- *Lactobacillus casei* variedade *defensis*
- *Lactobacillus paracase*
- *Lactococcus lactis.*

A quantidade do probiótico deve ser apresentada em unidades formadoras de colônias (UFC), contida na recomendação diária do produto pronto para consumo, devendo ser declarada no rótulo, próximo à alegação. A quantidade mínima viável para os probióticos deve estar situada na faixa de 108 a 109 UFC na recomendação diária do produto pronto para o consumo, conforme indicação do fabricante. Valores menores podem ser aceitos, desde que a empresa comprove sua eficácia.

- REF.: Brasil (1999a).

8 – C

Segundo a ANVISA, os alimentos funcionais podem ter alegação de nutrientes e não nutrientes; assim, não existem nas recomendações das DRI valores específicos para compostos funcionais. Essa resolução atribui aos grãos integrais e farelos como fontes de fibras insolúveis a prevenção do câncer de cólon e não de tireoide. A lignana é um composto existente na linhaça que previne tumores de base hormonal. Esses componentes funcionais, quando na forma de alimentos, podem ser consumidos livremente sem prescrição de nutricionista ou médico.

- REF.: Brasil (1999a).

9 – B

De acordo com Stringheta *et al.* e a ANVISA, a ALEGAÇÃO DE PROPRIEDADE FUNCIONAL dos alimentos funcionais é aquela relativa ao papel metabólico ou fisiológico que o nutriente ou não nutriente tem no crescimento, desenvolvimento, manutenção e em outras funções normais do organismo humano. A ALEGAÇÃO DE PROPRIEDADE DE SAÚDE é aquela que afirma, sugere ou implica a existência de relação entre o alimento ou ingrediente e doença ou condição relacionada à saúde.

- REF.: Brasil (1999a); Stringheta *et al.* (2007).

10 – B

Os alimentos funcionais devem ser consumidos na forma de alimentos convencionais e não têm propriedades curativas. Ajudam na prevenção de doenças, são naturais e não podem ser formulados quimicamente. Os compostos funcionais não são nutrientes essenciais, como vitaminas e minerais, mas possuem propriedades especiais com benefícios à saude.

- REF.: Stringheta *et al.* (2007).

11 – E

A declaração de propriedade funcional é de caráter opcional, não faz menção à cura de doenças e não se destina ao tratamento de um problema específico da população.

- REF.: Brasil (1999a).

12 – B

Os fitoesteróis auxiliam a redução do colesterol. Os frutoligossacarídeos (FOS) contribuem para o equilíbrio da flora intestinal. O consumo de ômega 3 auxilia a manutenção dos níveis de triglicerídeos. A utilização do licopeno tem ação antioxidante e protege as células contra os radicais livres.

- REF.: Brasil (1999a).

13 – E

A alicina tem ação anti-inflamatória. O consumo de ômega 3 auxilia a manutenção dos níveis de triglicerídeos. O licopeno tem ação antioxidante e protege as células contra os radicais livres. Os fitoesteróis auxiliam a redução do colesterol.

- REF.: Brasil (1999a).

14 - A

A betaglucana auxilia a redução da absorção do colesterol. O consumo de ômega 3 auxilia a manutenção dos níveis de triglicerídeos. Os fitoesteróis auxiliam a redução do colesterol. Os frutoligossacarídeos contribuem para o equilíbrio da flora intestinal.

- REF.: Brasil (1999a).

15 - E

A alegação de propriedades funcionais e/ou de saúde é definida por órgão responsável, como a ANVISA, e é permitida em caráter opcional, não sendo permitidas alegações de saúde que façam referência à cura ou à prevenção de doenças. É necessária a comprovação científica da alegação de propriedades funcionais e/ou de saúde e da segurança de uso. O alimento ou ingrediente que alegar propriedades funcionais ou de saúde pode produzir efeitos benéficos, devendo ser seguro para consumo sem supervisão médica e sem limitação.

- REF.: Brasil (1999a).

16 - D

O resveratrol reduz a agregação plaquetária na dose recomendada de 240 a 480 mL/dia (suco de uva ou vinho). As betaglucanas reduzem o colesterol total e o LDL na dose recomendada de 3 g/dia (aveia). O licopeno reduz o risco de aterosclerose subclínica e peroxidação lipídica (tomate). As catequinas reduzem o risco de alguns tipos de câncer na dose recomendada de quatro a seis xícaras de chá por dia (chá-verde).

- REF.: Brasil (1999a); Sgarbierim & Pacheco (1999).

17 - B

O resveratrol reduz a agregação plaquetária na dose recomendada de 240 a 480 mL/dia (suco de uva ou vinho). O licopeno reduz o risco de aterosclerose subclínica e peroxidação lipídica (tomate). A alicina e a aliina reduzem o colesterol total e o LDL na dose recomendada de 1 dente de alho/dia (alho). As catequinas reduzem o risco de alguns tipos de câncer na dose recomendada de quatro a seis xícaras de chá por dia (chá-verde).

- REF.: Brasil (1999a); Sgarbierim & Pacheco (1999).

18 - C

O resveratrol reduz a agregação plaquetária na dose recomendada de 240 a 480 mL/dia (suco de uva). A betaglucana reduz o colesterol total e o LDL na dose recomendada de 3 g/dia (aveia). A alicina e aliina reduzem o colesterol total e o LDL na dose recomendada de 1 dente de alho/dia. (alho). As catequinas reduzem o risco de alguns tipos de câncer na dose recomendada de quatro a seis xícaras de chá por dia (chá-verde).

- REF.: Brasil (1999a); Sgarbierim & Pacheco (1999).

19 – E

No rótulo, as porções dos alimentos devem ser aquelas previstas na Resolução RDC nº 359/2003. O uso das alegações em qualquer alimento só será permitido após aprovação da ANVISA. A padronização das alegações teve por objetivo melhorar o entendimento dos consumidores quanto às informações e propriedades veiculadas nos rótulos desses alimentos. A eficácia da alegação deve ser comprovada caso a caso, considerando a formulação e as características do alimento, mas deve ser independente do sexo.

- REF.: Brasil (1999a); Sgarbierim & Pacheco (1999).

20 – B

A cavala, o morango, o milho, o pistache, a gema de ovo, os brócolis, a couve, a pimenta-vermelha e a salsa não são fontes de licopeno.

- REF.: Sgarbierim & Pacheco (1999).

21 – C

As fibras ajudam no controle glicêmico e melhoram o trânsito intestinal, apresentando efeito anti-inflamatório no trato gastrointestinal. Devem estar associadas a alimentação equilibrada, consumo hídrico e exercício físico para promoverem ação benéfica no trânsito intestinal. Sua fermentação produz ácidos graxos de cadeia curta, promovendo melhora no sistema imune.

- REF.: Brasil (1999a); Sgarbierim & Pacheco (1999).

22 – E

Colocar instruções de conservação inclusive após a abertura da embalagem não é uma restrição e sim uma recomendação.

- REF.: Brasil (1999a).

23 – B

Os probióticos não são fontes de antioxidantes. Essa propriedade é do grupo dos carotenoides. Probióticos ajudam a regular o trânsito intestinal. A legislação fala de fonte de dextrina resistente na banana verde. Todos os alimentos funcionais têm seu efeito relacionado a uma dieta saudável. O consumo associado à ingestão de líquidos é uma advertência dos alimentos que são fontes de fibras.

- REF.: Brasil (1999a).

24 – A

Os ácidos graxos ômega 3 são de cadeia longa e, quando em produtos, devem apresentar, no mínimo, 0,1 g de EPA ou DHA na porção ou em 100 g ou 100 mL do produto pronto para o consumo.

- REF.: Brasil (1999a).

25 – A

Oligofrutose, inulina, psílio, farelo de aveia e amido resistente são os compostos fermentáveis que resultam em grandes quantidades de butirato.

- REF.: Costa & Rosa (2016).

26 – B

A batata yacon tem baixo teor calórico e aspecto semelhante ao da pera com sabor adocicado. Muitos a chamam de batata apenas por sua similaridade física. A maioria dos estudos é realizada com animais. A batata yacon é citada pela resolução da ANVISA.

- REF.: Costa & Rosa (2016).

27 – B

Antioxidantes enzimáticos são os cofatores de enzimas antioxidantes, como catalase, superóxido desmutase e glutationa peroxidase, e os antioxidantes não enzimáticos são aqueles que agem diretamente no radical livre.

- REF.: Dolinsky (2009).

28 – D

Probióticos são bactérias com efeito benéfico para a saúde, como o grupo de *Bifidobacterium* e *Lactobacillus*, e prebióticos são tipos de fibras alimentares que têm como exemplo o FOS e a inulina.

- REF.: Dolinsky (2009).

29 – C

O ômega 3 tem efeitos benéficos para a saúde e o ômega 6 apresenta efeitos deletérios, sendo a proporção da dieta ocidental mais rica em ômega 6. O ômega 3 é encontrado em fontes animais e vegetais.

- REF.: Dolinsky (2009).

30 – D

O grupo dos carotenoides é composto por licopeno, luteína e zeaxantina. O licopeno é lipossolúvel, e sua disponibilidade aumenta com o cozimento e a presença de lipídios. Trata-se de um pigmento vermelho que tem como fonte frutas como o tomate, a goiaba e a melancia.

- REF.: Dolinsky (2009).

31 – D

A tabela da referência original com os teores presentes nas frutas da região Nordeste do Brasil é mostrada na Tabela 17.5.

Tabela 17.5 Quantidade total de ácido ascórbico, antocianinas e compostos fenólicos em frutas brasileiras[a]

Frutas Nome popular	Nome científico	Ácido ascórbico (mg AA/100 g)	Total de antocianina (mg TA/100 g)	Total fenólicos (mg GAE/100 g)
Siriguela	*Spondias purpurea* L.	29,06 ± 0,9	1,35 ± 0,04	55,0 ± 2,1
Jaca	*Artocarpus integrifolia* L.	1,2 ± 0,0	0,46 ± 0,00	29,0 ± 6,3
Mangaba	*Hancornia speciosa* Gomes	96,3 ± 1,7	0,79 ± 0,04	98,8 ± 5,6
Murici	*Byrsonima crassifolia* (L) Kunth	11,8 ± 0,0	1,02 ± 0,00	159,9 ± 5,6
Mamão papaya	*Carica papaya* L.	8,6 ± 0,0	0,69 ± 0,04	53,2 ± 3,6
Abacaxi	*Ananas comosus* (L.) Merr.	13,0 ± 0,9	0,32 ± 0,15	3,81 ± 0,7
Sapoti	*Manilkara zapota* (L.) P. Royen	3,9 ± 0,0	0,46 ± 0,07	13,5 ± 1,1
Graviola	*Annona muricata* L.	3,3 ± 0,9	0,19 ± 0,03	54,8 ± 2,7
Ata	*Annona squamosa* L.	29,6 ± 0,9	0,73 ± 0,18	81,7 ± 4,0
Tamarindo	*Tamarindus indica* L.	3,1 ± 0,9	3,16 ± 0,40	83,8 ± 6,1
Umbu	*Spondias tuberosa* Arruda Câmara	12,1 ± 0,4	0,46 ± 0,00	44,6 ± 2,7

[a]Data are expressed as means ± standard deviation (n = 3); GAE: gallic acid equivalents.

- REF.: Almeida *et al.* (2011).

32 – D

O gráfico mostra a perda mais intensa de vitaminas nos frutos congelados em câmara fria do que naqueles congelados em túnel.

- REF.: Correia, Faraoni & Pinheiro-Sant'Ana (2008).

33 – D

De acordo com o gráfico, a 130°C e a 140°C, a maior retenção foi a de riboflavina. A 150°C, a retenção é similar em tiamina, riboflavina e piridoxina, e a 160°C as maiores retenções são de riboflavina e piridoxina.

- REF.: Correia, Faraoni & Pinheiro-Sant'Ana (2008).

34 – A

A acerola tem maior quantidade de licopeno no subproduto. O abacaxi tem maior quantidade de betacaroteno no subproduto. A manga tem maior quantidade de betacaroteno na polpa. O tamarindo tem maior quantidade de betacaroteno na polpa.

- REF.: Silva *et al.* (2014).

35 – B

O papaia e o abacaxi têm maior quantidade de compostos fenólicos no subproduto. A manga e o tamarindo têm maior quantidade de compostos fenólicos no subproduto.

- REF.: Silva *et al.* (2014).

36 – B

O grupo das lignanas tem como composto as lignanas. O grupo dos flavonoides tem como composto os flavonas (quercetina, catequina, procianidina e kampferol-glicosídeos), as flavonas (luteolina e apigenina-glicosídeos), a tangeritina, a nobitelina, a sinentesina, as flavonas, as isoflavonas e as antocianidinas.

- REF.: Chaves (2015).

37 – C

O isotiocianato é o responsável pelas propriedades biológicas conferidas ao grupo das brássicas ou crussíferas que têm como agente principal esse composto fenólico. O chá-verde tem potencial antioxidante e anti-inflamatório, mas esse efeito é atribuído à presença de EGCG (epigalocatequina-3-galato).

- REF.: Soares *et al.* (2015).

38 – B

O conceito de alimento funcional foi introduzido pela primeira vez no Japão em meados da década de 1980 para alimentos que continham ingredientes com funções para a saúde.

- REF.: Corbo *et al.* (2014).

39 – B

A ECGC é um componente antioxidante presente no chá-verde. Os cogumelos contêm compostos fenólicos e vitamina E principalmente com essa ação antioxidante.

- REF.: Silva & Jorge (2011).

40 – E

O gráfico mostra que o consumo de até 6,5 porções diárias de frutas e vegetais tem benefícios na melhora do humor. A partir desse ponto, não há benefícios associados. A partir de 6,5 porções diárias, há um ponto de inflexão, não relacionando o consumo maior de porções ao efeito benéfico.

- REF.: Brookie, Best & Conner (2018).

Referências

Almeida MMB et al. Bioactive compounds and antioxidant activity of fresh exotic fruits from northeastern Brazil. Food Research International, 2011; 44:2155-9.

Brasil. Agência Nacional de Vigilância Sanitária. Alimentos com Alegações de Propriedades Funcionais e ou de Saúde. Disponível em: http://portal.anvisa.gov.br/alimentos/alegacoes. 1999(a).

Brasil. Agência Nacional de Vigilância Sanitária. ANVISA, RDC n°s 18 e 19, de 30 de abril de 1999(b).

Brookie KL, Best GI, Conner TS. Intake of raw fruits and vegetables is associated with better mental health than intake of processed fruits and vegetables. Front Psychol, 10 April 2018; 9.

Chaves DFS. Compostos bioativos dos alimentos. São Paulo: Valéria Pascoal, 2015.

Corbo MR, Bevilacqua A, Petruzzi L, Casanova FP, Sinigaglia M. Functional beverages: the emerging side of functional foods commercial trends, research, and health implications. Comprehensive reviews in Food Science and Food Safety Institute of Food Technologists, 2014; 13.

Correia LFM, Faraoni AS, Pinheiro-Sant'Ana HM. Efeitos do processamento industrial de alimentos sobre a estabilidade de vitaminas. Alim Nutr, Araraquara, jan/mar 2008; 19(1):83-95.

Costa NMB, Rosa COB. Alimentos funcionais - Histórico, legislação e atributos. In alimentos funcionais compostos bioativos e efeitos fisiológicos. 2. ed. Rio de Janeiro: Rubio, 2016; 504p.

Dolinsky M. Nutrição funcional. São Paulo: Roca, 2009.

Paschoal V, Naves A, Fonseca ABBL. Nutrição clínica funcional: dos princípios à prática clínica. 1. ed. São Paulo: Valéria Paschoal, 2007; 320p.

Sgarbierim VC, Pacheco TB. Revisão: alimentos funcionais fisiológicos. Brazilian Journal of Food Technology, 1999; 2.

Silva AC, Jorge N. Cogumelos: compostos bioativos e propriedades antioxidantes. UNOPAR Cient Ciênc Biol Saúde, 2011; 13:375-84.

Silva LMR, Figueiredo EAT, Ricardo NMPS, Vieira IGP, Figueiredo RW, Brasil IM, Gomes CL. Quantification of bioactive compounds in pulps and by-products of tropical fruits from Brazil. Food Chemistry, 2014; 143:398-404.

Soares ER, Monteiro EB, Silva RC, Batista A, Sobreira F, Mattos T, Costa CA, Daleprane JB. Compostos bioativos em alimentos, estresse oxidativo e inflamação: uma visão molecular da nutrição. Revista HUPE, Rio de Janeiro, 2015; 14(3):64-72.

Stringheta PC, Oliveira TT, Gomes RC, Amaral MPH, Carvalho AF, Vilela MAP. Políticas de saúde e alegações de propriedades funcionais e de saúde para alimentos no Brasil. Brazilian Journal of Pharmaceutical Sciences, abr/jun 2007; 43(2).

Capítulo 18

Investigação em Nutrição (IN)

Ilana Nogueira Bezerra
Mariana Dantas Cordeiro

Questões

1. (IN) Toledo *et al.* (2010) realizaram um estudo caso-controle de base hospitalar na cidade do Rio de Janeiro para investigar a associação entre padrões de dieta e câncer oral. O estudo incluiu 210 casos incidentes de câncer oral e 251 controles, que corresponderam a pacientes admitidos em dois hospitais públicos em razão de condições não associadas a fatores de risco para câncer de cavidade oral e faringe.

   Com base nas diferentes definições sobre população em estudos quantitativos, avalie os itens abaixo e assinale a opção CORRETA:

   a) A população de estudo ou amostra do estudo de Toledo *et al.* corresponde a todos os pacientes admitidos nos hospitais públicos da cidade do Rio de Janeiro.

   b) Universo amostral ou população-fonte se refere ao conjunto de indivíduos para os quais desejamos fazer as inferências.

   c) O universo amostral da pesquisa de Toledo *et al.* inclui os 210 casos incidentes de câncer oral e 251 controles.

   d) População-alvo ou base populacional representa o conjunto de indivíduos para os quais desejamos fazer as inferências.

   e) A base populacional se refere a um grupo de indivíduos a partir dos quais os dados foram coletados.

2. (IN) Um estudo realizado com o objetivo de identificar fatores associados ao baixo peso ao nascer investigou o ganho de peso e a dieta materna nos últimos 3 meses de gestação. A investigação incluiu informações sobre sexo do bebê, idade gestacional (em semanas) e total de ganho de peso na gestação (em kg). A dieta materna foi avaliada por meio de um questionário de frequência alimentar e os dados foram apresentados em ingestão habitual de energia (em calorias) e nutrientes específicos.

Com relação às variáveis utilizadas no estudo, avalie os itens abaixo e escolha a opção CORRETA:

a) Sexo é uma variável discreta com duas opções de resposta.
b) O total de ganho de peso na gestação é considerado uma variável ordinal, pois classifica as gestantes do menor para o maior ganho de peso.
c) A ingestão de calorias é uma variável qualitativa, pois avalia de maneira subjetiva o consumo alimentar.
d) Variáveis numéricas podem ser categorizadas e avaliadas como uma variável categórica, como, por exemplo, categorização do peso ao nascer em baixo peso ao nascer e peso adequado ao nascer.
e) Variáveis qualitativas podem ser do tipo ordinal (p. ex.: ganho de peso) e discreta (p. ex.: sexo).

3. (IN) Padrões alimentares para investigar hábitos de consumo alimentar têm sido bastante utilizados no intuito de analisar de modo mais amplo os alimentos e nutrientes, refletindo os efeitos sinérgicos entre eles, representando a dieta total ou fatores-chave da dieta com maior poder preditivo do risco de doenças crônicas. Sobre essa técnica estatística, marque a opção CORRETA:

a) Padrões alimentares se caracterizam pela correlação de nutrientes específicos, favorecendo a compreensão das interações entre os diferentes micronutrientes.
b) Padrões alimentares possibilitam uma visão geral da dieta a partir da redução do número de variáveis, representando uma imagem mais acurada da dieta.
c) O uso de métodos *a priori* para definição de padrões alimentares não permite avaliar a qualidade da dieta, pois essa abordagem é "dirigida pelos dados".
d) O uso de métodos *a posteriori* inclui medidas que resumem o grau em que a dieta de um indivíduo está de acordo com recomendações nutricionais específicas, como o índice de qualidade da dieta.
e) A identificação de padrões alimentares *a posteriori*, também chamada de "hipótese-orientada", utiliza métodos estatísticos exploratórios para avaliar se o consumo está de acordo com a aderência a diretrizes alimentares preestabelecidas.

4. (IN) A avaliação do consumo alimentar tem como objetivo principal obter informações quantitativas e qualitativas sobre os hábitos alimentares de indivíduos e de populações. Vem sendo estudada intensamente nas últimas décadas por ser um passo fundamental na compreensão da Epidemiologia Nutricional. Essa subárea da Epidemiologia fornece informações essenciais para avaliação do estado de saúde, que são traduzidas pela Nutrição em Saúde Pública em ações práticas de promoção da saúde e de prevenção de doenças.

Considerando os aspectos relacionados aos métodos de avaliação do consumo alimentar, analise as afirmações a seguir:

I. O registro ou diário alimentar se caracteriza pela descrição de todos os alimentos consumidos nas 24 horas anteriores.

II. O questionário de frequência alimentar reflete o consumo habitual do indivíduo, pois este relata com que frequência consumiu, dentro de um período de tempo predefinido, alimentos ou grupos alimentares elencados em uma lista.

III. Uma das vantagens do questionário de frequência alimentar é a não alteração do padrão de consumo dos indivíduos.

IV. A principal vantagem do recordatório de 24 horas é que ele não depende da memória do indivíduo, pois coleta informações recentes do dia anterior à entrevista.

V. A história alimentar consiste em extensa entrevista, onde os indivíduos relatam seus hábitos alimentares (preferências e aversões a alimentos, número, horário e local de refeições, formas usuais de preparo, consumo habitual de grupos de alimentos, tamanho de porções etc.)

É CORRETO apenas o que se afirma em:

a) I, III e IV.
b) I, II e V.
c) I, II e IV.
d) II, III e V.
e) III, IV e V.

5. (IN) A escolha do método de avaliação do consumo alimentar individual depende sobretudo do objetivo do estudo. Sobre o uso de registro alimentar na investigação de hábitos alimentares, avalie os itens abaixo e marque a opção CORRETA:

I. O registro alimentar é um método prospectivo de avaliação do consumo alimentar que investiga a dieta recente ou atual.

II. O registro alimentar também pode ser utilizado para avaliar a dieta pregressa do indivíduo, uma vez que pode ser coletado por vários dias.

III. O registro alimentar é um método fechado onde os indivíduos devem registrar o consumo de alimentos específicos.

IV. O registro alimentar é um método que depende da memória do indivíduo, o que se configura como uma grande desvantagem do método.

V. Os registros alimentares podem ser de dois tipos a depender da maneira como a quantificação dos alimentos consumidos é realizada: com pesagem direta e sem pesagem direta.

a) I.
b) I e V.
c) II e IV.
d) II, III e V.
e) III, IV e V.

6. (IN) Historicamente, a investigação da relação entre dieta e desfechos adversos à saúde teve como foco as doenças relacionadas à carência de nutrientes. Atualmente, o principal interesse de investigação está sobre as doenças crônicas não transmissíveis. O estudo dos aspectos da dieta relacionados a deficiências nutricionais específicas aconteceu inicialmente devido ao fato de que:
   a) Essas doenças quase sempre têm múltiplas causas, potencialmente incluindo não só a dieta.
   b) Doenças relacionadas à carência de nutrientes têm longos períodos de latência.
   c) Essas doenças podem, algumas vezes, resultar de uma exposição acumulada ao longo de vários anos ou, em outras situações, de uma exposição relativamente curta, ocorrendo muitos anos antes do diagnóstico.
   d) Essas condições não são prontamente reversíveis e podem resultar do excesso, assim como da ingestão insuficiente de fatores dietéticos.
   e) Síndromes de deficiência ocorrem com maior frequência entre aqueles com ingestão muito baixa e raramente ou nunca ocorrem entre aqueles não tão expostos.

7. (IN) Avalie as asserções a seguir e a relação proposta entre elas.
   I. A investigação de associações entre nutrientes específicos e doenças pode ser confundida pela ingestão total de energia

   PORQUE

   II. A energia, mas não o nutriente, pode estar associada à doença sob investigação.

   Acerca dessas asserções, assinale a opção CORRETA.
   a) As asserções I e II são proposições verdadeiras e a II é uma justificativa correta da I.
   b) As asserções I e II são proposições verdadeiras, mas a II não justifica a I.
   c) A asserção I é uma proposição verdadeira e a II é uma proposição falsa.
   d) A asserção I é uma proposição falsa e a II é uma proposição verdadeira.
   e) As asserções I e II são proposições falsas.

8. (IN) Um estudo acompanhou 3.243 crianças nascidas vivas no ano de 1990 em um município brasileiro. As crianças foram acompanhadas por 20 anos com objetivo de investigar a influência de fatores perinatais na ocorrência de desfechos adversos à saúde (mortalidade, morbidade e crescimento). As características desse estudo classificam-no como:
   a) Um estudo transversal.
   b) Um estudo retrospectivo.
   c) Um estudo de coorte.
   d) Um estudo caso-controle.
   e) Um ensaio clínico.

9. (IN) O estudo de Souza *et al.* (2013) foi conduzido de março a dezembro de 2007 em 20 escolas municipais na cidade metropolitana de Niterói - RJ e teve como objetivo analisar a eficácia de ações de educação nutricional com merendeiras na redução da adição de açúcar na alimentação escolar e no próprio consumo. Para tanto, realizou-se um ensaio randomizado por conglomerado, controlado, implementando ações de educação nutricional nas escolas de intervenção que encorajassem a redução da adição de açúcar na alimentação escolar e no consumo. Esse tipo de estudo se caracteriza por:
   a) Ser retrospectivo.
   b) Selecionar populações que apresentam exposição ao fator de risco estudado e comparar com populações que não estão expostas ao fator de risco quanto ao desenvolvimento de determinado desfecho.
   c) Permitir descrever as características da população de estudo em dado momento.
   d) Testar o efeito de uma intervenção na evolução de saúde.
   e) Ser observacional.

10. (IN) O Estudo Longitudinal de Saúde do Adulto (ELSA Brasil) é uma investigação multicêntrica de coorte composta por 15 mil funcionários de seis instituições públicas de ensino superior e pesquisa das regiões Nordeste, Sul e Sudeste do Brasil e tem como objetivo investigar a incidência e os fatores de risco para doenças crônicas. Assim, os participantes do estudo foram classificados em expostos e não expostos a um fator em estudo e estão sendo seguidos desde 2008-2010 para verificar a incidência de doenças crônicas.

    As vantagens desse tipo de estudo incluem:
    I. Pode estabelecer relação causa-efeito.
    II. No geral, é um estudo com baixo custo.
    III. Os vieses de seleção e de informação podem ser mais facilmente minimizados.
    IV. Pode ser utilizado para estudar mais de um desfecho.
    V. Não está sujeito a perdas de seguimento.

    É CORRETO apenas o que se afirma em:
    a) I, III e IV.
    b) I, II e V.
    c) I, II e IV.
    d) II, III e V.
    e) III, IV e V.

11. (IN) Considere que alunos do estágio curricular de um curso de Nutrição foram solicitados a desenvolver um projeto de pesquisa com o objetivo de avaliar as condições de saúde e o estado nutricional de gestantes atendidas em uma unidade de saúde de um município brasileiro. Os alunos irão aplicar um questionário com perguntas sobre

sintomas gastrointestinais e irão realizar avaliação antropométrica das gestantes. Com relação a projetos de pesquisa dessa natureza, é CORRETO afirmar que:

a) Uma vez que o projeto é decorrente de uma atividade de estágio, sua submissão a um comitê de ética em pesquisa é opcional.
b) A submissão do projeto ao comitê de ética não se faz necessária, pois as medidas propostas no referido projeto não são invasivas.
c) O desenvolvimento de atividades de pesquisa já está previsto no Código de Ética do Nutricionista, não sendo necessária uma nova autorização para sua realização.
d) Para a pesquisa em questão, é necessária a assinatura do Termo de Consentimento Livre e Esclarecido, que, no caso em questão, deve ser assinado pelo coordenador da unidade de saúde.
e) O comitê de ética em pesquisa tem composição multidisciplinar com a participação de pesquisadores, estudiosos de bioética, juristas, profissionais de saúde, das ciências sociais, humanas e exatas e representantes de usuários.

12. (IN) A avaliação de um protocolo de pesquisa pelo Comitê de Ética em Pesquisa (CEP) garante e resguarda a integridade e os direitos dos voluntários participantes da referida pesquisa. Sobre a avaliação dos projetos de pesquisa, avalie os itens abaixo e marque a opção CORRETA:

I. Compete ao CEP analisar a qualificação da equipe de pesquisadores no intuito de avaliar se seus membros têm competência para planejar, executar e divulgar adequadamente um projeto de pesquisa.
II. Caso o risco real da pesquisa exceda o previsto, o projeto deve ser interrompido e revisto.
III. Avaliação da obtenção de consentimento informado de todos os indivíduos pesquisados é um dever moral do pesquisador.
IV. Os indivíduos que concordarem em participar têm autonomia para se retirar a qualquer momento do projeto, caso desejem.
V. A análise da adequação metodológica do projeto de pesquisa garante que os dados considerados importantes serão repassados aos locais competentes (unidades de saúde, familiares, hospitais etc.) para que estes possam ter acesso a informações que na prática clínica não são passíveis de coleta.

a) I.
b) I e II.
c) I, II e III.
d) I, II, III e IV.
e) I, II, III, IV e V.

13. (IN) O processo investigativo em Nutrição tem como um de seus objetivos descrever a extensão, magnitude, ocorrência, distribuição e tendência temporal de distúrbios nutricionais e fatores associados, buscando descrevê-los segundo suas características representadas por

variáveis circunstanciais, como tempo, lugar ou pessoa. Com base na descrição de fatores associados a distúrbios nutricionais e no Gráfico 18.1, marque a opção CORRETA.

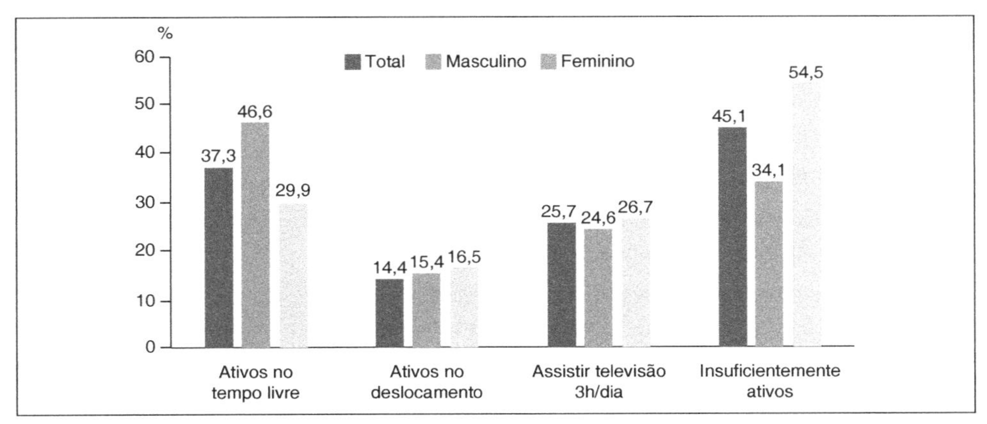

Gráfico 18.1. Prevalência de atividade física e comportamento sedentário, segundo sexo, nas capitais brasileiras. Brasil, 2017.

Fonte: http://portalarquivos.saude.gov.br/images/pdf/2017/junho/07/vigitel_2016_jun17.pdf

a) A prevalência de pessoas insuficientemente ativas representa quase 50% da população total, sendo os homens mais inativos que as mulheres.

b) O sexo feminino realiza muito mais atividades no tempo livre que o masculino.

c) A ocorrência de um evento à saúde segundo variáveis relacionadas a características pessoais pode ser descrita conforme hábitos e estilo de vida, como fumar e praticar atividade física.

d) Os homens apresentam prevalências superiores às mulheres quanto a todos os parâmetros avaliados.

e) O gráfico mostra o comportamento de um fator de risco para diversos distúrbios relacionados à nutrição com características similares entre os sexos.

14. (IN) A Tabela 18.1 mostra dados hipotéticos de uma pesquisa que investigou a associação entre fatores socioeconômicos e a realização de refeições em frente à televisão em crianças de 5 a 10 anos de idade no Brasil.

Tabela 18.1. Razão de Prevalência (RP) bruta e ajustada e intervalo de 95% de confiança (IC95%) da realização de refeições em frente à televisão segundo idade e classe socioeconômica

Variáveis	RP bruta (IC95%)	RP ajustada* (IC95%)
Idade		
5 a 7 anos	1	1
8 a 9 anos	0,94 (0,88 a 1,00)	0,98 (0,90 a 1,06)
Classe socioeconômica		
D a F	1	1
A a C	4,38 (3,17 a 6,21)	3,98 (3,03 a 4,93)

*Ajustada por sexo.

Fonte: dados hipotéticos.

Com base na interpretação dos dados apresentados na tabela, assinale a opção CORRETA.

a) Nenhuma associação foi encontrada entre as variáveis investigadas e a realização de refeições em frente à televisão.

b) Crianças pertencentes às classes econômicas A a C assistem mais televisão no momento das refeições que as crianças das classes econômicas D a F.

c) A medida de associação utilizada na tabela é característica de estudos do tipo caso-controle.

d) O ajuste da associação por sexo é importante para diferenciar as relações encontradas entre meninos e meninas.

e) Se a razão de prevalência fosse igual a 1, a relação entre idade e a realização de refeições em frente à televisão atingiria seu poder máximo de associação.

15. (IN) Um estudo com o objetivo de estimar a prevalência de anemia e identificar seus fatores associados em crianças de 6 a 59 meses foi realizado com 1.403 crianças em Pernambuco (Leal *et al.*, 2011). Alguns resultados estão expressos na Tabela 18.2:

Tabela 18.2. Prevalência de anemia em crianças de 6 a 59 anos segundo fatores maternos, assistência à saúde e nutrição e consumo alimentar por área geográfica – Pernambuco, 2006

	Área urbana			Área rural		
Variáveis	**n**	**%**	**RP (IC 95%)**	**n**	**%**	**RP (IC 95%)**
Idade da mãe						
< 20 anos	78	46,2	1,6 (1,19 a 2,03)	58	58,6	1,7 (1,34 a 2,16)
≥ 20 anos	638	29,8	1	628	34,6	1
Anemia materna						
Presente	133	46,6	1,6 (1,31 a 2,08)	113	44,2	1,2 (0,98 a 1,57)
Ausente	516	28,3	1	543	35,5	1
Nº de consultas pré-natal						
≤ 5	159	38,4	1,3 (1,02 a 1,65)	264	38,3	1,1 (0,86 a 1,30)
≥ 6	499	29,7	1	384	36,2	1
Aleitamento materno (dias)						
≤ 119	270	26,3	1,1 (0,81 a 1,43)	225	33,3	1,1 (0,88 a 1,45)
≥ 120	303	24,4	1	332	29,5	1

Fonte: adaptado de Leal LP, Filho MB, Lira PI *et al.* Prevalência da anemia e fatores associados em crianças de 6 a 59 meses de Pernambuco. Rev Saúde Pública, 2011; 45(3):457-66.

Com base nesses resultados, pode-se concluir que:

a) A medida de associação apresentada na Tabela 18.2 traduz o risco de se adquirir anemia.

b) As variáveis que se associaram estatisticamente com anemia na área urbana foram: idade materna, anemia materna e número de consultas pré-natais.

c) Na área rural, crianças filhas de mães com até 20 anos de idade possuem uma prevalência de anemia 24% maior do que as filhas de mães mais velhas.

d) Na área urbana, a possibilidade de uma criança apresentar anemia não se altera pelo fato de a mãe ter anemia.

e) O aleitamento materno apresentou efeito protetor para o desenvolvimento da anemia em crianças.

16. (IN) A investigação da insegurança alimentar em amostra representativa da população brasileira é realizada desde 2004 por meio da Pesquisa Nacional por Amostra de Domicílios (PNAD), utilizando a Escala Brasileira de Insegurança Alimentar (EBIA). Quanto à EBIA, pode-se afirmar que:

    a) Baseia-se na percepção e nas diferentes experiências dos entrevistados, podendo sofrer influência do viés de memória e de uma informação diferencial de insegurança alimentar.

    b) Apesar de a escala ter validade para o diagnóstico de insegurança alimentar no país, não deve ser utilizada para o monitoramento dessa condição.

    c) A escala enfatiza mais indicadores de disponibilidade domiciliar de alimentos que de acesso aos alimentos.

    d) As medidas utilizadas são mais objetivas, fornecendo dados mais concretos sobre a realidade das famílias.

    e) Fornece uma avaliação individual sobre os riscos de insegurança alimentar.

17. (IN) Os estudos populacionais com a investigação de consumo alimentar e do estado nutricional são importantes para a identificação de grupos populacionais sobre risco e a definição de políticas públicas na área de alimentação e nutrição (Sperandio & Priore, 2017). O Brasil vem desenvolvendo diferentes tipos de inquéritos com o objetivo de conhecer a situação alimentar e nutricional da população brasileira. Sobre esses inquéritos, assinale a opção CORRETA.

    a) A Pesquisa Nacional de Saúde do Escolar teve como objetivo conhecer a prevalência dos fatores de risco e a proteção à saúde de crianças até 10 anos de idade estudantes de escolas públicas das capitais brasileiras.

    b) Os resultados das Pesquisas de Orçamentos Familiares (POF) são úteis para atualização dos preços dos alimentos, uma vez que as POF investigam a aquisição de alimentos pelas famílias brasileiras, mas seu uso não é adequado para estimar o consumo alimentar.

    c) No Sistema de Vigilância de Fatores de Risco e Proteção para Doenças Crônicas por Inquérito Telefônico (Vigitel), as medidas de peso e altura foram autorreferidas, ou seja, não houve avaliação antropométrica; portanto, não devem ser utilizadas para avaliar a tendência do estado nutricional da população.

    d) Os inquéritos brasileiros apresentam como principal limitação a investigação de pequeno número de variáveis, limitando o estudo do consumo alimentar e do estado nutricional segundo outros fatores.

    e) Os inquéritos são importantes fontes de dados para realização de pesquisas envolvendo desde o diagnóstico e o monitoramento das condições alimentares e nutricionais da população, até a avaliação da eficácia, eficiência e efetividade de políticas públicas.

18. (IN) Sobre os métodos de investigação do consumo alimentar utilizados nos inquéritos populacionais, correlacione as colunas abaixo e marque a opção CORRETA.

I. Estudo Nacional de Despesas Familiares (ENDEF)

II. Pesquisa de Orçamentos Familiares (POF)

III. Pesquisa Nacional de Saúde (PNS)

IV. Estudo de Riscos Cardiovasculares em Adolescentes (ERICA)

A. Frequência do consumo de alimentos considerados marcadores positivos e negativos do consumo alimentar

B. Pesagem direta de alimentos durante 7 dias consecutivos

C. Recordatório de 24 horas

D. Aquisição domiciliar de alimentos

a) IA, IIB, IIIC, IVD.
b) IB, IID, IIIA, IVC.
c) IC, IIA, IIID, IVB.
d) ID, IIC, IIIB, IVA.
e) IB, IIA, IIID, IVC.

19. (IN) Suponha um estudo de caso-controle de base hospitalar com o objetivo de investigar fatores dietéticos relacionados ao câncer de cólon. Os pesquisadores selecionaram indivíduos diagnosticados com câncer de cólon em três hospitais públicos de um município do Brasil e indivíduos controles atendidos nos mesmos hospitais com doenças não relacionadas aos fatores sob investigação. A Tabela 18.3 mostra o resultado da associação entre alguns fatores dietéticos e a ocorrência do câncer de cólon:

Tabela 18.3. *Odds ratio* (OR) e intervalo com 95% de confiança (IC95%) para câncer de cólon segundo o consumo de alimentos específicos

Variável exposição	OR (IC 95%)
Leite	
< 3 porções/dia	1
≥ 3 porções/dia	0,56 (0,33 a 0,95)
Frutas e verduras	
< 5 porções/dia	1
≥ 5 porções/dia	0,85 (0,55 a 1,32)
Refrigerantes	
< 4 copos/semana	1
≥ 4 copos/semana	1,68 (1,14 a 2,46)
Carne vermelha	
< 3 porções/semana	1
≥ 3 porções/semana	1,17 (0,88 a 1,57)

Fonte: dados hipotéticos

Sobre esse tipo de estudo e com base nos dados mostrados na tabela, marque a opção CORRETA.

a) Estudos de caso-controle são estudos observacionais em que a situação dos participantes quanto à exposição de interesse determina sua seleção no estudo.
b) A medida de associação utilizada no estudo foi a razão de chances (RC) ou *odds ratio* (OR), que representa o quanto a exposição é mais frequente nos casos que nos controles.
c) Os resultados demonstram que o consumo de frutas e verduras apresentou efeito protetor contra o câncer de cólon.
d) A razão de chances (RC) ou *odds ratio* (OR) para o consumo elevado de refrigerante (OR = 1,68) indica que quem consome refrigerante tem prevalência 60% maior de câncer do que quem consome poucas porções.
e) Os resultados mostram que tanto o consumo de refrigerante como o de carne vermelha são fatores de risco para o câncer de cólon.

20. (IN) O gráfico abaixo ilustra dados hipotéticos de um estudo ecológico sobre a relação entre consumo de açúcar e mortalidade por câncer de intestino em diferentes países da América do Sul:

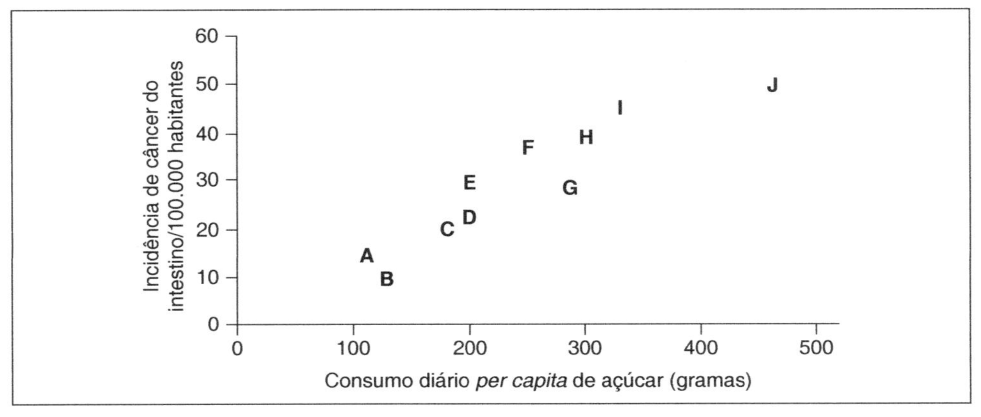

Gráfico 18.2. Correlação entre consumo de açúcar e incidência do câncer de intestino.
Fonte: Elaborado pelos autores.

Com base nos dados do gráfico e nas características de estudos ecológicos, marque a opção CORRETA.

a) Estudos ecológicos se configuram como estudos em que o investigador manipula a intervenção para um grupo de pessoas.
b) Estudos ecológicos não precisam ter grupo de controle e se referem a indivíduos antes e após alguma intervenção em nível comunitário.
c) No gráfico, observa-se que no país A *é* baixo o consumo de açúcar, mas elevada a taxa de câncer.

d) Os dados do gráfico sugerem que o consumo de açúcar tem relação direta e positiva com a taxa de câncer do intestino.

e) Em análises ecológicas, o valor de cada variável é atribuído a cada sujeito do estudo.

21. (IN) A avaliação de programas nutricionais exige o desenvolvimento de investigações em nível populacional que possibilitem detectar mudanças nas condições nutricionais da população e suas relações com as ações desenvolvidas.

No âmbito da atenção primária, a avaliação nutricional de gestantes é importante para:

I. Implementação de intervenções que minimizem o impacto das alterações no estado nutricional sobre a saúde da mulher e do recém-nascido.

II. Estabelecimento do melhor tipo de parto.

III. Verificação da morbimortalidade de mulheres em decorrência de doenças que se associam ao excesso de peso.

IV. Investigação do percentual de mulheres com obesidade pré-gestacional que apresentam diabetes gestacional.

V. Detecção de gestantes com ganho de peso inadequado para a idade gestacional.

Estão CORRETAS as afirmações:

a) I.

b) I e II.

c) I, II e III.

d) I, II, III e IV.

e) I, II, III, IV e V.

22. (IN) "O padrão de crescimento infantil é, talvez, o melhor indicador para avaliar o estado de saúde e nutrição de crianças. Em nível populacional, a prevalência de desnutrição, por exemplo, já foi frequentemente utilizada como indicador de desenvolvimento econômico e de saúde geral de uma nação." (Eveleth & Tanner, 1990).

Para o correto acompanhamento do estado nutricional de crianças, a antropometria é largamente utilizada por seu baixo custo, por ser um método não invasivo e por apresentar boa precisão. Acerca desse método de avaliação nutricional, pode-se destacar que:

a) A antropometria é um método simples, podendo ser exercida por qualquer profissional.

b) Dois tipos de erros podem ocorrer na tomada de medidas: erro aleatório (falta de precisão) e erro sistemático (falta de exatidão), os quais podem ser identificados pela técnica de "padronização".

c) Para que um índice possa ser utilizado para descrever o estado nutricional de crianças, deve estar associado a um ponto de corte, o qual seria a média dos valores da população em avaliação.

d) Para classificar o estado nutricional de crianças, são necessárias apenas informações sobre peso, estatura e idade, originando os índices antropométricos.

e) A triagem nutricional e a monitorização do crescimento têm sido as duas principais formas de uso da antropometria, sendo a primeira realizada mediante o acompanhamento da evolução de índices por meses ou anos, e a segunda feita uma única vez.

23. (IN) "Um requisito fundamental para se obterem resultados confiáveis na avaliação nutricional é conseguir informações e dados os mais exatos possíveis. Todos os esforços devem ser feitos para que os resultados obtidos representem o mais fielmente possível o estado nutricional da criança ou grupo de crianças em estudo." Araújo, 2007).

Com relação às medidas antropométricas, alguns fatores podem levar à obtenção de medidas errôneas, comprometendo a veracidade do diagnóstico populacional. Configura-se ERRO:

a) Usar equipamentos com calibração diária.

b) Realização de todas as medidas antropométricas por uma mesma pessoa.

c) Considerar qualquer entrevistador apto para a coleta das medidas.

d) Solicitar que o indivíduo esteja com o mínimo possível de roupas para aferição das medidas.

e) Atentar para o posicionamento da criança, evitando que ela estique a ponta dos pés, o que pode comprometer a medida.

24. (IN) "Tem-se deparado, de modo crescente, com interesses e realizações de pesquisas qualitativas no campo da saúde. Por conseguinte, há maior demanda na busca dos programas de pesquisa institucional para viabilizar projetos e divulgar os resultados de seus trabalhos. Na última década, as pesquisas qualitativas se tornaram bem aceitas pelos jornais médicos. Porém, em épocas passadas, esses pesquisadores tinham os manuscritos rejeitados em razão de os trabalhos serem considerados não científicos." (Britten, 2005).

A pesquisa do tipo qualitativa se volta para a busca de significação dos fatos. Para alcançar seu objetivo, faz uso de metodologias que englobam técnicas diferentes daquelas utilizadas pela pesquisa quantitativa, produzindo dados científicos e não apenas histórias. Marque a opção que traduz uma investigação empírica, abrangendo desde o planejamento e as técnicas de coleta de dados, até a análise desses dados em pesquisas qualitativas.

a) Estudo de caso.

b) Observação participante.

c) Análise de conteúdo.

d) Entrevista semiestruturada.

e) Discurso do Sujeito Coletivo.

25. (IN) "As construções epistemológicas autônomas desautorizam grande parte das pesquisas que se auto intitulam como "quanti-quali" a continuar se apresentando ao meio acadêmico por meio deste modelo misto. Na realidade, muitos dos trabalhos assim denominados são apenas uma construção quantitativa, já que encaixar citações literais de falas de sujeitos que responderam a questionários previamente padronizados não configura legitimamente a existência de uma reivindicada simultaneidade com pesquisa qualitativa." (Turato, 2005).

    Considerando as diferenças e similaridades entre pesquisas qualitativas e quantitativas, é característica comum a esses dois tipos de pesquisa:

    a) Alta reprodutibilidade dos dados que foram obtidos.
    b) Partir de uma hipótese.
    c) Interpretar relações de significado de fenômenos.
    d) Basear-se em ciências médicas e positivismo.
    e) Ter os procedimentos prefixados e o número de sujeitos também.

26. (IN) Sobre a análise de conteúdo e a teoria do discurso, referindo-se à análise de conteúdo como sinônimo da análise de texto percebe-se "que antes de tudo a diferença entre a Análise de Discurso e a Análise de Conteúdo é o modo de acesso ao objeto." (Pêcheux, 1993).

    Sabendo-se que a análise de conteúdo (AC) e a análise de discurso (AD) se configuram como técnicas de análise de dados na pesquisa qualitativa e se distinguem entre si, pode-se afirmar que:

    a) AC se preocupa em compreender os sentidos que o sujeito manifesta através de sua escrita.
    b) AD trabalha com o conteúdo, ou seja, com a materialidade linguística através das condições empíricas do texto.
    c) AD espera compreender o pensamento do sujeito através do conteúdo expresso no texto.
    d) A interpretação da AC poderá ser tanto quantitativa como qualitativa, enquanto na AD a interpretação será somente qualitativa.
    e) Na AC, a linguagem não é transparente, mas opaca; por isso, o analista de conteúdo se põe diante da opacidade da linguagem.

27. (IN) "A revisão da literatura é uma parte vital do processo de investigação. Envolve localizar, analisar, sintetizar e interpretar a investigação prévia (revistas científicas, livros, atas de congressos, resumos etc.) relacionada com sua área de estudo, sendo, então, uma análise bibliográfica pormenorizada referente aos trabalhos já publicados sobre o tema." (Bento, 2012).

    Acerca dos tipos de revisão de literatura, é CORRETO afirmar que:

    a) A revisão sistemática não costuma apresentar características de reprodutibilidade, tornando-se demasiadamente empírica, obscura e inconclusiva.

b) A revisão narrativa é uma metodologia rigorosa proposta para identificar os estudos sobre um tema em questão, aplicando métodos explícitos e sistematizados de busca.

c) Dentre os métodos de revisão, a revisão integrativa possibilita a inclusão de pesquisa experimental e não experimental.

d) Na revisão narrativa é necessário seguir padrões de rigor metodológico, clareza na apresentação dos resultados, de modo a identificar as características reais dos estudos incluídos na revisão.

e) A base de dados Cochrane dissemina grandes estudos de revisão integrativa.

28. (IN) "A pesquisa clínica busca desenvolver meios diagnósticos e terapêuticos, medindo relações de causa e efeito entre um fator em estudo e um desfecho clínico. O fator em estudo é o sintoma, sinal propedêutico, teste laboratorial, exame de imagem ou tratamento, e o desfecho clínico é o reconhecimento da doença, cura, morte, limitação funcional, complicação evolutiva ou qualquer outro desfecho clínico que interfira no tempo ou na qualidade de vida." (Nobre, Bernardo & Jatene, 2004).

A prática da medicina de boa qualidade começa pelo reconhecimento da dúvida sobre qual procedimento é mais eficiente para o atendimento do paciente. Portanto, em relação à hierarquia na força de evidência científica, destaca-se como de maior força:

a) Ensaio clínico controlado.

b) Estudo de coorte.

c) Estudo transversal.

d) Estudo de caso-controle.

e) Revisão sistemática e metanálise.

29. (IN) Considere o seguinte estudo: "Foram entrevistados 4.297 indivíduos. O consumo alimentar foi avaliado por meio de questionário de frequência alimentar e estimada a proporção da ingestão calórica diária atribuída aos alimentos ultraprocessados, bem como a ingestão de macro e micronutrientes. A associação entre características dos indivíduos e consumo de alimentos ultraprocessados foi avaliada utilizando-se regressão linear. A análise de variância e o teste Qui-quadrado de Pearson foram utilizados na associação entre quintis de consumo de alimentos ultraprocessados, ingestão e na adequação da ingestão de nutrientes, respectivamente." (Bielemann *et al.*, 2015).

Referente ao trecho apresentado, qual o tipo desse estudo?

a) Coorte.

b) Caso-controle.

c) Revisão sistemática.

d) Transversal.

e) Ecológico.

30. (IN) Os estudos epidemiológicos contribuem para a área da Nutrição quando seu conteúdo metodológico é aplicado com rigor científico para estabelecer as prioridades de gestão em saúde. Com relação aos tipos de estudos presentes na epidemiologia nutricional, marque a opção CORRETA.

    a) Estudos observacionais são aqueles que têm por base a observação da magnitude da ocorrência de determinados eventos com interferência direta sobre o objeto de estudo.
    b) Estudos observacionais podem ser categorizados como descritivos e analíticos. Os analíticos também se subdividem em estudos ecológicos e experimentais.
    c) Estudos descritivos são subdivididos em estudos transversais e tipo caso-controle.
    d) Estudos de coorte constituem uma subdivisão dos estudos descritivos. Neles, acompanha-se um grupo de indivíduos sadios, expostos e não expostos a um fator em estudo, e observa-se quem irá ou não desenvolver um determinado evento.
    e) Estudos ecológicos, também chamados correlacionais, têm por alvo uma população determinada na qual se procura identificar e quantificar a existência de um evento específico.

31. (IN) A pesquisa de qualidade é fundamental para os profissionais da saúde, pois fornece um alicerce forte para a avaliação crítica da atividade prática em relação aos achados de pesquisa e para a promoção de avanços embasados em evidências. Com relação aos tipos de estudos metodológicos da pesquisa em Nutrição, assinale a opção CORRETA.

    a) No estudo de caso-controle ou estudo de grupos, de agregados, estatísticos ou comunitários, a pesquisa é realizada por meio de estatísticas, sendo a unidade de observação e análise constituída por grupos de indivíduos, e não por indivíduos isolados.
    b) No estudo ecológico, parte-se do efeito, em busca das causas, comparando-se, em relação à exposição prévia, grupos de indivíduos com e sem determinado agravo à saúde, de modo que possa ser testada a hipótese de que a exposição a determinados fatores de risco seja causa contribuinte da doença.
    c) No estudo transversal, parte-se da causa, em busca dos efeitos, identificando-se um grupo de pessoas e coletando-se a informação pertinente sobre a exposição de interesse, de modo que o grupo possa ser acompanhado; em seguida, verificam-se os indivíduos que desenvolveram e os que não desenvolveram a doença em foco e a relação dessa exposição prévia com a ocorrência da doença.
    d) No estudo de coorte, realiza-se a investigação para determinar a prevalência, a fim de se examinar a relação entre eventos em um determinado momento, coletando-se simultaneamente os dados sobre causa e efeito.
    e) No estudo randomizado, os participantes são alocados aleatoriamente em grupos denominados grupos de estudo (experimental) e de controle, sendo os primeiros submetidos à determinada intervenção, e os segundos, não.

32. (IN) Os estudos com delineamento transversal apresentam como principais vantagens o fato de serem de baixo custo e por praticamente não haver perdas de seguimento. Sobre esse tipo de estudo, é CORRETO afirmar que:

    a) Servem para doenças raras.
    b) Conseguem medir a incidência de doenças.
    c) Avaliam a evolução de doenças.
    d) Medem a prevalência de doenças.
    e) Estabelecem relação temporal entre exposição e doença.

33. (IN) "O recordatório alimentar de 24 horas (R24h) é um dos métodos mais utilizados para avaliar o consumo qualitativo e quantitativo das pessoas. Sua operacionalização consiste em obter informações sobre todos os alimentos e bebidas consumidos por uma pessoa nas últimas 24 horas ou no dia anterior, incluindo quantidades de alimento, métodos de preparo, ingredientes de receitas utilizadas e marcas comerciais de produtos industrializados." (Buzzard, 1998).

    Considerando as especificidades do método, marque a opção que melhor se refere ao modo de operacionalização do R24h.

    a) Em todas as situações, a entrevista é realizada com a pessoa de interesse.
    b) Independentemente da profissão e escolaridade, o entrevistador deve manter as mesmas postura e linguagem no momento da entrevista.
    c) O R24h de 1 dia de cada indivíduo pode ser utilizado para avaliação da adequação de consumo de determinados nutrientes.
    d) Para reduzir o viés de memória do entrevistado, o entrevistador deve apresentar alguns utensílios para facilitar o registro de quantidades, não fazendo uso de imagens dos utensílios.
    e) O entrevistador deve manter-se neutro diante de qualquer resposta e revisar o recordatório ao final da entrevista.

34. (IN) "Os instrumentos para avaliação da dieta devem levar em conta a extensa variabilidade da ingestão dietética dos indivíduos e grupos humanos. A dieta varia de dia para dia, de semana para semana, e tende a sofrer modificações mais profundas ao longo dos anos. Embora haja um padrão consistente subjacente na dieta individual, diversos fatores fisiológicos, culturais, econômicos e ambientais contribuem para a variação no consumo de alimentos." (Pereira & Sichieri, 2007).

    Sobre os métodos de avaliação do consumo alimentar de um grupo, é CORRETO afirmar que:

    a) A folha de balanço de alimentos possibilita reconhecer o consumo individual da população, além de identificar tendências no perfil de consumo alimentar de grandes grupos populacionais.
    b) O registro ou diário alimentar consiste na descrição detalhada dos tipos e quantidades de alimentos e bebidas consumidos diariamente, discriminados por horário e/ou refeição, por 1 semana.

c) O método recordatório, tradicionalmente, baseia-se em entrevista conduzida por profissional treinado cujo propósito é obter informações que permitam definir e quantificar a alimentação consumida no período de referência, geralmente 24 horas.

d) O questionário de frequência alimentar (QFA) possibilita a análise de qualquer nutriente independentemente de sua lista de alimentos.

e) O QFA é "padrão-ouro" para a avaliação baseada em relatos da ingestão dietética verdadeira dos nutrientes.

35. (IN) "A avaliação das dietas em um grupo de indivíduos é interessante para o conhecimento da proporção de indivíduos que apresentem ingestão acima ou abaixo de um determinado critério. Esta é uma informação relevante para o planejamento de ações de saúde, seja no monitoramento e na intervenção, seja para fins de regulamentação de atividades comerciais." (Fisberg, Marchioni & Slater, 2001).

A avaliação da inadequação no consumo de nutrientes de grupos é importante para o estabelecimento de hipóteses sobre as relações entre dieta e saúde. Nesse procedimento, deve-se:

a) Corrigir a variabilidade intrapessoal por métodos estatísticos para que os dados reflitam somente a distribuição da ingestão da amostra, ou seja, a variação interpessoal.

b) Estimar o consumo de determinado nutriente em um grupo de interesse e comparar com o consumo de outros grupos para verificar a inadequação.

c) Avaliar a ingestão habitual do grupo em comparação à RDA (*Recommended Dietary Allowance*).

d) Avaliar a ingestão habitual do grupo em comparação à AI (*Adequate Intake*), quando somente essa medida está disponível.

e) Não estabelecer a proporção de indivíduos com excesso de ingestão de determinado nutriente, pois isso não é possível na avaliação do consumo de grupos de pessoas.

36. (IN) "Em estudos epidemiológicos de grandes populações, a avaliação da dieta tem sido comumente realizada para a identificação de determinantes da saúde e de desfechos crônicos, embora esta seja uma exposição de difícil mensuração. Por esse motivo, a avaliação da qualidade da medida é de extrema relevância para prover 'veracidade' aos resultados encontrados." (Reichenheim, Paixão Junior & Moraes, 2008).

Sabendo que o questionário de frequência alimentar (QFA) torna possível a avaliação do consumo de nutrientes, alimentos e grupos de alimentos, além da identificação de padrões alimentares de seus participantes, é CORRETO afirmar que:

a) Constitui-se de uma lista de alimentos mais frequentemente consumidos ou que formam o padrão alimentar de determinada população.

b) Não permite a obtenção do consumo habitual dos indivíduos.

c) Quando adaptado e validado para uma população, pode ser aplicado a outras de mesma faixa etária.

d) É o método de maior acurácia para investigação do consumo alimentar.

e) Configura-se como método prospectivo de investigação.

37. (IN) São vários os estudos que investigam o consumo alimentar na população mundial e esse consumo pode ser relacionado a vários desfechos. Estudo transversal brasileiro de 2017 buscou avaliar a associação entre o consumo alimentar e a presença de lesões orais em usuários do Sistema Único de Saúde (SUS). Sobre os resultados apresentados na Tabela 18.4, pode-se afirmar que:

Tabela 18.4. Valores médios e desvio padrão (DP) de consumo de porções alimentares segundo a presença de lesões orais de usuários do SUS atendidos em setor de referência em odontologia de Fortaleza, Ceará - 2016

	Total	Sem lesão oral	Com lesão oral	
Variáveis	**Média (DP)**	**Média (DP)**	**Média (DP)**	**p valor***
Cereais, tubérculos, raízes e derivados	2,5 (0,1)	2,5 (0,1)	2,6 (0,2)	0,342
Feijões	1,0 (0,1)	1,1 (0,1)	0,9 (0,1)	0,127
Frutas e sucos de frutas naturais	1,5 (0,1)	1,6 (0,2)	1,4 (0,1)	0,265
Legumes e verduras	1,5 (0,1)	1,5 (0,2	1,4 (0,2)	0,428
Leite e derivados	1,1 (0,1)	1,2 (0,1)	0,9 (0,1)	0,060
Carnes e ovos	2,2 (0,1)	2,4 (0,1)	2,0 (0,1)	0,025
Açúcares e doces	1,5 (0,5)	1,7 (0,3)	1,3 (0,3)	0,160
Óleos e gorduras	0,7 (0,2)	1,1 (0,9)	0,2 (0,0)	0,194

* Nível de significância adotado de 5%.
Adaptado de Cordeiro, Arruda, Lima, Reis, Mendes, Mendonça & Sampaio, 2017.

a) Portadores de lesão oral consomem menos porções de carnes e ovos.

b) Frutas e verduras promovem efeitos protetores contra lesões orais.

c) Nenhuma relação pôde ser estabelecida em virtude de o valor de *p* ter sido insignificante em todos os resultados.

d) O consumo de açúcares e doces estimulou o aparecimento de lesões orais.

e) O consumo de carnes e ovos foi fator de risco para o aparecimento de lesões.

38. (IN) A prevalência de obesidade vem crescendo a cada ano no Brasil e no mundo, e muitos fatores são estudados como causas para essa tendência. Alguns estudos têm investigado o consumo de alimentos ultraprocessados em associação ao aumento da obesidade. A seguir, é apresentada na Tabela 18.5 alguns resultados do estudo de Canela *et al.* (2014), que investigaram a disponibilidade desse tipo de alimentos na residência e sua relação com indicadores de obesidade na população brasileira.

Tabela 18.5. Resultados dos modelos de regressão linear para a associação entre disponibilidade domiciliar de alimentos ultraprocessados (kcal/pessoa/dia) e indicadores de obesidade – Brasil, 2008-2009

Indicador de obesidade	Quartis da disponibilidade domiciliar de alimentos ultraprocessados	Coeficiente bruto (IC 95%)
Média de IMC (escore Z)	1º	Ref.
	2º	0,16 (0,10 a 0,21)
	3º	0,20 (0,15 a 0,26)
	4º	0,33 (0,28 a 0,38)
Prevalência de sobrepeso	1º	Ref.
	2º	5,53 (3,75 a 7,46)
	3º	7,23 (5,48 a 8,98)
	4º	11,52 (9,66 a 13,38)
Prevalência de obesidade	1º	Ref.
	2º	2,51 (1,48 a 3,53)
	3º	3,16 (2,34 a 3,97)
	4º	4,88 (3,70 a 6,05)

IMC: índice de massa corporal.
Adaptado de Canella, Levy, Martins, Claro, Moubarac, Baraldi, Cannon & Monteiro, 2014.

A partir da análise da tabela, pode-se concluir que:

a) Nenhuma associação foi estatisticamente significativa em razão de os intervalos de confiança apresentados incluírem o valor nulo.

b) Em todos os modelos de regressão linear, observa-se associação positiva e estatisticamente significativa entre o consumo de alimentos ultraprocessados e a obesidade.

c) Pessoas que moram em residências pertencentes ao quartil mais baixo de consumo de ultraprocessados apresentam maior probabilidade de serem obesas que pessoas do quartil mais alto.

d) A relação encontrada entre o consumo e a obesidade foi estatisticamente significativa, mas a relação encontrada entre o consumo e o sobrepeso não.

e) Pode-se concluir que as maiores médias de IMC foram observadas no quartil mais baixo de consumo de ultraprocessados.

39. (IN) O método científico contém várias etapas que, se seguidas com rigor, podem levar à explicação de fenômenos importantes. Um desses pode ser o caso das alergias alimentares, em que uma reação ao componente proteico do alimento é mediada pelo sistema imunológico. Estudo brasileiro resolveu testar a hipótese do potencial alergênico do açaí. Para isso, fez uso de camundongos que receberam doses de polpa de açaí liofilizada. A partir de amostra de sangue, a síntese de anticorpos contra as proteínas do açaí foi verificada pelo método ELISA (*Enzyme linked immunosorbent assay*). Para a análise estatística, foi estabelecido o ponto de corte (limite de positividade), utilizando controles negativos, sendo determinado pela média aritmética de valores negativos

para anticorpos no soro em adição a 3DP (desvio padrão). Abaixo podem ser observados gráficos resultantes do método (Gráfico 18.3A–C):

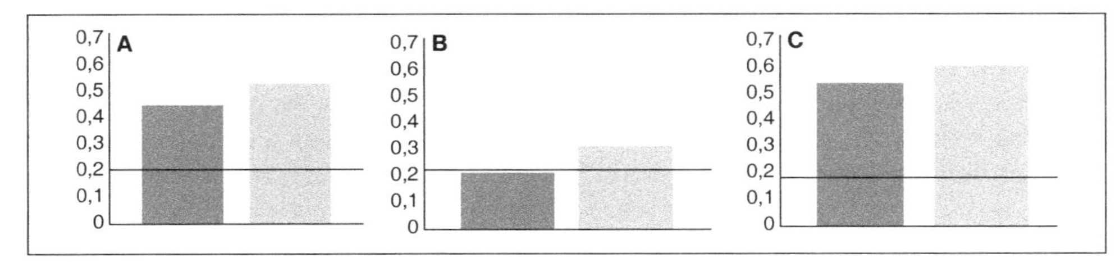

Gráfico 18.3. Síntese de anticorpos IgE (**A**), IgG (**B**) e IgG1 (**C**) em camundongos imunizados por via oral com polpa de açaí liofilizada. *Pool* anti-soro: resposta primária (coluna mais escura – 7, 14 e 21 dias após a imunização); resposta secundária (coluna mais clara – 28, 35 e 42 dias após a imunização).
Fonte: Adaptado de Oliveira, Marques, Maia, Pereira, Silva, Almeida, Castro, Maia & Guedes, 2015.

Considerando os resultados obtidos, pode-se concluir que:

a) Os animais apresentaram elevada síntese de anticorpos IgE, IgG e IgG1 nas respostas primária e secundária.
b) Para o anticorpo IgG, não houve aumento na síntese de anticorpos na resposta primária.
c) Para o anticorpo IgG1, a síntese foi mais alta na resposta primária, mas diminuiu na resposta secundária.
d) Com relação ao IgE, não houve aumento na resposta primária nem na secundária.
e) Pode-se afirmar que o açaí é um alimento alergênico para humanos.

40. (IN) A dieta humana é o resultado da interação de constituintes de alimentos e processos culturais, sendo extremamente difícil isolar o efeito específico de um único componente alimentar, visto que cada item alimentar contém múltiplas substâncias bioativas e outras variáveis, como estilo de vida e fatores socioeconômicos, que variam com a dieta. Assim, um desafio na investigação de componentes dietéticos consiste na escolha do método adequado para investigar o consumo alimentar.

Sobre a validação de instrumento de consumo alimentar, marque a opção CORRETA.

a) Os registros alimentares não podem ser utilizados para validação de questionários de frequência alimentar (QFA) porque estão sujeitos a mudanças no hábito alimentar.
b) Biomarcadores são frequentemente utilizados como medidas objetivas e/ou complementares da ingestão alimentar.
c) Biomarcadores de concentração, como vitamina C plasmática, por refletirem a ingestão, podem ser utilizados na validação de instrumentos de coleta de dados de consumo alimentar.
d) Nem todo método de avaliação dietética sofre com erros de mensuração, como é o caso do recordatório de 24 horas, considerado padrão-ouro.
e) Estudos de reprodutibilidade devem ser realizados para avaliar o grau com que o método mede verdadeiramente o aspecto da dieta que está sendo investigado.

Respostas

1 – D

A definição da amostra depende do objetivo do estudo, podendo ser o de estimar parâmetros populacionais ou o de estimar efeitos causais de exposições nos desfechos de saúde. Quando se deseja estimar parâmetros populacionais, a amostra do estudo deve ser representativa da população, mas, caso se deseje estimar efeitos causais de exposições nos desfechos de saúde, a representatividade não é uma questão importante. Nesse caso, deve-se garantir que os indivíduos expostos à causa de interesse sejam comparáveis aos não expostos. Em estudos de caso-controle, a amostra do estudo é selecionada em um momento no tempo com base no *status* da doença, examinando a história de exposição no intuito de avaliar se a exposição de interesse difere entre os doentes e os não doentes. Para se chegar a conclusões sobre a população de onde proveio a amostra, é importante identificar os diferentes significados de amostra, o universo amostral, a base populacional e a população externa.

População de estudo ou amostra representa o grupo de indivíduos dos quais os dados foram coletados, enquanto o universo amostral ou população real ou população-fonte representa o conjunto de indivíduos elegíveis para o estudo (grupo de onde se originou a amostra). A população-alvo ou base populacional é particularmente importante em estudos de caso-controle, pois representa o conjunto de indivíduos para os quais desejamos fazer as inferências. A base populacional é o conjunto de indivíduos que originou o universo amostral, ou seja, se algum indivíduo da base populacional estivesse doente, estaria no estudo como caso. Por fim, população externa é a população mais ampla para a qual é possível generalizar os resultados.

Desse modo, com base no estudo da questão, a população de estudo foi formada pelos 210 casos incidentes de câncer oral e 251 controles. O universo amostral pode ser representado pelos casos e pacientes (controles) admitidos nos hospitais da cidade do Rio de Janeiro participantes do estudo, enquanto a base populacional pode ser compreendida como os pacientes atendidos em hospitais públicos da cidade do Rio de Janeiro.

- REF.: Toledo *et al.* (2010); Bloch & Coutinho (2011); Pereira (2014); Hulley, Newman & Cummings (2015); Newman (2015).

2 – D

As variáveis de estudo podem ser definidas de diferentes maneiras, as quais influenciam a maneira de apresentação dos dados e o tipo de teste estatístico a ser utilizado nas investigações científicas. As variáveis podem ser classificadas em quantitativas ou numéricas e qualitativas ou categóricas.

De modo geral, as variáveis quantitativas são medidas, podendo ser quantificadas por meio de um número. Quando as unidades numéricas são fixas, quantificadas em números inteiros com intervalos numéricos quantificáveis, as variáveis são denominadas quantitativas discretas, como, por exemplo, o número de vezes que a criança consome café da manhã. Quando expressam uma escala infinita, são denominadas quantitativas contínuas, como o ganho de peso expresso em quilogramas e a ingestão de energia, em calorias.

As variáveis categóricas podem ainda ser classificadas como dicotômicas, quando contém somente dois valores possíveis, e politômicas, quando assumem três ou mais categorias.

- REF.: Pereira (2014); Hulley, Newman & Cummings (2015).

3 – B

A identificação de padrões alimentares se refere ao uso de uma técnica estatística que se caracteriza pela utilização da correlação entre os alimentos, possibilitando o surgimento de padrões que poderão ser avaliados posteriormente quanto à relação com o risco de doenças. No uso de métodos *a priori*, os padrões são definidos previamente e incluem medidas que resumem o grau em que a dieta de um indivíduo está de acordo com recomendações nutricionais específicas. Nesse caso, a abordagem também é denominada "hipótese-orientada" e define os padrões dietéticos envolvendo o uso de escores, tendo como objetivo fazer uma avaliação global da qualidade da dieta, como é o caso do índice de qualidade da dieta.

Já a identificação de padrões alimentares *a posteriori*, também denominada "dirigidos pelos dados", utiliza métodos estatísticos exploratórios para derivar empiricamente padrões de comportamento alimentar com base nos dados de consumo da população estudada.

- REF.: Olinto (2007); Arruda *et al.* (2016).

4 – D

No registro ou diário alimentar, os alimentos são registrados pelo participante no momento em que são consumidos, e esse preenchimento pode ocorrer por vários dias, dependendo do objetivo do estudo que o adota, proporcionando melhor estimativa da ingestão alimentar habitual.

O tipo de inquérito dietético que objetiva coletar o consumo alimentar de um período de 24 horas é o recordatório de 24 horas, com o qual um entrevistador treinado pode obter todos os alimentos e bebidas ingeridos pelo participante no dia anterior à entrevista, desde o desjejum até a ceia. Desse modo, o entrevistado precisa recorrer à memória de tudo o que ingeriu nas 24 horas anteriores.

Com relação ao questionário de frequência alimentar (QFA), pode-se obter a probabilidade de consumo de uma lista predefinida de alimentos em determinado tempo pregresso, geralmente 1 ano. Por isso, o QFA torna possível conhecer a dieta habitual de um indivíduo. A lista predefinida que o compõe é desenvolvida a partir de base de dados de consumo alimentar referente à amostra de interesse, por isso contém os alimentos e grupos alimentares mais consumidos por essa população, refletindo seu padrão de consumo. Quanto à história alimentar, esse é um método que elimina variações de consumo, já que leva em conta a variação sazonal, descrevendo a ingestão habitual do indivíduo.

- REF.: Holanda & Barros Filho (2006); Subar *et al.* (2006); Fisberg, Marchioni & Colucci (2009); Willett (2013).

5 – B

Com o registro alimentar, o sujeito da pesquisa anota os alimentos e bebidas consumidos no momento em que ingere; portanto, trata-se de um método que independe da memória e refere, assim, a dieta atual, conferindo o método como prospectivo. Pode ser realizado por vários dias: três, cinco ou sete. Entretanto, períodos maiores que 7 dias podem comprometer a aderência do participante e a fidedignidade dos dados. Este também se caracteriza como um método aberto, onde os indivíduos devem descrever detalhes sobre todos os alimentos e/ou bebidas consumidos, a marca de itens alimentares industrializados, além de permitir descrever informações sobre o modo de preparo e processamento dos alimentos, a quantidade consumida, a adição de itens aos alimentos relatados, como sal, açúcar, temperos e molhos, o horário e local de consumo (dentro ou fora de casa) e o registro dos alimentos por ocasiões de consumo ou refeições realizadas.

Os tipos existentes desse inquérito, sem e com pesagem, referem-se ao registro da porção de cada alimento. No primeiro, o indivíduo registra o tamanho da porção consumida, fazendo uso de medidas caseiras tradicionais e podendo contar com o auxílio de fotografias de diferentes tamanhos de porções e modelos tridimensionais de alimentos. No segundo, todos os alimentos devem ser pesados e registrados antes do consumo e, além disso, as sobras também devem ser pesadas e registradas. Esse segundo modo tem maior aplicação em estudos que necessitam estimar com precisão nutrientes ou compostos bioativos, os quais nem sempre estão disponíveis em tabelas de composição de alimentos.

- REF.: Barbosa (2007); Fisberg, Marchioni & Colucci (2009).

6 – E

A principal causa das síndromes de deficiências nutricionais é a dieta com ingestão inadequada de um nutriente específico. Raramente, ou nunca, essas condições se manifestam em indivíduos com consumo moderado do nutriente. Essas doenças frequentemente têm um período latente curto; os sintomas são manifestados em meses a partir do início de uma dieta deficiente, necessitando que o indivíduo tenha um consumo muito baixo para a deficiência se manifestar, e pode ser tipicamente revertida em dias ou semanas. Além disso, indivíduos com consumo moderado do nutriente sob investigação dificilmente manifestam a doença.

- REF.: Kac, Sichieri & Gigante (2007); Willet (2013).

7 – A

Em investigações com interesse em compreender a relação entre o consumo de algum nutriente ou alimento e um agravo à saúde, o consumo total de energia merece atenção especial, uma vez que a ingestão da maioria dos nutrientes tende a ser positivamente correlacionada à ingestão total de energia. Quando isso acontece, adiciona-se uma variação na ingestão do nutriente que pode não estar relacionada ao risco de doença e ser, portanto, uma fonte de erro aleatório na análise dos resultados de saúde. Além disso, quando o consumo de energia está associado ao agravo sob investigação, mas não é uma causa direta, as associações com o nutriente podem ser confundidas pelo consumo calórico total.

- REF.: Willet (2013).

8 - C

O estudo descrito se caracteriza pela seleção de um público-alvo com características em comum, no caso todos os nascidos vivos do ano de 1990, a partir de critérios de seleção, os quais foram acompanhados até os 20 anos de idade. Desse modo, constata-se que se trata de um estudo observacional e prospectivo que avaliou indivíduos expostos e não expostos a um fator de risco, no caso a influência de fatores perinatais, seguindo-os durante um período, 20 anos no estudo referido, até o evento de interesse se manifestar – nesse caso, sendo os possíveis desfechos adversos à saúde. Portanto, conclui-se que o estudo é do tipo coorte.

- REF.: Nobre, Bernardo & Jatene(2004); Hochman (2005); Marques & Peccin (2005).

9 - D

O estudo citado na questão compreende um ensaio randomizado por conglomerado, que corresponde à randomização de grupos (*clusters*) de indivíduos, comumente utilizado para avaliar intervenções não medicamentosas. Trata-se de um estudo experimental com a característica de ser prospectivo, utilizando o investigador de técnica aleatória de alocação para formar grupos com características semelhantes, diferindo quanto ao recebimento da intervenção.

- REF.: Souza *et al.* (2013); Hemming *et al.* (2017).

10 - A

No estudo de coorte, como os indivíduos são inicialmente expostos ao risco para então um ou mais possíveis desfechos se manifestarem, pode-se estabelecer a causa para os possíveis efeitos e saber o risco relativo desses desfechos. Esse estudo tem custo elevado por demandar um segmento, o que exige mais tempo, trabalho metodológico com maiores cuidados, todas as variáveis de interesse ao estudo são especificadas e medidas, enquanto a evolução da totalidade da coorte é seguida. Portanto, as dificuldades operacionais são grandes, considerando ainda possíveis modificações na fase de coleta dos dados. Dentre essas modificações possíveis está a perda de participantes no seguimento, uma vez que podem ocorrer recusas para continuar participando do estudo, mudanças de endereços ou emigração, prisões e óbitos. O estudo de coorte também pode apresentar vieses de seleção, os quais podem comprometer a qualidade do trabalho, mas estes conseguem ser prevenidos ou amenizados antes do início da coleta de dados. Uma das maneiras de amenizar os vieses é selecionando um grupo o mais homogêneo possível em relação a variáveis que não sejam de interesse do estudo.

- REF.: Nobre, Bernardo & Jatene (2004); Oliveira & Parente (2010); Arruda *et al.* (2016).

11 - E

Toda pesquisa a ser realizada com a participação de seres humanos deve ter seu referido projeto submetido ao Comitê de Ética em Pesquisa, relacionado à instituição dos pesquisadores, antes de ser iniciada a coleta de dados. Esse comitê se configura como interdisciplinar e independente, de caráter consultivo, deliberativo e educativo, criado para defender os interesses dos sujeitos da pesquisa e para contribuir no desenvolvimento da pesquisa dentro de padrões éticos. Além disso, qualquer pesquisa apresenta riscos, mesmo que mínimos, ainda que não utilize procedimentos invasivos. Esses riscos devem ser minimizados ao máximo e podem se configurar como um incômodo ou desconforto frente a algumas perguntas específicas contidas na entrevista, ou riscos de dano emocional, risco social e risco físico decorrente de procedimentos para realização de exames laboratoriais. Todos esses riscos, assim como as formas de minimizá-los, benefícios, objetivos e procedimentos do estudo devem estar descritos no Termo de Consentimento Livre e Esclarecido (TCLE), o qual deve ser assinado pelo participante e deve conter, além das informações do projeto, a de que a participação é voluntária, não remunerada e que o indivíduo pode desistir em qualquer etapa sem qualquer prejuízo para si. O TCLE deve ser escrito em linguagem clara e objetiva, de fácil entendimento, para o mais completo esclarecimento sobre a pesquisa à qual se propõe a participação.

- REF.: Castilho & Kalil (2005); Brasil (2012); Schuch & Victora (2015).

12 – D

O Comitê de Ética em Pesquisa (CEP) tem por objetivo defender os interesses dos participantes de qualquer pesquisa que tenha como sujeitos seres humanos, em sua integridade e dignidade, assim como contribuir no desenvolvimento da pesquisa dentro de padrões éticos. Assim, compete ao CEP o papel de avaliar e monitorar o andamento do projeto de modo que o estudo seja conduzido respeitando os padrões éticos, morais e os direitos humanos. A avaliação ética de um projeto de pesquisa se baseia na qualidade deste, na experiência da equipe de pesquisadores envolvidos, na avaliação do risco-benefício, no repasse da informação precisa e detalhada ao sujeito da pesquisa e na prévia avaliação de possíveis efeitos da investigação pretendida. Quaisquer descumprimentos a esses requisitos podem levar à interrupção da pesquisa.

Dentre os deveres morais, o pesquisador deve obter o consentimento esclarecido e assinado de cada sujeito para viabilizar sua participação. Uma vez participante da coleta de dados, o voluntário pode se retirar da pesquisa em qualquer etapa sem nenhum prejuízo para si. Os participantes devem ter preservados seus direitos de autonomia, não maleficência (garantia de que danos previsíveis serão evitados), beneficência (ponderação entre risco e benefício), justiça e equidade. Além disso, os participantes devem ter sua privacidade respeitada e garantida a confidencialidade de suas informações pessoais, de modo que essas não podem ser repassadas a terceiros, mesmo que profissionais de saúde ou familiares.

- REF.: Muccioli *et al.* (2008); Brasil (2012); Schuch & Victora (2015).

13 – C

Os distúrbios nutricionais e fatores associados podem ser descritos de acordo com diversas variáveis circunstanciais, como tempo, lugar ou pessoa, dependendo do objetivo da pesquisa. Em geral, espera-se conhecer quem são os acometidos por determinado agravo nutricional ou fator associado, ou seja, é importante a descrição desses segundo variáveis relacionadas ao indivíduo, como sexo, idade, escolaridade; ao local, como áreas urbanas *versus* rurais, diferentes regiões geográficas; e ao tempo, demonstrando a velocidade de ocorrência do agravo ou fator de interesse.

A prática de atividade física está intimamente relacionada a diversos agravos à saúde. Por exemplo, propiciar um balanço energético negativo mediante a redução do consumo calórico e o aumento da atividade física é uma estratégia comumente usada para tratar a obesidade. Uma vez que a a atividade física influencia o estado metabólico dos indivíduos, investigações em Nutrição que têm como foco a relação entre dieta e algum desfecho de saúde devem incorporar a atividade física como variável importante na relação investigada.

No gráfico apresentado, observa-se que a atividade física dos indivíduos pode ser classificada em três categorias: ativos no tempo livre, ativos no deslocamento e insuficientemente ativos. O gráfico inclui, ainda, informação sobre a proporção de pessoas que assistem televisão mais de 3 horas por dia. A diferença entre os sexos é clara para todas essas categorias. Os insuficientemente ativos representam 45,1% da amostra, e os homens têm percentual menor que as mulheres. Estas são menos ativas no tempo livre e no deslocamento em comparação com os homens.

- REF.: Medronho, Werneck & Perez (2011); Chin, Kahathuduwa & Binks (2016).

14 – B

Em investigação em Nutrição, podem ser utilizadas medidas de efeito ou de associação para avaliação da relação entre uma exposição e um desfecho. Essas medidas podem ser do tipo razão ou do tipo diferença. A diferença entre as medidas indica o quanto a frequência do desfecho estudado no grupo exposto é maior em relação ao grupo não exposto. Quando se deseja estimar a magnitude da associação entre uma determinada exposição e a ocorrência de um agravo nutricional, utilizam-se medidas relativas.

Na tabela, a medida apresentada é a razão de prevalência (RP) com o objetivo de investigar a relação entre idade e classe socioeconômica (variáveis de exposição) e o comportamento de assistir televisão durante as refeições (variável de desfecho). Essa medida pode variar de zero a infinito, apresentando valor nulo, ou seja, indicando que não há associação entre as variáveis, quando é igual a 1. Se a RP for maior que 1, indica que a frequência do desfecho é maior entre os expostos em comparação com os não expostos. Se a RP for menor que 1, sugere-se que a frequência do desfecho é menor nos expostos em comparação com os não expostos. Assim, pela tabela, tem-se que a frequência de pessoas que assistem televisão durante as refeições é menor na idade de 8 a 9 anos em comparação com crianças de 5 a 7 anos e maior entre as crianças das classes A a C em comparação com as das classes D a F. Esse tipo de medida é utilizado em estudos de prevalência ou do tipo transversal.

A presença de outras variáveis que possam confundir a relação entre a exposição investigada e o desfecho de interesse pode levar a uma falta de comparabilidade entre as populações expostas e não expostas no que diz respeito à ocorrência do desfecho sob investigação. Nesse caso, pode-se comparar a medida de associação considerando o potencial fator de confundimento (RP ajustada) e sem considerá-lo (RP bruta). Assim, a RP ajustada por sexo, no exemplo da tabela, sugere que a associação entre classe socioeconômica e assistir televisão durante as refeições ocorre independentemente do sexo.

Quando se deseja estimar a precisão da medida de associação encontrada, pode-se utilizar o intervalo de confiança (IC), uma vez que ele oferece uma amplitude de valores para o parâmetro verdadeiro. Quando se deseja uma diferença entre os grupos no nível de 5%, o IC de 95% não deve incluir o valor nulo. Assim, se o IC incluir o valor 1, indica-se que não há associação entre as variáveis estudadas.

- REF.: Kale, Costa & Luiz (2011); Werneck & Almeida (2011); Pereira (2014).

15 – B

A medida de associação apresentada na tabela é a razão de prevalência (RP), que traduz quantas vezes a ocorrência do desfecho é maior nos expostos em comparação com os não expostos. No exemplo da tabela, as variáveis de exposição do estudo foram idade materna, anemia materna, número de consultas pré-natais e aleitamento materno, e a variável de desfecho foi a presença de anemia nas crianças. Uma vez que a razão de prevalência se baseia na prevalência pontual, em que a ocorrência e a mensuração da exposição e do desfecho são concorrentes, ou seja, são investigados no mesmo momento do tempo, não se pode garantir relação causal entre todas as variáveis apresentadas. Por exemplo, o fato de o estudo ser do tipo transversal torna difícil identificar o que aconteceu primeiro: a anemia materna ou a anemia da criança. Essa limitação da temporalidade não possibilita, portanto, estimar risco a partir da medida de RP.

Observando os IC, é possível avaliar a amplitude de valores reais para o parâmetro populacional, tornando possível identificar quando há associação entre as variáveis estudadas. No estudo em questão, optou-se por um IC de 95%. Assim, as variáveis que se associaram estatisticamente com a anemia na área urbana foram idade materna, anemia materna e número de consultas pré-natais, enquanto na área rural somente a idade da mãe mostrou associação com anemia da criança, sendo a prevalência de crianças de mães mais jovens 1,7 vez maior em comparação com aquelas com mães com mais de 20 anos.

- REF.: Kale, Costa & Luiz (2011); Leal *et al.* (2011); Pereira (2014).

16 – A

Segundo a Lei Orgânica de Segurança Alimentar e Nutricional (LOSAN) nº 11.346, de 15 de setembro de 2006, Segurança Alimentar e Nutricional (SAN) consiste na realização do direito de todos ao acesso regular e permanente a alimentos de qualidade, em quantidade suficiente, sem comprometer o acesso a outras necessidades essenciais, tendo como base práticas alimentares promotoras de saúde que respeitem a diversidade cultural e que sejam ambientais, cultural, econômica e socialmente sustentáveis.

Dadas as dimensões variadas e a complexidade do conceito de SAN, vários instrumentos foram desenvolvidos na tentativa de compreender suas diversas perspectivas. Exemplos de indicadores de diferentes dimensões da avaliação de segurança alimentar e nutricional incluem: folhas de balanço de alimentos, indicadores de pobreza, como renda familiar, critério Brasil de classificação econômica e escolaridade, indicadores de consumo alimentar, indicadores do estado nutricional e clínico biológico.

A Escala Brasileira de Insegurança Alimentar (EBIA) é considerada um instrumento importante na geração de indicadores diretos da medida domiciliar de insegurança alimentar e nutricional. A escala é resultado da adaptação e validação da escala do Departamento de Agricultura dos Estados Unidos. A utilização da EBIA no Brasil teve início a partir do estudo de validação realizado entre 2003 e 2004 com etapas qualitativas e quantitativas de investigação. Esse processo resultou em uma proposta de escala com 15 perguntas, cada uma delas correspondendo a um evento e sendo seguida de quatro alternativas de frequência de ocorrência do respectivo evento.

A validade da escala foi confirmada em cinco regiões do Brasil antes de ser incorporada à PNAD. Dos 15 itens da escala, nove são relativos aos adultos moradores no domicílio e seis às crianças. A cada pergunta da escala, referente ao período de 90 dias que antecedem o dia da entrevista, são dadas as alternativas de respostas "sim" e "não" e, se a resposta é afirmativa, pergunta-se a frequência de ocorrência do evento nesse período, oferecendo-se as seguintes alternativas de respostas: "em quase todos os dias", "em alguns dias" e "em apenas um ou dois dias".

Destacam-se três características importantes da EBIA: menos ênfase em indicadores de disponibilidade de alimentos e mais em medidas referentes ao acesso a alimentos, mudança do enfoque de medidas objetivas para mensurações mais subjetivas sobre alimentação e propiciação de medidas mais diretas de insegurança alimentar. Assim, a escala é útil para diagnóstico domiciliar de insegurança alimentar, monitoramento da insegurança alimentar, avaliação do efeito de políticas públicas e de eventos sociais e econômicos com impacto no acesso a alimentos. No entanto, apresenta uma medida subjetiva, com base na percepção e nas experiências dos entrevistados; assim, pode sofrer influência da memória e consequentemente resultar em uma classificação inadequada de insegurança alimentar, podendo ocasionar um viés.

- REF.: Brasil (2006); Kepple, Gubert & Corrêa (2016).

17 – E

Há vários inquéritos populacionais realizados em amostras representativas do Brasil com o intuito de conhecer a situação nutricional da população brasileira tanto em termos de estado nutricional como de consumo alimentar. Esses inquéritos exibem como ponto positivo a periodicidade, em amostras representativas da população, com a possibilidade de estimar prevalências em diferentes níveis geográficos e socioeconômicos e com a investigação de diversas variáveis de interesse para a condição nutricional e de saúde da população brasileira.

Assim, além dos dados antropométricos e de consumo alimentar, a maioria dos inquéritos também fornece outras variáveis, como, por exemplo, as demográficas, as socioeconômicas e as de estilo de vida. Essas informações contribuem para análise mais completa e recortes por sexo, idade, faixas de rendimento e escolaridade, por exemplo, contribuindo com o diagnóstico e o monitoramento das condições alimentares e nutricionais da população, e avaliação da eficácia, eficiência e efetividade de políticas públicas e programas.

A Pesquisa Nacional de Saúde do Escolar (PENSE) foi realizada em 2009, 2012 e 2015 a partir de convênio celebrado entre o Instituto Brasileiro de Geografia e Estatística (IBGE) e o Ministério da Saúde com o objetivo de investigar diversos fatores de risco e proteção à saúde dos adolescentes. A população-alvo da pesquisa foi formada por escolares do 9º ano do ensino fundamental (antiga 8ª série) de escolas públicas ou privadas das capitais dos estados brasileiros e do Distrito Federal. Essa série foi escolhida porque era necessário o mínimo de escolarização para responder o questionário autoaplicável e, também, devido à proximidade da idade de referência preconizada pela Organização Mundial da Saúde (OMS), que é de 13 a 15 anos.

As Pesquisas de Orçamentos Familiares (POF) coletam dados sobre a composição orçamentária doméstica com base nas informações sobre hábitos de consumo, alocação das despesas e distribuição dos rendimentos do domicílio. A pesquisa é conduzida regularmente, tendo como principal objetivo estimar índices de preços, sendo utilizada no planejamento da economia do país. Com isso, a POF possibilita conhecer o perfil das condições de vida da população, com base em seu orçamento doméstico.

Várias características associadas às despesas dos domicílios e famílias são avaliadas, tornando possível conhecer a distribuição dos gastos familiares segundo condições demográficas e socioeconômicas. As despesas com alimentos indicam a disponibilidade domiciliar de alimentos, revelando os tipos de dietas e hábitos de consumo das famílias. Uma vez que a avaliação do consumo alimentar individual efetivo é onerosa e complexa, a POF é uma importante fonte de dados para o monitoramento de indicadores do consumo alimentar, utilizando a disponibilidade domiciliar de alimentos para estimar o consumo.

O Ministério da Saúde vem executando ações que visam à promoção da saúde, prevenção e atenção às DCNT, buscando reduzir a prevalência dos principais fatores de risco e, consequentemente, da morbimortalidade associada a essas doenças. Por meio da vigilância em saúde é possível monitorar e analisar o perfil das doenças e de seus fatores determinantes e condicionantes, bem como detectar mudanças em suas tendências no tempo, no espaço geográfico e em grupos populacionais, contribuindo também para o planejamento de ações na área de saúde. Nesse contexto, a Secretaria de Vigilância em Saúde vem promovendo inúmeras ações com o objetivo de estruturar o Sistema de Vigilância das DCNT nas três esferas do Sistema Único de Saúde, em todas as unidades da Federação. Dentre essas ações, destaca-se nesse *site* o sistema Vigitel – Vigilância de Fatores de Risco e Proteção para Doenças Crônicas por Inquérito Telefônico.

O Vigitel tem como objetivo monitorar a frequência e a distribuição de fatores de risco e proteção para DCNT em todas as capitais dos 26 estados brasileiros e no Distrito Federal por meio de entrevistas telefônicas realizadas em amostras probabilísticas da população adulta residente em domicílios servidos por linhas fixas de telefone em cada cidade. No Vigitel, as medidas de peso e altura foram autodeclaradas, mas medidas autodeclaradas e obtidas de maneira direta apresentam boa concordância do diagnóstico nutricional.

- REF.: IBGE (2004, 2011, 2016); Malta *et al.* (2008); Conde *et al.* (2013); Brasil (2015); Sperandio & Priore (2017).

18 – B

O Estudo Nacional de Despesas Familiares (ENDEF) foi o primeiro e maior estudo domiciliar com amostra representativa da população brasileira que trouxe informações acerca da situação nutricional e alimentar do país. Foi realizado em 1974-1975 pelo Instituto Brasileiro de Geografia e Estatística (IBGE) com o objetivo de avaliar o consumo alimentar, a estrutura da despesa familiar e o estado nutricional da população brasileira. Para investigação do consumo alimentar, foi utilizado o método da pesagem direta dos alimentos pelo período de 7 dias consecutivos. Os entrevistadores visitavam o domicílio duas a três vezes por semana para a coleta dos dados. Todos os alimentos a serem consumidos no domicílio no período de 7 dias consecutivos eram pesados e tinham descritos seu nome, estado (cru, assado, cozido, frito etc.), preço, local de aquisição e refeição em que era consumido. Os resíduos do alimento e as sobras também foram anotados, e para cada morador foi anotado o local onde as refeições principais foram consumidas.

As pesquisas de orçamentos familiares (POF) se encontram em posição intermediária entre as folhas de balanço de alimentos, que fornecem informação acerca do suprimento nacional de alimentos em nível populacional, e os inquéritos desenhados especificamente para pesquisas de Nutrição, que fornecem o consumo individual de alimentos. No Brasil, as POF são realizadas pelo IBGE desde a década de 1970 em amostras representativas do país. Os dados são coletados ao longo de 1 ano, contemplando as alterações sazonais. A pesquisa coleta detalhadamente as despesas, principalmente com relação aos gastos domiciliares com alimentos, incluindo a quantidade, o valor pago e o local de compra do alimento no período de 1 semana, além do peso e da altura de todos os moradores da família. Com isso, a POF é a fonte de dados mais utilizada na elucidação de indicadores do consumo alimentar e da situação nutricional no Brasil.

Vale destacar que na última POF, realizada em 2008-2009, um módulo de consumo alimentar individual foi incluído e investigado em uma subamostra da pesquisa, utilizando o método do registro alimentar em 2 dias não consecutivos.

A Pesquisa Nacional de Saúde (PNS) foi realizada em 2013 também com abrangência nacional e de base domiciliar. A PNS foi composta por três questionários: um domiciliar, um relacionado aos moradores do domicílio e outro individual. A investigação dos hábitos alimentares foi realizada no questionário individual e incluiu perguntas sobre a frequência diária e/ou semanal do consumo de alimentos marcadores de uma alimentação saudável (frutas, suco de frutas, verduras e hortaliças cruas, verduras e legumes cozidos, feijão, leite, frango e peixe) e de alimentos marcadores de uma alimentação não saudável (carne vermelha, gordura visível da carne vermelha, pele do frango, refrigerante e doces). Foi questionada, ainda, a frequência semanal de substituição das refeições (almoço e/ou jantar) por *fast food*, além de perguntas sobre o uso do sal.

O Estudo de Riscos Cardiovasculares em Adolescentes (ERICA), conduzido em 2013-2014, é um estudo multicêntrico nacional de base escolar que teve como objetivo conhecer a proporção de adolescentes com diabetes e obesidade e traçar o perfil dos fatores de risco para doenças cardiovasculares em adolescentes de 12 a 17 anos que frequentam escolas em municípios brasileiros com mais de 100 mil habitantes. A coleta dos dados se deu em três etapas com um questionário voltado para a escola, outro para a família e um referente ao adolescente. Na segunda etapa houve coleta de sangue e na terceira etapa, em uma subamostra da pesquisa, aplicou-se o instrumento para coleta dos dados de consumo alimentar, que foi baseado no recordatório de 24 horas.

- REF.: IBGE (1977, 2004, 2011, 2014); Vasconcellos *et al.* (2015); Sperandio & Priore (2017).

19 – B

Estudos de caso-controle são estudos observacionais, de cunho retrospectivo, que partem do efeito (desfecho) em busca da causa (exposição). Os indivíduos são selecionados a partir da presença da doença de interesse, comparados com uma população sem a doença, de modo a identificar a exposição ao fator ou fatores determinantes do desfecho sob investigação.

A interpretação da RC indica quantas vezes um grupo tem mais o fator investigado quando comparado ao outro grupo. Se esse valor for maior que 1, sugere que a exposição sob investigação é um fator de risco para o desfecho. Se o valor for menor que 1, sugere-se fator de proteção, e se o valor for igual a zero indica que não há associação entre a exposição e o desfecho. Vale destacar que o intervalo de confiança também não pode incluir o valor nulo (OR = 1), pois isso também representaria risco zero ou nenhum risco. Na tabela, o consumo de leite se mostrou protetor do câncer de cólon, enquanto o consumo de refrigerante foi fator de risco. A RC de 1,68 (1,14 a 2,46) significa que os indivíduos com câncer de cólon consomem 1,68 vez mais da porção de 4 copos/semana de refrigerante em comparação com os controles.

- REF.: Rodrigues & Werneck (2011); Pereira (2014).

20 – D

Estudos ecológicos são estudos em que a unidade de análise é uma população ou um grupo de pessoas geralmente pertencente a uma área geográfica definida, como, por exemplo, um país, um estado, uma cidade, um município ou um setor censitário. Objetivam levantar hipóteses etiológicas a respeito da ocorrência de uma determinada doença, testar hipóteses etiológicas e avaliar a efetividade de intervenções na população.

As vantagens de utilizá-los em investigações nutricionais incluem o fato de serem de baixo custo e de rápida execução, de serem grandes os contrastes da ingestão dietética entre os países e de a média da dieta das pessoas de um país parecer ser mais estável ao longo do tempo que a dieta de cada pessoa desse país. Além disso, grande parte desses estudos investiga taxas de câncer que são derivadas de grandes populações e, portanto, sujeitas a pequenos erros aleatórios. Dentre as desvantagens, se destacam: outros determinantes da doença podem variar entre as áreas com baixa e alta incidência da doença; relação temporal (as taxas podem estar relacionadas a dados dietéticos de muitos anos atrás); dados agregados podem não estar relacionados à dieta dos indivíduos sob risco da doença (falácia ecológica); e os resultados não são independentes (dieta e confundimento serão sempre os mesmos).

O gráfico da questão ilustra uma relação ecológica entre o consumo diário *per capita* de açúcar e a incidência do câncer de intestino. Observa-se claramente uma associação positiva entre essas variáveis, suscitando a hipótese de que os países com maior consumo de açúcar são os que apresentam taxa maior de casos de câncer do intestino, sugerindo possível relação causal entre essas variáveis.

- REF.: Medronho (2011); Rasella *et al.* (2013); Willet (2013).

21 – E

Os dados obtidos a partir de inquéritos populacionais, como também pesquisas locais, com foco nas gestantes são importantes para o desenvolvimento de políticas, programas, protocolos e ações educativas a fim de evitar grandes alterações desfavoráveis no estado nutricional da gestante ou de mulheres em idade fértil - sobrepeso ou baixo peso -, as quais podem acarretar outros problemas tanto para ela(s) como para o(s) bebê(s). Dentre as complicações estão: diabetes gestacional, tromboembolismo, restrição de crescimento intrauterino e desproporção cefalopélvica, além de distúrbios hipertensivos da gravidez. Ao serem conhecidas as características das gestantes de determinada população, podem ser desenvolvidas e implementadas ações específicas que possam ser eficazes para esse grupo populacional.

O número de mortes maternas de um país constitui um bom indicador da qualidade da assistência ao pré-natal, parto e puerpério. Desse modo, devem ser explicados riscos e benefícios do comportamento alimentar, inatividade física e tipos de parto, com base em evidências científicas. Ressalta-se ainda a importância da busca por estratégias para facilitar o acesso aos serviços de saúde e a diminuição do tempo de espera dessas usuárias.

Em cada população deve ser criado um espaço de educação em saúde para promover informações gerais e participação ativa das gestantes. Em adição, a avaliação da assistência é importante para a melhoria da qualidade dos serviços e está indicada a monitoração contínua por meio da observação de indicadores.

- REF.: Nagahama & Santiago (2011); Seabra *et al.* (2011); Hartling *et al.* (2012); Sato & Fujimori (2012); Rolim *et al.* (2014); Silva *et al.* (2017).

22 – B

O acompanhamento do crescimento de uma criança é feito inicialmente por meio de triagem no primeiro contato, seguida de monitoração, a qual consiste em observar a evolução dos indicadores antropométricos ao longo dos meses ou anos como forma de identificar problemas nutricionais precocemente. Para a interpretação dos dados, esses devem ser comparados a um ponto de corte padronizado e obtido a partir de estudos com crianças eutróficas, portadoras de déficit ou de excesso de peso ou estatura.

Os protocolos do Sistema de Vigilância Alimentar e Nutricional (SISVAN) recomendam que a avaliação do estado nutricional das crianças seja realizada por meio da construção dos principais indicadores nutricionais da infância (peso por idade, estatura por idade, peso por estatura e índice de massa corporal por idade), obtidos a partir das medidas de peso e estatura combinadas à idade e ao sexo. Mesmo sendo um método simples, para produzir dados confiáveis a antropometria precisa ser realizada com técnicas padronizadas, dominadas por profissionais bem treinados. Mesmo após treinamento, é preciso avaliar se o indivíduo está apto a iniciar a coleta das medidas.

A técnica de padronização dos procedimentos pode minimizar erros que custariam a veracidade das medidas. A escolha de bons equipamentos, a uniformização de técnicas e o treinamento exaustivo dos antropometristas são estratégias úteis para a obtenção de medidas confiáveis. O erro aleatório, por falta de precisão, decorre da incapacidade do antropometrista em obter o mesmo valor em cada mensuração antropométrica no mesmo indivíduo, o que também depende da correta calibração dos instrumentos. Já o erro sistemático, por falta de exatidão, advém da falta de habilidade do antropometrista em se aproximar ao máximo da medida real do indivíduo que está sendo avaliado.

- REF.: Frainer *et al.* (2007); Brasil (2011); Silva *et al.* (2017).

23 – C

As medidas antropométricas estão sujeitas a variações que podem decorrer de procedimentos de mensuração inadequados, falhas mecânicas ou falta de calibração dos respectivos equipamentos e ainda de variações aleatórias, ao acaso. Para a minimização de erros durante a coleta de dados, destacam-se a padronização dos procedimentos técnicos a serem adotados e a utilização do mesmo tipo de instrumento de medida durante toda a coleta, estando ele bem calibrado em intervalos de tempo regulares.

Quanto ao antropometrista, ele deve receber treinamento exaustivo e ainda ser avaliado quanto à precisão e à exatidão de seus procedimentos, sendo comparado a antropometrista experiente. Em casos em que a coleta de dados seja realizada por mais de uma pessoa, é necessária a elaboração de um manual com a descrição das técnicas de mensuração das medidas antropométricas para evitar distorções. Especialmente para medidas realizadas em crianças, todas essas precauções são imprescindíveis, considerando que muitas não aceitam realizar as medidas por medo.

Desse modo, os pesquisadores devem estar preparados para o posicionamento correto e para as estratégias para redução de erros, como a criação de tabela com os pesos das roupas mais usadas pelas crianças e, depois de coletada a medida, subtrai-se o peso da roupa, caso essa possa interferir no resultado. Além disso, podem ser realizadas duas ou três mensurações para cada medida antropométrica a fim de evitar erros aleatórios, sendo possível obter a média ou mediana das medidas.

- REF.: Castro *et al.* (2008); Silva *et al.* (2011).

24 – A

O estudo de caso se configura como metodologia da pesquisa qualitativa, o qual é utilizado para realizar uma investigação empírica, abrangendo desde o planejamento, as técnicas de coleta de dados e a análise destes. Esse método focaliza uma situação ou fenômeno particular, e diferentes classificações são observadas para os tipos de estudo de caso. Tem-se o estudo de caso intrínseco (quando o pesquisador tem interesse em investigar esse caso em particular), instrumental (quando o interesse do pesquisador é uma questão que o caso vai ajudar a resolver) ou coletivo (quando o pesquisador se concentra em mais de um caso).

A observação participante é uma técnica de coleta de dados em que o pesquisador se insere em uma sociedade que deseja investigar e realiza uma descrição densa desta a partir dos diferentes aspectos da vida social e cultural que se expressam em situações particulares, revelando valores, comportamentos, modos de vida e visões de mundo diferentes.

Também uma técnica, mas de análise e interpretação de dados coletados, a análise de conteúdo faz inferências acerca do pensamento de quem o escreveu com base apenas nas palavras. A entrevista semiestruturada também é técnica de coleta de dados que consiste em questões estruturadas pelo pesquisador para explorar aspectos relevantes dos entrevistados. Com relação ao Discurso do Sujeito Coletivo, este é uma proposta de organização e tabulação de dados de natureza verbal obtidos de depoimentos ou questionários.

- REF.: Lefèvre & Lefèvre (2005); Yin (2005); Caregnato & Mutti (2006); Oliveira, Veras & Prado (2010); Stake (2013).

25 – B

Independentemente do tipo, as pesquisas se iniciam pela elaboração de uma hipótese, que é o questionamento inicial. A partir daí já se notam as distinções entre pesquisa qualitativa e quantitativa, as quais englobam a análise e formulação de conclusões sobre os dados coletados, por planejamento destinado à finalidade específica, em consonância com os objetivos traçados para o estudo.

Nas pesquisas qualitativas, os objetivos se baseiam na significação de fenômenos, o que não ocorre com a pesquisa quantitativa, a qual interpreta valores e testes estatísticos. Enquanto a quantitativa estuda o fenômeno em si, a qualitativa busca entender seu significado individual ou coletivo para a vida das pessoas. Esta se baseia nas ciências humanas e na antropologia, enquanto a quantitativa segue as ciências médicas e o positivismo. O campo de coleta qualitativo é utilizado para observação sem o controle de variáveis, enquanto na quantitativa o número da amostra e todos os procedimentos são preestabelecidos. Nesse caso, portanto, com metodologia robusta, podem ser alcançadas a reprodutibilidade do método e a confiabilidade dos dados. Na qualitativa não há reprodutibilidade, já que se buscam novos conhecimentos que podem ser aplicados para compreender outras pessoas na mesma vivência e não há a generalização dos resultados, mas sua força se dá pela qualidade da validade dos achados.

- REF.: Günther (2006); Taquette & Minayo (2015).

26 – D

A análise de discurso rejeita a linguagem como simples texto descritivo, dando importância aos sentidos estabelecidos de diversas maneiras, verbais e não verbais. Para isso, articula o linguístico com o social e o histórico e analisa a linguagem na forma de ideologia, além da linguística, ou seja, busca analisar as ideias do sujeito que realizou aquela composição textual. Esse tipo de análise tem linguagem opaca, pois a análise não considera um só sentido do enunciado, possibilitando leituras múltiplas, pois considera a busca dos efeitos dos sentidos após a leitura do enunciado. Desse modo, essa técnica de análise só se aplica a interpretações qualitativas pela busca da significação.

A análise de conteúdo é definida como a semântica estatística do discurso político, pois trabalha com a palavra, tornando possível, de maneira prática e objetiva, produzir inferências do conteúdo da comunicação. É possível ser utilizada nas duas abordagens: enquanto na quantitativa auxilia o estabelecimento de uma frequência com que as características estudadas se repetem no texto, na abordagem qualitativa se baseia em considerar a presença ou ausência de determinada característica ou conjunto de características em um determinado fragmento da mensagem.

- REF.: Caregnato & Mutti (2006); Rocha & Deusdará (2016); Silva & Fossá (2017).

27 – C

A revisão narrativa, a mais simples das revisões, não utiliza critérios sistemáticos para busca e análise crítica da literatura, e não há esgotamento de determinado assunto a partir de todas as fontes de informações. A seleção dos estudos e a interpretação das informações podem estar sujeitas à subjetividade dos autores; por isso, é observada na fundamentação teórica de artigos, dissertações, teses e trabalhos de conclusão de cursos. Já as revisões sistemáticas e integrativas seguem rigor metodológico, obedecendo a vários passos bem delimitados.

A revisão sistemática, especificamente, é uma síntese rigorosa de todas as pesquisas relacionadas a uma questão específica, buscando exaustão de estudos sobre determinado tema e enfocando primordialmente estudos experimentais, comumente ensaios clínicos randomizados. Com a superação de vieses em cada uma das etapas, e seguindo um método rigoroso de busca e seleção de pesquisas, é garantida a reprodutibilidade.

A revisão integrativa, por sua vez, torna possível a inclusão de estudos experimentais e não experimentais para uma compreensão completa do fenômeno analisado. Combina também dados da literatura teórica e empírica, além de ter um vasto leque de objetivos: definição de conceitos, revisão de teorias e evidências e análise de problemas metodológicos de um tópico particular.

A base de dados Cochrane consiste em uma organização entre centros de diferentes países que fornecem a elaboração e disseminação de revisões sistemáticas, demonstrando a eficácia de intervenções em saúde.

- REF.: Whittemore & Knafl (2005); Cordeiro *et al.* (2007); Souza, Silva & Carvalho (2010).

28 – E

A prática profissional faz uso de estudos de elevada força científica para nortear ações e procedimentos clínicos. Entretanto, os estudos têm diferentes potenciais para influenciar essas práticas, pois deve ser considerada a força de evidência de cada um. Os tipos de estudo podem seguir uma hierarquia em aspectos metodológicos, e essa hierarquia se baseia na causa e na necessidade de controle de vieses, sendo de maior força o tipo de estudo de revisão sistemática e metanálise, seguido por estudos randomizados controlados, de coorte, caso-controle, relatos de caso, pesquisas em animais e pesquisas *in vitro*.

Um viés metodológico pode gerar explicações equivocadas como resultado de pesquisas em saúde; por isso, cada estudo deve ser avaliado criticamente quanto à sua transferência para a prática clínica, evitando comprometer princípios éticos, como expor pacientes a inconveniências ou riscos injustificáveis e má aplicação de recursos.

- REF.: Nobre, Bernardo & Jatene (2004); El Dib (2007); Oliveira, Oliveira & Leles (2007); Galvão & Pereira (2015).

29 – D

O trecho se refere a um estudo transversal, ou seja, com análise pontual, sem estabelecimento de relação temporal entre variáveis. O consumo alimentar e a ingestão de nutrientes foram observados em um momento da vida dos indivíduos, não sendo estabelecidas relações de causa e efeito entre o consumo de ultraprocessados e a adequação ou inadequação de ingestão de nutrientes. Os testes empregados investigaram possíveis associações entre as variáveis de interesse, analisando a relação naquele momento, mas não a causalidade.

- REF.: Bastos & Duquia (2007).

30 – E

Os estudos observacionais podem ser descritivos ou analíticos. Nesse tipo de estudo, o pesquisador observa o desfecho sem nenhuma interferência sobre as variáveis de interesse e registra as informações que lhe interessam para posterior análise e inferência de interpretações.

Os estudos analíticos têm o propósito de estabelecer a relação entre as causas e os efeitos ou a avaliação de procedimentos terapêuticos ou preventivos, testando, assim, hipóteses. Podem ser do tipo caso-controle ou de coorte. Nesses estudos de coorte, um grupo de pessoas é acompanhado ao longo do tempo e periodicamente é investigado por pesquisadores que vão agrupando dados sobre essas pessoas, possibilitando mudanças em nível individual. Nesse caso, os fatores de risco a serem medidos e os critérios de inclusão e exclusão de indivíduos devem ser estabelecidos no início do estudo e mantidos ao longo de sua continuidade.

Já os estudos descritivos servem de base para a formulação de hipóteses, pois somente descrevem a realidade, não objetivando explicá-la ou nela intervir. Podem ser transversais ou ecológicos. No caso desses últimos, analisam a população em sua totalidade e não os sujeitos individualmente; por esse motivo, na maior parte das vezes fazem uso de dados secundários, como dos censos populacionais. Esses estudos ecológicos analisam características do local e da população, tentando inferir possíveis associações entre esses.

- REF.: Carvalho & Souza-Santos (2005); Aragão (2013).

31 – E

O estudo de caso-controle realiza observação e análise de indivíduos e não de grupos. Para a avaliação do desfecho nesse tipo de estudo, é necessário que casos e controles sejam originados na mesma população-fonte e, então, é realizada a coleta retrospectiva dos dados, ou seja, parte-se do efeito em busca da causa. Desse modo, é selecionado um grupo de pessoas com o desfecho em estudo (casos) e outro grupo com pessoas sem o desfecho, escolhidas aleatoriamente entre a população-fonte (controles).

No caso dos estudos ecológicos, o fator em estudo é medido de maneira agregada para o grupo inteiro, como, por exemplo, a taxa de diarreia e o desfecho clínico registrado como óbitos hospitalares na unidade de terapia intensiva para se avaliar a associação entre os dois. Assim como o ecológico, o estudo transversal investiga os indivíduos em dado momento, não fazendo o acompanhamento temporal de determinado grupo.

No caso dos estudos de coorte, é avaliado um grupo de pessoas com as mesmas características, o qual é acompanhado por determinado tempo para que se avalie o desfecho de interesse e, assim, obtenha-se a incidência do desfecho. Quanto aos estudos randomizados, é estudada a diferença entre as taxas dentre os grupos de caso e controle para determinado desfecho para avaliar se determinada intervenção é válida ou não.

- REF.: Mota, Laurindo & Santos Neto (2010); Aragão (2013).

32 – D

Para a investigação de doenças raras, ou seja, que necessitam de um período incerto para incidirem na população, o tipo de estudo mais indicado para analisá-las é do tipo caso-controle. O tempo compreendido entre a exposição e o desenvolvimento da doença rara é particularmente longo; portanto, a doença pode ser analisada se os dados anteriores sobre a exposição estão disponíveis ou podem ser facilmente obtidos. Nesses estudos, existe uma sequência temporal conhecida entre uma exposição ou ausência desta e o aparecimento da doença ou fato evolutivo. É avaliado um processo ao longo do tempo para investigar mudanças, ou seja, refletem uma sequência de fatos.

A incidência de doenças pode ser avaliada por meio de estudos de coorte, nos quais os indivíduos são acompanhados por longos períodos, partindo-se da causa ao efeito, de modo que podem ser estabelecidos a incidência e o curso natural da doença, ou seja, sua evolução. A relação temporal entre exposição e doença pode ser observada em estudos de coorte e caso-controle, com a diferença do desfecho, sendo no coorte o efeito e no caso-controle, a exposição.

No caso dos estudos transversais, em que os indivíduos são investigados quanto ao desfecho em um dado momento, sem seguimento de tempo, é obtida a prevalência de determinado desfecho na amostra estudada, ou seja, a frequência com que esse desfecho ocorre.

- REF.: Nobre, Bernardo & Jatene (2004); Hochman (2005).

33 – E

Na investigação epidemiológica, o recordatório de 24 horas (R24h) é um dos métodos mais utilizados para avaliação do consumo alimentar. Fornece a ingestão alimentar atual; entretanto, a partir de medidas repetidas, pode prover estimativas da ingestão habitual através de tratamento estatístico. Com relação à avaliação da adequação do consumo de nutrientes, um só dia não fornece uma análise com acurácia, pois o hábito alimentar sofre variações no dia a dia em uma mesma pessoa (variação intrapessoal) e entre as pessoas (variação interpessoal). Para que essas diferenças sejam consideradas, devem ser obtidas medidas repetidas, sendo necessário coletar, no mínimo, R24h de 2 dias não consecutivos. É importante atentar para a inclusão de dias de final de semana na coleta dos recordatórios.

Nos inquéritos alimentares, em geral, nem sempre a entrevista é realizada com o indivíduo investigado. Em alguns casos, como crianças pequenas, idosos ou indivíduos com problemas de comunicação, a entrevista é feita diretamente com o responsável ou o cuidador, informante este que deve ter informações acerca do consumo do indivíduo-alvo.

O entrevistador responsável pela aplicação do inquérito deve ser bem treinado quanto à sua postura diante do entrevistado, deve utilizar linguagem adequada a seu nível de escolaridade e faixa etária para entendimento completo, além de não esboçar sentimentos nem emoções, de modo a evitar sub ou supernotificações.

No intuito de reduzir o viés de memória, desvantagem de instrumentos como o R24h, o entrevistador pode utilizar como auxílio registros fotográficos publicados acerca de porções de alimentos e medidas caseiras. Ao final da entrevista, o entrevistador deve revisar todos os alimentos listados e suas quantidades para evitar o esquecimento de alimentos.

- REF.: Scagliusi & Lancha Júnior (2003); Tucker (2007); Bueno & Czepielewski (2010).

34 – C

As folhas de balanço alimentar são compilações das contas nacionais sobre produção, importação, exportação e uso não alimentar de alimentos de um país. A partir dessas, pode-se estabelecer a disponibilidade total de alimentos da população, mas não para os indivíduos. Esse método é utilizado, geralmente, para estudos ecológicos de modo a analisar a associação com outros indicadores de saúde da população.

No tocante ao registro ou diário alimentar, o indivíduo faz a anotação de todos os alimentos e bebidas consumidos ao longo de 1 ou mais dias, devendo anotar também os alimentos consumidos fora do lar. A quantidade de dias de aplicação vai depender dos objetivos do estudo, porém, normalmente, é aplicado por 3, 5 ou 7 dias; períodos maiores podem comprometer a participação e, assim, a acurácia do diagnóstico de consumo. Quanto ao R24h, algumas desvantagens devem ser minimizadas, como o viés de memória, por meio de entrevistadores treinados, com o uso de registros fotográficos para auxiliar a descrição de porções pelo entrevistado.

Com relação ao questionário de frequência alimentar (QFA), por conta das variações no consumo alimentar diário de cada indivíduo, determinados alimentos-fonte de um nutriente específico podem demorar a aparecer na dieta; portanto, a lista de alimentos de um QFA é norteada pela hipótese do estudo de modo a conter alimentos-fonte dos nutrientes em avaliação. Em virtude dos vieses de memória, das limitações na padronização de medidas caseiras e das estimativas errôneas no tamanho das porções, não existe um método de avaliação do consumo alimentar ideal, visto que todos são passíveis de erro. No entanto, considera-se atualmente o registro alimentar como o padrão-ouro desses métodos.

- REF.: Colucci, Philippi & Slater (2004); Anjos, Souza & Rossato (2009); Consolmagno *et al.* (2009); Fisberg, Marchioni & Colucci (2009); Willett (2013); Franchikoski & Thomé (2017).

35 – A

É possível avaliar a prevalência de adequação ou inadequação de consumo de determinado nutriente em uma amostra; para tanto, deve-se obter seu consumo e comparar os dados com padrões de referência. As *Dietary Reference Intakes* (DRI), um dos padrões disponíveis, contemplam estimativas quantitativas para a avaliação de dietas de populações saudáveis. Incluem as RDA (*Recommended Dietary Allowance*), AI (*Adequate Intake*), EAR (*Estimated Average Requirement*) e UL (*Tolerable Upper Intake Level*).

A comparação da ingestão habitual de um grupo com os valores da RDA ocasiona a quantificação errônea da proporção de indivíduos com inadequação de consumo para grupos, já que a RDA não é utilizada para esse fim, mas apenas para o planejamento dietético. A estimativa de referência apropriada para a avaliação da inadequação da ingestão de nutrientes é a EAR, definida como o valor de ingestão do nutriente que corresponde à necessidade média estimada para determinado estágio de vida e gênero. Os valores de AI podem ser utilizados em situações nas quais não haja informação suficiente para estabelecer o valor de EAR como referência de ingestão do nutriente para os indivíduos, e não para grupos.

Com relação à variabilidade da ingestão intrapessoal, quando corrigida por métodos estatísticos, reflete somente a variação entre os indivíduos do grupo ou variação interpessoal. Para a aplicação dos métodos estatísticos de tal ajuste, são necessárias, no mínimo, duas medidas independentes de consumo em pelo menos uma amostra de dias não consecutivos.

- REF.: Hoffmann *et al.* (2002); Marchioni, Slater & Fisberg (2002); Slater, Marchioni & Fisberg (2004).

36 – A

Os questionários de frequência alimentar (QFA) são desenvolvidos de acordo com as características da amostra à qual será destinado, sendo sua lista de alimentos baseada no consumo alimentar da população da qual a amostra é representativa. Desse modo, o instrumento segue o padrão de consumo da população sobre a qual será investigada a frequência de consumo e, assim, seu consumo habitual.

Se um instrumento foi validado para determinada população (p. ex.: de um país desenvolvido), pode não ser apropriado aplicá-lo em uma população de país em desenvolvimento em razão das características sociodemográficas e das restrições alimentares de uma lista predefinida ao padrão alimentar de outra população. Assim, um QFA adaptado e validado para determinada população vai oferecer informações mais acuradas e precisas sobre ela.

Não existe um padrão-ouro para investigação do consumo alimentar; entretanto, o registro ou diário alimentar é um método prospectivo que não contém o viés de memória, sendo por isso de mais acurado por acarretar menos erros de obtenção e análise. No caso do QFA, este depende da memória, além da utilização de medidas padronizadas e de uma lista predefinida de alimentos, o que pode levar à perda de detalhes.

- REF.: Slater *et al.* (2003); Sales *et al.* (2006); Vasconcelos & Assis (2007); Fisberg, Marchioni & Colucci (2009); Willett (2013).

37 – A

Por meio da leitura e interpretação da tabela, observa-se que a média de consumo do grupo alimentar de carnes e ovos é estatisticamente menor entre os portadores de lesão oral em comparação aos não portadores desse tipo de lesão, pois pode ser comprovado pelo valor de *p* (0,025), o qual é menor que o nível de significância adotado (0,05), confirmando, assim, a diferença. A única relação entre o consumo e a presença de lesões orais que pôde ser estabelecida pela análise do estudo se deu entre o grupo de carnes e ovos. Para os grupos de frutas e verduras e de açúcares e doces, não foram obtidas diferenças estatisticamente significativas para as médias de consumo entre os grupos.

A partir do conceito de hipótese nula, segundo o qual não existe diferença entre as médias em comparação, o valor do p, ou nível de significância, surge como forma de avaliação da força de evidência contra essa hipótese. Esse valor representa a probabilidade em que uma diferença entre grupos, como a encontrada pelo referido estudo, quando, na verdade, essa diferença não existe. Quanto menor for esse valor, maior será a evidência contra a hipótese nula. Para efeito de tomada de decisão, muitos estudos consideram a probabilidade menor que 5% ($p < 0,05$) como o limite de consideração que um efeito observado no estudo é real e não decorrente do acaso (isto é, a hipótese nula será rejeitada caso o valor de *p* seja inferior a 0,05). Em referência ao estudo, pode-se ainda pensar na hipótese de que o consumo desse grupo foi fator protetor contra o surgimento de lesões. Como em outros estudos transversais, constata-se a prevalência dos eventos e de possíveis associações entre eles. Entretanto, uma relação de associação não sugere necessariamente uma relação de causalidade ou causa e efeito.

- REF.: Coutinho & Cunha (2005); Bastos & Duquia (2007); Sousa, Lira Junior & Ferreira (2015).

38 – B

O intervalo de confiança define os limites inferior e superior de um conjunto de valores que tem a probabilidade de conter o valor verdadeiro do efeito da associação em estudo. Desse modo, um intervalo de confiança de 95% tem 95% de probabilidade de incluir o valor real. Assim, possibilita afirmar se o achado é estatisticamente significativo para um dado nível de significância. Quando o intervalo de confiança contiver o valor nulo de efeito, o estudo será inconclusivo, ou seja, sem significância estatística. No caso de estudos transversais, estimando razões de prevalência, o valor nulo considerado é o 1 (um).

Desse modo, após leitura e interpretação da tabela, observa-se a associação estatisticamente significativa, para os três modelos de regressão, entre o consumo de ultraprocessados e os três indicadores de obesidade (média de IMC, prevalência de sobrepeso e prevalência de obesidade), sendo positiva a associação. Portanto, as pessoas que moram em residências pertencentes ao quartil mais baixo de consumo de ultraprocessados mais provavelmente apresentarão sobrepeso, obesidade e valores maiores de IMC que as pessoas do quartil mais baixo de consumo.

- REF.: Coutinho & Cunha (2005); Francisco *et al.* (2008).

39 – B

Para a interpretação dos resultados demonstrados no gráfico, considerando o ponto de corte ou limite de positividade representado pela reta horizontal que aparece em cada figura, observa-se que apenas a alternativa b está correta. Os gráficos A e C demonstram que houve aumento na produção de anticorpos IgE e IgG1 na primeira e ainda mais elevada na segunda resposta. Com relação ao gráfico B, pode-se verificar que só houve aumento na produção dos anticorpos IgG na segunda resposta, demonstrando que a reação contra o antígeno ocorreu mais tardiamente.

Esses estudos experimentais com uso de modelos animais são necessários para suscitar indagações clínicas, como a possibilidade de o açaí ser um alimento alergênico. No entanto, esses experimentos não induzem diretamente a tomada de decisão clínica; por isso, devem ser considerados complementares às pesquisas clínicas. Desse modo, não se pode afirmar que o açaí é alergênico para humanos.

- REF.: Nobre, Bernardo & Jatene (2004).

40 – B

Em virtude da natureza complexa de nossa dieta, a avaliação dietética e nutricional é propensa a tipos específicos de erros aleatórios (p. ex.: variação intrapessoal) e sistemáticos (viés – p. ex.: erros na tabela de composição nutricional). Por isso, o grande desafio em estudos de avaliação do consumo alimentar reside em compreender, mensurar e utilizar a estrutura de erros na análise dos dados.

Até o momento, vários métodos estão disponíveis para a realização de avaliações dietéticas, embora cada um deles tenha pontos fortes e limitações inerentes. Os métodos de avalia*ção* da ingestão alimentar incluem: questionários de frequência alimentar, recordatório de 24 horas, registro alimentar, histórico alimentar e perguntas na lista de verificação que avaliam um aspecto específico da ingestão alimentar.

Atualmente, novas abordagens disponíveis incluem aplicativos como ferramentas baseadas na Web, aplicativos para celular, métodos fotográficos e *scanners* de código de barras. Embora essas abordagens sejam promissoras, as informações de validação são limitadas e as questões relativas ao erro de medição podem permanecer. Assim, é de extrema importância a realização de estudos de validação e reprodutibilidade e dos métodos e procedimentos usados na epidemiologia nutricional, dadas a complexidade de nossa dieta e as múltiplas fontes de viés que afetam a qualidade das avaliações dietéticas.

Estudos de reprodutibilidade medem a consistência do método na avaliação de um mesmo indivíduo em diferentes pontos no tempo, enquanto estudos de validação compreendem estudos que buscam avaliar em que grau o método mede verdadeiramente o aspecto da dieta que está sendo investigado. A comparação é feita com um método superior padrão-ouro.

Uma limitação na validação desses métodos é a falta de padrões-ouro contra os quais as ferramentas de avaliação dietética podem ser validadas. Algumas medidas bioquímicas já são consideradas referências ideais, como os isótopos estáveis (água duplamente marcada para a ingestão energética), o biomarcador de recuperação de 24 horas de excreção urinária de nitrogênio (para a ingestão de proteína) e a excreção de potássio urinário de 24 horas (para a ingestão de potássio). No entanto, embora alguns biomarcadores sejam frequentemente utilizados para avaliar a ingestão alimentar, não são isentos de limitações e podem fornecer apenas uma avaliação parcial da ingestão. Por exemplo, marcadores de concentração, apesar de correlacionados *à* ingestão, não a refletem. Assim, por razões práticas, recordatórios alimentares de 24 horas ou registros alimentares são frequentemente usados para validação de outros métodos de consumo, como o questionário de frequência alimentar.

- REF.: Willet (2013); Lachat *et al.* (2016).

Referências

Anjos LA, Souza DR, Rossato SL. Desafios na medição quantitativa da ingestão alimentar em estudos populacionais. Revista de Nutrição, 2009; 22(1):151-61.

Aragão J. Introdução aos estudos quantitativos utilizados em pesquisas científicas. Revista Práxis, 2013; 3(6).

Araújo CLP. Avaliação nutricional de crianças. In: Kac G, Sichieri R, Gigante DP. Epidemiologia nutricional. Rio de Janeiro: Fiocruz, 2007; 2:49-63.

Arruda SPM, Silva AAM, Kac G, Vilela AAF, Goldani M, Bettiol H, Barbieri MA. Dietary patterns are associated with excess weight and abdominal obesity in a cohort of young Brazilian adults. European Journal of Nutrition, 2016; 55(6):2081-91.

Barbosa KBF. Instrumentos de inquérito dietético utilizados na avaliação do consumo alimentar em adolescentes: comparação entre métodos. Archivos Latinoamericanos de Nutrición, 2007; 57(1):43-50.

Bastos JLD, Duquia RP. Um dos delineamentos mais empregados em epidemiologia: estudo transversal. Scientia Medica, 2007; 17(4):229-32.

Bento A. Como fazer uma revisão da literatura: Considerações teóricas e práticas. Revista JA (Associação Acadêmica da Universidade da Madeira), 2012; 7(65):42-4.

Bielemann RM et al. Consumo de alimentos ultraprocessados e impacto na dieta de adultos jovens. Revista de Saúde Pública, 2015; 49(28).

Bloch KV, Coutinho ESF. Fundamentos da pesquisa epidemiológica. In: Medronho RA, Bloch KV, Luiz RR, Werneck GL. Epidemiologia. 2. ed. São Paulo: Atheneu, 2011:173-80.

Brasil, Conselho Nacional de Saúde. Resolução nº 466, de 12 de dezembro de 2012. Diário Oficial da União. Poder Executivo, Brasília, DF. 13 jun 2013. Seção I, p. 59-62.

Brasil. Conselho Nacional de Saúde. Lei nº 11.346, de 15 de setembro de 2006. Diário Oficial da União. Poder Executivo, Brasília, DF.

Brasil. Ministério da Saúde. Orientações para coleta e análise de dados antropométricos em serviços de saúde: norma técnica do sistema de Vigilância Alimentar e Nutricional - SISVAN. Brasília: Ministério da Saúde, 2011.

Brasil. Ministério da Saúde. Secretaria de Vigilância em Saúde. Departamento de Vigilância de Doenças e Agravos não Transmissíveis e Promoção da Saúde - VIGITEL. Brasil 2014: vigilância de fatores de risco e proteção para doenças crônicas por inquérito telefônico. Brasília: Ministério da Saúde, 2015. 152 p.

Britten N. Making sense of qualitative research: a new series. Medical Education, 2005; 39(1):5-6.

Bueno AL, Czepielewski MA. O recordatório de 24 horas como instrumento na avaliação do consumo alimentar de cálcio, fósforo e vitamina D em crianças e adolescentes de baixa estatura. Revista de nutrição - Brazilian Journal of Nutrition, 2010; 23(1):65-73.

Buzzard M. 24-hour dietary recall and food records methods. In: Willett W. Nutritional epidemiology. 2. ed. New York: Oxford University Press, 1998; 4:50-73.

Canella DS, Levy RB, Martins APB, Claro RM, Moubarac J-C, Baraldi LG, Cannon G, Monteiro CA. Ultra-processed food products and obesity in Brazilian households (2008–2009). PloS One, 2014; 9(3): e92752.

Caregnato RCA, Mutti, R. Pesquisa qualitativa: análise de discurso versus análise de conteúdo. Texto & Contexto Enfermagem, 2006; 15(4):679-84.

Carvalho MS, Souza-Santos R. Análise de dados espaciais em saúde pública: métodos, problemas, perspectivas. Cadernos de Saúde Pública, 2005; 21(2).

Castilho EA, Kalil J. Ética e pesquisa médica: princípios, diretrizes e regulamentações. Revista da Sociedade Brasileira de Medicina Tropical, 2005; 38(4):344-7.

Castro V, Moraes SA, Freitas ICM, Mondini L. Variabilidade na aferição de medidas antropométricas: comparação de dois métodos estatísticos para avaliar a calibração de entrevistadores. Revista Brasileira de Epidemiologia, 2008; 11:278-86.

Chin SH, Kahathuduwa CN, Binks M. Physical activity and obesity: what we know and what we need to know. Obesity Reviews, 2016; 17(12):1226-44.

Colucci ACA, Philippi ST, Slater B. Desenvolvimento de um questionário de frequência alimentar para avaliação do consumo alimentar de crianças de 2 a 5 anos de idade. Revista Brasileira de Epidemiologia, 2004; 7:393-401.

Conde WL, Oliveira DR, Borges CA, Baraldi LG. Consistência entre medidas antropométricas em inquéritos nacionais. Revista de Saúde Pública, 2013; 47:69-76.

Consolmagno DC, Assunção NA, Giovannetti TL, Zeraib DP, Hinnig PF, Freaza SRM, França GVA, Aguiar OB, Gambardella AMD, Bergamaschi DP. Treinamento de escolares de 7 a 10 anos para o preenchimento de um Diário Alimentar. Revista Brasileira de Epidemiologia, 2009; 12:404-12.

Cordeiro AM, Oliveira GM, Renteria JM, Guimarães CA. Revisão sistemática: uma revisão narrativa. Revista do Colégio Brasileiro de Cirurgiões, 2007; 34(6):428-31.

Cordeiro MD, Arruda SPM, Lima PPCS, Reis DM, Mendes RCM, Mendonça MP, Sampaio HAC. Associações entre letramento em saúde bucal, consumo alimentar e presença de lesões orais. Nutrición Clínica y Dietética Hospitalaria, 2017; 37(1):49-56.

Coutinho ESF, Cunha GM. Conceitos básicos de epidemiologia e estatística para a leitura de ensaios clínicos controlados - Basic concepts in epidemiology and statistics for reading controlled clinical trials. Revista Brasileira de Psiquiatria, 2005; 27(2):146-51.

El Dib RP. Como praticar a medicina baseada em evidências. Jornal Vascular Brasileiro, 2007; 6(1).

Eveleth PB, Tanner JM. Worldwide variation in human growth. 2. ed. Cambridge: Cambridge University Press, 1990.

Fisberg RM, Marchioni D, Slater B. Aplicações das DRIs na avaliação da ingestão de nutrientes para grupos. In: Sociedade Brasileira de Alimentação e Nutrição; International Life Sciences Institute. Uso e aplicações das "Dietary Reference Intakes" - DRI. SBAN/ILSI, 2001:35-46.

Fisberg RM, Marchioni DML, Colucci ACA. Avaliação do consumo alimentar e da ingestão de nutrientes na prática clínica. Arquivos Brasileiros de Endocrinologia & Metabologia, 2009; 53(5):617-24.

Frainer DES, Adami F, Vasconcelos FAG, Assis MAA, Calvo MCM, Kerpel R. Padronização e confiabilidade das medidas antropométricas para pesquisa populacional. Archivos Latinoamericanos de Nutrición, 2007; 57(4):335-42.

Franchikoski SC, Thomé C. Preocupações internacionais com segurança alimentar e nutricional: o papel da FAO. Revista Intellector-ISSN 1807-1260-CENEGRI, 2017; 14(27):126-42.

Francisco PMSB, Donalisio MR, Barros MBA, Cesar CLG, Carandina L, Goldbaum M. Medidas de associação em estudo transversal com delineamento complexo: razão de chances e razão de prevalência. Revista Brasileira de Epidemiologia, 2008:347-55.

Galvão TF, Pereira MG. Avaliação da qualidade da evidência de revisões sistemáticas. Epidemiologia e Serviços de Saúde, 2015; 24(1):173-5.

Günther H. Pesquisa qualitativa versus pesquisa quantitativa: esta é a questão. Psicologia: Teoria e Pesquisa, 2006; 22(2):201-10.

Hartling L, Dryden DM, Guthrie A, Muise M, Vandermeer B, Aktary WM, Pasichnyk D, Seida JC, Donovan L. Screening and diagnosing gestational diabetes mellitus. Evidence Report/Technology Assessment, 2012; 210:1.

Hemming K, Eldridge S, Forbes G, Weijer C, Taljaard M. How to design efficient cluster randomized trials. BMJ, 2017; 358:3064.

Hochman B. Research designs. Acta Cirúrgica Brasileira, 2005; 20:2-9.

Hoffmann K, Boeing H, Dufour A, Volatier JL, Telman J, Virtanen M, Becker W, De Henauw S. Estimating the distribution of usual dietary intake by short-term measurements. European Journal of Clinical Nutrition, 2002; 56(S2):S53.

Holanda LB, Barros Filho AA. Métodos aplicados em inquéritos alimentares. Revista Paulista de Pediatria, 2006; 24(1):62-70.

Hulley SB, Newman TB, Cummings SR. Escolhendo os sujeitos do estudo: especificação, amostragem e recrutamento. In: Hulley SB, Cummings SR, Browner WS, Grady DG, Newman TB. Delineando a pesquisa clínica. Porto Alegre: Artmed, 2015:25-34.

Hulley SB, Newman TB, Cummings SR. Planejando as aferições: precisão, acurácia e validade. In: Hulley SB, Cummings SR, Browner WS, Grady DG, Newman TB. Delineando a pesquisa clínica. Porto Alegre: Artmed, 2015:35-45.

Instituto Brasileiro de Geografia e Estatística (IBGE). Estudo Nacional de Despesa Familiar – ENDEF. Dados preliminares. Consumo alimentar, antropometria. Rio de Janeiro: IBGE, 1977.

Instituto Brasileiro de Geografia e Estatística (IBGE). Ministério da Saúde e Ministério do Planejamento, Orçamento e Gestão. Pesquisa nacional de Saúde 2013: percepção do estado de saúde, estilos de vida e doenças crônicas. Rio de janeiro: IBGE, 2014:181.

Instituto Brasileiro de Geografia e Estatística (IBGE). Pesquisa de Orçamentos Familiares 2002-2003: análise da disponibilidade domiciliar de alimentos e do estado nutricional no Brasil. Rio de Janeiro: IBGE, 2004.

Instituto Brasileiro de Geografia e Estatística (IBGE). Pesquisa de Orçamento Familiares 208-2009: análise do consumo alimentar pessoal no Brasil. Rio de Janeiro: IBGE, 2011.

Instituto Brasileiro de Geografia e Estatística (IBGE). Pesquisa Nacional de Saúde do Escolar, 2015. Rio de Janeiro: IBGE, 2016.

Kac G, Sichieri R, Gigante D. Epidemiologia nutricional. Rio de Janeiro: Fiocruz, 2007:181-200.

Kale PL, Costa AJL, Luiz RR. Medidas de associação e medidas de impacto. In: Medronho RA, Bloch KV, Luiz RR, Werneck GL. Epidemiologia. 2. ed. São Paulo: Atheneu, 2011:181-92.

Kepple AW, Gubert MB, Corrêa AMS. Instrumentos de avaliação da segurança alimentar e nutricional. In: Taddei JAAC, Lang RMF, Longo-Silva G, Toloni MHA, Veja JB. Nutrição em Saúde Pública. 2. ed. Rio de Janeiro: Rubio, 2016:61-74.

Lachat C, Hawwash D, Ocke MC, Berg C, Forsum E, Hornell A, Larsson C, Sonestedt E, Wirfalt E, Akesson A. Strengthening the Reporting of Observational Studies in Epidemiology–nutritional epidemiology (STROBE-nut): An extension of the STROBE statement. Nutrition Bulletin, 2016; 41(3):240-51.

Leal LP, Batista Filho M, Lira PIC, Figueiroa JN, Osório MM. Prevalência da anemia e fatores associados em crianças de seis a 59 meses de Pernambuco. Revista de Saúde Pública, 2011; 45:457-66.

Lefèvre F, Lefèvre AMC. O discurso do sujeito coletivo: uma nova abordagem metodológica em pesquisa qualitativa. Caxias do Sul: Educs, 2005.

Malta DC, Leal MC, Costa MFL, Morais NOL. Inquéritos Nacionais de Saúde: experiência acumulada e proposta para o inquérito de saúde brasileiro. Revista Brasileira de Epidemiologia, 2008; 11:159-67.

Marchioni DML, Slater B, Fisberg RM. Aplicação das Dietary Reference Intakes na avaliação da ingestão de nutrientes para indivíduos - Application of Dietary Reference Intakes for assessment of individuals. Revista de Nutrição, 2004; 17(2):207-16.

Marques AP, Peccin MS. Pesquisa em fisioterapia: a prática baseada em evidências e modelos de estudos. Fisioterapia e Pesquisa, 2005; 11(1):43-8.

Medronho RA, Werneck GL, Perez MA. Distribuição das doenças no espaço e no tempo. In: Medronho RA, Bloch KV, Luiz RR, Werneck GL. Epidemiologia. 2. ed. São Paulo: Atheneu, 2011.

Medronho RA. Estudos ecológicos. In: Medronho RA, Bloch KV, Luiz RR, Werneck GL. Epidemiologia. 2. ed. São Paulo: Atheneu, 2011:265-74.

Mota LMH, Laurindo IMM, Santos Neto LL. Características demográficas e clínicas de uma coorte de pacientes com artrite reumatoide inicial. Revista Brasileira de Reumatologia, 2010; 50(3):235-48.

Muccioli C, Dantas PEC, Campos M, Bicas HEA. Relevância do Comitê de Ética em Pesquisa nas publicações científicas. Arquivos Brasileiros de Oftalmologia, 2008; 71(6):773-4.

Nagahama EEI, Santiago SM. Parto humanizado e tipo de parto: avaliação da assistência oferecida pelo Sistema Único de Saúde em uma cidade do sul do Brasil. Revista Brasileira de Saúde Materno Infantil, 2011.

Newman TB (org.). Delineando a pesquisa clínica. Porto Alegre: Artmed, 2015.

Nobre MRC, Bernardo WM, Jatene FB. A prática clínica baseada em evidências: Parte III Avaliação crítica das informações de pesquisas clínicas. Revista da Associação Médica Brasileira, 2004; 50(2):221-8.

Olinto MTA. Padrões de consumo alimentar: análise por componentes principais. In: Kac G, Sichieri R, Gigante D. Epidemiologia Nutricional. Rio de Janeiro: Fiocruz, 2007:181-200.

Oliveira GJ, Oliveira ES, Leles CR. Tipos de delineamento de pesquisa de estudos publicados em periódicos odontológicos brasileiros. Revista Odonto Ciência, 2007; 22(55):42-7.

Oliveira MAP, Parente RCM. Estudos de coorte e de caso-controle na era da medicina baseada em evidência. Brazilian Journal of Videoendoscopic Surgery, 2010; 3(3):115-25.

Oliveira MP, Marques MMM, Maia FEF, Pereira CP, Silva BB, Almeida LM, Castro LMS, Maia CSC, Guedes MIF. Immunological response in mice immunised via oral route with açaí (*Euterpe oleracea Mart.*). Food and Agricultural Immunology, 2015; 26(1):38-45.

Oliveira RBA, Veras RP, Prado SD. "O Fim da Linha"? Etnografia da alimentação de idosos institucionalizados – reflexões a partir das contribuições metodológicas de Malinowski. Revista Brasileira de Geriatria e Gerontologia, 2010; 13(1):133-43.

Pêcheux M. Análise automática do discurso (AAD-69). In: Gadet F, Hak T. Por uma análise automática do discurso: uma introdução à obra de Michel Pêcheux. 2. ed. Campinas: Ed. Unicamp, 1993:61-105.

Pereira MG. Artigos científicos: como redigir, publicar e avaliar. Rio de Janeiro: Guanabara Koogan, 2014. 383p.

Pereira RA, Sichieri R. Métodos de avaliação do consumo de alimentos. In: Kac G, Sichieri R, Gigante DP. Epidemiologia nutricional. Rio de Janeiro: Atheneu, 2007; 10:181-200.

Rasella D, Aquino R, Santos CAT, Paes-Sousa R, Mauricio L, Barreto ML. Effect of a conditional cash transfer programme on childhood mortality: a nationwide analysis of Brazilian municipalities. Lancet, 2013; 382(9886):57-64.

Reichenheim ME, Paixão Junior CM, Moraes CL. Adaptação transcultural para o português (Brasil) do instrumento Hwalek-Sengstock Elder Abuse Screening Test (HS/EAST) utilizado para identificar risco de violência contra o idoso. Cadernos de Saúde Pública, 2008; 24:1801-13.

Rocha D, Deusdará B. Análise de conteúdo e análise do discurso: o linguístico e seu entorno. DELTA: Documentação e Estudos em Linguística Teórica e Aplicada, 2016; 22(1).

Rodrigues LC, Werneck GL. Estudos de coorte. In: Medronho RA, Bloch KV, Luiz RR, Werneck GL. Epidemiologia. 2. ed. São Paulo: Atheneu, 2011:237-50.

Rolim KMC, Costa RD, Thé RF, Abreu FRH. Agravos à saúde do recém-nascido relacionados à doença hipertensiva da gravidez: conhecimento da enfermeira. Revista de Enfermagem e Atenção à Saúde, 2014; 3(2).

Sales RL, Silva MMS, Costa NMB, Euclydes MP, Eckhardt VF, Rodrigues CAA, Tinôco ALA. Desenvolvimento de um inquérito para avaliação da ingestão alimentar de grupos populacionais - Development of a questionnaire to assess food intake of population groups. Revista de Nutrição, 2006; 19(5):539-52.

Sato APS, Fujimori E. Estado nutricional e ganho de peso de gestantes. Revista Latino-Americana de Enfermagem, 2012; 20(3).

Scagliusi FB, Lancha Júnior AH. Subnotificação da ingestão energética na avaliação do consumo alimentar. Revista de Nutrição, 2003; 16(4):471-81.

Schuch P, Victora C. Pesquisas envolvendo seres humanos: reflexões a partir da antropologia social. Physis: Revista de Saúde Coletiva, 2015; 25(3):779-96.

Seabra G, Padilha PC, Queiroz JA, Saunders C. Sobrepeso e obesidade pré-gestacionais: prevalência e desfechos associados à gestação. Revista Brasileira de Ginecologia e Obstetrícia, 2011; 33(11):348-53.

Silva AH, Fossá MIT. Análise de conteúdo: exemplo de aplicação da técnica para análise de dados qualitativos. Dados em Big Data, 2017; 1(1):23-42.

Silva AIS, Freitas IA, Almeida LS, Oliveira MNS, Rocha PSS, Matos ECO. A prevenção da obesidade na gestação através de ações educativas em saúde. Revista de Enfermagem e Atenção à Saúde, 2017; 6(2).

Silva DAS, Pelegrini A, Pires-Neto CS, Vieria MFS, Petroski EL. O antropometrista na busca de dados mais confiáveis. Rev Bras Cineantropom Desempenho Hum, 2011; 13(1):82-5.

Silva GAS, Rocha CMM, Almeida MFL, Lima FF, Carmo CN, Boccolini CS, Ribeiro BG, Sichieri R, Capelli JCS. Procedimentos de medição da massa corporal infantil pelos agentes comunitários de saúde de Macaé, Rio de Janeiro, 2010-2011. Epidemiologia e Serviços de Saúde, 2017; 26:579-88.

Slater B, Marchioni DL, Fisberg RM. Estimando a prevalência da ingestão inadequada de nutrientes. Revista de Saúde Pública, 2004; 38:599-605.

Slater B, Phillippi ST, Marchioni DML, Fisberg RM. Validação de Questionários de Frequência Alimentar - QFA: considerações metodológicas. Rev Bras Epidemiol, 2003; 6(3):200-8.

Sousa CA, Lira Junior MA, Ferreira RLC. Avaliação de testes estatísticos de comparações múltiplas de médias. Ceres, 2015; 59(3).

Souza MT, Silva MD, Carvalho R. Revisão integrativa: o que é e como fazer. Einstein, 2010; 8(1):102-6.

Souza RAG, Mediano MFF, Souza AM, Sichieri R. Redução do uso de açúcar em escolas públicas: ensaio randomizado por conglomerados. Revista de Saúde Pública, 2013; 47:666-74.

Sperandio N, Priore SE. Inquéritos antropométricos e alimentares na população brasileira: importante fonte de dados para o desenvolvimento de pesquisas. Ciência & Saúde Coletiva, 2017; 22(2):499-508.

Stake RE. Estudos de caso em pesquisa e avaliação educacional. Educação e Seleção, 2013; 07:5-14.

Subar AF, Dodd KW, Guenther PM, Kipnis V, Midthune D, McDowell M, Tooze JA, Freedman LS, Krebs-Smith SM. The food propensity questionnaire: concept, development, and validation for use as a covariate in a model to estimate usual food intake. Journal of the American Dietetic Association, 2006; 106(10):1556-63.

Taquette SR, Minayo MCS. Características de estudos qualitativos conduzidos por médicos: revisão da literatura. Ciência & Saúde Coletiva, 2015; 20:2423-30.

Toledo ALA, Koifman RJ, Koifman S, Marchioni DML. Dietary patterns and risk of oral and pharyngeal cancer: a case-control study in Rio de Janeiro, Brazil. Cadernos de Saúde Pública, 2010; 26:135-42.

Tucker KL. Assessment of usual dietary intake in population studies of gene – diet interaction. Nutrition, Metabolism and Cardiovascular Diseases, 2007; 17(2):74-81.

Turato, ER. Métodos qualitativos e quantitativos na área da saúde: definições, diferenças e seus objetos de pesquisa. Revista de Saúde Pública, 2005; 39:507-14.

Vasconcellos MTL, Silva PLN, Szklo M, Kuschnir MCC, Klein CH, Abreu GA, Barufaldi LA, Bloch KV. Desenho da amostra do Estudo do Risco Cardiovascular em Adolescentes (ERICA). Cadernos de Saúde Pública, 2015; 31(5):921-30.

Vasconcelos G, Assis F. Tendências históricas dos estudos dietéticos no Brasil. História, Ciências, Saúde - Manguinhos, 2007; 14(1).

Werneck GL, Almeida LM. Validade em estudos epidemiológicos. In: Medronho RA, Bloch KV, Luiz RR, Werneck GL. Epidemiologia. 2. ed. São Paulo: Atheneu, 2011.

Whittemore R, Knafl K. The integrative review: updated methodology. Journal of Advanced Nursing, 2005; 52(5):546-53.

Willet WC. Implications of total energy intake for epidemiologic analyses. In: _____. Nutritional epidemiology. 3. ed. New York: Oxford University Press, 2013:260-86.

Willet WC. Overview of nutritional epidemiology. In: _____ Nutritional epidemiology. 3. ed. New York: Oxford University Press, 2013:1-16.

Willett WC. Nutritional epidemiology. 3. ed. New York: Oxford University Press, 2013. 529p.

Yin RK. Estudo de caso: planejamento e métodos. 3. ed. Porto Alegre: Bookman, 2005.

Capítulo 19

Tópicos Especiais em Nutrição Humana (NH)

Sara Maria Moreira Lima Verde
Ádila da Silva Castro

Questões

1. (NH) O microbioma intestinal humano é um sistema com pelo menos 100 trilhões de bactérias, 90% delas das famílias *Firmicutes* ou *Bacteriodetes*. Esse sistema pode trabalhar gerando saúde em seu hospedeiro ou, algumas vezes, iniciando ou desenvolvendo doenças, como o câncer, em especial o colorretal (CRC). Quanto à relação entre microbioma intestinal humano e CRC, avalie as asserções a seguir e a relação proposta entre elas.

   I. A microbiota intestinal humana tem papel-chave na tumorigênese do CRC, em especial na condição de disbiose.

   PORQUE

   II. A partir dos ácidos biliares que escapam da circulação entero-hepática, há a produção de ácidos biliares secundários pela microbiota intestinal humana, os quais estão envolvidos na modulação de sinalização intracelular e expressão gênica e na iniciação da carcinogênese.

   Acerca dessas asserções, assinale a opção CORRETA.

   a) As asserções I e II são verdadeiras e a II é uma justificativa da I.
   b) As asserções I e II são verdadeiras, mas a II não justifica a I.
   c) A asserção I é uma proposição verdadeira e a II é uma proposição falsa.
   d) A asserção I é uma proposição falsa e a II é uma proposição verdadeira.
   e) As asserções I e II são proposições falsas.

2. (NH) A modulação dietética do microbioma intestinal humano tem sido um importante alvo no tratamento da obesidade. Considerando a relação entre cuidado com o microbioma intestinal humano e o controle da obesidade, avalie as afirmações a seguir:

   I. O uso do simbiótico promove redução do índice de massa corporal (IMC), do peso e da massa gorda.

II. Os *Lactobacillus* são mais eficazes que as *Bifidumbacterium* no controle da obesidade.
III. O uso do probiótico e do prebiótico reduz o IMC, o peso e a massa gorda.
IV. A modulação do microbioma intestinal humano para controle da obesidade inclui o uso de prebióticos, probióticos e simbióticos.
V. Os efeitos dos probióticos sobre a obesidade aparecem apenas com doses altas e quando usados por mais de 12 semanas.

É correto apenas o que se afirma em:

a) I, II e V.
b) I, III e IV.
c) I, III e V.
d) II, III e IV.
e) II, IV e V.

3. (NH) A modulação dietética do microbioma intestinal humano para o tratamento da obesidade continua sendo uma área com enorme potencial de estudo e alguns mecanismos de ação buscam explicitar essa relação. Sobre esses mecanismos, analise as afirmativas a seguir.

I. Algumas famílias de probióticos, como *Firmicutes*, resgatam mais calorias das fibras da dieta, contribuindo para a obesidade.
II. Os probióticos desconjugam os ácidos biliares e reduzem a eficiência na absorção de lipídios, contribuindo para a redução da massa gorda.
III. Os ácidos graxos de cadeia curta produzidos pelo microbioma intestinal humano reduzem a inflamação intestinal, promovendo a redução da resistência à insulina e a da lipogênese.
IV. Os peptídeos YY (PYY) e GL-P1 são hormônios derivados do intestino que reduzem o apetite e o esvaziamento gástrico, conduzindo ao controle da saciedade central.

É correto apenas o que se afirma em:

a) I.
b) I e III.
c) I e IV.
d) II, III e IV..
e) I, II, III e IV

4. (NH) A obesidade e o câncer são reconhecidos mundialmente como importantes problemas de saúde pública, e diferentes estudos têm mostrado uma forte relação entre essas duas doenças, indicando a obesidade como fator de risco modificável. Por isso,

muitos mecanismos de ação são propostos para esclarecer essa interface entre as duas afecções e marcadores bioquímicos da obesidade são investigados a fim de explicar essa relação.

Nesse contexto, associe o marcador bioquímico da obesidade ao mecanismo de ação que o unifica para a promoção do câncer.

(1) Glucagon
(2) Ceruloplasmina
(3) Adiponectina
(4) Ácido graxo sintetase

( ) Envolvida com a angiogênese
( ) Aumenta a sensibilidade à insulina
( ) Aumento na expressão é associado a pior prognóstico do câncer
( ) Seu análogo (GLP-1) inibe a invasão do tecido adiposo por macrófagos pró-inflamatórios

A sequência CORRETA dessa associação é:

a) (3), (4), (1), (2).
b) (2), (1), (4), (3).
c) (1), (4), (3), (2).
d) (2), (3), (1), (4).
e) (2), (3), (4), (1).

5. (NH) Entre os diferentes mecanismos de ação que explicam a relação entre obesidade e câncer estão aqueles ligados às adipocitocinas (leptina e adiponectina). Qual dos mecanismos apresentados a seguir explica melhor a relação entre adiposidade e carcinogênese?
   a) A adiponectina atua na estimulação do VEGF (fator de crescimento endotelial vascular).
   b) A leptina atenua a ação da ciclina D1, estimulando a progressão do ciclo celular e a supressão da apoptose.
   c) Adiponectina e leptina apresentam concentrações proporcionais em indivíduos obesos e efeitos semelhantes sobre a carcinogênese.
   d) AdipoR1 e AdipoR2 estão expressos na maioria das células neoplásicas e, quando ligados à adiponectina, ativam a rede de sinalização do AMPK (proteína quinase ativada por adenosina monofosfato).
   e) A leptina é um estimulador da proliferação celular e do crescimento tumoral por inibir a fosforilação do MAPK (proteína quinase ativada por mitógenos) e pelo aumento na expressão de seus receptores.

6. (NH) A obesidade ativa numerosas cascatas de sinalização oncogênicas, promovendo sobrevida, proliferação e metabolismo da célula tumoral. Assim, é criticamente importante diminuir o impacto da obesidade sobre a carcinogênese a fim de minimizar o desenvolvimento e a recidiva da doença. A intervenção mais óbvia para minimizar os efeitos da obesidade sobre a carcinogênese é a redução do peso. Entretanto, outras estratégias também têm sido apontadas na literatura para minimizar essa causalidade obesidade-câncer.

Quanto ao cuidado com o impacto da obesidade sobre a carcinogênese, avalie as asserções a seguir e a relação proposta entre elas.

I. O uso de dietas ricas em carboidratos complexos em detrimento dos açúcares e carboidratos refinados se mostra mais eficaz que dietas *low-carb*.

PORQUE

II. Há aumento da sensibilidade à insulina, redução da glicose sanguínea e ativação da AMPK.

a) As asserções I e II são verdadeiras e a II é uma justificativa da I.
b) As asserções I e II são verdadeiras, mas a II não justifica a I.
c) A asserção I é uma proposição verdadeira e a II é uma proposição falsa.
d) A asserção I é uma proposição falsa e a II é uma proposição verdadeira.
e) As asserções I e II são proposições falsas.

7. (NH) Em metanálise recente, Picon-Ruiz *et al.* (2017) apresentam aspectos importantes da relação entre obesidade e câncer de mama, indicando diferentes mecanismos de ação que buscam explicar a causalidade entre as duas doenças. Parte importante dos mecanismos está relacionada ao metabolismo do tecido adiposo obeso. A figura abaixo apresenta as diferenças metabólicas entre o tecido adiposo obeso e o magro, bem como no processo de ganho de peso, com indicação de biomarcadores envolvidos na carcinogênese.

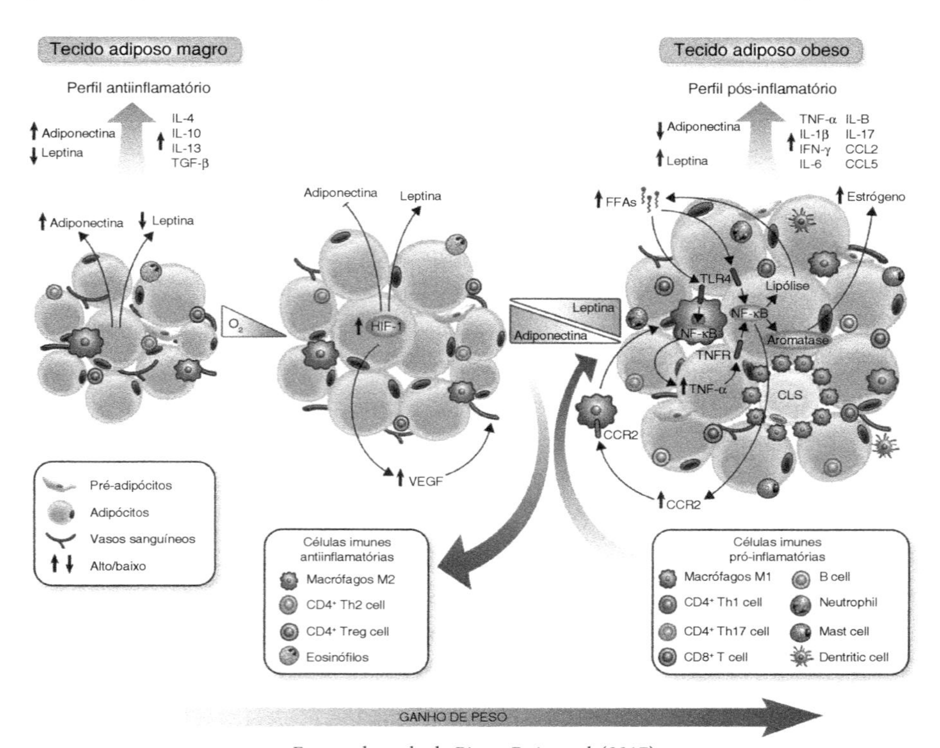

Fonte: adaptada de Picon-Ruiz *et al.* (2017)

Com base na figura, conclui-se que a relação entre obesidade e câncer de mama pode ser explicada por:

a) A obesidade se caracteriza como uma condição anti-inflamatória de baixa intensidade.

b) Leptina e adiponectina são secretadas de modo semelhante no tecido adiposo obeso e magro.

c) O ganho de peso não altera o movimento metabólico do tecido adiposo, sendo considerado uma etapa de transição.

d) O TNF-α, uma citocina pró-inflamatória, ativa o NF-κB (fator de transcrição nuclear), envolvido com a manutenção do ambiente inflamatório e com a acionamento de cascatas carcinogênicas.

e) O tecido adiposo magro apresenta macrófagos, adipócitos e pré-adipócitos semelhantes aos do tecido adiposo obeso, os quais se diferenciam pela intensidade das atividades metabólicas presentes em cada um deles.

8. (NH) A análise por bioimpedância elétrica tem sido usada em diferentes populações para avaliar o estado nutricional e a saúde geral dos pacientes. Pacientes com câncer frequentemente apresentam má nutrição e caquexia, que complicam o curso do tratamento e a evolução da doença, o que implica a necessidade de uma avaliação nutricional específica com parâmetros que auxiliem a condução da intervenção.

Considerando a bioimpedância e o ângulo de fase na avaliação nutricional do paciente oncológico, analise as assertivas a seguir.

I. Valores de ângulo de fase normal dependem da raça, do sexo e do estado de saúde.

II. O ângulo de fase é um derivado indireto das medidas cruas de resistência e reactância.

III. A redução no ângulo de fase indica pior desfecho e menor sobrevida do paciente oncológico.

IV. O ângulo de fase é uma medida independente do índice de massa corporal e da idade.

V. Valores elevados de resistência e baixos de reactância e ângulo de fase refletem boa hidratação e perda da integridade celular, condição característica da caquexia.

É correto apenas o que se afirma em:

a) I e II.

b) II e IV.

c) II, III e V.

d) I, II, IV e V.

e) I, III, IV e V.

9. (NH) Sarcopenia é definida como a perda da massa muscular, sua força ou função, durante a senescência e na presença de afecções graves à saúde, como o câncer. Atualmente,

avanços na avaliação nutricional são representados por uma ampla variedade de exames de imagem, funcionais e bioquímicos para avaliar a massa muscular e o diagnóstico de sarcopenia.

Nesse contexto, associe o exame de avaliação da massa muscular à descrição correta do que ele se propõe medir.

1. Circunferência muscular do meio do braço
2. Tomografia computadorizada
3. Absortometria radiológica de dupla energia (DXA)
4. Potássio total e parcial

( ) Padrão-ouro na avaliação da sarcopenia
( ) Exame mais comum em avaliação da composição corporal, mas que usa equipamento não portátil
( ) Exame não invasivo e adequado para uso na atenção básica à saúde
( ) Não indicado para estimar massa muscular em adultos mais velhos

A sequência CORRETA dessa associação é:

a) (3), (4), (1), (2).
b) (2), (1), (4), (3).
c) (1), (4), (3), (2).
d) (2), (3), (1), (4).
e) (2), (3), (4), (1).

10. (NH) Esclerose múltipla (EM) é a enfermidade mais comum do sistema nervoso central (SNC) e afeta milhares de pessoas no mundo, sendo mais frequente entre mulheres jovens. Avanços no estudo da EM destacam a relação entre a alimentação e o estado nutricional e a enfermidade. A respeito das evidências atuais sobre essa relação, avalie as assertivas a seguir.

I. A deficiência de vitamina D favorece o desenvolvimento da EM.
II. Níveis adequados de vitamina D na gravidez e na infância previnem a EM.
III. A EM apresenta curso mais favorável na presença de níveis adequados de selênio, ferro e vitaminas antioxidantes.
IV. Manter o índice de massa corporal (IMC) $< 18{,}5$ kg/m^2 auxilia a manutenção de melhor desempenho físico entre os pacientes com EM.

É correto apenas o que se afirma em:

a) I e II.
b) I e III.
c) II e IV.
d) I, III e IV.
e) II, III e IV.

11. (NH) Segundo Bagur *et al.* (2017), a esclerose múltipla (EM) é uma doença autoimune inflamatória crônica. O papel de fatores nutricionais e da intervenção nutricional na EM têm sido amplamente estudado. Sobre a intervenção nutricional na EM, entende-se que:
    a) A deficiência de vitamina B_{12} contribui para a manutenção da condição inflamatória característica da EM.
    b) Ácidos graxos saturados precisam ser oferecidos na dieta para EM por estarem envolvidos na redução do estresse oxidativo e da inflamação.
    c) A vitamina D tem um papel antioxidante e anti-inflamatório, o que explica a necessidade do cuidado com sua concentração na EM.
    d) A dieta deve ser rica em ômega 3 e ômega 6 para atenuar o processo inflamatório da EM.
    e) Dietas alternativas podem ser opções quando o paciente não responde à intervenção dietética tradicional.

12. (NH) A epidemia da obesidade e sua relação com condições de saúde crescem mundialmente, existindo 2,1 bilhões de adultos com sobrepeso ou obesidade. Assim, há necessidade urgente de prevenção e gerenciamento dessa afecção, o que conduz a diversos estudos, entre os quais os de nutrigenética, que indicam SNP (*single nucleotide polymorphism*) no gene associado à obesidade (FTO) como promotor da condição de obesidade. Sobre o gene FTO e a obesidade, avalie as assertivas a seguir e a relação entre elas.
    I. FTO é expresso apenas no tecido adiposo.
    II. A prática de atividade física modula a expressão do FTO.
    III. A homeostase energética está alterada nos indivíduos com SNP no FTO.
    IV. SNP no FTO indica 1,3 mais chance de ter IMC > 30 kg/m^2.
    V. FTO tem alta expressão no hipotálamo, o que implica maior controle da saciedade e maior acúmulo de gordura.

    É correto apenas o que se afirma em:
    a) I, II e V.
    b) I, III e IV.
    c) I, III e V.
    d) II, III e IV.
    e) II, IV e V.

13. (NH) O uso da bioimpedância elétrica (BIA) tem se tornado mais frequente na avaliação e no monitoramento do estado nutricional. O ângulo de fase (AF) é uma medida direta da BIA apontado como importante na avaliação e no monitoramento nutricional por:
    a) Ser quantificado pela razão entre reactância (Xc) e resistência (R).
    b) Indicar o estado de hidratação dos pacientes e contribuir com a avaliação e o monitoramento do edema.

c) Ter valores de referência estabelecidos para doenças distintas, mostrando acurácia na avaliação do estado nutricional.

d) Estimar a progressão da doença, sendo superior a outros indicadores nutricionais na avaliação do prognóstico clínico.

e) Diminuir com a idade e aumentar com o IMC > 35 kg/m^2.

14. (NH) Epilepsia é uma doença neurológica comum, na maioria dos pacientes controlada com um ou mais agentes antiepilépticos. No entanto, 20 a 30% dos pacientes têm epilepsia refratária, e a dieta cetogênica tem sido usada nesses casos como tratamento para redução das crises em crianças. Contudo, adultos com epilepsia refratária também podem ser beneficiados com o tratamento dietético. Sobre o tratamento dietético para adultos com epilepsia refratária, avalie as asserções a seguir e a relação proposta entre elas.

I. A dieta cetogênica em adultos com epilepsia refratária deixa 13% desses pacientes livres das crises em razão de seus mecanismos anticonvulsivantes.

PORQUE

II. Promove aumento do LDL-colesterol, da letargia, da diarreia, da constipação e da perda de peso.

Acerca dessas asserções, assinale a opção correta.

a) As asserções I e II são verdadeiras e a II é uma justificativa da I.

b) As asserções I e II são verdadeiras, mas a II não justifica a I.

c) A asserção I é uma proposição verdadeira e a II é uma proposição falsa.

d) A asserção I é uma proposição falsa e a II é uma proposição verdadeira.

e) As asserções I e II são proposições falsas.

15. (NH) Um número importante de revisões de literatura menciona a vitamina D como fator de risco para diversas desordens neurológicas e mentais, como depressão, autismo e déficit de atenção e hiperatividade. Sobre os mecanismos de ação que buscam explicar a relação entre os níveis de vitamina D e as desordens neurológicas, avalie as assertivas a seguir.

I. A vitamina D regula a síntese de serotonina.

II. A vitamina D promove aumento dos níveis de Ca^{2+}, prevenindo o início da depressão.

III. A presença de receptores de vitamina D no cérebro humano sugere a ação neuro-hormonal desse nutriente.

IV. A tirosina hidroxilase, enzima envolvida com a produção de serotonina, tem sua expressão regulada pelos níveis de vitamina D.

É correto apenas o que se afirma em:

a) I e II.

b) I e III.

c) II e IV.
d) I, III e IV.
e) II, III e IV.

16. (NH) Estudos atuais exploram a relação entre os padrões alimentares e nutrientes específicos e o risco de distúrbios mentais, como a depressão. O uso terapêutico dos probióticos pode exercer efeitos no sistema nervoso central (SNC), reduzindo assim os sintomas da depressão. Considerando os mecanismos de ação dos probióticos na melhora do quadro de depressão, avalie as afirmações a seguir.

I. Aumentam a permeabilidade intestinal, facilitando a saída de endotoxinas da corrente sanguínea e melhorando a atividade neurotransmissora.
II. Melhoram a integridade do revestimento intestinal, reduzindo a ação de toxinas e da inflamação global, o que contribui para amenizar os sintomas.
III. Aumentam a produção de triptofano livre, e por sua vez a de serotonina, reduzindo os sintomas depressivos causados pelo déficit desse neurotransmissor.

É correto apenas o que se afirma em:

a) I.
b) III.
c) I e II.
d) II e III.
e) I, II e III.

17. (NH) O câncer colorretal (CCR) pode afetar todo o comprimento do intestino grosso e do reto. Os fatores etiológicos do CCR são múltiplos e envolvem alterações modificáveis e não modificáveis, e assume-se que a maioria dos casos pode ser prevenida. Nos últimos anos, observou-se que a composição da microbiota intestinal é um importante fator de risco para o desenvolvimento de CRC.

Os probióticos podem desempenhar ação anticarcinogênica no câncer colorretal por meio:

a) Do aumento da expressão de COX-2, uma enzima que catalisa a produção de prostaglandinas a partir do ácido araquidônico e está relacionada com risco menor de CCR, pois reduz a proliferação celular e o processo pró-inflamatório.
b) Da modificação da composição e atividade metabólica da microbiota intestinal, o que reduz a produção de enzimas capazes de converter hidrocarbonetos aromáticos policíclicos, aminas aromáticas heterocíclicas e ácidos biliares primários em carcinogênicos ativos.
c) Da produção de compostos com atividade anticarcinogênica, como ácidos graxos de cadeia longa e ácido oleico.
d) De sua interação com as células imunes presentes no trato gastrointestinal. Seus metabólitos são reconhecidos por receptores das células imunes e epiteliais,

induzindo a secreção de citocinas pró-inflamatórias que podem ajudar a regular a resposta imune.

e) Do aumento da produção de imunoglobulina E e, em virtude de sua sensibilidade à proteólise, essa imunoglobulina atua sobre a barreira intestinal, limitando o contato de compostos potencialmente carcinogênicos presentes no lúmen intestinal com colonócitos.

18. (NH) Estudos atuais sugerem que abordagens nutricionais podem reduzir a gravidade dos sintomas centrais de indivíduos com transtorno do espectro autista (TEA). Quanto às atuais alternativas do cuidado nutricional para indivíduos com TEA, avalie as asserções a seguir e a relação proposta entre elas.

I. A adesão à dieta livre de glúten e de caseína parece reduzir os sintomas do trato gastrointestinal, bem como melhora as habilidades de fala e comunicação, diminui o comportamento hiperativo, melhora a atenção e o foco e reduz os problemas de sono.

PORQUE

II. Os peptídeos do glúten e da caseína podem desencadear uma produção anormal de citocinas, causando defeitos nas vias imunológicas e resultando em inflamação do trato gastrointestinal; à medida que a permeabilidade intestinal aumenta, esses peptídeos entram na corrente sanguínea e passam pela barreira hematoencefálica, causando danos ao sistema nervoso central.

Acerca dessas asserções, assinale a opção CORRETA.

a) As asserções I e II são proposições verdadeiras e a II é uma justificativa correta da I.
b) As asserções I e II são verdadeiras, mas a II não justifica a I.
c) A asserção I é uma proposição verdadeira e a II é uma proposição falsa.
d) A asserção I é uma proposição falsa e a II é uma proposição verdadeira.
e) As asserções I e II são proposições falsas.

19. (NH) A crescente prevalência de transtorno do espectro autista (TEA) abriu caminho para pesquisas sobre vários métodos de tratamento, sendo a nutrição, que se acredita estar ligada ao transtorno, um dos tópicos de pesquisa. Terapias nutricionais específicas para o TEA têm sido estudadas e desenvolvidas; nesse contexto, a dieta cetogênica, a exclusão de aditivos alimentares e de frutose, e o uso de probióticos se destacam como algumas das abordagens nutricionais atuais.

Avalie as afirmações a seguir.

I. A dieta cetogênica, caracterizada por uma quantidade muito baixa de lipídios e elevado teor de carboidratos, induz maior síntese de corpos cetônicos para a produção de energia, reduzindo perturbações metabólicas e acarretando alívio dos sintomas centrais do TEA.

II. Suplementação contendo *Lactobacillus acidophilus* pode induzir melhorias significativas nos principais domínios comportamentais, especialmente na capacidade de concentração e na de seguir as instruções.

III. O consumo de alimentos *in natura* foi relatado como eficaz na prevenção e no tratamento da doença, pois os aditivos alimentares presentes nos alimentos industrializados têm alto teor de mercúrio, envolvido na piora dos sintomas dessa população.

IV. Indivíduos com TEA apresentam alteração da permeabilidade intestinal, e níveis altos de consumo de frutose podem conduzir à inflamação. A frutose pode ainda desempenhar um papel no crescimento de *Streptococci, Candida* e parasitas no trato gastrointestinal e pode aumentar os sintomas de desordens neuropsiquiátricas.

É correto apenas o que se afirma em:

a) I e III.
b) I e IV.
c) II e III.
d) I, II e IV.
e) II, III e IV.

20. (NH) O estado nutricional de pacientes com câncer é muito diversificado. Estudos mostram alta prevalência de sobrepeso e obesidade em alguns tipos de cânceres mesmo em pacientes com baixa massa muscular. Esse padrão de composição corporal é denominado obesidade sarcopênica e tem sido estabelecido como preditor de piores estado funcional, resposta ao tratamento e prognóstico da doença.

A busca por uma intervenção nutricional efetiva que melhore a composição corporal é de extrema importância clínica. O ácido eicosapentaenoico (EPA) foi identificado como um nutriente promissor com amplos benefícios nesse aspecto por:

a) Atenuar a deterioração do estado nutricional resultante das terapias antineoplásicas, porém reduzindo a efetividade do tratamento.
b) Inibir estímulos catabólicos mediante a modulação da produção de citocinas pró-inflamatórias e o aumento da sensibilidade à insulina que induz a síntese proteica.
c) Aumentar o consumo de energia e de proteína, embora não apresente efetividade sobre a composição corporal.
d) Reduzir o estímulo de anabolismo, fomentando a produção de citocinas anti-inflamatórias, contribuindo assim com a melhora da composição corporal, com o aumento da síntese proteica e consequentemente com a melhora no perfil de massa magra.
e) Auxiliar a redução dos processos lipolíticos e o estímulo à produção de citocinas pró-inflamatórias.

21. (NH) A vitamina D é essencial para resultados positivos na programação fetal e mesmo antes da gestação inicia ou mantém ações para facilitar a fertilização.

Considerando a relação da vitamina D com a fertilidade, analise as afirmações a seguir.

I. A vitamina D pode influenciar diretamente a motilidade do espermatozoide e a biossíntese de estrogênio e de testosterona, os quais exercem influência positiva sobre a fertilidade masculina.

II. A deficiência de vitamina D pode afetar negativamente a fertilidade feminina por perturbar a fisiologia do ovário e desregular o recrutamento e a seleção folicular.

III. Em gestantes, os níveis baixos de vitamina D podem levar a uma redução dos fatores de crescimento da placenta, o que, por sua vez, pode conduzir à pré-eclâmpsia e ameaçar o crescimento do feto.

É correto apenas o que se afirma em:

a) II.

b) III.

c) I e II.

d) I e III.

e) I, II e III.

22. (NH) O excesso de peso e a obesidade são definidos como o acúmulo excessivo de gordura corporal, o que representa um risco para a saúde, de acordo com a Organização Mundial da Saúde (OMS). A crescente preocupação com o impacto do excesso de peso na saúde tem levado a estudos que lançam luz sobre os tipos de obesidade, diferentes do modelo clássico de diagnóstico nutricional de obesidade.

Nessa perspectiva, a síndrome do obeso eutrófico tem sido considerada um importante diagnóstico e se caracteriza por apresentar:

a) Peso dentro dos limites normais de acordo com o IMC, mas com elevada porcentagem de gordura corporal.

b) Perda de massa magra e de força muscular, porém com percentual de gordura elevado.

c) Peso adequado de acordo com o IMC e percentual de gordura adequado, porém apresenta mudanças relacionadas à síndrome metabólica.

d) IMC dentro da normalidade, mas com aumento da gordura visceral.

e) Percentual de gordura corporal dentro dos parâmetros de normalidade, porém com IMC elevado.

23. (NH) Considerando a síndrome do obeso eutrófico e suas repercussões para a saúde, avalie as afirmações a seguir.

I. Os indivíduos com a síndrome podem ou não apresentar alterações em outros parâmetros, como circunferência da cintura (CC), relação cintura-quadril (RCQ) e percentual de gordura androide ou ginoide.

II. Dados antropométricos como CC, RCQ e percentual de gordura são parâmetros geralmente usados para fornecer informação diagnóstica acerca de indivíduos com a síndrome.

III. Os indivíduos tendem a desenvolver certas condições de saúde características, como estado pró-inflamatório de baixo grau, aumento do estresse oxidativo, resistência à insulina e dislipidemia, que aumentam o risco de doença cardiovascular e síndrome metabólica.

É correto apenas o que se afirma em:

a) I.
b) II.
c) I e III.
d) II e III.
e) I, II e III.

24. (NH) A inflamação crônica está associada a lesões oxidativas ao DNA, o que pode ocasionar mutações em genes que conduzem ao desenvolvimento de doenças crônicas, como o câncer. O papel da dieta na inflamação crônica também tem sido amplamente analisado, sendo desenvolvido o índice inflamatório da dieta (IID).

Considerando o IID, julgue as afirmações a seguir.

I. As pontuações mais baixas do IID indicam uma dieta mais pró-inflamatória, enquanto os escores mais altos indicam uma dieta mais anti-inflamatória com propriedades semelhantes à dieta mediterrânea.

II. Foi criado para avaliar o potencial inflamatório de itens alimentares de indivíduos e grupos populacionais usando questionários de frequência alimentar (QFA).

III. O IID utiliza dados do QFA para calcular uma "pontuação" que pode ser usada para examinar a associação entre a inflamação relacionada com a dieta e o risco de várias doenças crônicas, incluindo a incidência e a mortalidade do câncer.

É correto apenas o que se afirma em:

a) I.
b) III.
c) I e II.
d) II e III.
e) I, II e III.

25. (NH) O índice inflamatório da dieta (IID) avalia o potencial inflamatório dos alimentos e pode ser usado para examinar a associação entre a inflamação relacionada com a dieta e o risco de várias doenças crônicas, incluindo a incidência e a mortalidade do câncer.

Considerando a relação existente entre o IID da dieta e o câncer, avalie as afirmações a seguir.

I. Dietas ricas em hidratos de carbono e gorduras saturadas e pobres em fibras podem aumentar a resposta imune inata por induzirem aumento na produção de citocinas pró-inflamatórias e reduzirem as citocinas anti-inflamatórias, representadas, portanto, por maior IID.

II. As dietas ricas em frutas e vegetais têm maior IID e podem contribuir para a redução do risco de câncer por ajudar a atenuar a inflamação e melhorar a função imune.

III. Uma dieta anti-inflamatória pode direta ou indiretamente acarretar mudanças epigenéticas que podem melhorar a tumorigênese, como redução do estresse oxidativo induzido pelo processo inflamatório.

É correto apenas o que se afirma em:

a) II.
b) III.
c) I e II.
d) I e III.
e) I, II e III.

26. (NH) Nas últimas décadas, os sistemas alimentares globais passaram por mudanças marcantes devido aos avanços no processamento de alimentos e tecnologia que resultaram em maiores disponibilidade, acessibilidade e comercialização de alimentos altamente processados. Para o estudo do efeito da qualidade nutricional na saúde, considera-se necessária uma nova abordagem na avaliação do consumo alimentar, utilizando uma nova classificação de alimentos que caracteriza os diversos níveis de processamento.

Considerando a classificação dos alimentos por nível de processamento, analise as afirmações a seguir.

I. Os alimentos *in natura* ou minimamente processados são partes de plantas ou animais que não foram processados industrialmente ou foram alterados de maneira que não adicionam nenhuma substância nova (como gorduras, açúcar ou sal), mas podem envolver a remoção de partes do produto.

II. Exemplos de alimentos minimamente processados incluem frutas ou legumes, carne fresca ou congelada, ovos, leite, arroz ou outros grãos.

III. Os alimentos processados são produzidos com adição de sal, óleo, açúcar ou outros ingredientes culinários aos alimentos minimamente processados.

IV. Os alimentos ultraprocessados, apesar das modificações, permanecem reconhecíveis como versões modificadas de alimentos não processados e incluem itens como frutas ou vegetais em conserva, nozes salgadas, carnes curadas ou defumadas e queijo.

V. Os alimentos ultraprocessados são definidos como formulações industriais com vários ingredientes e incluem bebidas adoçadas com açúcar, pães embalados, biscoitos, salgadinhos, doces, sorvetes, cereais matinais e congelados pré-preparados.

É correto apenas o que se afirma em:

a) I e III.
b) III e IV.
c) II, IV e V.
d) I, II, III e V.
e) I, II, IV e V.

27. (NH) Para identificar fatores dietéticos associados ao aumento do risco de ganho de peso e obesidade, os pesquisadores tradicionalmente se concentram em nutrientes, alimentos ou padrões alimentares. Uma linha emergente de investigação explora o papel do processamento de alimentos.

    Quanto ao consumo de alimentos ultraprocessados e à obesidade, avalie as asserções a seguir e a relação proposta entre elas.

    I. Os alimentos ultraprocessados tendem a ser densos em energia e ricos em gordura saturada e trans, açúcar adicionado e sódio, além de carboidratos refinados, e estão envolvidos diretamente no desenvolvimento da obesidade.

    PORQUE

    II. Esses alimentos podem alterar a resposta à insulina e promover o excesso de nutrientes da oxidação para o armazenamento no tecido adiposo. Além disso, o alto teor de carboidratos refinados ou de gordura pode produzir mudanças nos neurocircuitos de recompensa, levando a comportamentos alimentares que causam dependência e ao consumo excessivo.

    Acerca dessas asserções, assinale a opção CORRETA.

    a) As asserções I e II são proposições verdadeiras e a II é uma justificativa correta da I.
    b) As asserções I e II são verdadeiras, mas a II não justifica a I.
    c) A asserção I é uma proposição verdadeira e a II é uma proposição falsa.
    d) A asserção I é uma proposição falsa e a II é uma proposição verdadeira.
    e) As asserções I e II são proposições falsas.

28. (NH) Atualmente, os profissionais de Nutrição abordam os pacientes para alcançar os objetivos considerando os aspectos da nutrição comportamental. Sem a compreensão correta do que significa comportamento alimentar, o foco da abordagem nutricional pode ser inadequado, especialmente quando o objetivo é promover uma mudança efetiva de comportamento.

    Nessa perspectiva, qual a definição de comportamento alimentar?

    a) É a relação do indivíduo com os alimentos e sua dieta.
    b) É como e de que forma se come. São as ações em relação ao ato de se alimentar.
    c) São os costumes e o modo de comer de uma pessoa ou comunidade (geralmente inconsciente, sem pensar).
    d) É a forma com que os indivíduos se relacionam com a alimentação em diferentes esferas.
    e) São crenças, pensamentos, sentimentos, comportamentos e relacionamento com os alimentos.

29. (NH) Apesar dos avanços da ciência, o tratamento nutricional tradicional nem sempre se mostra eficaz para melhorar os parâmetros de saúde da população. Por isso, são

necessárias novas ferramentas e abordagens para reforçar a motivação voltada à mudança de comportamentos com a comida.

Nesse contexto, associe as duas colunas, relacionando as diferentes abordagens nutricionais e suas características.

Abordagens nutricionais	Características
1. Aconselhamento nutricional 2. Terapia cognitivo-comportamental 3. Entrevista motivacional 4. Comer com atenção plena	( ) Seu principal objEtivo é trazer à tona as motivações intrínsecas do paciente para mudar determinado comportamento alimentar por meio do diálogo entre o profissional de saúde e o paciente. ( ) Fundamenta-se na ênfase das vivências associadas ao comer, bem como nos pensamentos e percepções do profissional. Assim, combina conhecimentos nutricionais e habilidades terapêuticas focadas na alimentação. ( ) É uma experiência que engaja todas as partes do ser – corpo, mente e coração – na escolha e preparo da comida, bem como no ato de comê-la em si. Envolve todos os sentidos e permite curiosidade e criatividade na investigação das respostas à comida e aos sinais internos de fome e saciedade. ( ) Baseia-se na associação de dois princípios centrais: que as cognições têm uma influência controladora sobre nossas emoções e comportamentos e que o modo como agimos ou nos comportamos pode afetar profundamente nossos padrões de pensamento, emoções e alimentação. Portanto, as mudanças acontecem na medida em que ocorrem alterações nos modos disfuncionais de pensamento

A sequência CORRETA dessa classificação é:

a) (3), (1), (4), (2).

b) (2), (1), (4), (3).

c) (3), (4), (1), (2).

d) (2), (3), (1), (4).

e) (1), (4), (3), (2).

30. (NH) O nível de processamento abrange amplas abordagens para manipular matérias-primas na fabricação de bens de consumo. Processos como mistura, extrusão ou aquecimento podem destruir estruturas da parede celular natural de um alimento e em muitos casos o processamento produz alimentos suavemente texturizados, que são consumidos rapidamente e promovem o consumo aumentado de energia.

    Com relação à associação do processamento dos alimentos à alteração na ingestão de alimentos, avalie as afirmações a seguir.

    I. Alimentos ultraprocessados podem ser hiperpalatáveis e podem promover a dependência alimentar.

    II. Certas características (sabores, propriedades etc.) projetados para os alimentos processados e ultraprocessados podem distorcer os mecanismos no sistema digestivo e no cérebro que sinalizam à saciedade e controle de apetite.

    III. O termo hiperpalatável tem sido utilizado para descrever combinações sensoriais de alimentos ultraprocessados que substituem mecanismos naturais do cérebro, como o estímulo de saciedade, e induzem o excesso de consumo.

    IV. Certos aspectos do processamento dos alimentos muitas vezes conduzem a aumentos na densidade de energia por meio de técnicas como adição de açúcar, e o aumento da densidade de energia parece promover o consumo excessivo e o aumento do peso corporal.

    É correto apenas o que se afirma em:

    a) II.
    b) I e III.
    c) I e IV.
    d) II, III e IV.
    e) I, II, III e IV.

Respostas

1 – A

Evidências mostram que a disbiose da microbiota intestinal pode alterar a fisiologia do hospedeiro, resultando no processo de patogênese de diferentes doenças. A disbiose intestinal pode promover o desenvolvimento e a progressão do CRC por diferentes processos, incluindo a indução da inflamação crônica ou resposta imune, alterando a dinâmica de células-tronco e a biossíntese de metabólitos tóxicos e genotóxicos. Muitas evidências indicam que dietas ricas em gordura estão associadas a aumento no risco de CRC. A maioria dos ácidos graxos primários está envolvida na circulação entero-hepática, porém 5% deles escapam para a cavidade abdominal, a partir dos quais são produzidos ácidos biliares secundários mediante a ação de micro-organismos anaeróbicos no cólon. Esses ácidos biliares secundários podem promover ou proteger o desenvolvimento do CRC por diferentes mecanismos de ação.

- REF.: Zou, Fang & Lee (2018).

2 – D

A modulação dietética do microbioma intestinal humano tem sido identificada como uma alternativa de tratamento da obesidade, facilitando a redução do peso. O uso de probióticos acarreta redução significativa do IMC e da massa gorda quando comparado ao de placedo, segundo metanálise com 21 estudos realizada por George *et al.* (2018). Está indicado o uso de doses média ou baixas de probióticos, em especial *Lactobacillus*, por mais de 12 semanas. Prebióticos apoiam o crescimento da microflora intestinal humana e parecem auxiliar a redução do excesso de peso, mas não do IMC. Os simbióticos *não têm* nenhum efeito na perda de peso e na massa gorda, e *não* promovem isoladamente efeitos significativos na redução de peso e massa gorda.

- REF.: George *et al.* (2018).

3 – E

Alterações dietéticas promovem modificações no microbioma intestinal humano, que tem sido apontado como importante alvo no tratamento da obesidade. Algumas explicações para essa relação indicam que os ácidos graxos de cadeia curta (AGCC), gerados pela fermentação dos carboidratos não digeríveis pelas bactérias estimulam a produção de PYY e GLP-1, que são hormônios intestinais associados à redução do apetite, ao esvaziamento gástrico e ao aumento da saciedade central. Além disso, os AGCC promovem a integridade da barreira intestinal e antagonizam inflamação local e sistêmica, conduzindo à redução da resistência à insulina e à lipogênese. Os probióticos desconjugam os ácidos biliares e reduzem a eficiência na absorção de lipídios, contribuindo para a redução da massa gorda. A *phyla Firmicutes* produz mais calorias proveniente da fermentação das fibras na forma de AGCC quando comparada à *phyla Bacterioidetes*, a qual está associada à redução de peso. Estudos em animais indicam que o transplante fecal da *phyla Firmicutes* pela *Bacterioidetes* conduz à redução de peso.

- REF.: George *et al.* (2018).

4 – E

A obesidade está bem estabelecida como importante fator de risco e de prognóstico do câncer em diversos sítios. Muitos mecanismos de ação têm sido estudados com a finalidade de explicar a interface entre essas duas afecções. O glucagon, um hormônio pancreático com ação oposta à insulina, tem um análogo natural, o peptídeo semelhante ao glucagon-1 (GLP-1), que reduz a massa corporal e ajuda a prevenir o diabetes tipo 2 e o desenvolvimento do câncer. Essa ação do GLP-1 parece acontecer em função de sua ação de inibição da GSK-3. O GLP-1 também age suprimindo a invasão do tecido adiposo por macrófagos pró-inflamatórios, atenuando a inflamação característica da obesidade. A ceruloplasmina, uma adipocitocina identificada recentemente, encontra-se altamente concentrada no tecido adiposo de indivíduos obesos e está envolvida na angiogênese. Sua presença aumentada em indivíduos obesos pode facilitar ou promover o desenvolvimento de vários tipos de câncer. A adiponectina pode prevenir o desenvolvimento do câncer por aumentar a sensibilidade à insulina, o que promoverá a redução dos níveis circulantes de IGF-1, os quais, quando elevados e em sua forma livre, são carcinogênicos. O ácido graxo sintetase é responsável por catalisar a síntese de ácidos graxos de cadeia longa, os quais são cruciais no metabolismo energético e nas funções da membrana. Há uma relação entre expressão aumentada e pior prognóstico de tumores de próstata, cólon, mama, gastrointestinal e ovariano.

- REF.: Stone *et al.* (2018).

5 – D

A leptina e a adiponectina apresentam concentrações inversas em indivíduos obesos, nos quais os níveis de leptina estão aumentados e os de adiponectina estão diminuídos. A atuação dessas adipocitocinas sobre a carcinogênese também é inversa, sendo a leptina envolvida com o estímulo à carcinogênese e a adiponectina vista como um atenuador desse processo de adoecimento. Com atuação hormonal, a leptina produzida apenas nos adipócitos estimula a enzima aromatase, que converte andrógeno em estrógeno, aumentando os níveis desse hormônio livre e circulante, o qual está envolvido com o desenvolvimento do câncer de mama. Além disso, a leptina tem ação no microambiente tumoral mediante o aumento da expressão de seus receptores celulares, os quais, quando ativados por seu ligante, estimulam a cascata de quinases através da fosforilação da MAPK e também a ação da ciclina D1, contribuindo assim para a progressão do ciclo e a proliferação celular, a supressão da apoptose e o crescimento tumoral. Inversamente, a adiponectina se liga a seus receptores AdipoR1 e AdipoR2 e estimula a fosforilação da AMPK, que inibe o processo de carcinogênese. Além disso, a adiponectina inibe a ação do VEGF, fortalecendo sua ação anticarcinogênica.

- REF.: Lohmann *et al.* (2016); Stone *et al.* (2018).

6 – B

A redução do peso é a estratégia de escolha para minimizar os efeitos. Entretanto, estudos recentes apontam que o uso de dieta cetogênica pode ser uma opção por ser hipocalórica e contribuir para a diminuição do peso. Além disso, dietas menos radicais, como aquelas com quantidades normais de carboidrato, mas contemplando carboidratos complexos, contribuem para minimizar o impacto da obesidade, pois diminuem a velocidade de absorção da glicose, reduzindo a glicemia e os níveis de insulina, os quais então envolvidos com a carcinogênese. O uso de medicamentos antidiabéticos, como metformina, aumenta a sensibilidade à insulina, reduz a glicose sanguínea e ativa a AMPK, atenuando o risco de carcinogênese no paciente obeso. A metformina também promove redução do marcador de proliferação tumoral Ki67 em pacientes com câncer de mama e endométrio.

- REF.: Hopkins, Goncalves & Cantley (2016).

7 – D

O tecido adiposo obeso é pró-inflamatório em razão da presença de elevadas concentrações de TNF-α, IL-6, IL-8, CCL2 e CCL5. Há também elevadas concentrações de estrógenos em virtude da ativação da aromatase pela leptina e pelo NF-κB. No tecido adiposo obeso existem maiores concentrações de leptina em detrimento da adiponectina, o que promove o desencadeamento de cascatas carcinogênicas. O TNF-α ativa o NF-κB, fator de transcrição nuclear envolvido com a manutenção do ambiente inflamatório e com a acionamento de cascatas carcinogênicas. No tecido adiposo magro há a presença de macrófagos M2, e no obeso, de macrófagos M2. Trata-se um tecido com características anti-inflamatórias.

- REF.: Picon-Ruiz *et al.* (2017).

8 – E

Os parâmetros dos valores do ângulo de fase para indivíduos normais continuam sendo estudados, pois não existem estudos epidemiológicos que definam esses parâmetros de maneira evidente. Entretanto, Gudmann *et al.* (2015) o consideram como de 3 a 10 graus, e outros autores indicam valores que variam de acordo com o sexo, a raça e o estado de saúde. O ângulo de fase é um derivado direto das medidas de Xc (Reactância) e R (Resistência), após aplicação da fórmula $[(Xc/R) \times 180°/\pi]$, e seu valor está associado à integridade de membrana celular e considerado preditor de prognóstico clínico em diversas afecções, como o câncer e as doenças cardíacas. Apesar de sua correlação com a idade e o IMC, a medida do ângulo de fase independe dessas medidas, o que o torna importante na avaliação do prognóstico do paciente oncológico. Valores elevados de resistência e baixos de reactância e ângulo de fase refletem boa hidratação e perda da integridade celular, condição característica da caquexia.

- REF.: Llames *et al.* (2013); Grundmann, Yoon & Williams (2015).

9 – D

A circunferência muscular do meio do braço é uma medida que depende da aferição da circunferência do braço e da dobra cutânea tricipital. Fácil de ser realizada por profissional treinado, tem baixo custo e é adequada em serviços de atenção básica à saúde. A tomografia computadorizada é atualmente considerada um método padrão-ouro para avaliar a composição corporal, sendo muito confiável na quantificação de tecido adiposo e massa livre de gordura. Entretanto, esse método exige o uso de equipamento não portátil e tem elevado custo. A absortometria radiológica de dupla energia (DXA) é o método mais comum de avaliação da composição corporal e consiste na realização de raios-X com atenuação desses raios pelo tecido que irão atravessar, dependendo de sua composição e espessura. A avaliação do potássio tem sido indicada para mensurar a massa muscular por ser o mais abundante cátion intracelular, com o músculo esquelético abrigando aproximadamente 60% do potássio corporal total. Assim, sua quantificação tem sido proposta para estimar a massa muscular. Entretanto, não é indicada para verificar essa medida em pacientes mais idosos.

- REF.: Tosato *et al.* (2017).

10 – A

A vitamina D está inversamente relacionada com o desenvolvimento de EM, sendo identificada como elemento capaz de melhorar o curso da enfermidade. Além da vitamina D, é importante saber que o IMC e a nutrição devem estar adequados para que o paciente com EM mantenha sua saúde e qualidade de vida ótima, sendo fundamental evitar doenças e desnutrição severa. Outro aspecto de proteção à EM é a atividade física, que auxilia a manutenção do bom estado de saúde. Os níveis de nutrientes antioxidantes precisam ser mantidos em condições adequadas para que sejam considerados possíveis atenuadores da EM.

- REF.: Ródenas Esteve, Wanden-Berghe & Sanz-Valero (2018).

11 – C

Em revisão sistemática recente, Bagur *et al.* (2017) descrevem a EM como uma afecção com características autoimunes e inflamatórias, sendo a dieta um importante adjuvante no cuidado prestado a esse paciente. Há evidências suficientes para recomendar dietas com alimentos à base de peixes, com baixa quantidade de gordura e ricos em grãos e cereais integrais. O consumo de fibras, ácidos graxos ômega 3 e algumas vitaminas antioxidantes se destaca no cuidado ao paciente com EM. São limitados os estudos sobre os efeitos benéficos de carotenoides e polifenóis nos pacientes com EM, mas outras moléculas bioativas, como vitamina D e vitamina B_{12}, por suas ações antioxidantes e anti-inflamatórias, aparecem com evidências importantes. Há evidências suficientes quanto à relação entre níveis de vitamina D deficientes e risco de EM, sendo um biomarcador potencial para essa afecção. A vitamina B_{12} tem papel fundamental no sistema nervoso central, especialmente na conversão da homocisteína em metionina, essencial para a síntese de DNA e RNA. Assim, a vitamina B_{12} é imprescindível na função do sistema nervoso central por manter níveis adequados de homocisteína. Dietas ou terapias alternativas não substituem o tratamento convencional da EM, mas intervenção nutricional saudável é bem aceita pelos pacientes com EM e pode melhorar seu estado físico e inflamatório.

- REF.: Bagur *et al.* (2017).

12 – D

O gene FTO está expresso no cérebro, em especial na região hipotalâmica, no tecido adiposo e no pâncreas, bem como no fígado, na musculatura esquelética estriada e cardíaca, nos rins e nas gônadas, entre outros. Alteração homozigítica no alelo A (AA) do

FTO (rs9939609) promove, em média, 3 kg a mais nos indivíduos, quando comparados com os que têm alelos homozigóticos TT. A expressão do FTO no hipotálamo pode explicar a regulação da homeostase energética, o controle da saciedade e as escolhas alimentares. Assim, parece que indivíduos com SNP FTO (rs9939609) têm dificuldade em manter o equilíbrio energético, não têm percepção da saciedade e fazem escolhas alimentares menos saudáveis, aspectos que favorecem o ganho de peso e o aumento da gordura corporal. Além disso, a expressão desse gene parece ser regulada por modificação no estilo, como a prática da atividade física, enfatizando a atividade física como um fator protetor contra o acúmulo de gordura corporal, superando a predisposição genética (AA).

- REF.: Lima, Glaner & Taylo (2010); Livingstone *et al.* (2016).

13 – D

O ângulo de fase (AF) é uma medida da BIA, derivado diretamente da reactância (Xc) e da resistência (R), calculado por $[(Xc/R) \times 180/\pi]$. Assim, parte do AF deriva da capacitância dos tecidos (Xc), sendo associado à celularidade, ao tamanho da célula e à integridade da membrana celular. A R depende principalmente da hidratação dos tecidos. É utilizado para predizer a massa celular corporal (MCC) e como indicador nutricional em crianças e adultos e doe prognóstico clínico, sendo importante para avaliar a progressão da doença e considerado superior a outros indicadores nutricionais (bioquímicos e antropométricos) em diferentes afecções clínicas. Os valores de AF são distintos entre os sexos, diminuem com a idade, aumentam com o IMC até o valor 35 kg/m^2 e reduzem nos grupos com valores maiores de IMC. Apesar dos esforços científicos nos estudos com AF, ainda não existem parâmetros dessa medida para diferentes doenças. Entretanto, são encontrados estudos epidemiológicos em populações saudáveis e estudos clínicos com afecções como cirurgia, câncer, doença hepática, HIV e cardiopatias.

- REF.: Norman *et al.* (2012); Llames *et al.* (2013).

14 – B

Segundo a metanálise de Liu *et al.* (2018), 13% dos pacientes adultos com epilepsia refratária ficam sem crise após o consumo de dieta cetogênica, 50% reduzem as crises à metade e em 27% diminuem as crises a menos de 50%. Essa metanálise foi feita com estudos que usaram dieta cetogênica clássica, dieta do Dr. Actkins, dieta com baixo índice glicêmico e com baixas doses de óleo de peixe. Todas essas dietas apresentavam características semelhantes com elevada quantidade de gordura e baixa de proteína e carboidrato. Os efeitos colaterais observados entre os pacientes foram suaves, especialmente com as duas últimas dietas. Entre esses efeitos se destacam LDL e colesterol elevados e redução de peso importante em longo prazo. Além desses, são descritos vômitos, diarreia, constipação e letargia. Os mecanismos anticonvulsivantes que explicam a ação da dieta cetogência são: produção de energia glicolítica, geração de energia por meio da β-oxidação com geração de corpos cetônicos e síntese de ácido γ-aminobutírico (GABA).

- REF.: Liu *et al.* (2018).

15 – A

Hipóteses têm sido propostas para apontar o aumento dos níveis neuronais de cálcio como o principal responsável pelo início da depressão. Baixa concentração de vitamina D leva ao aumento persistente do cálcio com estímulos neuronais contribuindo para a depressão e outras doenças neurológicas e mentais. Além disso, a presença de receptores de vitamina D no cérebro sugerem propriedades neuro-hormonais desse nutriente. A vitamina D está envolvida na síntese de serotonina e regula a expressão da enzima tirosina hidroxilase, associada à síntese de dopamina, reforçando a ação dessa vitamina no cérebro humano e sua relação com diversas doenças mentais e neurológicas.

- REF.: Berridge (2017); Khoshbakht, Bidaki & Salehi-Abargouei (2018).

16 – D

Em pacientes com depressão, observa-se uma expressão aumentada de citocinas pró--inflamatórias e de proteína C reativa. Esse aumento global da inflamação contribui para os sintomas depressivos, ativando o eixo hipotálamo-pituitária-adrenal, bem como alterando o metabolismo e reduzindo a disponibilidade de precursores de neurotransmissores. Essa inflamação é causada pelo aumento da permeabilidade intestinal, que possibilita que endotoxinas cheguem à corrente sanguínea, desencadeando a ativação imunológica global. Os probióticos exercem seus efeitos terapêuticos no sistema nervoso central, melhorando a integridade do revestimento gastrointestinal, reduzindo a capacidade das endotoxinas de chegarem à corrente sanguínea e, por sua vez, diminuindo a inflamação global. A redução dessa inflamação pode resultar em melhores regulação do eixo HPA e atividade neurotransmissora. Além disso, com a melhora da integridade intestinal, aumentam a produção de triptofano livre e a disponibilidade de serotonina. Esse aumento na serotonina pode facilitar a regulação do eixo HPA e reduzir os sintomas depressivos causados pela depleção do neurotransmissor.

- REF.: Wallace & Milev (2017).

17 – B

A imunomodulação com probióticos para prevenção do câncer colorretal ocorre mediante a interação entre as células imunes presentes no trato gastrointestinal e os micro-organismos probióticos ou seus metabólitos. Os metabólitos são reconhecidos por receptores das células imunes e epiteliais, onde essas células secretam citocinas anti-inflamatórias que, por sua vez, auxiliam a regulação do sistema imune. Como os probióticos são capazes de aumentar a produção de citocinas anti-inflamatórias e diminuir a produção de citocinas pró-inflamatórias, o desenvolvimento das células cancerígenas do cólon pode ser retardado. Além disso, os probióticos podem diminuir a expressão de COX-2, uma enzima que catalisa a produção de prostaglandinas a partir do ácido araquidônico e que tem sido associada a risco aumentado de desenvolvimento de CCR, pois estimula a proliferação celular e o processo pró-inflamatório. Outra via importante consiste no aumento da produção de imunoglobulina A (IgA). Em virtude de sua resistência à proteólise, essa imunoglobulina atua sobre a barreira intestinal, limitando o contato de compostos potencialmente carcinogênicos presentes no lúmen intestinal com colonócitos.

- REF.: Reis *et al.* (2017)

18 – A

Estudos sugerem que o tratamento com dieta livre de glúten e caseína produz resultados positivos em indivíduos com TEA. A teoria atual na literatura sobre TEA é a de que os peptídeos do glúten e da caseína desencadeiam uma resposta imune, resultando em inflamação do trato gastrointestinal e estimulando uma produção anormal de citocinas, causam defeitos nas vias imunológicas e acarretam danos ao sistema nervoso central. À medida que a permeabilidade intestinal aumenta, esses peptídeos entram na corrente sanguínea e passam pela barreira hematoencefálica, causando danos ao sistema nervoso central. Estudos demonstram diminuição nos níveis de peptídeos e melhora nos sintomas do autismo por meio da adesão a esse tipo de dieta. A adesão à dieta tem resultado na diminuição dos sintomas do trato gastrointestinal, bem como na melhora das habilidades de fala e comunicação, diminuição do comportamento hiperativo, melhora na atenção e no foco e redução dos problemas de sono.

- REF.: Cekici & Sanlier (2017).

19 – E

O uso clínico da dieta cetogênica, que é muito pobre em carboidratos, rica em gordura e suficiente em proteínas, induz a produção de corpos cetônicos formados no fígado pelo tecido nervoso para gerar energia. Com isso, o uso de corpos cetônicos como combustível promove a redução dos sintomas, diminuindo os distúrbios metabólicos em indivíduos com TEA. Por conta disso, alega-se que a dieta tem o potencial de aliviar características comportamentais e, especialmente no sexo feminino, promovem melhora significativa no comportamento repetitivo e em várias áreas de sociabilidade.

Estudos têm mostrado que os aditivos alimentares em alimentos refinados, especialmente conservantes, corantes, xarope de milho e edulcorantes artificiais, têm sido associados a TEA em razão do teor de mercúrio, o qual é considerado responsável por toxinas ambientais. O consumo de alimentos naturais foi considerado eficaz na prevenção e tratamento da doença.

Em virtude da sensibilidade intestinal em indivíduos com TEA, como resultado da relativa facilidade de digestão de monossacarídeos em oposição a polissacarídeos e os dissacarídeos, o consumo de altos níveis de frutose pode causar inflamação, bem como desequilíbrios minerais (níveis baixos de zinco e fósforo e níveis elevados de cobre). A frutose pode desempenhar um papel no crescimento de *Streptococci, Candida* e parasitas no trato gastrointestinal e aumentar os sintomas de desordens neuropsiquiátricas. O consumo de alimentos ricos em frutose é desencorajado, uma vez que também se acredita que provocam a formação de cálculos de oxalato.

- REF.: Cekici & Sanlier (2017).

20 – B

Em pacientes com câncer, a deterioração da massa muscular pode estar presente independentemente do peso corporal ou do IMC. Assim, a sarcopenia em pacientes com câncer com excesso de massa gorda, denominada obesidade sarcopênica, ganhou maior relevância na prática clínica. Essa condição pode influenciar negativamente o estado funcional dos pacientes, a tolerância aos tratamentos e o prognóstico da doença. A busca por uma intervenção nutricional efetiva que melhore a composição corporal (preservação da massa muscular e da qualidade muscular) é de extrema importância para clínicos e pacientes. A melhora da qualidade muscular é uma área de interesse ainda mais recente, pois tem prováveis implicações no prognóstico dos pacientes. O EPA foi identificado como nutriente promissor com amplos benefícios clínicos. Vários mecanismos têm sido propostos para explicar os potenciais benefícios do EPA na composição corporal: inibição de estímulos catabólicos mediante a modulação da produção de citocinas pró-inflamatórias e aumento da sensibilidade à insulina que induz a síntese proteica; além disso, o EPA pode atenuar a deterioração do estado nutricional resultante das terapias antineoplásicas, melhorando a ingestão de calorias e proteínas.

- REF.: Pappalardo, Almeida & Ravasco (2015).

21 - E

Em ambos os sexos, a deficiência de vitamina D pode comprometer a fertilidade. A vitamina D tem se mostrado capaz de influenciar diretamente a motilidade do espermatozoide e a biossíntese de estrógeno e testosterona, os quais exercem influência positiva sobre a fertilidade masculina. A deficiência de vitamina D também pode afetar negativamente a fertilidade feminina por perturbar a fisiologia do ovário e desregular a seleção e o recrutamento folicular. Mulheres grávidas com vitamina D baixa têm níveis reduzidos de fator de crescimento da placenta que, por sua vez, pode conduzir à pré-eclâmpsia e à falha no crescimento fetal. A desregulação do crescimento placentário acarreta a insuficiência vascular e inflamação da placenta, ameaçando o crescimento do feto, privando-o de oxigênio e nutrientes adequados.

- REF.: Heyden & Wimalawansa (2017).

22 - A

A OMS define a obesidade como acúmulo excessivo de gordura corporal, o que está associado a riscos evidentes para a saúde. Para ultrapassar as dificuldades associadas com a medição e a classificação do percentual de gordura corporal, a OMS estabeleceu o índice de massa corporal (IMC) como parâmetro para identificar o excesso de peso e a obesidade. O IMC, contudo, não possibilita a avaliação da composição corporal, uma vez que não é capaz de diferenciar a massa livre de gordura a partir de tecido adiposo. A presença de gordura corporal excessiva apesar de o peso e IMC estarem dentro da normalidade tem sido descrita como a síndrome do obeso eutrófico, condição que causa risco maior de desenvolvimento de doenças crônicas não transmissíveis.

É importante diferenciar os indivíduos com essa síndrome daqueles que são metabolicamente obesos, mas de peso normal. Os indivíduos que são metabolicamente obesos, mas com peso normal, têm peso adequado de acordo com o IMC, mas apresentam mudanças relacionadas à síndrome metabólica. Esses indivíduos têm geralmente hiperinsulinemia, resistência à insulina, dislipidemia, pressão arterial elevada e aumento do risco de diabetes tipo 2, eventos cardiovasculares, além de excesso de gordura visceral, o que não está presente naqueles com síndrome do obeso eutrófico.

- REF.: Franco, Morais & Cominetti (2016).

23 – C

A síndrome do obeso eutrófico é caracterizada por um percentual de gordura corporal em excesso em indivíduos com IMC adequado (18,5 a 24,9 kg/m^2). Estudos têm demonstrado que esses indivíduos podem ou não apresentar alterações em outros parâmetros, como circunferência da cintura, razão cintura-quadril e porcentagem de gordura androide ou ginoide. Por isso, esses parâmetros são geralmente usados para fornecer informações complementares na avaliação clínica dos indivíduos, mas não são adequados para o diagnóstico. Essa condição aumenta o risco de morbidade e mortalidade cardiovascular e de outras condições associadas às doenças crônicas, como resistência à insulina, hipertensão e dislipidemia. Indivíduos com a síndrome tendem a desenvolver certas condições de saúde características, como um estado pró-inflamatório de baixo grau, aumento do estresse oxidativo, resistência à insulina e dislipidemia, que aumentam o risco de doença cardiovascular, síndrome metabólica e morte relacionada a eventos cardiovasculares. Considerando que a composição corporal não é rotineiramente avaliada em atendimento ambulatorial, é importante caracterizar a síndrome e identificar os riscos para a saúde associados a essa condição. Clareza sobre o diagnóstico, a prevalência e as implicações clínicas irá auxiliar os profissionais de saúde a incorporarem ações específicas, incluindo a avaliação periódica da adiposidade mesmo em pessoas com IMC adequado.

- REF.: Franco, Morais & Cominetti (2016).

24 – D

O papel da dieta na inflamação crônica também tem sido amplamente analisado, e o IID foi concebido para avaliar o potencial inflamatório de itens alimentares individuais por meio de questionários de frequência alimentar (QFA), um método que tem sido amplamente utilizado em todos os tipos de cânceres e populações de estudo. O IID utiliza dados do QFA para calcular uma "pontuação" que pode ser usada para examinar a associação entre a inflamação relacionada com a dieta e o risco de várias doenças crônicas, incluindo a incidência e a mortalidade por câncer. As pontuações mais altas indicam uma dieta mais pró-inflamatória, enquanto os escores DII mais baixos indicam uma dieta mais anti-inflamatória com propriedades semelhantes à dieta mediterrânea.

A pontuação fornece um resumo do potencial inflamatório total de vários itens alimentares e pode ser utilizada em estudos epidemiológicos e subpopulações para estimar a carga potencial de câncer ligado à dieta, bem como informar os esforços de prevenção do câncer.

- REF.: Fowler & Akinyemiju (2017).

25 – E

Em geral, uma maior pontuação do IID está associada a maior perfil de inflamação por meio da alimentação e risco maior de desenvolvimento de câncer e mortalidade pela doença. As dietas ricas em frutas e vegetais podem contribuir para a redução do risco de câncer por meio da melhoria vascular e inflamatória e da função imune. Dietas ricas em hidratos de carbono e gorduras saturadas e pobres em fibras podem aumentar a resposta imune inata por meio de níveis elevados das citocinas pró-inflamatórias e diminuição das anti-inflamatórias, que conduzem a um ambiente celular pró-inflamatório. A inflamação está ligada ao desenvolvimento do câncer a partir do dano oxidativo ao DNA e da mutação em genes supressores de tumor e oncogenes. Além disso, a dieta pode direta ou indiretamente levar a mudanças epigenéticas que podem melhorar a tumorigênese.

- REF.: Fowler & Akinyemiju (2017).

26 – D

O sistema NOVA classifica os alimentos em quatro grupos de acordo com a natureza, a extensão e a finalidade do processamento industrial usado em sua produção. Os alimentos não processados/minimamente processados são definidos como partes de plantas ou animais que não foram processadas industrialmente ou foram alteradas de maneira que não adicionam nenhuma substância nova (como gorduras, açúcar ou sal), mas podem envolver a remoção de partes do produto/alimento. Exemplos incluem frutas ou legumes, carne fresca ou congelada, ovos, leite, arroz ou outros grãos. Ingredientes culinários processados são substâncias extraídas de alimentos não processados, como óleo e açúcar, ou obtidos da natureza, como o sal. Os ingredientes culinários geralmente não são consumidos sozinhos, mas combinados com alimentos não processados e minimamente processados no preparo de pratos e refeições. Os alimentos processados são produzidos pela adição de sal, óleo, açúcar ou outros ingredientes culinários aos alimentos minimamente processados. Alimentos processados permanecem reconhecíveis como versões modificadas de alimentos não processados e incluem itens como frutas ou vegetais enlatados, nozes salgadas, carnes curadas ou defumadas e queijo. Na extremidade mais alta do espectro de processamento, os alimentos ultraprocessados são definidos como formulações industriais com vários ingredientes e incluem bebidas adoçadas com açúcar (SSB), pães embalados, biscoitos, salgadinhos, doces, sorvetes, cereais matinais e congelados pré-preparados.

- REF.: Poti, Braga & Qin (2017).

27 – A

Pesquisadores propõem vários mecanismos potenciais para explicar a relação entre o consumo de alimentos ultraprocessados e o risco de ganho de peso e obesidade. O consumo desses produtos pode promover o consumo excessivo de energia devido à sua alta densidade energética, já que a regulação do consumo de alimentos controla o volume consumido em vez das calorias consumidas. Muitos alimentos ultraprocessados são ricos em carboidratos refinados que podem alterar a resposta à insulina e promover o excesso de nutrientes da oxidação para o armazenamento no tecido adiposo. Alguns pesquisadores sugerem que o alto teor de carboidratos refinados ou o teor de gordura dos alimentos ultraprocessados podem produzir mudanças nos neurocircuitos de recompensa, levando a comportamentos alimentares que causam dependência e ao consumo excessivo.

- REF.: Poti, Braga & Qin (2017).

28 – B

A expressão comportamento alimentar é usada atualmente para designar todo tipo de construto (conceito teórico) no âmbito da alimentação: consumo, modo de comer e outras questões relacionadas (como e onde comer). Dentre as publicações existentes, vários trabalhos que afirmam avaliar o comportamento na verdade consideram apenas a compra e o consumo de alguns grupos de alimentos. Comportamento em geral é um construto definido de maneira um tanto variada, dependendo da compreensão e da interpretação. O comportamento alimentar envolve métodos, reações, maneiras de proceder com o alimento (como, com o quê, com quem, onde e quando comemos) que podem ser sintetizados como as ações em relação ao ato de se alimentar. Nessa perspectiva, existem outros conceitos importantes relacionados, como: atitude alimentar - são crenças, pensamentos, sentimentos, comportamentos e relacionamento com os alimentos; hábito alimentar – costumes e modo de comer de uma pessoa ou comunidade (geralmente inconsciente, sem pensar); escolha alimentar - seleção e consumo de alimentos e bebidas que consideram aspectos do comportamento alimentar; e a prática alimentar - forma com que os indivíduos se relacionam com a alimentação em diferentes esferas.

- REF.: Alvarenga *et al.* (2015).

29 – A

O processo do aconselhamento nutricional se fundamenta em enfatizar as vivências associadas ao comer, bem como os pensamentos e as percepções de quem está sendo aconselhado. Assim, combina conhecimentos nutricionais e habilidades terapêuticas focadas na alimentação. Como resultado, as pessoas são efetivamente auxiliadas a fazer modificações desejáveis relacionadas à alimentação e ao estilo de vida, acarretando a mudança de comportamentos.

A entrevista motivacional (EM) é uma técnica de aconselhamento em saúde. Seu principal objetivo é trazer à tona as motivações intrínsecas do paciente para mudar determinado comportamento por meio do diálogo entre o profissional de saúde e o paciente.

De acordo com a definição mais ampla, comer com atenção plena é "uma experiência que engaja todas as partes do nosso ser – corpo, mente e coração – na escolha e preparo da comida, bem como no ato de comê-la em si. Envolve todos os sentidos. O comer com atenção plena nos imerge nas cores, texturas, aromas, sabores e até mesmo sons do comer e beber. Permite que sejamos curiosos e até lúdicos enquanto investigamos nossas respostas à comida e nossos sinais internos de fome e saciedade."

A terapia cognitiva comportamental (TCC) baseia-se na associação de dois princípios centrais: nossas cognições têm uma influência controladora sobre nossas emoções e comportamentos, e o modo como agimos ou nos comportamos pode afetar profundamente nossos padrões de pensamento e nossas emoções. Portanto, as mudanças acontecem na medida em que ocorrem alterações nos modos disfuncionais de pensamento.

- REF.: Alvarenga *et al.* (2015).

30 – E

A literatura atual relata que os alimentos ultraprocessados podem ser hiperpalatáveis e promover a dependência alimentar, tendo menos capacidade de induzir à saciedade. A OMS declara que: "Os produtos ultraprocessados são projetados para saciar os desejos de comida, eles são muitas vezes hiperpalatáveis e, às vezes, até quase viciantes. Certas características (gostos, propriedades etc.) são planejadas para esses tipos de produtos por meio da tecnologia de alimentos e de, entre outras, distorcer os mecanismos no sistema digestivo e no cérebro que sinalizam à saciedade e controlar o apetite e causar o consumo excessivo." O termo hiperpalatabilidade tem sido utilizado para descrever combinações sensoriais de alimentos ultraprocessados que substituem os mecanismos naturais de saciedade do cérebro e promovem o excesso de consumo. Combinações de gordura, sal e açúcar hoje descritas como hiperpalatáveis não são fenômenos novos, porque os alimentos processados atualmente são projetados para aproveitar as mesmas preferências alimentares adaptativas que evoluíram ao longo de muitos séculos para garantir um pronto fornecimento de energia essencial, proteína ou eletrólitos necessários à sobrevivência.

- REF.: Poti, Braga & Qin (2017).

Referências

Alvarenga M et al. Nutrição comportamental. São Paulo: Manole, 2015. 1261p.

Bagur MJ, Murcia MA, Jiménez-Monreal AM, Tur JA, Bibiloni MM, Alonso GL, Martínez-Tomé M. Influence of diet in multiple sclerosis: A systematic review. Adv Nutr, 2017; 8:463-72. Doi:10.3945/an.116.014191.

Berridge MJ. Vitamin D and depression: Cellular and regulatory mechanisms. Pharmacol Rev, April 2017; 69:80-92.

Cekici H, Sanlier N. Current nutritional approaches in managing autism spectrum disorder: A review. Nutr Neurosci, 2017 Aug; 1:1-11.

Fowler ME, Akinyemiju TF. Meta-analysis of the association between dietary inflammatory index (DII) and cancer outcomes. Int J Cancer, 2017 Dec 1; 141(11):2215-2227. Doi: 10.1002/ijc.30922. Epub 2017 Aug 26.

Franco LP, Morais CC, Cominetti C. Normal weight obesity syndrome: diagnosis, prevalence, and clinical implications. Nutr Rev, 2016 Sep; 74(9):558-70. Doi: 10.1093/nutrit/nuw019. Epub 2016 Jul 29.

George KJ, Lin W, Julie N, Claire T, Rajdeep S, Gerard M. Dietary alteration of the gut microbiome and its impact on weight and fat mass: a systematic review and meta-analysis. Genes, 2018; 9:167. Doi:10.3390/genes9030167.

Grundmann O, Yoon SL, Williams JJ. The value of bioelectrical impedance analysis and phase angle in the evaluation of malnutrition and quality of life in cancer patients - a comprehensive review. European Journal of Clinical Nutrition, 2015; 1-8. Doi:10.1038/ejcn.2015.126.

Heyden EL, Wimalawansa SJ. Vitamin D: Effects on human reproduction, pregnancy, and fetal well-being. J Steroid Biochem Mol Biol, 2017 Dec 17. pii: S0960-0760(17)30382-5. Doi: 10.1016/j.jsbmb.2017.12.011.

Hopkins BD, Goncalves MD, Cantley LC. Obesity and cancer mechanism: cancer metabolism. (2016). Doi: 10.1200/JCO.2016.67.9712.

Khoshbakht Y, Bidaki R, Salehi-Abargouei A. Vitamin D status and attention de cit hyperactivity disorder: A systematic review and meta-analysis of observational studies. Adv Nutr, 2018; 9:9-20.

Lima WA, Glaner MF, Taylo AP. Fenótipo da gordura, fatores associados e o polimorfismo rs9939609 do gene FTO. Ver Bras Cineantropom Desempenho Hum, 2010; 12(2):164-72.

Liu H, Yang Y, Wang Y et al. Ketogenic diet for treatment of intractable epilepsy in adults: A meta-analysis of observational studies. Epilepsia Open, 2018; 3(1):9-17. Doi:10.1002/epi4.12098.

Livingstone et al. FTO genotype and weight loss: systematic review and meta-analysis of 9563 individual participant data from eight randomised controlled trials. BMJ, 2016; 354:i4707. Doi: 10.1136/bmj.i4707.

Llames L, Baldomero V, Iglesias ML, Rodota LP. Valores del ángulo de fase por bioimpedancia eléctrica; estado nutricional y valor pronostico. Nutr Hosp, 2013; 28(2):286-95. Doi:10.3305/nh.2013.28.2.6306.

Lohmann AE et al. Association of obesity-related metabolic disruption with cancer risk and outcome. Journal of Clinical Oncology, 2016. Doi: 10.1200/JCO.2016.69.6187.

Norman K, Stobäus N, Pirlich M, Bosy-Westphal A. Bioelectrical phase angle and impedance vector analysis and clinical relevance and applicability of impedance parameters. Clinical Nutrition, 2012; 31:854-61. Doi: 10.1016/j.clnu.2012.05.008.

Pappalardo G, Almeida A, Ravasco P. Eicosapentaenoic acid in cancer improves body composition and modulates metabolism. Nutrition, 2015 Apr; 31(4):549-55. Doi: 10.1016/j.nut.2014.12.002.

Picon-Ruiz M, Morata-Tarifa C, Valle-Goffin JJ, Friedman ER, Slingerland JM. Obesity and adverse breast cancer risk and outcome: Mechanistic insights and strategies for intervention. CA Cancer J Clin, 2017; 67:378-97. Doi: 10.3322/caac.21405.

Poti JM, Braga B, Qin B. Ultra-processed food intake and obesity: What really matters for health-processing or nutrient content? Curr Obes Rep, 2017 Dec; 6(4):420-31. Doi: 10.1007/s13679-017-0285-4.

Reis SA, Conceição LL, Siqueira NP, Rosa DD, Silva LL, Peluzio MCG. Review of the mechanisms of probiotic actions in the prevention of colorectal cancer. Nutrition Research, January 2017; 37:1-19.

Ródenas Esteve I, Wanden-Berghe C, Sanz-Valero J. Efectos del estado nutricional en la enfermedad de la esclerosis múltiple: revisión sistemática. Nutr Hosp, 2018; 35(1):211-23.

Stone TW et al. Obesity and cancer: Existing and new hypotheses for a causal connection. EBioMedicine, 2018. Disponível em: https://doi.org/10.1016/j.ebiom.2018.02.022.
Tosato M, Marzetti E, Cesari M, Savera G, Miller RR, Bernabei R, Landi F, Calvani R. Measurement of muscle mass in sarcopenia: from imaging to biochemical markers. Aging Clin Exp Res, 2017; 29:19-27. Doi 10.1007/s40520-016-0717-0.
Wallace CJK, Milev R. The effects of probiotics on depressive symptoms in humans: a systematic review. Annals of General Psychiatry, 2017; 16:18. Doi:10.1186/s12991-017-0141-7.
Zou S, Fang L, Lee M-H. Dysbiosis of gut microbiota in promoting the development of colorectal cancer. Gastroenterology Report, 2018; 6(1):1-12. Doi: 10.1093/gastro/gox031.